여러분의 합격을 응원하는
해커스공무원의 특별 혜택

FREE 공무원 행정학 특강

해커스공무원(gosi.Hackers.com) 접속 후 로그인 ▶ 상단의 [무료강좌] 클릭하여 이용

회독용 답안지(PDF)

해커스공무원(gosi.Hackers.com) 접속 후 로그인 ▶
상단의 [교재·서점 → 무료 학습 자료] 클릭 ▶ 본 교재의 [자료받기] 클릭하여 이용

▲ 바로가기

해커스공무원 온라인 단과강의 20% 할인쿠폰

FEC322CEA49EFPUR

해커스공무원(gosi.Hackers.com) 접속 후 로그인 ▶ 상단의 [나의 강의실] 클릭 ▶
좌측의 [쿠폰등록] 클릭 ▶ 위 쿠폰번호 입력 후 이용

* 등록 후 7일간 사용 가능(ID당 1회에 한해 등록 가능)

합격예측 온라인 모의고사 응시권 + 해설강의 수강권

B2CC56DA43CAE84K

해커스공무원(gosi.Hackers.com) 접속 후 로그인 ▶ 상단의 [나의 강의실] 클릭 ▶
좌측의 [쿠폰등록] 클릭 ▶ 위 쿠폰번호 입력 후 이용

* ID당 1회에 한해 등록 가능

쿠폰 이용 관련 문의 **1588-4055**

탄탄한 기본기와 핵심 개념 완성!

누구나 이해하기 쉬운 개념 설명과 풍부한 예시로 부담없이 쌩기초 다지기

TIP 베이스가 있다면 **기본 단계**부터!

필수 개념 학습으로 이론 완성!

반드시 알아야 할 기본 개념과 문제풀이 전략을 학습하고
심화 개념 학습으로 고득점을 위한 응용력 다지기

문제풀이로 집중 학습하고 실력 업그레이드!

기출문제의 유형과 출제 의도를 이해하고 최신 출제 경향을 반영한
예상문제를 풀어보며 본인의 취약영역을 파악 및 보완하기

동형모의고사로 실전력 강화!

실제 시험과 같은 형태의 실전모의고사를 풀어보며 실전감각 극대화

시험 직전 실전 시뮬레이션!

각 과목별 시험에 출제되는 내용들을 최종 점검하며 실전 완성

PASS

* 커리큘럼 및 세부 일정은 상이할 수 있으며,
자세한 사항은 해커스공무원 사이트에서 확인하세요.

단계별 교재 확인 및
수강신청은 여기서!

gosi.Hackers.com

해커스공무원
명품 행정학

단원별 기출문제집 | 2권

송상호

약력

- 현 | 해커스공무원 행정학 강의
- 현 | 해커스군무원 행정학 강의
- 전 | 제일고시학원 행정학 강의
- 전 | KG패스원 행정학 강의
- 전 | 아모르 이그잼 행정학 강의

저서

- 해커스공무원 명품 행정학 기본서
- 해커스공무원 명품 행정학 단원별 기출문제집
- 해커스공무원 명품 행정학 실전동형모의고사 1
- 해커스공무원 명품 행정학 실전동형모의고사 2
- 해커스군무원 명품 행정학 19개년 기출문제집
- 해커스군무원 명품 행정학 실전동형모의고사

공무원 시험의 해답
행정학 시험 합격을 위한 필독서

방대한 공무원 행정학의 효율적인 학습을 위해 누적된 기출문제를 분석·분류하여, 학습의 범위와 방향을 명확히 하고 문제 해결 능력을 기를 수 있는 기출문제집을 만들었습니다.

행정학 학습에 기본이 되는 기출문제를 효과적으로 학습할 수 있도록 다음과 같은 특징을 가지고 있습니다.

첫째, 출제 경향을 분석하여 엄선한 기출문제를 100개의 KEYWORD로 분류하여 수록하였습니다.
둘째, 문제풀이 과정에서 이론까지 복습할 수 있도록 상세한 해설을 수록하였습니다.
셋째, 기초부터 고난도까지 체계적으로 실력을 점검할 수 있도록 모든 문제에 난이도 표시를 하였습니다.
넷째, 다회독을 위한 다양한 학습장치를 제공합니다.
다섯째, 실전을 미리 연습할 수 있도록 실제 시험과 유사한 실전모의고사 4회분을 수록하였습니다.

최소한의 시간으로 최대한의 학습 효과를 낼 수 있는 다음의 학습 방법을 추천합니다.

첫째, 기본서와의 연계학습을 통해 각 단원에 맞는 기본 이론을 확인하고 쉽게 암기할 수 있습니다.
둘째, 정답이 아닌 선택지까지 모두 학습함으로써 다채로운 문제 유형에 대처할 수 있는 능력을 기를 수 있습니다.
셋째, 문제의 난이도를 확인하며 실력을 점검하고 개인별 학습 수준에 맞게 학습 강도와 진도를 조절할 수 있습니다.
넷째, 반복 회독학습을 통해 출제유형에 익숙해지고, 자주 출제되는 개념을 스스로 확인할 수 있습니다.
다섯째, 실전모의고사를 통해 시간 배분을 연습하고 실전 감각을 길러, 실제 시험에 효과적으로 대비할 수 있습니다.

더불어, 공무원 시험 전문 사이트인 해커스공무원(gosi.Hackers.com)에서 교재 학습 중 궁금한 점을 나누고 다양한 무료 학습 자료를 함께 이용하여 학습 효과를 극대화할 수 있습니다.

부디 <해커스공무원 명품 행정학 단원별 기출문제집>과 함께 공무원 행정학 시험의 고득점을 달성하고 합격을 향해 한 걸음 더 나아가시기를 바랍니다.

송상호, 해커스 공무원시험연구소

1권

PART 1 행정학 총설

CHAPTER 1 행정의 기초

KEYWORD 001	행정의 개념	12
KEYWORD 002	행정과 정치, 경영과의 비교	12

CHAPTER 2 현대행정의 이해

KEYWORD 003	파킨슨(Parkinson)의 법칙과 감축관리	17
KEYWORD 004	민자투자제도	18
KEYWORD 005	시장실패와 대응책	20
KEYWORD 006	재화의 유형(E. Savas)	24
KEYWORD 007	정부규제	27
KEYWORD 008	윌슨(J. Wilson)의 규제정치모형	38
KEYWORD 009	정부실패와 대응책	41
KEYWORD 010	정부의 역할과 민간화	49
KEYWORD 011	비정부조직(NGO)과 사회적 자본	55

CHAPTER 3 행정학의 발달과정과 접근방법

KEYWORD 012	과학적 관리법과 인간관계론	63
KEYWORD 013	행정학의 다양한 접근방법 (행태적·생태적·체제적·현상학적)	67
KEYWORD 014	공공선택론적 접근방법	72
KEYWORD 015	신제도적 접근방법	80
KEYWORD 016	신행정론, 후기행태주의, 비판행정론	87
KEYWORD 017	신공공관리론	92
KEYWORD 018	뉴거버넌스론(신국정관리론)	100
KEYWORD 019	신공공관리론과 뉴거버넌스론	102
KEYWORD 020	신공공서비스론	105
KEYWORD 021	포스트 모더니즘	111
KEYWORD 022	행정이론 종합	114

CHAPTER 4 행정이념

KEYWORD 023	주요 이념	136
KEYWORD 024	정의와 사회적 형평성	140
KEYWORD 025	가외성과 합리성 및 공익, 효과성	144

PART 2 정책학

CHAPTER 1 정책학 서론

KEYWORD 026	정책의 의의	156
KEYWORD 027	정책의 유형	160
KEYWORD 028	정책네트워크	171
KEYWORD 029	정책결정요인론	178

CHAPTER 2 정책의제설정론

KEYWORD 030	정책의제설정의 이론적 근거	180
KEYWORD 031	정책의제설정	191

CHAPTER 3 정책분석론

KEYWORD 032	정책문제정의	198
KEYWORD 033	제3종 오류	200

CHAPTER 4 정책결정론

KEYWORD 034	정책결정의 의의	202
KEYWORD 035	불확실성 대처방안	213
KEYWORD 036	정책결정모형	215
KEYWORD 037	정책분석	235

CHAPTER 5 정책집행론

KEYWORD 038	정책집행의 의의	240
KEYWORD 039	정책집행유형	252

CHAPTER 6 정책평가론과 기획론

KEYWORD 040	정책평가의 의의	258
KEYWORD 041	정책평가의 타당성	263
KEYWORD 042	사회실험 및 정책학습	272
KEYWORD 043	사회지표 및 정책변동	277
KEYWORD 044	정부업무평가 기본법	283
KEYWORD 045	기획론	289

PART 3 행정조직론

CHAPTER 1 조직이론의 기초 및 조직과 환경

KEYWORD 046	조직이론의 의의	294
KEYWORD 047	조직과 환경	302

CHAPTER 2 조직의 구조

KEYWORD 048	조직구조	311
KEYWORD 049	관료제와 탈관료제	331
KEYWORD 050	위원회 조직	351
KEYWORD 051	공기업과 책임운영기관	354

CHAPTER 3 조직관리

KEYWORD 052	동기이론	361
KEYWORD 053	정보공개	379
KEYWORD 054	갈등과 리더십	380
KEYWORD 055	의사전달과 조직문화	395

CHAPTER 4 조직혁신

KEYWORD 056	목표관리(MBO)와 조직발전(OD)	401
KEYWORD 057	총체적 품질관리(TQM)와 전략적 관리(SM)	404
KEYWORD 058	균형성과지표(BSC)	407

2권

PART 4 인사행정론

CHAPTER 1 인사행정의 기초

KEYWORD 059	인사행정의 의의	420
KEYWORD 060	엽관주의와 실적주의	420
KEYWORD 061	적극적 인사행정	427
KEYWORD 062	대표관료제	430
KEYWORD 063	직업공무원제	435
KEYWORD 064	중앙인사기관	439

CHAPTER 2 공직의 분류

KEYWORD 065	계급제와 직위분류제	441
KEYWORD 066	경력직과 특수경력직	453
KEYWORD 067	개방형과 폐쇄형	462
KEYWORD 068	고위공무원단제도	464

CHAPTER 3 임용 및 능력발전

KEYWORD 069	신규채용 및 교육훈련	470
KEYWORD 070	근무성적평정 및 다면평가	478
KEYWORD 071	경력평정과 배치전환	490

CHAPTER 4 동기부여

| KEYWORD 072 | 고충처리 및 제안제도 | 494 |
| KEYWORD 073 | 공무원의 보수 및 연금 | 496 |

CHAPTER 5 인사행정의 규범

KEYWORD 074	신분보장	506
KEYWORD 075	공무원 단체와 공무원의 정치적 중립	511
KEYWORD 076	공직윤리 및 공직부패	514

PART 5 재무행정론

CHAPTER 1 재무행정의 기초

| KEYWORD 077 | 예산의 의의와 형식 | 534 |
| KEYWORD 078 | 예산의 기능과 원칙 | 537 |

CHAPTER 2 예산의 분류와 종류

KEYWORD 079	예산의 분류와 종류	544
KEYWORD 080	국가재정법	560
KEYWORD 081	특별회계와 기금	572
KEYWORD 082	통합예산과 자본예산	575
KEYWORD 083	조세지출예산제도	578

CHAPTER 3 예산제도론

KEYWORD 084	예산결정이론	581
KEYWORD 085	품목별예산제도(LIBS)와 성과주의예산제도(PBS)	586
KEYWORD 086	계획예산제도(PPBS)와 영기준예산제도(ZBB)	592
KEYWORD 087	일몰법과 신성과주의예산	598
KEYWORD 088	예산제도 종합	602

CHAPTER 4 예산과정

KEYWORD 089	성과관리	605
KEYWORD 090	예산과정	609
KEYWORD 091	통제와 결산 및 회계검사	624
KEYWORD 092	발생주의 복식부기	631
KEYWORD 093	구매	633

PART 6 지식정보화 사회와 환류론

CHAPTER 1 지식정보화 사회

| KEYWORD 094 | 지식관리 | 636 |
| KEYWORD 095 | 전자정부 | 638 |

CHAPTER 2 행정통제 및 행정개혁

| KEYWORD 096 | 행정통제 및 행정개혁 | 653 |

PART 7 지방행정론

CHAPTER 1 지방행정 및 지방자치단체

| KEYWORD 097 | 지방행정의 개념 및 구조와 구역 | 670 |
| KEYWORD 098 | 지방자치단체의 권능과 사무 및 기관 | 691 |

CHAPTER 2 정부 간 관계 및 지방재정

| KEYWORD 099 | 정부 간 관계와 광역행정 | 712 |
| KEYWORD 100 | 지방재정 | 722 |

부록 실전모의고사

1회 실전모의고사	748
2회 실전모의고사	752
3회 실전모의고사_국가직 7급 대비	756
4회 실전모의고사_국가직 7급 대비	761
정답 및 해설	766

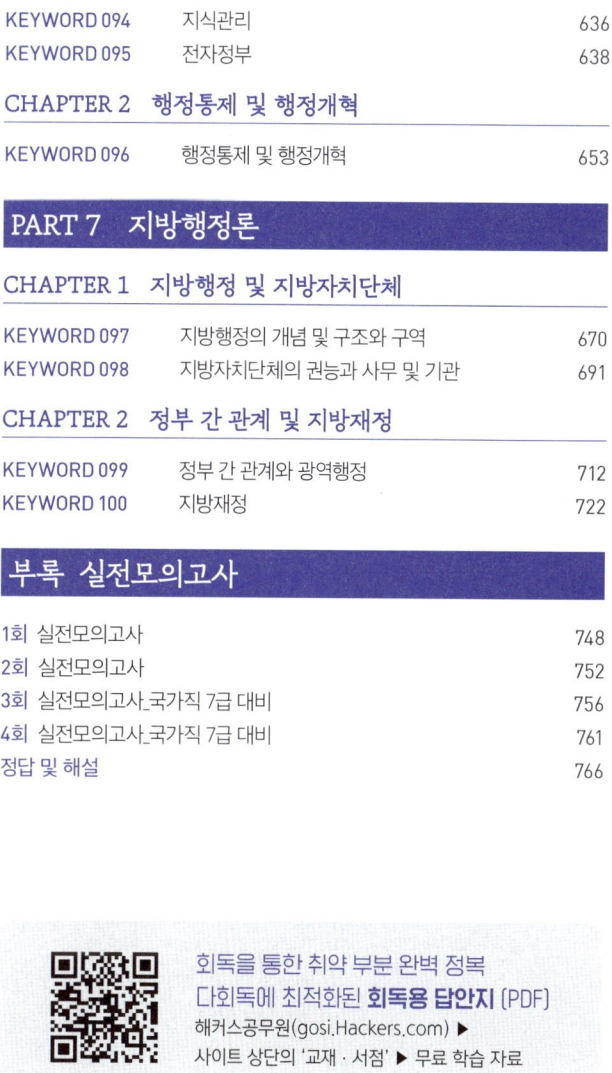

PART 4

인사행정론

CHAPTER 1 / 인사행정의 기초
CHAPTER 2 / 공직의 분류
CHAPTER 3 / 임용 및 능력발전
CHAPTER 4 / 동기부여
CHAPTER 5 / 인사행정의 규범

인사행정의 기초

KEYWORD 059 인사행정의 의의

01 □□□ 2016년 지방직 9급

「국가공무원법」상 우리나라 인사제도에 대한 설명으로 옳지 않은 것은?

① 인사혁신처장은 고위공무원단에 속하는 공무원이 갖추어야 할 능력과 자질을 설정하고 이를 기준으로 고위공무원단 직위에 임용되려는 자를 평가하여 신규채용·승진임용 등 인사관리에 활용할 수 있다.
② 국가공무원은 경력직공무원과 특수경력직공무원으로 구분하고, 경력직공무원은 다시 일반직공무원과 특정직공무원으로 나뉜다.
③ 개방형 직위로 지정된 직위에는 외부적격자뿐만 아니라 내부적격자도 임용할 수 있다.
④ 고위공무원단에 속하는 일반직공무원의 경우 소속장관은 해당 기관에 소속되지 아니한 공무원에 대하여 임용제청을 할 수 없다.

| 01 | 우리나라의 인사제도 | 난이도 ●●○ |

고위공무원단에 속하는 일반직공무원의 경우 소속장관은 해당 기관에 소속되지 아니한 공무원에 대해서도 임용제청을 할 수 있다(「국가공무원법」 제32조).

(선지분석)
① 인사혁신처에 고위공무원임용심사위원회를 설치하여 고위공무원단에 속하는 공무원이 갖추어야 할 능력과 자질을 설정하고, 이를 기준으로 고위공무원단 직위에 임용되려는 자를 평가한다.
② 경력직과 특수경력직으로 구분하고 경력직은 다시 일반직과 특정직으로, 특수경력직은 정무직과 별정직으로 구분한다.
③ 개방형 직위의 지정은 공직 내부 또는 외부에서 적격자를 임용할 필요가 있을 때 운영할 수 있다.

답 ④

KEYWORD 060 엽관주의와 실적주의

02 □□□ 2018년 서울시 7급(6월 시행)

엽관제의 장점에 해당하지 않는 것을 〈보기〉에서 모두 고른 것은?

〈보기〉
ㄱ. 부정부패를 방지하기가 쉽다.
ㄴ. 행정의 안정성과 지속성을 확보하기 쉽다.
ㄷ. 정부관료제의 민주화에 기여한다.
ㄹ. 정치적 책임을 확보하기 용이하다.
ㅁ. 직업공무원제 정착에 도움이 된다.
ㅂ. 공무원들의 충성심을 확보하기 용이하다.

① ㄱ, ㄴ, ㅁ
② ㄴ, ㄷ, ㅂ
③ ㄷ, ㄹ, ㅁ
④ ㄱ, ㄴ, ㄹ

| 02 | 엽관제의 장점 | 난이도 ●○○ |

ㄱ. 엽관주의는 비능률과 낭비, 부정부패를 방지하기 어렵다.
ㄴ. 정권교체 시 공직의 대량경질로 행정의 안정성과 지속성을 확보하기 어렵다.
ㅁ. 신분보장이 되지 않으므로 직업공무원제 정착에 불리하다.

(선지분석)
ㄷ. 선거를 통한 정당정치가 이루어져 정부관료제가 국민에게 정치적 책임을 질 수 있으므로, 행정의 민주화에 기여한다.
ㄹ. 선거와 정당을 통해서 정부관료제가 국민에게 정치적 책임을 질 수 있다.
ㅂ. 선출직 정치인에 대한 공무원들의 충성심을 확보하기 용이하다.

답 ①

03

2015년 서울시 9급

엽관주의 인사의 단점에 대한 설명 중 가장 옳지 않은 것은?

① 행정의 안정성을 저해할 수 있다.
② 공무원의 정치적 중립을 저해한다.
③ 행정의 전문성을 저하시킬 수 있다.
④ 행정에 대한 민주적 통제를 약화시킨다.

04

2021년 국가직 7급

엽관주의의 정당화 근거로 옳지 않은 것은?

① 행정 민주화에 기여
② 정치지도자의 행정 통솔력 강화
③ 정당정치 발달에 공헌
④ 행정의 안정성과 지속성 확보

---

03 엽관주의의 단점   난이도 ●○○

엽관주의는 정치와 행정의 상호작용을 중시하고 정권교체 시 고위 공무원들이 대거 교체되므로, 행정에 대한 책임확보와 민주적 통제를 강화시킨다.

(선지분석)
①, ③ 정권교체에 따른 대량경질로 행정의 계속성과 전문성이 훼손될 수 있다.
② 공무원이 정당의 사병으로 전락하여 정치적 중립성이 저해될 수 있다.

답 ④

04 엽관주의   난이도 ●○○

엽관주의는 정권교체에 따른 대량 경질로 행정의 계속성과 전문성이 훼손된다.

(선지분석)
①, ②, ③ 엽관주의의 장점에 해당한다.

답 ④

05

2010년 서울시 7급

인사행정의 제도적 기반에 대한 설명과 가장 거리가 먼 것은?

① 우리나라는 직업공무원제도를 헌법상의 제도보장으로 선언하고 있다.
② 실적제와 개방형 충원을 동시에 지향하면 직업공무원제가 성립되기 어렵다.
③ 우리나라에서는 정무직공무원에 대해서만 엽관제적 임용이 가능하도록 되어 있다.
④ 미국은 고위공무원단을 통해 고위관리자들이 전정부적 시각에서 정책을 이해하도록 노력하고 있다.
⑤ 영국은 직위분류제적 요소를 강화해 나가면서 공직 전문성을 높이려 하고 있다.

06

2022년 국가직 7급

정실주의와 엽관제에 대한 설명으로 옳지 않은 것은?

① 실적제로 전환을 위한 영국의 추밀원령은 미국의 펜들턴법 보다 시기적으로 앞섰다.
② 엽관제는 전문성을 통한 행정의 효율성 제고와 정부관료의 역량 강화에 기여한 것으로 평가된다.
③ 미국의 잭슨 대통령은 엽관제를 민주주의의 실천적 정치원리로 인식하고 인사행정의 기본 원칙으로 채택하였다.
④ 엽관제는 관료제의 특권화를 방지하고 국민에 대한 대응성을 높인다는 점에서 현재도 일부 정무직에 적용되고 있다.

| 05 | 인사행정의 제도적 기반 | 난이도 ●●○ |

엽관제는 그 폐단과 남용의 위험에도 불구하고 한정된 범위 내에서 이를 인정하고 있다. 우리나라에서도 장·차관 등 정무직과 별정직의 일부 등 일정한 범위에서 엽관적 임용을 허용하고 있다.

선지분석
① 헌법 제7조에서 직업공무원제도를 규정하고 있다.

> **헌법 제7조** 공무원은 국민 전체에 대한 봉사자이며, 국민에 대하여 책임을 진다. 공무원의 신분과 정치적 중립성은 법률이 정하는 바에 의하여 보장된다.

② 직업공무원제는 폐쇄형·계급제와 친화적인 제도이다.
④ 미국의 고위공무원단은 종합적 시각을 갖는 고위관료를 양성하기 위하여 일반행정가적 요소를 도입하고 있다.
⑤ 영국은 직위분류제적 요소를 도입하여 전문행정가적 요소를 도입하고 있다.

답 ③

| 06 | 정실주의와 엽관제 | 난이도 ●●○ |

엽관주의는 인사관리의 기준이 정당에 대한 충성도이므로, 행정의 전문성을 저하시킨다.

선지분석
① 영국의 실적제는 1855년 1차 추밀원령과 1870년의 2차 추밀원령에 의해 제도적인 기초가 확립되었고, 미국은 1883년에 제정된 펜들턴법을 계기로 실적제가 확립되었다.
③ 1829년 미국의 제7대 대통령인 잭슨 대통령이 엽관주의를 미국 인사행정의 공식적인 기본 원칙으로 채택하였다.
④ 우리나라의 경우 정무직과 별정직 일부에서 엽관적 임용을 공식적으로 허용하고 있다.

답 ②

07
2025년 군무원 9급

엽관주의와 정실주의에 대한 설명으로 가장 적절하지 않은 것은?

① 엽관주의는 선거에서 승리한 정당이 관직을 전리품처럼 정치적 충성도에 따라 임의로 처분할 수 있는 인사행정제도이다.
② 엽관주의와 정실주의는 정권이 교체되면 공직의 전면 교체가 단행된다.
③ 정실주의는 영국에서 발달한 제도로서 개인적 친분과 정치성에 의거하여 공직을 임용하는 인사행정제도이다.
④ 최근 엽관주의는 국가의 중요한 의사결정을 하는 고위직 공무원에 한정적으로 허용된다.

08
2012년 지방직 9급

실적주의의 주요 구성요소로 보기 어려운 것은?

① 공직취임의 기회균등
② 공무원 인적 구성의 다양화
③ 신분보장 및 정치적 중립
④ 실적에 의한 임용

---

07 엽관주의와 정실주의 　　난이도 ●○○

정권이 교체되면 공직의 전면 교체가 단행되는 제도는 엽관주의 특징이다. 영국에서 발달한 정실주의는 개인적 친분이나 학연·지연 등에 의거하여 공직에 임용하는 제도이다.

선지분석
① Marcy의 '전리품은 승리자에게 속한다'는 주장처럼 선거에서 승리한 집권정당이 모든 관직을 전리품처럼 정당활동에 대한 공헌도와 충성도에 따라 임의대로 처분하였다.
③ 영국에서 발달한 정실주의는 개인적 친분이나 학연·지연 등에 의거하여 공직에 임용하는 제도이다. 국왕이나 장관이 자신의 세력확장이나 반대파 회유책을 위해 개인적으로 신임하는 자를 공직에 임용하였다.
④ 최근 엽관주의는 국가의 중요한 의사결정을 하는 고위직 공무원에(우리나라의 경우 정무직이 대표적인 예이다) 한정적으로 허용된다.

답 ②

08 실적주의의 구성요소 　　난이도 ●○○

공무원 인적 구성의 다양화는 실적주의가 아니라 대표관료제의 특성이다. 대표관료제는 사회적 약자 계층을 할당임용하는 제도로, 공직 구성의 다양성과 대표성을 확보하기 위한 인사제도이다. 반면, 실적주의는 공직에의 임용 및 승진 등 인사행정의 기준을 실적, 즉 개인의 능력 및 자격에 두는 제도이다.

선지분석
① 공직취임의 기회균등, ③ 신분보장 및 정치적 중립, ④ 실적에 의한 임용은 실적주의의 기본적인 요소이다.

답 ②

09

2009년 국회직 8급

인사제도의 변화에 관한 설명으로 옳지 않은 것은?

① 엽관제는 관료집단에 대한 정치적 통제를 용이하게 한다.
② 영국의 실적주의는 1870년 추밀원령에 의해 제도적인 기틀을 마련하였다.
③ 대표관료제는 기회의 평등보다 결과의 평등을 강조한다.
④ 펜들턴법(Pendleton Act)과 4년 임기법으로 미국의 실적주의가 더욱 강화되었다.
⑤ 계급제는 탄력적인 인사관리를 통해 일반행정가 육성에 기여할 수 있다.

10

2009년 서울시 7급

다음 중 1883년 미국에서 제정된 펜들턴법(Pendleton Act)의 내용에 속하는 것으로만 묶인 것은?

ㄱ. 공무원의 중립성
ㄴ. 성과급 제도(Merit Pay System)
ㄷ. 공무원의 교육·훈련 의무
ㄹ. 인사위원회 설치
ㅁ. 공개경쟁시험 실시

① ㄱ, ㄴ, ㄷ
② ㄱ, ㄴ, ㄹ
③ ㄱ, ㄴ, ㅁ
④ ㄱ, ㄷ, ㄹ
⑤ ㄱ, ㄹ, ㅁ

09	인사제도의 변화	난이도 ●●○

펜들턴법(1883)의 제정으로 미국의 실적주의가 확립되었지만, 4년 임기법은 엽관제의 기반이 되었다.

선지분석
① 공직경질제로 관료에 대한 정치세력의 정치적 통제가 용이하다.
② 영국은 1870년 추밀원령에 의해 실적주의가 확립되었다.
③ 대표관료제는 사회적 약자에게 실질적인 공직 임용의 기회를 부여함으로써 결과의 평등을 추구한다.
⑤ 계급제는 일반행정가를 추구한다.

답 ④

10	펜들턴법의 내용	난이도 ●●○

펜들턴법(Pendleton Act)에 속하는 내용은 ㄱ. 공무원의 중립성, ㄹ. 인사위원회 설치, ㅁ. 공개경쟁시험 실시이다.

펜들턴법(Pendleton Act)법의 주요 내용
㉠ 초당적·독립적 인사위원회 설치
㉡ 공개경쟁채용시험(전문과목 위주)에 의한 임용
㉢ 가산점 부여에 의한 제대군인 특혜 인정
㉣ 정치헌금·정치활동의 금지(정치적 중립)
㉤ 조건부임용제(시보임용제)
㉥ 민관인사교류 확대 등

답 ⑤

11
2016년 지방직 7급

엽관주의와 실적주의에 대한 설명으로 옳지 않은 것은?

① 엽관주의는 행정의 민주화에 공헌한다는 장점이 있다.
② 실적주의는 공무원의 정치적 중립을 강조한다.
③ 잭슨(Jackson) 대통령이 암살당한 사건은 미국에서 실적주의 도입의 배경이 되었다.
④ 엽관주의는 공직의 상품화를 가져올 가능성이 있다.

12
2014년 국가직 9급

다음 중 엽관주의와 실적주의에 대한 설명으로 옳은 것만을 모두 고르면?

> ㄱ. 엽관주의는 실적 이외의 요인을 고려하여 임용하는 방식으로 정치적 요인, 혈연, 지연 등이 포함된다.
> ㄴ. 엽관주의는 정실 임용에 기초하고 있기 때문에 초기부터 민주주의의 실천원리와는 거리가 멀었다.
> ㄷ. 엽관주의는 정치지도자의 국정지도력을 강화함으로써 공공정책의 실현을 용이하게 해 준다.
> ㄹ. 실적주의는 정치적 중립에 집착하여 인사행정을 소극화·형식화시켰다.
> ㅁ. 실적주의는 국민에 대한 관료의 대응성을 높일 수 있다는 장점이 있다.

① ㄱ, ㄷ
② ㄴ, ㄹ
③ ㄴ, ㅁ
④ ㄷ, ㄹ

---

11 엽관주의와 실적주의   난이도 ●○○

1881년 가필드(Garfield) 대통령의 암살사건은 실적주의의 도입 배경이 되었다. 그 외에 엽관주의의 병폐를 극복하기 위한 노력, 행정국가의 출현, 행정 능률화를 요구하는 진보주의 운동의 전개 등의 배경으로 실적주의가 도입되었다.

선지분석
① 민주정치의 기초가 되는 정당정치 발전에 기여하였고(국민의사 존중, 책임정치), 관료제의 민주화에 기여하였다(공직의 만인에 대한 개방, 공직경질로 침체·특권화 방지).
② 실적주의는 정치적 중립성, 행정의 공정성 확보에 기여한다.
④ 마시(Marcy)가 '전리품은 승리자에게 속한다'는 주장을 펼친 것과 같이 선거에서 승리한 집권 정당이 모든 관직을 전리품처럼 정당 활동에 대한 공헌도와 충성도에 따라 임의대로 처분하였다.

답 ③

12 엽관주의와 실적주의   난이도 ●●○

ㄷ. 엽관주의는 선거에 승리한 정치지도자의 공직장악능력(국정지도력)을 강화시킨다.
ㄹ. 실적주의는 정치로부터의 단절 등을 중시하여 인사를 소극화시켰다.

선지분석
ㄱ. 엽관주의는 정치적인 요인 등 정치적 연고를 고려하지만 혈연, 지연 등 개인적 연고는 고려하지는 않는다. 개인적 연고를 고려하는 것은 정실주의이다.
ㄴ. 엽관주의는 정실 임용이 아니라 정당에 대한 충성도에 따라 임용하기 때문에 민주주의의 실천원리와 밀접하게 연관되어 발달하였다.
ㅁ. 실적주의는 지나친 신분보장으로 국민에 대한 관료의 대응성을 높이기 어렵다.

답 ④

13

2014년 지방직 9급

인사행정제도에 관한 설명 중 적절하지 않은 것은?

① 엽관주의는 정당에의 충성도와 공헌도를 관직 임용의 기준으로 삼는 제도이다.
② 엽관주의는 국민의 요구에 대한 관료적 대응성을 확보하기 어렵다는 단점을 갖는다.
③ 행정국가 현상의 등장은 실적주의 수립의 환경적 기반을 제공하였다.
④ 직업공무원제는 계급제와 폐쇄형 공무원제, 그리고 일반행정가주의를 지향한다.

14

2021년 지방직 9급

엽관주의와 실적주의에 대한 설명으로 옳은 것은?

① 엽관주의는 개인의 능력, 적성, 기술을 공직 임용 기준으로 한다.
② 엽관주의는 정치지도자의 국정지도력을 약화한다.
③ 실적주의는 국민에 대한 관료의 대응성을 높인다.
④ 실적주의는 공직임용에 대한 기회의 균등을 보장한다.

| 13 | 인사행정제도 | 난이도 ●○○ |

엽관주의는 정당이나 선거를 통하여 국민의 요구에 대한 관료집단의 대응성을 확보할 수 있다는 장점이 있다.

선지분석
① 엽관제는 정치적 보상이나 정치적 연고에 의한 인사이다.
③ 본격적인 행정국가는 뉴딜 이후부터이지만 행정기능의 양적 팽창과 질적 전문화 등 행정국가 현상의 등장은 19세기 말부터 시작되었다. 행정기능이 전문화되면서 전문능력과 기술을 갖춘 전문행정가를 임용할 수 있는 실적주의가 필요하였기 때문이다.
④ 직업공무원제는 계급제, 폐쇄형, 일반행정가주의를 지향한다.

엽관주의의 장단점	
장점	• 민주정치의 기초가 되는 정당정치 발전에 기여 • 관료제의 민주화에 기여 • 집권정치인에 대한 높은 충성심 확보와 공무원의 효과적 통솔 가능 • 정당 이념의 철저한 실현과 공약의 강력한 추진 • 리더십 강화에 기여하고 중대한 정책 변동에 대응이 유리 • 행정의 민주성, 대응성, 참여성, 책임성 확보
단점	• 정권교체에 따른 대량 경질로 행정의 계속성과 전문성 훼손 • 행정경험 없는 무능한 자의 임명으로 업무능률 저하 • 공무원이 정당의 사병으로 전락하여 공평한 임무수행이나 책임성 기대 곤란 • 불필요한 공직남설로 예산 낭비와 행정의 비능률 초래 • 신분보장 미흡으로 부정부패 유인 제공 • 실적주의에 비해 임용의 기회균등과 공정성 상실

답 ②

| 14 | 엽관주의와 실적주의의 비교 | 난이도 ●○○ |

실적주의는 공직임용에 있어 기회균등을 보장한다.

선지분석
① 실적주의에 대한 설명이다.
② 엽관주의는 정치지도자들의 국정지도력을 강화시킨다.
③ 실적주의는 엽관주의에 비해 신분보장이 강하므로 국민에 대한 관료의 대응성을 약화시킨다.

답 ④

15 □□□ 2024년 국가직 9급

실적주의 공무원제도에 대한 설명으로 옳은 것은?

① 미국에서는 잭슨(Jackson) 대통령에 의해 공식화되었다.
② 공직의 일은 건전한 상식과 인품을 가진 일반 대중 누구나 수행할 수 있는 것이라고 전제하였다.
③ 공개경쟁시험, 신분보장, 정치적 중립이 핵심적인 요소이다.
④ 사회적 형평성을 가장 중요한 가치로 삼는 인사제도이다.

| 15 | 실적주의 공무원제도 | 난이도 ●○○ |

실적주의는 능력과 실적 중심의 인사제도로 공개경쟁채용시험, 신분보장, 정치적 중립 등을 핵심요소로 한다.

(선지분석)
① 실적주의는 펜들턴법(1883)에 의하여 확립되었으며 미국 잭슨(Jackson) 대통령에 의하여 공식화된 인사제도는 엽관주의이다.
② 전문성이 아닌 건전한 상식과 교양을 가진 일반대중 누구나 공직을 수행할 수 있다는 전제는 공직의 대중화를 강조한 제도는 엽관주의의 특징이다.
④ 실적주의는 형평성보다는 능률성을 중요한 가치로 삼는 인사제도이다. 형평성을 중시하는 인사제도는 실적주의 한계를 극복하기 위해 대두된 대표관료제이다.

답 ③

KEYWORD 061 적극적 인사행정

16 □□□ 2017년 국가직 9급(4월 시행)

전략적 인적자원관리에 대한 설명으로 옳지 않은 것은?

① 장기적이며 목표·성과 중심적으로 인적자원을 관리한다.
② 개인의 욕구는 조직의 전략적 목표달성을 위해 희생해야 한다는 입장이다.
③ 인사업무 책임자가 조직 전략 수립에 적극적으로 관여한다.
④ 조직의 전략 및 성과와 인적자원관리 활동 간의 연계에 중점을 둔다.

| 16 | 전략적 인적자원관리 | 난이도 ●○○ |

인적자원관리(HRM)는 개인과 조직의 통합을 강조하는 Y이론적 관점에서 출발하였다. 인적자원관리(HRM)는 1970년대 후반 이후 기존의 인사관리나 인사행정을 대체하는 개념으로, 1940년대의 인간관계론적 전통과 1960년대의 조직발전(OD) 등에 그 뿌리를 두고 있다. 즉, 인적자원을 조직의 주요한 자산이자 전략적 자원으로 활용하고자 하는 것이다.

기존의 인적자원관리(HRM)와 전략적 인적자원관리(SHRM)

분류 특징	기존의 인적자원관리 (HRM)	전략적 인적자원관리 (SHRM)
분석	개인의 심리적 측면	조직의 전략과 인적자원관리
초점	직무만족, 동기부여, 조직시민행동의 증진	활동의 연계 및 조직의 성과
범위	미시적 시각: 개별 인적자원관리 방식들의 부분적 최적화를 추구	거시적 시각: 인적자원관리 방식들 간의 연계를 통한 전체 최적화를 추구
시간	인사관리상의 단기적 문제해결	전략 수립에의 관여 및 인적자본의 육성
기능 및 역할	• 조직의 목표와 무관하거나 부수적·기능적·도구적· 수단적 역할 수행 • 통제 메커니즘 마련	• 인적자본의 체계적 육성 및 발전 • 권한 부여 및 자율성 확대 유도

(선지분석)
①, ③, ④ 인적자원이 가장 관리하기 어려운 자원일 뿐만 아니라 목표달성에 가장 결정적인 요인으로 작용한다고 보고, 인적자원을 조직의 주요한 자산이자 전략적 자원으로 활용하고자 하는 것이 적극적 인적자원관리이다.

답 ②

17 ☐☐☐
2025년 국가직 7급

전략적 인적자원관리(strategic human resource management)에 대한 설명으로 옳지 않은 것은?

① 조직의 전략 및 성과와 인적자원관리 활동을 연계한다.
② 목표중심적이고 성과중심적인 인력관리를 추구한다.
③ 장기적 관점에서 조직의 전략수립과 전략달성을 가능하게 하는 인적자본의 육성에 초점을 둔다.
④ 직무만족, 동기부여, 조직시민행동 등 개인의 심리적 측면을 강조한다.

18 ☐☐☐
2019년 국가직 7급

후기 인간관계론에 대한 설명으로 옳지 않은 것은?

① 합리적·경제적 인간관보다는 자아실현적 인간관과 더 부합한다.
② 개인은 다양한 차원에서 다양한 특성을 지니고 있으므로 상황에 따라 개인을 다양한 시각으로 이해할 필요가 있다.
③ 대표하는 이론으로는 맥그리거(McGregor)의 Y이론, 아지리스(Argyris)의 성숙인 등을 들 수 있다.
④ 의사결정과정에 개인을 참여시키는 관리전략이 필요하다.

---

17 전략적 인적자원관리 　난이도 ●●○

구성원의 직무만족, 동기부여, 조직시민행동 등 개인의 심리적 측면을 강조하는 것은 전략적 인적자원관리가 아니라 기존의 인적자원관리에 해당한다.

답 ④

18 후기 인간관계론 　난이도 ●●●

개인이 다양한 차원에서 다양한 특성을 지니고 있다고 보는 시각은 복잡한 인간관에 해당한다.

(선지분석)
① 자아실현적 인간관에 바탕을 둔다.
③ 대표적인 학자들로는 아지리스(Argyris, 성숙인), 리커트(Likert, 참여형 관리), 맥그리거(McGregor, Y이론) 등이 있다.
④ 조직의 제반 활동에 개인을 참여시켜야 한다는 참여관리론을 중시하였다.

답 ②

19

2016년 국가직 7급

전통적인 연공주의 인적자원관리와 비교할 때 성과주의 인적자원관리의 특징으로 옳지 않은 것은?

① 형식 요건을 중시하고 규격화된 임용 방식을 확대한다.
② 태도와 근속연수보다 성과와 능력 중심의 평가를 강조한다.
③ 직급파괴와 역량에 의한 승진을 강조한다.
④ 조기퇴직 및 전직 지원을 활성화한다.

20

2023년 국가직 9급

연공주의(seniority system)에 대한 설명으로 옳은 것만을 모두 고르면?

> ㄱ. 장기근속으로 조직에 대한 공헌도를 높인다.
> ㄴ. 개인의 성과에 따른 적절한 보상을 통해 사기를 높인다.
> ㄷ. 계층적 서열구조 확립으로 조직 내 안정감을 높인다.
> ㄹ. 조직 내 경쟁을 통해서 개인의 역량 개발에 기여한다.

① ㄱ, ㄴ
② ㄱ, ㄷ
③ ㄴ, ㄹ
④ ㄷ, ㄹ

| 19 | 성과주의 인적자원관리의 특징 | 난이도 ●●○ |

형식 요건을 중시하고 규격화된 임용 방식을 특징으로 하는 것은 전통적인 연공주의 인적자원관리이다. 최근의 인적자원관리(HRM) 방식은 결과와 책임을 강조하고, 신축적·분권적이며 적극적인 인사행정 방식을 취한다.

(선지분석)
② 성과와 능력 중심의 평가는 성과주의 인적자원관리의 핵심적인 특징이다.
③ 연공서열 중심의 승진이 아닌 역량 중심의 승진을 강조한다.
④ 신축적 인사관리를 강조하기 위하여 조기퇴직 및 전직 지원을 강화한다.

답 ①

| 20 | 연공주의 | 난이도 ●○○ |

연공주의에 대한 설명으로 옳은 것은 ㄱ, ㄷ이다. 연공주의란 개인의 실적이나 능력보다는 임용시기를 중심으로 한 근무연한을 강조하는 인사제도이다.
ㄱ. 연공주의는 장기근속으로 조직에 대한 충성도 및 몰입도를 높인다.
ㄷ. 연공주의는 연공서열에 따른 계층적 서열구조 확립으로 조직 내 안정감을 높인다.

(선지분석)
ㄴ. 연공주의는 개인의 성과에 따른 보상이 아니라 연공급의 보수제도를 채택한다.
ㄹ. 연공주의는 조직 내 경쟁을 저해함으로써 개인의 역량 개발에 불리한 제도이다.

답 ②

21
2021년 국가직 7급

다양성 관리(diversity management)에 대한 설명으로 옳지 않은 것은?

① 오늘날 개인의 성격, 가치관의 차이와 같은 내면적 다양성의 중요성이 커지고 있다.
② 다양성 관리란 내적·외적 차이를 가진 다양한 조직구성원을 공평하고 효율적으로 활용하기 위한 체계적인 인적자원관리 과정이다.
③ 균형인사정책, 일과 삶 균형정책은 다양성 관리의 방안으로 볼 수 없다.
④ 대표관료제를 통한 조직 내 다양성 증대는 실적주의와 충돌할 가능성이 있다.

KEYWORD 062 대표관료제

22
2017년 국가직 9급(4월 시행)

대표관료제에 대한 설명으로 옳지 않은 것은?

① 우리나라도 대표관료제적 임용 정책을 시행하고 있다.
② 형평성을 제고할 수 있으나 역차별의 문제가 발생할 수 있다.
③ 관료의 국민에 대한 대응성과 책임성을 향상시킨다.
④ 엽관주의의 폐단을 시정하기 위해 등장하였다.

| 21 | 다양성 관리 | 난이도 ●●○ |

다양성 관리(managing diversity)란 구성원들을 일률적으로 관리하지 않고 다양한 차이와 배경, 시각을 조직업무에 적극 반영시키려는 새로운 인적자원관리 전략으로, 개인별 맞춤형 관리와 대표관료제에 의한 인적 구성의 다양화 등이 대표적인 수단이다.

답 ③

| 22 | 대표관료제 | 난이도 ●○○ |

엽관주의의 폐단을 시정하기 위해 등장한 것은 실적주의이며, 실적주의 폐단을 극복하기 위해서 대두된 것이 적극적 인사행정이다. 대표관료제는 적극적 인사행정에 속한다.

(선지분석)
① 우리나라도 장애인 의무고용제, 양성평등채용목표제 등과 같은 대표관료제의 임용 정책을 시행하고 있다.
② 사회적 약자에게 더 많은 임용 기회를 줌으로써 사회적 형평성을 확보할 수는 있으나, 역차별의 문제가 발생하여 다원주의 확산보다는 오히려 집단차원의 우대 또는 차별에 따라 집단이기주의를 강화하고, 사회분열을 초래할 위험이 있다.
③ 관료제가 비례적으로 구성되고, 출신집단을 대표함으로써 정부의 대응성 및 책임성이 높아지고, 관료제의 민주화를 촉진한다.

답 ④

23　　　　　　　　　　　　　　2016년 국회직 8급

대표관료제에 대한 설명으로 옳지 않은 것은?

① 대표관료제는 실적주의의 폐단을 보완하기 위해 도입되었다.
② 대표관료제는 관료 조직 내의 내부통제를 약화시킨다.
③ 대표관료제는 사회경제적 인구 구성을 반영토록 하여 해당 관료가 출신 집단에 책임을 질 수 있도록 보장하기 위한 제도적 장치다.
④ 대표관료제는 할당제와 역차별로 인한 사회분열을 조장할 수 있다.
⑤ 대표관료제는 사회적 약자를 보호하기 위한 형평성을 지향한다.

24　　　　　　　　　　　　　　2015년 국가직 7급

대표관료제(Representative Bureaucracy)에 대한 설명으로 옳지 않은 것은?

① 킹슬리(Kingsley)가 처음 사용한 용어로서 엽관주의 인사제도의 폐단을 극복하기 위해 등장하였다.
② 관료제의 인적 구성 측면을 강조하며 관료제의 대표성과 대응성을 강화하기 위한 제도이다.
③ 우리나라의 양성평등채용목표제는 대표관료제의 발상을 반영한 것이라고 할 수 있다.
④ 행정의 전문성과 생산성을 저해할 수 있다는 비판이 있다.

23　대표관료제　　　　　　　　　난이도 ●●○

대표관료제는 약화된 외부통제를 보완하기 위하여 출신집단별로 공직을 구성함으로써 내부통제를 강화하기 위한 수단이다.

(선지분석)
① 대표관료제는 현실적으로 실적주의의 한계에 대한 비판으로부터 출발하고 있다.
③ 대표관료제는 비례적으로 구성된 관료가 실질적으로 출신집단의 요구나 이익을 행동으로 대변하는 것이다.
④ 역차별로 인해 집단이기주의를 강화하고 사회분열을 초래할 위험이 있다.
⑤ 소수집단과 소외집단에게 혜택을 부여하여 사회적 형평성 이념을 추구한다.

답 ②

24　대표관료제　　　　　　　　　난이도 ●○○

대표관료제는 출신집단별로 할당하여 공직을 구성하는 제도로, 실적주의의 폐단을 극복하기 위하여 등장하였다.

📋 대표관료제의 장단점

장점	• 관료제가 비례적으로 구성되고, 출신집단을 대표함으로써 정부의 대응성 및 책임성이 높아지고, 관료제의 민주화를 촉진함 • 소수집단과 소외집단에게 혜택을 부여하여 기회균등을 적극적으로 보장하고, 사회적 형평성의 제고라는 민주적 이념을 실현함 • 관료제 내부에서 출신집단별 관료 상호 간 견제를 통해 내부통제를 강화함 • 형식적 기회균등이나 가치중립성의 문제 등 실적주의가 내포하고 있는 역기능을 시정함
단점	• 소극적·배경적 대표와 적극적·실질적 대표의 단절 • 대표성과 영향력의 불균등 • 실적주의에 대한 갈등과 행정의 전문성 저해 가능성 • 역차별에 의한 사회분열 위험 • 정치적 중립성의 문제 • 자유주의 원칙 침해

답 ①

25 2013년 국회직 8급

대표관료제에 대한 설명으로 옳지 않은 것은?

① 대표관료제는 정부 관료제가 그 사회의 인적 구성을 반영하도록 구성함으로써 관료제 내에 민주적 가치를 반영시키려는 의도에서 발달하였다.
② 크랜츠(Kranz)는 대표관료제의 개념을 비례대표로까지 확대하여 관료제 내의 출신 집단별 구성 비율이 총인구 구성 비율과 일치해야 할 뿐만 아니라, 나아가 관료제 내의 모든 직무 분야와 계급의 구성 비율까지도 총인구 비율에 상응하게 분포되어 있어야 한다고 주장한다.
③ 대표관료제의 장점은 사회의 인구 구성적 특징을 반영하는 소극적 측면의 확보를 통해서 관료들이 출신집단의 이익을 위해 적극적으로 행동하는 적극적인 측면을 자동적으로 확보하는 데 있다.
④ 대표관료제는 할당제를 강요하는 결과를 초래해 현대 인사행정의 기본 원칙인 실적주의를 훼손하고 행정 능률을 저해할 수 있다는 비판을 받는다.
⑤ 우리나라의 양성평등채용목표제나 지역인재추천채용제는 관료제의 대표성을 제고하기 위해 도입된 제도로 볼 수 있다.

26 2019년 서울시 7급(3월 추가)

인사행정에 대한 설명으로 가장 옳지 않은 것은?

① 균형인사정책은 대표관료제의 단점, 즉 소외집단에 대한 배려가 다른 집단에 대한 역차별을 불러올 가능성을 낮추는 데 기여할 수 있다.
② 대표관료제는 정부관료제 인적 구성의 대표성 확보를 통해 전체 국민에 대한 정부의 대응성을 향상시킬 수 있다.
③ 엽관제는 정당정치의 발달과 행정의 민주성 제고에 기여할 수 있다.
④ 엽관제는 정치지도자의 행정 통솔력을 강화시켜 정책과정의 능률성을 제고할 수 있다.

---

25 대표관료제 난이도 ●●●

대표관료제는 사회화에 의한 주관적 책임을 강조하므로, 소극적 측면이 적극적 측면으로 자동으로 이어진다는 점은 입증되지 않았다.

선지분석
① 대표관료제는 행정의 민주성·대표성·형평성을 확보하기 위해 대두되었다.
② 크랜츠(Kranz)는 대표관료제의 개념을 비례대표로까지 확대하였다.
④ 집단대표·인구비례 등을 중시하고 능력·자격은 2차적 요소로 취급하기 때문에 실적주의를 훼손하고 행정의 전문성과 능률성을 저해한다.
⑤ 양성평등채용목표제, 지역인재추천채용제는 대표관료제의 예로 옳은 지문이다. 그 외에 장애인의무고용제, 여성관리자 임용확대계획, 저소득층의 우대, 지역대학할당제 등이 대표관료제의 또 다른 예이다.

답 ③

26 인사행정 난이도 ●○○

대표관료제를 우리 정부에서는 균형인사제도라고 부른다. 대표관료제의 단점 중 하나가 역차별이다. 그 외에도 소극적·배경적 대표와 적극적·실질적 대표의 단절, 대표성과 영향력의 불균등, 실적주의에 대한 갈등과 행정의 전문성 저해 가능성, 정치적 중립성의 문제, 자유주의 원칙 침해, 국민주권의 원리에 위배되는 등의 문제가 있다.

답 ①

27　2019년 지방직 9급

대표관료제에 대한 설명으로 옳지 않은 것은?

① 소극적 대표가 적극적 대표를 촉진한다는 가정하에 제도를 운영해 왔다.
② 엽관주의 폐단을 시정하기 위해 등장하였으며 역차별의 문제를 완화할 수 있다.
③ 소극적 대표성은 전체 사회의 인구 구성적 특성과 가치를 반영하는 관료제의 인적 구성을 강조한다.
④ 우리나라는 균형인사제도를 통해 장애인·지방인재·저소득층 등에 대한 공직진출 지원을 하고 있다.

28　2020년 국가직 7급

다음 제도에 대한 설명으로 옳지 않은 것은?

> 킹슬리(Kingsley)가 처음 사용한 용어로, 그 사회의 주요 인적 구성에 기반하여 정부관료제를 구성함으로써, 정부관료제 내에 민주적 가치를 주입하려는 의도에서 발달되었다.

① 관료들은 누구나 자신의 사회적 배경의 가치나 이익을 정책과정에 반영시키려고 노력한다는 점을 전제로 한다.
② 크랜츠(Kranz)는 이 제도의 개념을 비례대표(proportional)로까지 확대하는 것에 반대한다.
③ 라이퍼(Riper)는 이 제도의 개념을 확대해 사회적 특성 외에 사회적 가치까지도 포함시키고 있다.
④ 현대 인사행정의 기본 원칙인 실적제를 훼손할 뿐만 아니라 역차별을 야기할 수 있다는 비판을 받는다.

27　대표관료제　난이도 ●○○

대표관료제는 실적주의의 폐단을 극복하기 위한 제도이며, 역차별의 문제가 있다.

선지분석
① 대표관료제는 소극적 대표가 적극적 대표를 촉진한다는 가정하에 도입된 제도이다. 하지만 소극적 대표가 적극적 대표성을 보장하지 못한다는 비판을 받는다.
③ 소극적 대표성은 전체 사회의 인구 구성적 특성과 가치를 반영하는 관료제의 인적 구성을 강조한다. 이에 반해 적극적 대표성은 비례적으로 구성된 관료제가 출신 집단의 가치와 이익을 대표해야 한다는 것을 의미한다.
④ 우리나라는 균형인사제도를 통해 장애인·지방인재·저소득층 등에 대한 공직진출 지원을 하고 있다.

답 ②

28　대표관료제　난이도 ●●○

제시문의 내용은 대표관료제에 대한 설명이다. 영국의 킹슬리(Kingsley)가 처음으로 '대표관료제'를 제시하였는데, 그는 관료제의 구성적 측면을 강조하여 진정한 관료제는 사회 내의 지배적인 여러 세력을 그대로 반영하는 대표관료제라고 정의하고 있다. 크랜츠(Kranz)는 대표관료제의 개념을 비례대표로까지 확대하여 관료제 내의 출신 집단별 구성 비율이 총인구 구성비율과 일치해야 할 뿐만 아니라, 나아가 관료제 내의 모든 직무분야와 계급의 구성 비율까지도 총인구 비율에 상응하게끔 분포되어 있어야 한다고 주장한다.

답 ②

29

2023년 지방직 9급

대표관료제에 대한 설명으로 옳지 않은 것은?

① 우리나라는 양성채용목표제, 장애인 의무고용제 등 다양한 균형인사제도를 통해 대표관료제의 논리를 반영하고 있다.
② 다양한 집단의 이익을 반영하는 실적주의 이념에 부합하는 인사제도이다.
③ 할당제를 강요하는 결과를 초래하고, 특정 집단에 대한 역차별 문제를 야기할 수 있다.
④ 임용 전 사회화가 임용 후 행태를 자동적으로 보장한다는 가정하에 전개되어 왔다.

30

2023년 국회직 8급

대표관료제(Representative Bureaucracy)에 대한 설명으로 옳지 않은 것은?

① 개인의 출신 및 성장배경, 사회화 과정 등에 의해 개인의 주관적 책무성이 형성된다고 본다.
② 대표관료제는 현대사회의 구조적 문제로 인한 기회의 불평등을 해소하고자 하는 노력이다.
③ 대표관료제는 소극적 대표가 자동적으로 적극적 대표를 보장한다는 가정에서 출발한다.
④ 대표관료제는 실적주의 원칙에 기반하여 행정능률성을 제고한다.
⑤ 정부 관료의 증원에 있어서 다양한 집단을 참여시킴으로써 정부 관료제의 민주화에 기여할 수 있다.

| 29 | 대표관료제 | 난이도 ●○○ |

집단대표·인구비례 등이 중요하고 능력·자격은 2차적 요소로 취급되기 때문에 실적 기준의 적용을 제약하고, 결과적으로 행정의 전문성·객관성·합리성을 저해한다. 대표관료제는 실적주의와 상충되는 인사제도이다.

(선지분석)
① 우리나라가 도입하고 있는 대표관료제의 예에 해당한다.
③ 대표관료제는 역차별로 인해 다원주의의 확산보다는 오히려 집단차원의 우대 또는 차별에 따라 집단이기주의를 강화하고, 사회분열을 초래할 위험이 있다.
④ 대표관료제의 이론은 소극적 대표가 적극적 대표로 연결되는 것을 가정하고, 정부관료들이 그 출신집단의 가치와 이익을 정책과정에 반영시킬 것이라고 주장하고 있다. 그러나 실제로는 관료의 가치관·행태의 변화로 피동적 대표성이 능동적 대표성을 보장하지 않는다. 즉, 임용 전의 출신 배경과 임용 후 행태 사이의 상관관계가 없을 수 있다.

답 ②

| 30 | 대표관료제 | 난이도 ●●○ |

대표관료제는 출신집단별 할당을 중시하므로 능력중심의 실적주의 원칙에 반하며, 행정능률성을 저해할 우려가 있는 제도이다.

(선지분석)
③ 대표관료제는 소극적 대표(출신집단이 태도를 결정)가 자동적으로 적극적 대표(태도가 행동을 지배)를 보장한다는 가정에서 출발한다.

답 ④

31

2025년 지방직 9급

우리나라 균형인사정책에 대한 설명으로 옳지 않은 것은?

① 장애인, 지방·지역인재, 양성평등, 이공계, 저소득층을 주요 대상으로 한다.
② 지방인재채용목표제, 전국 지역인재추천채용제, 양성평등 채용목표제 순으로 도입하였다.
③ 장애인 구분모집제는 선발예정인원의 일정 규모를 장애인만 응시할 수 있도록 구분하여 시험을 실시한다.
④ 사회적 소수집단의 공직진출을 위한 지원정책으로 대표관료제의 적용사례라고 할 수 있다.

| 31 | 균형인사정책 | 난이도 ●●○ |

도입순서가 반대이다. 양성평등채용목표제 → 전국지역인재추천채용제 → 지방인재채용목표제 순으로 도입되었다.

선지분석
① 우리나라 균형인사정책의 유형들로 옳은 지문이다.
③ 장애인의무고용제에 대한 설명으로 옳은 지문이다.
④ 대표관료제(우리나라: 균형인사정책)의 개념으로 옳은 지문이다.

답 ②

KEYWORD 063 직업공무원제

32

2017년 국가직 7급(인사조직론)

공무원 인사제도에 대한 설명으로 옳지 않은 것은?

① 우리나라의 경우 기본적으로 계급제를 채택하고 있으며, 채용 및 승진, 전직에서 직위분류제의 요소를 부분적으로 활용하고 있다.
② 직업공무원제도의 전통과 일반능력자주의적 임용관행은 개방형 임용제도의 도입과 정착에 긍정적 요인으로 작용한다.
③ 우리나라는 공직사회의 효율성을 높이기 위해 개방형 직위제도와 고위공무원단제도를 도입하였다.
④ 교류형 인사제도는 비교류형 인사제도에 비해 기관 간 이해 증진, 업무 협조 및 개별공무원의 경력개발 측면에서 유리하다.

| 32 | 공무원 인사제도 | 난이도 ●●○ |

직업공무원제의 잔재, 연령정년제도와 신분보장제도, 일반능력자주의적 임용관행, 직업적 유동성의 제약, 지위 중심적·권한 중심적 관리지향, 보수체계의 경직성 등은 개방형 임용제도의 도입에 부정적 요인으로 작용한다.

선지분석
① 우리나라는 기본적으로 계급제를 채택하고 있으며, 부분적으로 직위분류제적 요소를 채택하고 있다.
③ 공직사회의 경쟁분위기를 확산시키고 정부의 경쟁력, 효율성 제고를 위해 개방형 직위제도와 고위공무원단제도가 도입되었다.
④ 교류형 인사제도는 기관 간의 이해 증진 및 업무 협조의 긍정적 효과와 함께 개별 공무원의 경력 개발 및 근무조건 개선의 필요성도 충족시킬 수 있다.

답 ②

33

2015년 사회복지직 9급

직업공무원제에 대한 설명으로 옳지 않은 것은?

① 공무원 집단이 환경적 요청에 민감하지 못하고 특권 집단화될 우려가 있다.
② 직업공무원제가 성공적으로 확립되기 위해서는 공직에 대한 사회적 평가가 높아야 한다.
③ 직업공무원제는 행정의 계속성과 안정성 및 일관성 유지에 유리하다.
④ 직업공무원제는 일반적으로 전문행정가 양성에 유리하기 때문에 행정의 전문화 요구에 부응한다.

34

2019년 지방직 9급

직업공무원제에 대한 설명으로 옳지 않은 것은?

① 젊고 우수한 인재가 공직을 직업으로 선택해 일생을 바쳐 성실히 근무하도록 운영하는 인사제도이다.
② 폐쇄적 임용을 통해 공무원집단의 보수화를 예방하고 전문행정가 양성을 촉진한다.
③ 행정의 안정성을 확보할 수 있고, 높은 수준의 행동규범을 유지하는 데 도움이 된다.
④ 조직 내에 승진적체가 심화되면서 직원들의 불만이 증가할 수 있다.

---

33 직업공무원제 난이도 ●●○

직업공무원제는 외부로부터의 전문인력 충원이 어렵고, 계급제라는 공직분류체계상 전문행정가의 육성이 어려워 행정의 전문화와 기술화를 저해한다.

(선지분석)
① 무사안일주의와 관료제의 병리가 만연하여 변동에의 저항, 특권의식, 도덕적 해이가 발생한다.
② 민주적 공직관에 입각한 공공봉사자로서의 높은 사회적 평가를 유지해야 한다.
③ 정권교체 등 정치적 변혁이 있는 경우에도 공무원의 신분을 보장하여, 행정의 정치적 중립성 및 독립성·안정성을 유지한다.

답 ④

34 직업공무원제 난이도 ●●○

직업공무원제도는 일반행정가, 폐쇄형, 계급제 요소와 결합된 제도이다. 폐쇄형 임용제와 결합되기 때문에 공무원에 대한 신분보장에 강해지며, 이로 인해 공무원 집단의 보수화를 초래하게 된다. 그리고 행정의 전문화·기술화를 저해한다.

(선지분석)
① 직업공무원제의 개념으로 옳은 지문이다.
③ 직업공무원제도는 폐쇄형에 입각하여 신분이 보장되므로 행정의 안정성·계속성을 확보하고 높은 수준의 행동규범을 유지하는 데 도움이 된다.
④ 직업공무원제도는 인재의 외부진출이 이루어지지 않으므로 승진적체라는 어려운 문제를 야기하기도 한다.

답 ②

35

2020년 지방직 9급

직업공무원제의 단점을 보완하는 것으로 옳지 않은 것은?

① 개방형 인사제도
② 계약제 임용제도
③ 계급정년제의 도입
④ 정치적 중립의 강화

36

2021년 국가직 7급

직업공무원제에 대한 설명으로 옳지 않은 것은?

① 공무원의 신분을 보장해 행정의 연속성과 일관성을 유지하는 데 긍정적인 제도이다.
② 젊고 유능한 인재들이 공직을 보람있는 직업으로 선택하여 일생을 바쳐 성실히 근무하도록 유도하는 인사제도이다.
③ 공무원이 환경적 요청에 민감하지 못하고 특권집단화할 염려가 있다.
④ 공무원의 일체감과 단결심 및 공직에 헌신하려는 정신을 강화하는 데 불리한 제도이다.

| 35 | 직업공무원제의 단점 보완방안 | 난이도 ●○○ |

정치적 중립은 직업공무원제의 필수요건도 아니고 폐단도 아니다. 정치적 중립을 강화하는 것은 직업공무원제의 단점을 보완하는 방안과는 관계가 없다.

(선지분석)
① 직업공무원제의 폐쇄성을 개방형 인사제도 등을 통하여 보완하여야 한다.
② 직업공무원제는 정년 때 까지 신분을 보장해주는 정규직 공무원 제도이므로, 이를 보완하기 위해서는 근무기간을 정하여 임용하는 계약제나 임기제 공무원 제도로 보완하여야 한다.
③ 계급정년제란 일정 기간동안 일정 계급에서 승진하지 못하면 강제로 퇴직시키는 제도로, 폐쇄형인 직업공무원제의 폐단을 보완하고 공직의 유동성과 개방성을 높이려는 제도이다.

답 ④

| 36 | 직업공무원제 | 난이도 ●○○ |

직업공무원제도는 신분을 강하게 보장해주는 제도로, 공무원의 일체감이나 단결심 및 공직에 헌신하려는 정신을 강화하는 데 유리한 제도이다.

(선지분석)
① 공무원의 신분을 보장해 장기적인 근무에 따른 행정의 안정성과 일관성이 유지된다.
② 젊은 인재의 채용을 위해 연령·학력조건을 제한하고, 공개경쟁 시험을 통해 능력이나 실적을 기준으로 유능한 인재를 선발하는 등 적절한 임용제도와 절차가 마련되어야 한다.
③ 공무원에 대한 강한 신분보장과 공급자 중심적 성향에 따라 국민에 대한 대응성이 약화되고, 특권집단화할 우려가 있다.

답 ④

37 □□□   2022년 국가직 9급

직업공무원제의 특징으로 옳지 않은 것은?

① 직무급 중심 보수체계
② 능력발전의 기회 부여
③ 폐쇄형 충원방식
④ 신분의 보장

38 □□□   2024년 군무원 9급

다음 중 실적주의와 직업공무원제에 대한 설명으로 가장 적절하지 않은 것은?

① 실적주의를 개방형 충원과 동시에 시행하면 직업공무원제가 확립되기 어렵다.
② 직업공무원제는 실적주의의 확립 요건 또는 구성요소 중 하나로 볼 수 있으며, 따라서 직업공무원제는 실적주의를 토대로 할 때 더욱 확고하게 뿌리내릴 수 있다.
③ 결원 충원 방식 및 공직 분류 제도에 있어서 실적주의는 개방형과 직위분류제에, 직업공무원제는 폐쇄형과 계급제에 가깝다고 할 수 있다.
④ 직업공무원제는 승진, 전보, 교육훈련 등을 통해 공무원 능력발전의 기회를 강조한다.

37	직업공무원제	난이도 ●○○

직무 중심의 직무급은 직위분류제가 채택하는 합리적인 보수제도이다. 계급제는 생활급을 원칙으로 한다. 직업공무원제는 계급제와 친화적인 제도이다.

선지분석
② 채용 당시의 직무수행능력보다 장기적인 발전가능성과 잠재능력을 더 중요하게 평가하므로, 학교를 갓 졸업한 젊고 유능한 인재를 공직에 유치하고자 하며 교육훈련과 경력발전에 관심을 기울인다. 결과적으로 직위분류제의 전문가적 행정가의 양성보다 계급제의 일반행정가 양성에 유리하며, 폐쇄형 임용체제와 연관성이 높다.
③ 계급제적 기반에 외부인사 등용이 금지되는 폐쇄형 임용을 택하고 있는 유럽 국가들은 일찍이 직업공무원제가 확립되었다.
④ 종신고용을 보장하기 위해 강한 신분보장을 특징으로 한다.

답 ①

38	실적주의와 직업공무원제	난이도 ●●○

실적에 의한 인사관리를 하는 실적주의는 행정의 전문화와 직업공무원제 발전의 기반이 된다. 즉, 실적주의가 직업공무원제의 필요조건이다.

선지분석
① 실적주의가 직업공무원제의 기반이 되지만 동일한 제도는 아니다. 폐쇄형 임용이 직업공무원제와 친화적이고, 개방형 임용은 직업공무원제와 친화적이지 않다.
③ 개방형 – 직위분류제 – 실적주의가 친화적이며, 폐쇄형 – 계급제 – 직업공무원제가 친화적이다.
④ 직업공무원제는 훈련을 통해 공무원의 능력과 자질을 발전시키고, 승진이나 배치전환 등의 내부임용이 체계적이면서도 공정하게 이루어져야 한다.

답 ②

KEYWORD 064 중앙인사기관

39 □□□
2016년 지방직 9급

중앙인사기관에 대한 설명으로 옳지 않은 것은?

① 독립합의형은 엽관주의를 배제하고 실적제를 발전시키는 데 유리하지만, 책임소재가 불분명해질 수 있다는 단점이 있다.
② 비독립단독형은 집행부 형태로 인사행정의 책임이 분명하고 신속한 의사결정을 가능하게 해주지만, 인사행정의 정실화를 막기 어렵다.
③ 독립단독형은 독립합의형과 비독립단독형의 절충적 성격을 가진 형태로서 대표적인 예는 미국의 인사관리처나 영국의 공무원 장관실 등이다.
④ 정부 규모의 확대로 전략적 인적자원관리가 강조되어 중앙인사기관의 설치 및 기능이 중요시된다.

40 □□□
2016년 국회직 8급

중앙인사기관에 대한 설명으로 옳지 않은 것은?

① 영국의 내각사무처는 비독립단독형 인사기관 형태를 채택하고 있다.
② 독립합의형 인사기관은 인사행정의 책임소재를 명확히 할 수 있다.
③ 중앙인사기관의 기능은 준입법, 준사법 기능과 집행, 감사 기능을 모두 포함한다.
④ 비독립단독형 인사기관은 주요 인사정책의 신속한 추진을 가능하게 한다.
⑤ 독립합의형 인사기관은 인사행정의 공정성 확보가 용이하다는 장점이 있다.

---

39 중앙인사기관 난이도 ●●●

비독립단독형의 대표적인 예로 미국의 인사관리처는 대통령 직속의 비독립단독기관이고, 영국의 공무원 장관실은 수상 직속의 비독립단독기관이다.

(선지분석)
① 독립합의형은 신중하지만 책임한계가 모호하다는 단점이 있다.
② 비독립단독형은 신속하고 책임한계가 명확하지만, 비독립성으로 정실화를 막기 어렵다.
④ 중앙인사기관은 정부규모가 확대되면서 효율적인 인사관리의 필요성에서 따라 설치되었다.

비독립단독형의 장단점	
장점	단점
• 의사결정의 신속성 • 책임소재의 명확 • 행정수반의 강력한 리더십 발휘	• 신중성과 공정성 확보 곤란 • 안정성 확보 곤란

답 ③

40 중앙인사기관 난이도 ●●○

독립합의형 인사기관은 복수의 구성원으로 구성되는 합의제 형태의 인사기관이므로, 인사행정의 인사정책 결정에 대한 책임이 분산되어 책임소재를 명확히 할 수 없다는 단점이 있다.

(선지분석)
① 영국의 중앙인사기구는 인사위원회와 내각사무처 또는 내각청으로 이원화되어 있는데, 내각청은 수상 직속의 비독립단독형 인사기관 형태를 채택하고 있다.

답 ②

41　2016년 경찰간부

「국가공무원법」 제6조의 규정에 의할 때, 중앙인사관장기관이 아닌 것은?

① 국회사무총장
② 법원행정처장
③ 감사원사무총장
④ 인사혁신처장

42　2022년 군무원 9급

중앙인사기관의 조직 형태에 대한 설명으로 가장 옳지 않은 것은?

① 1948년 대한민국 정부 수립 이후 비독립형 단독제 기관으로서 총무처를 두고 있었다.
② 1999년 독립형 합의제 기관으로서 중앙인사위원회가 설치되어 행정자치부와 업무를 분담하였으며, 2004년부터는 중앙인사위원회로 통합되어 정부 인사 기능이 일원화되었다.
③ 2008년 중앙인사위원회의 폐지 이후 2013년까지 행정안전부를 거쳐 안전행정부로 인사관리기능이 독립형 단독제 기관으로 통합되어 운영되었다.
④ 2014년 국무총리 소속으로 인사혁신처가 신설되어 현재까지 비독립형 단독제 기관의 형태로 중앙인사기관이 운영되고 있다.

| 41 | 중앙인사관장기관 | 난이도 ●○○ |

행정부의 경우 중앙인사기관장은 인사혁신처장, 입법부는 국회사무총장, 사법부는 법원행정처장, 선거관리위원회는 선관위사무총장이다. 감사원의 인사는 인사혁신처장이 관장한다.

> 「국가공무원법」 제6조【중앙인사관장기관】① 인사행정에 관한 기본 정책의 수립과 이 법의 시행·운영에 관한 사무는 다음 각 호의 구분에 따라 관장(管掌)한다.
> 1. 국회는 국회사무총장
> 2. 법원은 법원행정처장
> 3. 헌법재판소는 헌법재판소사무처장
> 4. 선거관리위원회는 중앙선거관리위원회 사무총장
> 5. 행정부는 인사혁신처장

답 ③

| 42 | 중앙인사기관의 조직 형태 | 난이도 ●●● |

② 중앙인사위원회는 비독립형 합의제 기관이다.
③ 2013년까지 비독립형 단독제 기관으로 운영되었다.

답 ②, ③

CHAPTER 2 공직의 분류

KEYWORD 065 계급제와 직위분류제

01 □□□
2016년 서울시 7급

계급제에 대한 설명으로 가장 옳지 않은 것은?

① 계급제는 개인의 자격, 능력, 학벌 등에 의해 분류된 계급에 따라 직무가 부여되는 제도이다.
② 계급제는 정치적 민주화가 꽃을 피우기 훨씬 전부터 국가체제를 유지하기 위한 공직 분류 체계의 기본 틀로 형성되었다.
③ 사회의 수평적 분화가 이루어지고 산업사회가 고도화됨에 따라 많은 나라가 계급제의 골격을 유지하면서 직위분류제를 도입하고 있다.
④ 계급제는 직위분류제에 비해 분류 구조와 보수 체계가 복잡하고 융통성이 적어 그 활용성이 떨어진다는 단점이 있다.

02 □□□
2017년 국가직 9급(4월 시행)

계급제의 장점에 대한 설명으로 옳지 않은 것은?

① 단체정신과 조직에 대한 충성심 확보에 유리하다.
② 정치적 중립 확보를 통해 행정의 전문성을 제고할 수 있다.
③ 인력활용의 신축성과 융통성이 높다.
④ 공무원의 신분안정과 직업공무원제 확립에 기여한다.

---

01 계급제 난이도 ●●○

계급제는 직위분류제에 비해 분류 구조와 보수 체계가 단순하고 융통성이 있으므로 인력 활용의 융통성을 높여준다.

선지분석
① 계급제는 사람을 중심으로 공직을 분류하는 제도이다.
②, ③ 계급제는 계급사회의 전통에서 비롯되었으나, 사회의 수평적 분화가 이뤄지고 산업사회가 고도화됨에 따라 많은 나라가 계급제의 골격을 유지하면서 직위분류제를 도입하고 있다.

답 ④

02 계급제의 장점 난이도 ●○○

계급제는 순환보직에 의한 일반행정가 양성을 지향하므로, 행정의 전문성이 떨어질 수 있다.

선지분석
① 강한 신분보장을 기반으로 한 장기간의 복무로 조직 충성도가 제고된다.
③ 계급만 동일하면 보수 변동 없이 전직·전보가 가능하여 인력의 적재적소 배치가 용이하고, 공무원의 능력을 여러 분야에 걸쳐 발전시킬 수 있다.
④ 직렬에 관계없이 수평적·수직적 이동이 가능하여 공무원의 창의력·적응력이 발전되고, 장기간의 복무로 조직 충성도가 제고되어 장기적 행정계획 추진, 직업공무원제 확립에 기여한다.

📄 **계급제의 장단점**

장점	단점
• 직업공무원제의 발전 촉진	• 직무급 체계 확립 곤란
• 인사배치의 신축성	• 관료주의화 우려
• 넓은 시야를 가진 유능한 인재 채용	• 행정의 전문성 저하
• 행정조정 원활화	• 비합리적 인사관리로 능률 저하
• 신분보장의 강화	• 계급 간 갈등 소지

답 ②

03

2014년 서울시 7급

계급제에 관한 설명으로 옳지 않은 것은?

① 개별 공무원의 자격과 능력을 기준으로 계급을 설정하고 이에 따라 공직을 분류하는 제도이다.
② 계급 간 승진이 어려워 한정된 계급범위에서만 승진이 가능하다.
③ 공무원 간의 협력이 원활하게 이루어지기 어렵다.
④ 해당 직무에 적임자의 임용이 보장되지 않는다.
⑤ 공무원의 신분보장과 경력발전이 강조된다.

04

2023년 지방직 9급

계급제에 대한 설명으로 옳지 않은 것은?

① 직무의 속성을 중심으로 공직을 분류하는 제도이다.
② 폐쇄형 충원방식을 원칙으로 한다.
③ 일반행정가 양성을 지향한다.
④ 탄력적 인사관리에 용이하다.

| 03 | 계급제 | 난이도 ●●○ |

계급제는 부서 간, 공무원 간 횡적 교류와 협력이 원활하다.

(선지분석)
① 계급제는 직무가 아닌 사람(능력과 자격) 중심의 공직 분류이다.
② 수직적 이동(융통성)이 제약된다.
④ 직무 중심이 아니므로 직무분석 기능이 취약하며, 해당 직무에 적합한 인재가 임용되지 못한다.
⑤ 폐쇄형이므로 신분이 보장되고 경력을 쌓아나가기 용이하다.

답 ③

| 04 | 계급제 | 난이도 ●○○ |

직무의 속성을 중심으로 공직을 분류하는 제도는 직위분류제이다. 계급제는 사람을 중심으로 공직을 분류하는 제도이다.

(선지분석)
② 계급제는 폐쇄형 충원방식을 원칙으로 한다.
③ 계급제는 일반행정가 양성을 지향한다.
④ 계급제는 변동하는 직무상황에 대응이 용이하고 융통성 있으며, 탄력적인 인사관리에 용이하다.

답 ①

05　　2017년 국가직 7급(10월 추가)

다음과 같은 방식으로 직무를 평가하는 방법은?

> 저는 각 답안지를 직관으로 평가하면서 우수한 순서대로 나열해 놓은 후 학점을 줍니다. 구체적으로 어떤 기준에서 그렇게 학점을 주었냐고 하면 금방 답하기는 어렵지만, 어쨌든 이 과정에서 중요한 것은 상대성입니다.

① 서열법
② 분류법
③ 점수법
④ 요소비교법

05　서열법　　난이도 ●●○

제시문은 직무평가의 방법 중 서열법에 대한 설명이다. 서열법은 직무를 구성요소별로 나누지 않고 직무와 직무를 서로 비교하며, 전체적·종합적으로 평가하여 상대적 중요도에 의해 서열을 부여하는 상대적·직관적·자의적 방법이다.

📋 직무평가의 방법

계량적 방법	점수법	• 직무 구성요소별(예 정신적 능력·육체적 능력, 근무환경, 의사결정 등)로 계량적으로 평가하는 방법 • 각 요소의 비중이나 등급을 숫자로 표시하는 등급기준표를 만들고, 이에 대비하여 분류할 직위의 직무를 각 요소별로 평점한 후, 이를 합산하고 평균하여 등급을 결정
	요소 비교법	• 대표적이라고 생각하는 기준직위를 선정하고, 기준직위의 평가요소에 부여된 수치에 평가하려는 직위의 각 요소를 대비시켜 평점하여 직위의 상대적 가치를 결정 • 기준직무와 비교하므로 평가의 정확성을 높일 수 있고, 평가의 결과가 점수가 아닌 보수액으로 표시되어 보수액 산출의 작업이 필요없다는 이점이 있으나, 작업이 어렵고 많은 시간이 소요됨
비계량적 방법	서열법	• 직위의 가치와 비중을 전체적·종합적으로 판단하여 상하 서열을 정하는 단순한 방법 • 단순히 직무와 직무를 비교하는 방법이므로 시간·노력·비용이 적게 든다는 이점이 있으나, 직위가 복잡하고 수가 많으면 적용이 곤란하고 정확성·객관성이 결여되었음
	분류법, 등급법	• 서열법과 유사(평가자의 개괄적 판단에 의존)하지만 더 발전된 것으로, 등급기준표를 미리 작성함 • 각 등급별로 직무내용·책임도·자격요건 등을 기술한 등급 정의에 따라 각 직위에 가장 적절한 등급을 결정해 나가는 방법이다.

답 ①

06　　2017년 지방직 9급(12월 추가)

직무평가방법에 대한 설명으로 옳은 것은?

① 서열법은 직무와 직무를 직접 비교하기 때문에 주관성 배제에는 유리하지만 비용이 많이 든다는 단점이 있다.
② 점수법은 직무평가표에 따라 구성요소별 점수를 매기고, 이를 합계해 총점을 계산하므로 시간과 노력이 적게 든다는 장점이 있다.
③ 요소비교법은 점수법과 같이 시행의 단순성과 편의성으로 인해 가장 광범위하게 사용되고 있다.
④ 분류법에서는 등급기준표가 완성되기까지 직무평가가 이루어져서는 안 된다.

06　직무평가방법　　난이도 ●●○

분류법은 사전에 작성된 등급기준표에 의하여 직무평가가 이뤄져야 한다.

선지분석

① 서열법은 직무와 직무를 직접 비교하기 때문에 시간과 비용은 절감되지만, 비계량적인 방법이기 때문에 주관이 개입되는 단점이 있다.
② 점수법은 직무평가기준표 또는 직무평가표에 따라 요소별 점수를 부여하는 방식으로, 직무평가표 개발에 시간과 노력이 많이 들어간다는 단점이 있다.
③ 요소비교법도 점수법과 마찬가지로 시간, 비용, 노력이 많이 소요되는 방법이다.

답 ④

07

2016년 국가직 9급

다음 중 직무평가방법과 설명이 옳게 연결된 것은?

A. 서열법(job ranking)
B. 분류법(classification)
C. 점수법(point method)
D. 요소비교법(factor comparison)

ㄱ. 직무 전체를 종합적으로 판단해 미리 정해 놓은 등급기준표와 비교해가면서 등급을 결정한다.
ㄴ. 대표가 될 만한 직무들을 선정하여 기준직무(key job)로 정해놓고, 각 요소별로 평가할 직무와 기준 직무를 비교해가며 점수를 부여한다.
ㄷ. 비계량적 방법을 통해 직무기술서의 정보를 검토한 후 직무 상호 간에 직무 전체의 중요도를 종합적으로 비교한다.
ㄹ. 직무평가표에 따라 직무의 세부 구성요소들을 구분한 후 요소별 가치를 점수화하여 측정하는데, 요소별 점수를 합산한 총점이 직무의 상대적 가치를 나타낸다.

	A	B	C	D
①	ㄱ	ㄴ	ㄷ	ㄹ
②	ㄱ	ㄷ	ㄹ	ㄴ
③	ㄷ	ㄴ	ㄱ	ㄹ
④	ㄷ	ㄱ	ㄹ	ㄴ

07 직무평가방법 난이도 ●●●

ㄱ - B. 직무 전체를 종합적으로 판단해 미리 정해 놓은 등급기준표와 비교해가면서 등급을 결정하는 것은 분류법이다.
ㄴ - D. 대표가 될 만한 직무들을 선정하여 기준직무(key job)로 정해놓고, 각 요소별로 평가할 직무와 기준 직무를 비교해가며 점수를 부여하는 것은 요소비교법이다.
ㄷ - A. 비계량적 방법을 통해 직무기술서의 정보를 검토한 후 직무 상호 간에 직무 전체의 중요도를 종합적으로 비교하는 것은 서열법이다.
ㄹ - C. 직무평가표에 따라 직무의 세부 구성요소들을 구분한 후 요소별 가치를 점수화하여 측정하는데, 요소별 점수를 합산한 총점이 직무의 상대적 가치를 나타내는 것은 점수법이다.

답 ④

08

2017년 서울시 7급

직무평가방법에 대한 설명으로 가장 옳지 않은 것은?

① 계량적 방법과 비계량적 방법이 있으며, 서열법과 분류법이 전자에 해당되고 요소비교법이 후자에 해당된다.
② 단순서열법은 직위의 수가 많을수록 평가가 어렵다.
③ 분류법은 직위의 등급 수를 정하고, 분류 기준에 의거한 등급기준표의 작성이 필요하다.
④ 요소비교법은 대표직위를 선정하고 대표직위의 평가요소별 서열을 정하는 과정이 필요하다.

08 직무평가방법 난이도 ●○○

직무평가방법으로 서열법과 분류법은 비계량적 방법, 점수법과 요소비교법은 계량적인 방법에 해당한다.

선지분석
② 단순서열법은 직무와 직무를 단순히 비교하여 평가하는 방법으로, 직위 수가 많으면 평가가 어렵다.
③ 분류법은 등급기준표를 미리 작성한다. 각 등급별로 직무내용·책임도·자격요건 등을 기술한 등급 정의에 따라 각 직위에 가장 적절한 등급을 결정해 나가는 방법이다.
④ 요소비교법(factor-comparison method)은 대표적인 기준직위를 선정하고, 기준직위의 평가요소에 부여된 수치에 평가하려는 직위의 각 요소를 대비시켜 평점하여 직위의 상대적 가치를 결정한다.

답 ①

09 □□□
2023년 국가직 9급

직무평가방법에 대한 설명으로 옳지 않은 것은?

① 점수법은 직무를 구성하는 하위요소별 점수를 합산하여 평가하는 방법이다.
② 분류법은 미리 정한 등급기준표와 직무 전체를 비교하여 등급을 결정하는 비계량적 방법이다.
③ 서열법은 직무의 구성요소를 구별하지 않고 직무 전체의 중요도를 종합적으로 평가하는 방법이다.
④ 요소비교법은 기준직무(key job)와 평가할 직무를 상호비교해 가며 평가하는 비계량적 방법이다.

10 □□□
2024년 지방직 9급

직무평가방법에 대한 설명으로 옳지 않은 것은?

① 분류법은 미리 정해진 등급기준표를 이용하는 비계량적 방법이다.
② 서열법은 비계량적 방법으로, 직무의 수가 적은 소규모 조직에 적절하다.
③ 점수법은 직무와 관련된 평가요소를 선정하고 각 요소별로 중요도를 부여하는 과정에서 계량화를 통해 명확하고 객관적인 이론적 증명이 가능하다.
④ 요소비교법은 조직 내 기준직무(key job)를 선정하여 평가하려는 직무와 기준직무의 평가요소를 상호비교하여 상대적 가치를 판단하는 방법이다.

| 09 | 직무평가방법 | 난이도 ●○○ |

요소비교법은 기준직무와 평가할 직무를 비교하여 평가하는 계량적 평가방법이다.

선지분석
① 점수법(point method)은 직무 구성요소별(예 정신적·육체적 능력, 근무환경, 의사결정 등)로 계량적으로 평가하는 것이다. 각 요소의 비중이나 등급을 숫자로 표시하는 등급기준표를 만들고, 이에 대비하여 분류할 직위의 직무를 각 요소별로 평점한 다음 이를 합산하고 평균하여 등급을 결정한다.
② 분류법은 서열법과 유사(평가자의 개괄적 판단에 의존)하지만 더 발전된 것으로 등급기준표를 미리 작성한다. 각 등급별로 직무내용·책임도·자격요건 등을 기술한 등급 정의에 따라, 각 직위에 가장 적절한 등급을 결정해 나가는 방법이다. 비계량적 방법이다.
③ 서열법(ranking method)은 직위의 가치와 비중을 전체적·종합적으로 판단하여 상하서열을 정하는 단순한 방법이다.

답 ④

| 10 | 직무평가방법 | 난이도 ●●● |

점수법(point method)은 직무 구성요소별(정신적·육체적 능력, 근무환경, 의사결정 등)로 계량적으로 평가하는 것이다. 각 요소의 비중이나 등급을 숫자로 표시하는 등급기준표를 만들고, 이에 대비하여 분류할 직위의 직무를 각 요소별로 평점한 다음 이를 합산하고 평균하여 등급을 결정한다. 점수법은 비계량적 방법에 비하여 과학적이고 객관적인 직무가치를 평가할 수 있는 장점이 있지만, 점수화 작업에 있어서 주관적 판단에 의존하는 경우가 있기 때문에 각 요소에 대한 평가점수의 결정이 객관적이고 합리적인지를 입증하기 곤란하다.

선지분석
① 분류법은 사전에 정해진 등급기준표를 이용하여 직무를 평가하는 비계량적인 평가방법이다.
② 서열법은 직위와 직위를 상호 비교하는 비계량적 방법으로 소규모 조직에 적합하다.
④ 요소비교법은 대표직위(key job)를 선정하여 직무의 상대적 비중과 가치를 결정하는 계량적 평가방법이다.

답 ③

11

2020년 국가직 7급

직무분석과 직무평가에 대한 설명으로 옳은 것은?

① 직무분석은 직무들의 상대적인 가치를 체계적으로 분류하여 등급화 하는 것이다.
② 직무자료 수집방법에는 관찰, 면접, 설문지, 일지기록법 등이 활용된다.
③ 일반적으로 직무평가 이후에 직무 분류를 위한 직무분석이 이루어진다.
④ 직무평가 방법으로 서열법, 요소비교법 등 비계량적 방법과 점수법, 분류법 등 계량적 방법을 사용한다.

| 11 | 직무분석과 직무평가 | 난이도 ●●○ |

직위분류제에서 직무분석을 위한 자료수집방법에는 관찰, 면접, 설문지, 일지기록법 등이 있다.

(선지분석)
① 직무의 상대적 가치를 등급화 하는 것은 직무분석이 아니라 직무평가에 해당한다.
③ 반대이다. 직무분석을 먼저 실시한 후에 직무평가를 실시하는 것이 일반적이다.
④ 직무평가방법 중 서열법과 분류법은 비계량적 방법이고 요소비교법과 점수법은 계량적 방법이다.

답 ②

12

2016년 국가직 9급

직위분류제의 주요 개념에 대한 설명으로 옳은 것은?

① 등급은 직위에 포함된 직무의 성질, 난이도, 책임의 정도가 유사해 채용과 보수 등에서 동일하게 다룰 수 있는 직위의 집단이다.
② 직류는 직무 종류가 광범위하게 유사한 직렬의 군이다.
③ 직렬은 직무 종류는 유사하나 난이도와 책임 수준이 다른 직급 계열이다.
④ 직군은 동일 직렬 내에서 담당 직책이 유사한 직무군이다.

| 12 | 직위분류제의 주요 개념 | 난이도 ●●○ |

직렬은 직무의 종류는 유사하나 난이도와 책임 수준이 다른 직급의 계열을 의미한다.

(선지분석)
① 직위에 포함된 직무의 성질, 난이도, 책임의 정도가 유사해 채용과 보수 등에서 동일하게 다룰 수 있는 직위의 집단은 직급이다.
② 직무 종류가 광범위하게 유사한 직렬의 군은 직군이다.
④ 동일 직렬 내에서 담당 직책이 유사한 직무군은 직류이다.

직위분류제의 주요 개념

직위(position)	한 사람의 근무를 필요로 하는 직무와 책임
직급(class)	• 직위에 내포되는 직무의 종류와 곤란성·책임도가 상당히 유사한 직위의 군 • 동일한 직급에 속하는 직위에 대해 임용자격·시험·보수 등에서 동일한 취급을 함
직렬(series)	직무의 종류는 유사하나 곤란성·책임도가 상이한 직급의 군
직류	동일한 직렬 내에서 담당분야가 동일한 직무의 군 (직렬의 세분화)
직군(group)	직무의 종류가 유사한 직렬의 군
등급(grade)	직무의 종류는 다르지만 직무의 곤란성·책임도와 자격요건이 유사하여 동일한 보수를 줄 수 있는 모든 직위
직무등급	직무의 곤란성과 책임도가 상당히 유사한 직위의 군으로 고위공무원단 소속 공무원에게 도입된 개념

답 ③

13 ☐☐☐
2022년 국가직 9급

직위분류제의 주요 개념에 대한 설명으로 옳지 않은 것은?

① '직위'는 한 사람의 공무원에게 부여할 수 있는 직무와 책임을 의미한다.
② '직급'은 직무의 종류가 유사하고 곤란도·책임도가 서로 다른 군(群)을 의미한다.
③ '직류'는 동일 직렬 내에서 담당분야가 동일한 직무의 군(群)을 의미한다.
④ '직무등급'은 직무의 곤란도·책임도가 유사해 동일 보수를 줄 수 있는 직위의 군(群)을 의미한다.

14 ☐☐☐
2016년 경찰간부

다음 직위분류제에 대한 설명 중 옳지 않은 것은?

> ㄱ. 직위분류제하에서 직급이란 한 사람의 직원에게 부여할 수 있는 직무와 책임을 의미한다.
> ㄴ. 직위분류제란 각 직위에 내포된 직무의 종류와 곤란도·책임도를 기준으로 하여 직류·직렬·직군별과 직급·등급별로 공직을 분류하는 제도이다.
> ㄷ. 직무의 종류·난이도와 책임도가 상당히 비슷한 것끼리 한데 모아놓은 것을 직위라고 한다.
> ㄹ. 직무의 종류는 다르지만 직무의 곤란도·책임도나 자격요건이 유사하여 동일한 보수를 줄 수 있는 모든 직위의 집단을 등급이라 한다.

① ㄱ, ㄴ
② ㄱ, ㄷ
③ ㄴ, ㄷ
④ ㄷ, ㄹ

| 13 | 직위분류제의 주요 개념 | 난이도 ●●○ |

직급은 직무의 종류가 유사하고 곤란도·책임도도 유사하여 인사행정상 동일한 대우를 해줄 수 있는 직위의 군을 말한다. 직무의 종류가 유사하고 곤란도·책임도가 서로 다른 직급의 군은 직렬이다.

(선지분석)
① 직위에 대한 옳은 설명이다.
③ 직류에 대한 옳은 설명이다.
④ 직무등급은 직무의 곤란성과 책임도가 상당히 유사한 직위의 군으로, 고위공무원단 소속 공무원에게 도입된 개념이다.

답 ②

| 14 | 직위분류제 | 난이도 ●●○ |

ㄱ. 직위분류제하에서 한 사람의 직원에게 부여할 수 있는 직무와 책임은 직급이 아니라 직위에 해당한다.
ㄷ. 직무의 종류·난이도와 책임도가 상당히 비슷한 것끼리 한데 모아놓은 것은 직위가 아니라 직급에 해당한다.

(선지분석)
ㄴ. 직무 중심의 공직분류인 직위분류제의 개념으로 옳은 지문이다.

답 ②

15

2015년 국가직 9급

직위분류제에 있어서 직무의 난이도와 책임의 경중에 따라 직위의 상대적 수준과 등급을 구분하는 것은?

① 직무평가(job evaluation)
② 직무분석(job analysis)
③ 정급(allocation)
④ 직급명세(class specification)

16

2015년 국가직 7급

직위분류제의 장점에 대한 설명으로 옳지 않은 것은?

① 동일 직렬에서 장기간 근무하기 때문에 전문가 양성에 도움이 된다.
② 동일 직무를 수행하는 직원이 동일한 보수를 받도록 하는 직무급 체계를 확립하는 것이 용이하다.
③ 직무의 성질·내용에 따라 공직을 분류하므로 채용·승진 등 인사배치를 위한 합리적 기준을 제공해 준다.
④ 특정 직위에 맞는 사람을 배치하는 제도이기 때문에 직위나 직무의 변화상황에 신속히 대처할 수 있는 상황적응적인 인사제도라고 할 수 있다.

15	직위분류제의 수립 절차	난이도 ●○○

직무의 난이도와 책임의 경중에 따라 직위의 상대적 수준과 등급을 구분하는 것은 직위분류제 수립 절차 중 직무평가에 해당한다.

직위분류제 수립 절차

직무기술서의 작성	개개인의 공무원이 수행하는 직무 내용을 기술하게 하여 직무를 조사하는 것
직무분석 (Job Analysis)	직무에 관한 정보를 체계적으로 수집·처리하는 활동으로 유사한 직위를 모아 직류를, 직류를 모아 직렬을, 직렬을 모아 다시 직군을 만드는 것
직무평가 (Job Evaluation)	직무의 곤란도·책임도 등 직무의 상대적 비중 및 가치에 따라 등급과 직급을 정하는 것
직급명세서의 작성	직급별로 명칭, 자격요건, 채용조건, 보수 등을 명확히 규정하는 것
정급(定級)	모든 직위를 각각 해당 직군·직렬·직류와 등급·직급에 배정하는 것

답 ①

16	직위분류제의 장점	난이도 ●●○

직위분류제는 합리적이지만, 직무변화 상황에 신속히 대처할 수 있는 탄력성이 없는 제도이다. 조직 내 직무의 변화 상황에 신속히 대처할 수 있는 것은 융통성을 갖는 계급제의 장점이다.

직위분류제의 장단점

장점	단점
• 보수 결정의 합리적 기준 제시 • 적임자 임용 및 인사배치의 합리적 기준 제시 • 훈련 수요의 명확화 • 근무성적평정의 기준 제시 • 권한 및 책임 한계의 명확화 • 행정의 전문화 및 분업화 촉진 • 예산의 효율성과 행정의 통제 • 계급의식이나 위화감 해소 • 정원관리 및 사무관리의 개선	• 유능한 일반행정가 양성 곤란 • 인사배치의 신축성 제한 • 공무원의 장기적 능력발전에 소홀 • 신분보장의 위협 • 업무협조 및 조정 곤란 • 소속감 결여 • 정부 업무의 객관적 분류 곤란

답 ④

17 ☐☐☐　　　2018년 서울시 9급

직위분류제의 장점에 대한 설명으로 옳지 않은 것은?

① 근무성적평정을 객관적으로 할 수 있는 기준을 제시해 준다.
② 직위 간의 권한과 책임의 한계를 명확히 해준다.
③ 전문직업인을 양성하는 데 도움이 되고 행정의 전문화에 기여한다.
④ 조직과 직무의 변화 등에 신속히 대응할 수 있다.

| 17 | 직위분류제의 장점 | 난이도 ●●○ |

직위분류제는 엄격한 분류구조로 인하여 불확실하고 유동적인 직무 상황에 신속히 대응할 수 없다는 단점이 있다.

(선지분석)
① 직위분류제는 직책이 요구하는 능력과 자격이 객관적으로 제시되므로, 근무성적평정이나 교육훈련 수요파악을 객관적으로 할 수 있다는 장점이 있다.
② 직위분류제는 권한과 책임의 한계가 종적·횡적으로 명확하다는 장점이 있다.
③ 직위분류제는 직렬별 채용 및 인사관리로 전문행정가를 양성할 수 있다는 장점이 있다.

답 ④

18 ☐☐☐　　　2013년 국가직 7급

다음 중 직위분류제의 출발에 영향을 미친 것을 모두 고르면?

ㄱ. 과학적 관리론
ㄴ. 종신고용보장
ㄷ. 보수의 형평성 요구
ㄹ. 실적주의(merit system) 요구

① ㄱ, ㄷ
② ㄴ, ㄹ
③ ㄱ, ㄷ, ㄹ
④ ㄱ, ㄴ, ㄷ, ㄹ

| 18 | 직위분류제의 등장배경 | 난이도 ●●○ |

직위분류제는 ㄱ. 과학적 관리론, ㄷ. 보수의 형평성 요구, ㄹ. 실적주의(merit system)의 요구의 영향을 받아 성립되었다.

(선지분석)
ㄴ. 종신고용보장은 신분보장이 상대적으로 더 강한 계급제와 관련이 있다.

📋 직위분류제의 등장배경
㉠ 실적주의가 확립되면서 직무내용과 자격요건에 대한 정보가 필요
㉡ 과학적 관리론의 영향으로 능률 향상과 보수의 균등화를 위해 직무분석과 직무평가 촉진
㉢ 정치적 정실에 의한 보수 불균등의 반대 투쟁으로 공무원제도 개혁운동의 영향을 받음
㉣ 동일 직무에 대하여 동일 보수를 지급함으로써 직무급 원칙을 확립

답 ③

19 · 2011년 국가직 7급

다음 직무평가방법에 대한 설명 중 ㄱ과 ㄴ을 바르게 연결한 것은?

(ㄱ)에서는 등급기준표를 미리 정해 놓고 각 직무를 등급정의에 비추어 어떤 등급에 배치할 것인가를 결정해 나간다. 미리 정한 등급 기준이 있다는 점에서 (ㄴ)과 구분되지만, 양자는 직무를 포괄적으로 취급하고 수량적인 분석이 아닌 개괄적 판단에 의지한다는 점에서 서로 유사하다.

	ㄱ	ㄴ
①	분류법	서열법
②	분류법	요소비교법
③	서열법	분류법
④	요소비교법	분류법

---

19 직무평가방법 난이도 ●●○

ㄱ은 분류법, ㄴ은 서열법에 대한 내용이다.

직무평가방법 - 직무의 비중 결정 방법

구분	직무와 기준표 비교	직무와 직무 비교
비계량적 방법	분류법	서열법
계량적 방법	점수법	요소비교법

답 ①

---

20 · 2014년 지방직 7급

직위분류제와 계급제의 특성에 대한 비교설명으로 옳지 않은 것은?

① 직위분류제는 조직계획의 단기적 합리성을 확보할 수 있다.
② 직위분류제에서는 직무의 종류나 성격에 관계없이 폭넓은 인사이동이 가능하다.
③ 계급제에서는 직업공무원제 확립이 용이하다.
④ 계급제에서는 공무원 간의 유대의식이 높아 행정의 능률성을 제고할 수 있다.

---

20 직위분류제와 계급제의 비교 난이도 ●○○

직무의 종류나 성격에 관계없이 폭넓은 인사이동이 가능한 것은 직위분류제가 아니라 계급제의 장점이다. 직위분류제는 직류나 직렬의 제한 때문에 폭넓은 인사이동이 불가능하고, 전문행정가(specialist)가 양성된다.

선지분석
① 직위분류제는 특정 직위의 직무수행능력에 관한 인물적합성을 최우선으로 하므로, 장기적인 발전성보다는 단기적 합리성을 확보한다.
③ 계급제는 직업공무원제와 친화적이다.
④ 계급제는 강한 신분보장을 통한 유대의식으로 행정의 능률성을 제고한다.

직위분류제와 계급제의 비교

구분	직위분류제	계급제
분류 기준	직무 중심	사람의 자격 및 능력
인사 기준	합리성	융통성
공무원 유형	전문행정가	일반행정가
신분보장	계급제에 비해 약함	직위분류제에 비해 강함
보수	직무급	생활급
행정비전	단기적 사업계획 수립과 능률적 집행	장기적 계획수립과 추진

답 ②

21

2021년 군무원 9급

계급제와 직위분류제에 대한 설명으로 가장 옳지 않은 것은?

① 계급제는 사람의 자격과 능력을 기준으로 분류하는 것이다.
② 직위분류제는 사람이 맡아 수행하는 직무와 그 직무수행에 수반되는 책임을 기준으로 하는 것이다.
③ 직위분류제는 전체 조직업무를 체계적으로 분업화하고 한 사람의 적정 업무량을 조직상 위계에서 고려하는 구조 중심의 접근이다.
④ '동일업무에 대한 동일보수'라는 보수의 형평성 요구가 직위분류제의 출발을 촉진시켰다고 할 수 있다.

| 21 | 계급제와 직위분류제 | 난이도 ●●○ |

직위분류제는 직위를 직무의 종류와 성질 기준으로 직렬·직군별로 종적 분류를 한 다음, 직무의 곤란성과 책임도를 기준으로 직급별·등급별로 횡적 분류를 하는 것이다. 즉, 직무 중심이며, 구조 중심 접근법이 아니다.

답 ③

22

2019년 서울시 9급

계급제와 직위분류제에 대한 설명으로 가장 옳은 것은?

① 과학적 관리론과 실적제의 발달은 직위분류제의 쇠퇴와 계급제의 발전에 기여했다.
② 우리나라 「국가공무원법」에는 직위분류제 주요 구성개념인 '직위, 직군, 직렬, 직류, 직급' 등이 제시되어 있다.
③ 직위분류제는 공무원 개인의 능력이나 자격을 기준으로 공직분류체계를 형성한다.
④ 계급제와 직위분류제는 절대 양립불가능하며 우리나라는 계급제를 기반으로 한다.

| 22 | 계급제와 직위분류제 | 난이도 ●●○ |

우리나라 「국가공무원법」에는 직위분류제의 구성요소, 즉 직위, 직군, 직렬, 직류, 직급 등이 정의되어 있다.

(선지분석)
① 직위분류제는 과학적 관리론의 영향을 받았으며, 직무급 요청 등에 의하여 미국에서 확립되었다.
③ 공무원 개인의 능력이나 자격을 기준으로 하는 공직분류는 직위분류제가 아니라 계급제에 해당한다.
④ 계급제와 직위분류제는 양립가능하며, 우리나라 정부의 공직구조는 계급제의 역사적 전통 위에 직위분류제적 요소가 가미된 절충형의 형태를 띠고 있다.

답 ②

23

2022년 지방직 7급

계급제와 직위분류제에 대한 설명으로 옳지 않은 것은?

① 계급제는 보직 관리 범위를 제한하여 공무원의 시야를 좁게 만드는 측면이 있다.
② 직위분류제는 공무원의 전문성을 강화하고 직무 중심의 동기유발이 가능하다.
③ 계급제는 공무원의 장기 근무를 유도하고 직업공무원제도 확립에 유리하다.
④ 직위분류제는 직무 한계와 책임 소재가 명확하다.

24

2025년 지방직 9급

직위분류제에 대한 설명으로 옳은 것만을 모두 고르면?

ㄱ. 인사의 탄력성과 융통성이 높다.
ㄴ. 사람보다는 일을 기준으로 공직을 분류한다.
ㄷ. 동일직무에 동일보수를 지급하는 보수체계 확립이 장점이다.
ㄹ. 신분이 강하게 보장되어 직업공무원제 확립에 유리하다.

① ㄱ, ㄷ
② ㄱ, ㄹ
③ ㄴ, ㄷ
④ ㄴ, ㄹ

| 23 | 계급제와 직위분류제 | 난이도 ●○○ |

직위분류제가 어떤 직위가 요구하는 전문지식과 기술을 가진 사람을 선발하는 데 반해, 계급제는 장래의 발전가능성과 잠재력을 가진 사람을 채용하여 폭넓은 이해력과 조정능력을 갖춘 일반행정가로 양성하고자 한다.

(선지분석)
② 직무중심의 직위분류제는 전문성을 강화시킨다.
③ 계급제는 직렬에 관계없이 수평적·수직적 이동이 가능하여 공무원의 창의력·적응력이 발전되고, 장기간의 복무로 조직 충성도가 제고된다. 그에 따라 장기적 행정계획 추진, 직업공무원제 확립에 기여한다.
④ 직위분류제는 횡적인 직책의 한계와 종적인 상하 지휘·감독 관계에서 권한과 책임의 한계를 명시하여 행정조직의 합리화와 개선 및 행정책임과 능률 확보에 기여한다.

답 ①

| 24 | 직위분류제 | 난이도 ●○○ |

ㄴ, ㄷ은 직위분류제의 특징과 장점이고, ㄱ, ㄹ은 계급제의 장점이다.
ㄴ. 직위분류제는 직무를 중심으로 공직을 분류한다.
ㄷ. 직위분류제는 직무급 보수체계로 동일직무 동일보수의 원칙에 충실한다.

(선지분석)
ㄱ. 직위분류제는 직무중심의 공직분류로 원칙적으로 직렬을 벗어난 인사이동이 되지 않으므로 인사의 융통성과 탄력성이 낮다.
ㄹ. 신분이 강하게 보장되어 직업공무원제 확립에 유리한 제도는 계급제이다.

답 ③

25 □□□
2021년 군무원 9급

인사행정제도에 대한 설명으로 가장 옳지 않은 것은?

① 공직충원의 개방성을 확대하면 직업공무원제 확립에 보다 더 기여할 수 있다.
② 계급제는 직위분류제에 비해 인적자원의 탄력적 활용이 용이하다.
③ 엽관주의는 행정의 민주성을 강화하는 측면도 있다.
④ 대표관료제는 출신집단의 가치와 이익을 정책과정에 반영시킬 수 있다는 전제에서 출발한다.

| 25 | 인사행정제도 | 난이도 ●○○ |

직업공무원제는 계급제, 폐쇄형 임용원리, 일반능력자주의에 입각한 제도이다. 개방형을 확대하면 직업공무원제에 위기가 된다.

답 ①

KEYWORD 066 경력직과 특수경력직

26 □□□
2017년 지방직 9급(12월 추가) 변형

공무원의 구분에 대한 설명으로 옳은 것은?

① 일반직공무원은 경력직과 특수경력직으로 구분된다.
② 소방사는 특정직공무원에 해당된다.
③ 행정부 국가공무원 중에서는 일반직공무원의 수가 가장 많다.
④ 국가정보원 7급 직원은 특수경력직공무원에 해당된다.

| 26 | 공무원의 구분 | 난이도 ●○○ |

소방사는 국가직공무원으로 특정직에 해당한다.

선지분석
① 공무원은 경력직과 특수경력직으로 구분된다. 경력직은 다시 일반직과 특정직으로, 특수경력직은 정무직과 별정직으로 구분된다.
③ 행정부 국가공무원 중에서 가장 많은 수를 차지하는 직종은 특정직이다.
④ 국가정보원 직원은 특정직으로 경력직공무원에 해당한다.

답 ②

27　　　　　　　　　　　　　　　　2021년 지방직 9급

공직분류 체계에 대한 설명으로 옳은 것은?

① 소방공무원은 특수경력직공무원에 해당한다.
② 국회 수석전문위원은 일반직공무원에 해당한다.
③ 차관에서 3급 공무원까지는 특정직공무원에 해당한다.
④ 경력직공무원은 실적과 자격에 의해 임용되고 신분이 보장된다.

| 27 | 공직분류 체계 | 난이도 ●○○ |

실적과 자격에 의하여 임용되고 신분이 보장되는 공무원은 경력직공무원이다.

(선지분석)
① 소방공무원은 경력직 중 특정직에 해당한다.
② 국회 수석전문위원은 특수경력직 중 별정직공무원이다.
③ 차관은 특수경력직 중 정무직, 1~3급 공무원은 경력직 중 일반직공무원이다.

답 ④

28　　　　　　　　　　　　　　　　2016년 국가직 7급

다음 중 (　　) 안에 들어갈 말을 옳게 나열한 것은?

「국가공무원법」상 행정각부의 차관은 (　ㄱ　)공무원 중 (　ㄴ　)공무원이다.

	ㄱ	ㄴ
①	경력직	일반직
②	경력직	특정직
③	특수경력직	별정직
④	특수경력직	정무직

| 28 | 공무원의 분류 | 난이도 ●○○ |

차관은 (ㄱ. 특수경력직)공무원 중 (ㄴ. 정무직)공무원이다. 정무직공무원은 ⓐ 선거에 의해 임용되는 자(대통령, 국회의원, 자치단체장, 지방의회 의원, 교육감), ⓑ 임명에 국회 동의가 요구되는 공무원(감사원장), ⓒ 고도의 정책결정 업무나 이를 보조할 공무원(국무총리, 각 부처 장·차관, 국가정보원 원장·차장·기획조정실장, 감사원 사무총장 등)으로 법률로 지정한다.

답 ④

29 ★★★ 2016년 경찰간부

다음 중 특수경력직공무원에 해당하는 것은 모두 몇 개인가?

> ㄱ. 서울특별시 선거관리위원회 상임위원
> ㄴ. 국정원차장
> ㄷ. 헌법재판소 헌법연구관
> ㄹ. 국회수석전문위원

① 1개
② 2개
③ 3개
④ 4개

30 ★★★ 2018년 국가직 9급 변형

전문경력관제도에 대한 설명으로 옳지 않은 것은?

① 소속 장관은 해당 기관의 일반직공무원 직위 중 순환보직이 곤란하거나 장기 재직 등이 필요한 특수 업무 분야의 직위를 전문경력관직위로 지정할 수 있다.
② 일반직공무원과 마찬가지로 계급 구분과 직군 및 직렬의 분류를 적용한다.
③ 전문경력관직위의 군은 직무의 특성·난이도 및 직무에 요구되는 숙련도 등에 따라 구분한다.
④ 임용권자는 일정한 경우에 전직시험을 거쳐 전문경력관을 다른 일반직공무원으로 전직시킬 수 있다.

| 29 | 특수경력직공무원 | 난이도 ●●○ |

시·도선거관리위원회 상임위원이 별정직에서 모두 일반직(임기제)으로 전환되어 경력직에 해당한다. 따라서 ㄴ, ㄹ만 특수경력직에 해당한다.
ㄴ. 국정원차장은 정무직(차관급)으로 특수경력직공무원이다.
ㄹ. 국회수석전문위원은 별정직(1급 상당)으로 특수경력직공무원이다.

(선지분석)
ㄱ. 서울특별시 선거관리위원회 상임위원은 일반직(임기제)으로 경력직공무원이다.
ㄷ. 헌법재판소 헌법연구관은 특정직으로 경력직공무원이다.

답 ②

| 30 | 전문경력관제도 | 난이도 ●●● |

전문경력관은 일반직공무원 중에서 계급 구분과 직급 및 직렬의 구분을 적용하지 않는 공무원이다. 전문경력관제도란 2015년 도입된 제도로, 일반직공무원 직위 중 순환보직이 곤란하거나, 장기 재직 등이 필요한 특수 업무 분야의 직위를 인사혁신처장과 협의하여 전문경력관직위로 지정할 수 있는 제도이다(「전문경력관 규정」 제3조). 이는 일반직공무원 중에서 계급 구분과 직급 및 직렬의 구분을 적용하지 않는 공무원이다(「국가공무원법」 제4조).

(선지분석)
① 소속 장관은 일반직공무원 직위 중 순환보직이 곤란하거나 장기 재직 등이 필요한 특수 업무 분야의 직위를 전문경력관직위로 지정할 수 있다[「전문경력관 규정」 제3조(전문경력관직위 지정)].
③ 전문경력관직위의 군은 직무의 특성·난이도 및 직무에 요구되는 숙련도 등에 따라 가군, 나군 및 다군으로 구분한다[「전문경력관 규정」 제4조(직위군 구분)].
④ 임용권자는 예외적으로 일정한 경우(직제나 정원의 개폐 등) 전직시험을 거쳐 전문경력관을 다른 일반직공무원으로 전직시키거나, 다른 일반직공무원을 전문경력관으로 전직시킬 수 있다[「전문경력관 규정」 제17조(전직)].

답 ②

31

2022년 국가직 7급 변형

전문경력관제도에 대한 설명으로 옳지 않은 것은?

① 계급 구분과 직군 및 직렬의 분류를 적용하지 않는다.
② 직무의 특성, 난이도 및 직무에 요구되는 숙련도 등에 따라 가군, 나군, 다군으로 구분한다.
③ 전직시험을 거쳐 다른 일반직공무원을 전문경력관으로 전직시킬 수 있으나, 전문경력관을 다른 일반직공무원으로 전직시킬 수는 없다.
④ 소속 장관은 해당 기관의 일반직공무원 직위 중 순환보직이 곤란하거나 장기 재직 등이 필요한 특수 업무 분야의 직위를 전문경력관직위로 지정할 수 있다.

31	전문경력관제도	난이도 ●●●

전직시험을 거쳐 전문경력관을 다른 일반직공무원으로 전직시키거나 다른 일반직공무원을 전문경력관으로 전직시킬 수 있다(「전문경력관 규정」 제17조 제1항).

(선지분석)
① 전문경력관의 경우 계급 구분과 직군 및 직렬의 분류를 적용하지 않는다(「전문경력관 규정」 제2조 제1항).
② 「전문경력관 규정」 제4조 제1항
④ 「전문경력관 규정」 제3조 제1항

> 「전문경력관 규정」 제2조 【적용 범위】 ① 이 영은 「국가공무원법」(이하 "법"이라 한다) 제4조 제2항 제1호에 따라 계급 구분과 직군 및 직렬의 분류를 적용하지 아니하는 특수 업무 분야에 종사하는 공무원[「공무원임용령」(이하 "임용령"이라 한다) 제3조의2에 따른 전문임기제공무원(시간선택제전문임기제공무원을 포함한다) 및 한시임기제공무원은 제외하며, 이하 "전문경력관"이라 한다]에 대하여 적용한다.
> 제3조 【전문경력관직위 지정】 ① 임용령 제2조 제3호에 따른 소속 장관은 해당 기관의 일반직공무원 직위 중 순환보직이 곤란하거나 장기 재직 등이 필요한 특수 업무 분야의 직위를 전문경력관직위로 지정할 수 있다.
> ② 제1항에 따른 특수 업무 분야 등 전문경력관직위의 지정에 필요한 사항은 인사혁신처장이 정한다.
> 제4조 【직위군 구분】 ① 제3조에 따른 전문경력관직위(이하 "전문경력관직위"라 한다)의 군(이하 "직위군"이라 한다)은 직무의 특성·난이도 및 직무에 요구되는 숙련도 등에 따라 가군, 나군 및 다군으로 구분한다.
> 제17조 【전직】 ① 임용권자는 다음 각 호의 어느 하나에 해당하는 경우에는 전직시험을 거쳐 전문경력관을 다른 일반직공무원으로 전직시키거나 다른 일반직공무원을 전문경력관으로 전직시킬 수 있다.

답 ③

32

2022년 지방직 9급

다음 설명에 해당하는 유연근무제의 유형은?

- 탄력근무제의 한 유형
- 1일 8시간에 구애받지 않음
- 주 3.5~4일 근무

① 재택근무형
② 집약근무형
③ 시차출퇴근형
④ 근무시간선택형

| 32 | 유연근무제 | 난이도 ●●○ |

제시문에 해당하는 유연근무제는 주 40시간을 유지하면서 주 5일, 1일 8시간 등에 구애받지 않는 집약근무형(압축근무형)에 해당한다.

유연근무제의 유형(인사혁신처)

유형		활용방법
탄력 근무제		주 40시간 근무하되, 출퇴근시각·근무시간·근무일을 자율 조정
	시차 출퇴근형	• 기본개념: 1일 8시간 근무체제 유지, 출퇴근시간 자율 조정 • 실시기간: 1일 이상 • 신청시기: 당일까지 신청하되, 당일 24시까지 부서장 승인 • 출근유형: 가급적 07:00 ~ 10:00까지로 30분 단위로 하되, 필요시 탄력적으로 운영 가능
	근무시간 선택형	• 기본개념: 일 8시간에 구애받지 않음(일 4 ~ 12시간 근무), 주 5일 근무 준수 • 실시기간: 1주 이상으로 하되 당일 신청시 2일 이상 • 신청시기: 당일까지 신청하되, 당일 24시까지 부서장 승인 • 근무가능시간대는 06:00 ~ 24:00로 하되 1일 최대 근무시간은 12시간
	집약 근무형	• 기본개념: 일 8시간에 구애받지 않음(일 4 ~ 12시간 근무), 주 3.5 ~ 4일 근무 • 실시기간: 1주일 이상 • 신청시기: 실시 전일까지 • 근무가능 시간대는 06:00 ~ 24:00로 하되, 1일 최대 근무시간은 12시간 • 정액급식비 등 출퇴근을 전제로 지급되는 수당은 출근하지 않는 일수만큼 감하여 지급
재량 근무형		근무시간, 근무장소 등에 구애받지 않고 구체적인 업무성과를 토대로 근무한 것으로 간주하는 근무형태 • 기본개념: 출퇴근 의무 없이 프로젝트 수행으로 주 40시간 인정 • 실시기간: 기관과 개인이 합의 • 신청시기: 수시 • 고도의 전문적 지식과 기술이 필요해 업무수행 방법이나 시간배분을 담당자의 재량에 맡길 필요가 있는 분야
원격 근무형		특정한 근무장소를 정하지 않고 정보통신망을 이용하여 근무
	재택 근무형	• 기본개념: 사무실이 아닌 자택에서 근무 • 실시기간: 1일 이상 • 신청시기: 당일까지 신청하되, 당일 24시까지 부서장 승인 • 출근유형: 08:00 ~ 10:00 내 조정가능하며, 1일 근무시간은 4 ~ 8시간으로 변동 불가 • 초과근무: 사전에 부서장의 긴급 초과 근무명령을 받은 경우에만 예외적으로 인정
	스마트워크 근무형	• 기본개념: 자택 인근 스마트워크센터 등 별도 사무실에서 근무 • 실시기간: 1일 이상 • 신청시기: 당일까지 신청하되, 당일 24시까지 부서장 승인 • 출근유형: 08:00 ~ 10:00 내 조정가능하며, 1일 근무시간은 4 ~ 8시간으로 변동 불가 • 초과근무: 사전에 부서장 승인시에만 인정

답 ②

---

33 ☐☐☐   2019년 국가직 9급

공무원의 근무방식과 형태에 대한 설명으로 옳지 않은 것은?

① 유연근무제는 공무원의 근무방식과 형태를 개인·업무·기관특성에 따라 선택할 수 있는 제도이다.
② 시간선택제 근무는 통상적인 전일제 근무시간(주 40시간)보다 길거나 짧은 시간을 근무하는 제도이다.
③ 탄력근무제는 전일제 근무시간을 지키되 근무시간, 근무일수를 자율 조정할 수 있는 제도이다.
④ 원격근무제는 직장 이외의 장소에서 정보통신망을 이용하여 근무하는 제도이다.

| 33 | 공무원의 근무방식과 형태 | 난이도 ●●○ |

시간선택제 근무란 통상적인 근무시간(주 40시간)보다 짧은 시간을 근무하는 일반직공무원으로, 주당 근무시간은 15시간 이상 35시간 이하의 범위에서 임용권자 또는 임용제청권자가 정하는 근무제도이다(「공무원임용령」 제3조의3 제2항).

선지분석
① 유연근무제 개념으로 옳은 지문이다.
③ 탄력근무제는 전일제 근무시간을 지키되 근무시간, 근무일수를 자율 조정할 수 있는 제도이다.
④ 원격근무제의 설명으로 옳은 지문이다.

답 ②

34

2020년 국가직 7급

전자정부에 대한 설명으로 옳지 않은 것은?

① 온라인 참여포털 국민신문고는 국민의 고충 민원과 제안을 원스톱으로 접수 및 처리하는 것을 목적으로 한다.
② 디지털예산회계시스템(D-Brain)은 재정업무의 전 과정을 온라인으로 수행하고 재정사업의 현황을 실시간으로 파악할 수 있는 통합재정정보시스템이다.
③ 스마트워크(smart work)란 통신, 방송, 인터넷 등을 통합한 멀티미디어 서비스를 안전하게 제공하는 통합네트워크를 의미한다.
④ 전자정부 2020 기본계획은 「전자정부법」에 따라 2016년부터 2020년까지 5개년 계획으로 수립되었다.

35

2018년 지방직 9급 변형

「지방공무원법」상 특정직 지방공무원에 해당하지 않는 것은?

① 지방의회의원
② 교육감 소속의 교육전문직원
③ 자치경찰공무원
④ 지방소방공무원

34	전자정부	난이도 ●●○

스마트워크(smart work)란 전자정부기술을 이용하여 공무원의 근무시간과 장소를 유연하게 변경 및 운용하는 유연근무제를 말한다.

선지분석
① 온라인 참여포털 국민신문고는 G2C의 일종으로, 국민의 고충 민원과 제안을 원스톱으로 접수 및 처리하는 것을 목적으로 한다.
② 노무현 정부시절 구축된 디지털예산회계시스템(D-Brain)은 재정업무의 전 과정을 온라인으로 수행하고, 재정사업의 현황을 실시간으로 파악할 수 있는 통합재정정보시스템이다.
④ 행정안전부장관은 전자정부기본계획을 수립할 때에는 재원조달방안 및 계획 수립 이전 5년간 전자정부기본계획의 추진 성과를 고려하여야 한다.

답 ③

35	특정직 지방공무원	난이도 ●●●

① 지방의회의원은 정무직이다.
④ 소방공무원의 국가직 전환으로 소방공무원은 국가직 특정직에 해당하므로 「국가공무원법」상 특정직공무원이다.

> 「지방공무원법」 제2조 【공무원의 구분】 ① 지방자치단체의 공무원(지방자치단체가 경비를 부담하는 지방공무원을 말하며, 이하 "공무원"이라 한다)은 경력직공무원과 특수경력직공무원으로 구분한다.
> ② "경력직공무원"이란 실적과 자격에 따라 임용되고 그 신분이 보장되며 평생 동안(근무기간을 정하여 임용하는 공무원의 경우에는 그 기간 동안을 말한다) 공무원으로 근무할 것이 예정되는 공무원을 말하며, 그 종류는 다음 각 호와 같다.
> 1. 일반직공무원: 기술·연구 또는 행정 일반에 대한 업무를 담당하는 공무원
> 2. 특정직공무원: 공립 대학 및 전문대학에 근무하는 교육공무원, 교육감 소속의 교육전문직원, 자치경찰공무원 및 그 밖에 특수 분야의 업무를 담당하는 공무원으로서 다른 법률에서 특정직공무원으로 지정하는 공무원

선지분석
② 교육감 소속의 교육전문직원, ③ 자치경찰공무원 모두 특정직에 해당한다.

답 ①, ④

36 □□□   2023년 국가직 9급

「지방공무원법」상 인사위원회의 위원으로 임명되거나 위촉될 수 없는 사람은?

① 지방의회의원
② 법관·검사 또는 변호사 자격이 있는 사람
③ 공무원으로서 20년 이상 근속하고 퇴직한 사람
④ 초등학교·중학교·고등학교 교장 또는 교감으로 재직하는 사람

37 □□□   2018년 국회직 8급

다음 중 특수경력직공무원에 대한 설명으로 옳지 않은 것은?

① 특수경력직공무원은 경력직공무원과는 달리 실적주의와 직업공무원제의 획일적 적용을 받지 않는다.
② 특수경력직공무원도 경력직공무원과 마찬가지로 「국가공무원법」에 규정된 보수와 복무규율을 적용받는다.
③ 교육·소방·경찰 공무원 및 법관, 검사, 군인 등 특수 분야의 업무를 담당하는 공무원은 특수경력직 중 특정직공무원에 해당한다.
④ 국회 수석전문위원은 특수경력직 중 별정직공무원에 해당한다.
⑤ 선거에 의해 취임하는 공무원은 특수경력직 중 정무직공무원에 해당한다.

36	인사위원회	난이도 ●●○

지방의회의원, 정당의 당원 등은 「지방공무원법」상 인사위원회의 위원으로 임명 또는 위촉될 수 없다.

> 「지방공무원법」 제7조【인사위원회의 설치】⑤ 지방자치단체의 장과 지방의회의 의장은 각각 소속 공무원(국가공무원을 포함한다) 및 다음 각 호에 해당하는 사람으로서 인사행정에 관한 학식과 경험이 풍부한 사람 중에서 위원을 임명하거나 위촉하되, 위원의 자격요건에 관하여 필요한 사항은 대통령령으로 정한다. 다만, 시험위원은 시험실시기관의 장이 따로 위촉할 수 있다.
> 1. 법관·검사 또는 변호사 자격이 있는 사람
> 2. 대학에서 조교수 이상으로 재직하거나 초등학교·중학교·고등학교 교장 또는 교감으로 재직하는 사람
> 3. 공무원(국가공무원을 포함한다)으로서 20년 이상 근속하고 퇴직한 사람
> 4. 「비영리민간단체 지원법」에 따른 비영리민간단체에서 10년 이상 활동하고 있는 지역단위 조직의 장
> 5. 상장법인의 임원 또는 「공공기관의 운영에 관한 법률」 제5조에 따라 지정된 공기업의 지역단위 조직의 장으로 근무하고 있는 사람
> ⑥ 다음 각 호의 어느 하나에 해당하는 사람은 위원으로 위촉될 수 없다.
> 1. 제31조 각 호의 어느 하나에 해당하는 사람
> 2. 「정당법」에 따른 정당의 당원
> 3. 지방의회의원

답 ①

37	특수경력직공무원	난이도 ●●○

교육·소방·경찰 공무원 및 법관, 검사, 군인 등 특수 분야의 업무를 담당하는 공무원은 경력직 중 특정직공무원에 해당한다.

선지분석
① 특수경력직공무원은 경력직 이외의 공무원으로서 직업공무원제(「국가공무원법」)나 실적주의의 획일적 적용을 받지 않는다.
② 「국가공무원법」상 국가공무원은 경력직공무원과 특수경력직공무원으로 구분(「국가공무원법」제2조)되며, 특수경력직공무원에 대하여는 이 법 또는 다른 법률에 특별한 규정이 없으면 한정적으로 「국가공무원법」의 적용을 받으며 적용범위에 보수(제5장)와 복무규율(제7장)을 포함한다.
④ 국회 수석전문위원은 특수경력직 중 별정직공무원에 해당한다.
⑤ 선거에 의해 취임하거나, 임명할 때 국회 동의를 요하는 공무원은 특수경력직 중 정무직공무원에 해당한다.

📑 경력직과 특수경력직공무원의 분류

경력직	일반직	행정일반 또는 기술·연구 업무를 담당하는 공무원
	특정직	법관, 검사, 외무공무원, 경찰공무원, 소방공무원, 교육공무원, 군인, 군무원, 헌법재판소 헌법연구관, 국가정보원의 직원과 특수분야의 업무를 담당하는 공무원
특수 경력직	정무직	선거에 의해 임용되는 자(대통령, 국회의원, 자치단체장, 지방의회 의원, 교육감), 임명에 국회 동의가 요구되는 공무원(감사원장), 고도의 정책결정 업무나 이를 보조할 공무원(국무총리, 각 부처 장·차관, 국가정보원 원장·차장, 감사원 사무총장 등)
	별정직	법령에 따라 특정 업무의 담당을 위해 별도의 자격기준에 의해 임용되는 공무원(국회의원 보좌관·비서관·비서, 국회 수석전문위원)

답 ③

38
2017년 지방직 9급(6월 시행)

정무직공무원과 직업관료 간의 일반적인 성향 차이에 대한 내용으로 옳지 않은 것은?

① 정무직공무원은 재임기간이 짧기 때문에 정책의 필요성이나 성패를 단기적으로 바라보지만, 직업관료는 신분보장이 되어 있기 때문에 장기적으로 바라보는 경향이 있다.
② 정무직공무원은 행정수반의 정책비전에 따른 변화를 추구하고, 직업관료는 제도적 건전성을 통한 중립적 공공봉사를 중시한다.
③ 정무직공무원은 직업적 전문성(professionalism)에 따라 정책 문제를 바라보고, 직업관료는 정치적 이념에 따라 정책 문제를 정의한다.
④ 정책 대안을 평가할 때 정무직공무원은 조직 내부의 이익보다 정치적 반응에 더 큰 비중을 두고, 직업관료는 본인이 소속된 기관의 이익을 중시하는 경향이 있다.

39
2019년 서울시 7급(3월 추가) 변형

특정직공무원이 아닌 것은?

① 기술에 대한 업무를 담당하는 공무원
② 공립대학 및 전문대학에 근무하는 교육공무원
③ 자치경찰공무원
④ 지방소방공무원

---

38 정무직공무원과 직업관료의 비교   난이도 ●●○

정무직공무원은 선거에 의해 임용되는 자(대통령, 국회의원, 자치단체장, 지방의회 의원, 교육감), 임명에 국회 동의가 요구되는 공무원(감사원장), 고도의 정책결정업무나 이를 보조할 공무원(국무총리, 각 부처 장·차관, 국가정보원 원장·차장·기획조정실장, 감사원 사무총장 등)으로 정치적 이념에 따라 정책문제를 정의하고, 직업관료는 직업적 전문성에 따라 정책문제를 바라본다.

답 ③

39 특정직공무원   난이도 ●○○

행정일반, 기술에 대한 업무를 담당하는 공무원은 특정직이 아니라 일반직에 해당한다.

(선지분석)
② 공립대학 및 전문대학에 근무하는 교육공무원, ③ 자치경찰공무원, ④ 소방공무원은 특정직공무원에 해당한다.

답 ①

40　　　　　　　　　　　　　　　2020년 국가직 9급

우리나라 인사제도에 대한 설명으로 옳지 않은 것은?

① 인사혁신처는 비독립형 단독제 형태의 중앙인사기관이다.
② 전문경력관이란 직무 분야가 특수한 직위에 임용되는 일반직공무원을 말한다.
③ 별정직공무원의 근무상한연령은 65세이며, 일반임기제공무원으로 채용할 수 있다.
④ 각 부처의 고위공무원을 범정부적 차원에서 효율적으로 관리하고자 고위공무원단제도를 운영하고 있다.

41　　　　　　　　　　　　　　　2025년 지방직 9급

우리나라 공무원 구분에 대한 설명으로 옳은 것은?

① 임용주체와 경비부담을 기준으로 국가공무원과 지방공무원으로 나누며 지방공무원의 임용권자에는 지방의회의 의장도 포함된다.
② 별정직공무원은 기술·연구 또는 행정 일반에 대한 업무를 담당하는 경력직공무원이다.
③ 특정직공무원은 헌법재판소 헌법연구관, 경찰공무원, 군무원 등 특수 분야의 업무를 담당하는 특수경력직공무원이다.
④ 정무직공무원은 대통령, 국무총리 등 선거로 취임하거나 임명할 때 국회의 동의가 필요한 경력직공무원이다.

40	우리나라의 인사제도	난이도 ●●○

별정직공무원의 근무상한연령(정년)도 일반직공무원과 마찬가지로 60세이다.

(선지분석)
① 우리나라 중앙인사행정기관인 인사혁신처는 비독립단독형에 해당한다.
② 전문경력관이란 직무분야가 특수한 직위에 임용되는 일반직공무원으로 직렬, 직군 등의 구분이 적용되지 않는 공무원이다.
④ 중앙부처 실·국장급 공무원들을 범정부적으로 관리하는 고위공무원단제도가 운영되고 있다.

답 ③

41	우리나라 공무원 구분	난이도 ●○○

임용주체와 경비부담을 기준으로 국가공무원과 지방공무원으로 나누며 지방공무원의 경우 지방자치단체장, 교육감, 지방의회 의장이 임용권을 가진다.

(선지분석)
② 별정직이 아니라 경력직중 일반직 공무원에 해당하는 설명이다.
③ 특정직 공무원은 경력직 공무원에 해당한다.
④ 정무직 공무원은 특수경력직 공무원이다.

답 ①

KEYWORD 067 개방형과 폐쇄형

42

2015년 지방직 9급

개방형 인사제도에 대한 설명으로 옳지 않은 것은?

① 폭넓은 지식을 갖춘 일반행정가를 육성하는 데에 효과적이다.
② 기존 관료들에게 승진 기회가 축소될 수 있다는 불안감을 주고 사기를 저하시킬 수 있다.
③ 정실주의로 전락할 가능성이 있다.
④ 기존 내부관료들에게 전문성 축적에 대한 자극제가 된다.

43

2014년 서울시 9급

개방형 인사관리에 관한 설명으로 옳지 않은 것은?

① 충원된 전문가들이 관료집단에서 중요한 역할을 수행하게 한다.
② 개방형은 승진 기회의 제약으로, 직무의 폐지는 대개 퇴직으로 이어진다.
③ 정치적 리더십의 요구에 따른 고위층의 조직장악력의 약화를 초래한다.
④ 공직의 침체, 무사안일주의 등 관료제의 병리를 억제한다.
⑤ 민간부문과의 인사교류로 적극적 인사행정이 가능하다.

| 42 | 개방형 인사제도 | 난이도 ●●○ |

개방형 인사제도는 외부의 전문가를 유입하여 행정의 전문화에는 기여할 수 있으나, 폭넓은 지식과 안목을 갖춘 일반행정가 양성은 불리하다.

(선지분석)
② 개방형은 외부인사가 임용될 수 있기 때문에 재직관료의 승진기회가 축소되어 사기가 저하될 수 있다.
③ 개방형은 객관적인 공개경쟁시험에 의하지 않는 경우가 많으므로, 정실에 의한 자의적인 인사가 이루어질 수 있는 문제점이 있다.
④ 개방형 인사제도는 민간과 경쟁해야 하기 때문에 재직자의 자기계발의 노력을 촉진한다.

📄 **개방형 인사제도의 장점**
㉠ 활발한 신진대사로 관료제 침체·경직화 방지, 무사안일적 풍토 쇄신, 재직자의 자기개발노력 촉진
㉡ 공무원의 질적 향상, 행정능률화에 기여
㉢ 국민에 대한 반응성 제고 및 행정에 대한 민주통제 용이
㉣ 정부의 인적 자원의 활용범위 확대

답 ①

| 43 | 개방형 인사관리 | 난이도 ●●● |

개방형 인사관리는 인사권자에게 재량권을 주어 정치적 리더십을 강화하고 조직장악력을 높여준다.

(선지분석)
① 개방형은 외부로부터 전문가 영입을 용이하게 한다.
② 재직자들의 능력발전(승진) 기회를 제약하고, 직무의 변동에 따라 신분이 좌우되므로 폐직이 되면 담당자는 퇴직하게 된다.
④ 개방형은 공직사회의 침체를 방지하고 활력을 주입하여 탈관료제화에 기여한다.
⑤ 개방형은 민관 간 인사교류 및 협력을 촉진한다.

답 ③

44 □□□
2021년 국가직 7급

개방형 또는 폐쇄형 인사제도에 대한 설명으로 옳은 것은?

① 개방형 인사제도는 외부전문가나 경력자에게 공직을 개방하여 새로운 지식과 기술, 아이디어를 수용해 공직사회의 침체를 막고 행정의 효율성을 높이는 데 유리하다.
② 일반적으로 폐쇄형 인사제도는 직위분류제에 바탕을 두고 있으며, 일반행정가보다 전문가 중심의 인력구조를 선호한다.
③ 개방형 인사제도는 폐쇄형 인사제도에 비해 안정적인 공직사회를 형성함으로써 공무원의 사기를 높이고 장기근무를 장려한다.
④ 폐쇄형 인사제도는 개방형 인사제도에 비해 내부승진과 경력발전을 위한 교육훈련의 기회가 적다.

| 44 | 개방형 및 폐쇄형 인사제도 | 난이도 ●●○ |

개방형 인사제도는 모든 계급에 외부인사를 채용할 수 있는 제도로, 새로운 지식과 기술 및 아이디어를 수용해 공직사회의 침체를 막고, 행정의 효율성을 높이는 데 유리하다.

선지분석
② 일반적으로 폐쇄형 인사제도는 계급제에 바탕을 두고 일반행정가 중심이다.
③ 개방형이 아니라 폐쇄형 인사제도의 장점이다.
④ 폐쇄형이 아니라 개방형 인사제도의 단점에 해당한다.

답 ①

---

45 □□□
2025년 국회직 8급

개방형 직위제도와 공모 직위제도에 대한 설명으로 옳지 않은 것은?

① 민간인은 개방형 직위제도에 의해서는 임용될 수 있지만, 공모 직위제도에 의해서는 임용될 수 없다.
② 개방형 직위는 고위공무원단 직위 총수의 20% 범위에서 지정하며, 공모 직위는 경력직공무원으로 임명할 수 있는 고위공무원단 직위 총수의 30% 범위에서 지정한다.
③ 개방형 직위제도와 공모 직위제도는 기관 외부에서 적격자를 임용할 수 있다.
④ 공무원이 개방형 직위나 공모 직위에 임용된 경우 임용기간 만료 후 원 소속기관으로 복귀가 가능하다.
⑤ 개방형 직위제도의 운영은 자율사항이나 공모 직위제도의 운영은 의무사항이다.

| 45 | 개방형 직위제도와 공모 직위제도 | 난이도 ●●● |

개방형 직위제도와 공모 직위제도 모두 인사혁신처의 기준에 따라 운영되는 법정 제도이며, 자율사항이 아니라 의무적으로 시행'해야 하는 제도이다.

선지분석
① 민간인은 개방형 직위제도에 의해서는 임용될 수 있지만, 공모 직위제도에 의해서는 임용될 수 없다.
② 개방형 직위는 고위공무원단 직위 총수의 20% 범위에서 지정하며, 공모 직위는 경력직공무원으로 임명할 수 있는 고위공무원단 직위 총수의 30% 범위에서 지정한다.
③ 개방형 직위는 공직 내부나 외부에서 적격자를 임용하는 반면, 공모 직위는 해당 기관 내부 또는 외부의 공무원 중에서 적격자를 임용한다.
④ 공무원이 개방형직위나 공모직위에 임용된 경우 임용기간 만료 후에는 원 소속기관으로 복귀가 가능하다.

답 ⑤

KEYWORD 068　고위공무원단제도

46 □□□　　　2018년 지방직 7급

우리나라 고위공무원단제도 운영의 효과에 대한 설명으로 옳지 않은 것은?

① 민간전문가의 고위직 임용가능성이 증가하였다.
② 연공서열에 의한 인사관리를 강화하여 직위의 안정을 도모하였다.
③ 고위직 공무원이 다른 부처로 이동할 가능성이 증가하였다.
④ 공무원 개개인의 능력발전과 성과관리의 중요성이 더욱 커졌다.

47 □□□　　　2017년 국가직 7급(8월 시행)

고위공무원단제도에 대한 설명으로 옳은 것은?

① 고위공무원단으로 관리되는 풀(pool)에는 일반직공무원뿐만 아니라 외무공무원도 포함된다.
② 적격 심사에서 부적격 결정을 받은 경우에 한해서만 직권면직이 가능하므로 제도 도입 전보다 고위공무원의 신분보장이 강화되었다.
③ 고위공무원단 직무 등급이 2009년 2등급에서 5등급으로 변경됨에 따라 계급 중심의 인사관리로 회귀할 가능성이 높아졌다.
④ 고위공무원단의 구성은 소속 장관별로 개방형 직위 30%, 공모직위 20%, 기관자율 50%로 이루어져 있다.

| 46 | 고위공무원단제도의 운영 효과 | 난이도 ●○○ |

고위공무원단제도는 계급이 폐지되고 직무등급이 도입된 것으로, 연공서열이 아닌 능력과 성과 중심으로 운영되는 인사관리제도이다.

선지분석
① 고위공무원단제도에는 개방형직위(20%), 공모직위(30%), 자율직위(50%)가 포함된다. 개방형직위는 민간에게까지 개방되는 직위이기 때문에 민간전문가의 임용가능성이 증가된다.
③ 모든 공무원들이 경쟁 대상인 공모직위제도를 통하여 고위직 공무원이 다른 부처로 이동할 가능성이 증가한다.
④ 연공서열과 계급 대신 능력과 성과 중심의 인사관리이다.

답 ②

| 47 | 고위공무원단제도 | 난이도 ●●○ |

고위공무원단제도는 실·국장급 중 일반직공무원, 별정직, 특정직 중 외무공무원도 포함된다.

선지분석
② 적격 심사에서 부적격 결정을 받은 경우에는 직권면직이 가능하므로, 제도 도입 전보다 고위공무원의 신분보장이 약화되었다.
③ 고위공무원단 직무 등급이 2009년 5등급에서 2등급(가, 나)으로 간소화됨에 따라 계급 중심의 인사관리로 회귀할 가능성은 아주 낮아졌다.
④ 고위공무원단의 구성은 소속 장관별로 개방형 직위 20%, 공모직위 30%, 기관자율 50%로 이루어져 있다.

답 ①

48　　　　　　　　　　　　　　2016년 국회직 8급

우리나라의 고위공무원단에 대한 설명으로 옳지 않은 것은?

① 고위공무원단의 일부는 공모직위제도에 의해 충원된다.
② 고위공무원단제도는 지방자치단체의 지방공무원에 대해서는 도입되지 않고 있다.
③ 고위공무원단은 계급제가 아닌 직무등급제를 기반으로 운영된다.
④ 고위공무원단의 대상은 일반직공무원이며 별정직공무원은 그 대상에 제외된다.
⑤ 고위공무원단의 성과연봉은 전년도 근무성과에 따라 결정된다.

49　　　　　　　　　　　　　　2016년 경찰간부

고위공무원단에 대한 설명으로 가장 옳지 않은 것은?

① 우리나라에서 고위공무원단은 중앙행정기관 실·국장급 공무원들로 구성되며 일반직, 별정직, 외무공무원 등이 적용 대상이다.
② 미국의 고위공무원단제도에는 엽관주의적 요소가 포함되어 있다.
③ 미국의 고위공무원단은 카터(Cater) 행정부의 공무원제도 개혁법에 의거하여 탄생된 SES(Senior Executive Service)가 시초이다.
④ 우리나라의 경우 김대중 정부 출범 이후인 1998년에 고위공무원단제도를 처음 도입·시행하였다.

48　고위공무원단

고위공무원단의 대상은 일반직, 별정직, 특정직(외무직)이 포함된다.

(선지분석)
① 고위공무원단의 직위는 개방형 직위(20% 이내), 공모직위(30% 이내) 및 자율직위(50% 이내)로 구성된다.
② 광역자치단체 행정부지사·행정부시장 및 기획관리실장·지방교육행정기관 부교육감도 포함된다.
③ 계급이 폐지되고 직위와 직무등급으로만 운영된다.
⑤ 고위공무원단의 보수는 직무성과급적 연봉제로, 기본연봉은 기준급과 직무급으로 나누어지고 성과연봉은 전년도 근무성과에 따라 결정된다.

답 ④

49　고위공무원단

우리나라의 고위공무원단제도는 2006년 7월 노무현 정부에 의하여 처음 도입되었다.

(선지분석)
① 고위공무원단은 실·국장급 이상의 국가직공무원으로 구성되며, 일반직·별정직·특정직 중 외무공무원을 대상으로 한다.
②, ③ 카터(Cater) 행정부가 도입한 미국의 고위공무원단에는 엽관주의적 임용이 가능한 부분도 있다.

답 ④

50

2016년 국가직 9급

고위공무원단제도에 대한 설명으로 옳지 않은 것은?

① 전(全) 정부적으로 통합 관리되는 공무원 집단이다.
② 계급제나 직위분류제적 제약이 약화되어 인사 운영의 융통성이 강화된다.
③ 고위공무원단에 속하는 모든 일반직공무원의 신규채용 임용권은 각 부처의 장관이 가진다.
④ 성과계약을 통해 고위직에 대한 성과관리가 강화된다.

51

2016년 서울시 9급

역량평가제도에 대한 설명으로 가장 옳은 것은?

① 역량평가제도는 근무실적 수준만으로 해당 업무 수행을 위한 역량을 보유하고 있는지에 대해 평가하는 것을 목적으로 한다.
② 역량평가제도는 대상자의 과거 성과를 평가하는 것이고, 성과에 대한 외부변수를 통제하지 않는다.
③ 역량평가제도는 구조화된 모의상황을 설정한 뒤 현실적 직무상황에 근거한 행동을 관찰해 평가하는 방식이다.
④ 역량평가는 한 개의 실행 과제만을 활용하여 평가한다.

| 50 | 고위공무원단제도 | 난이도 ●○○ |

고위공무원단에 속하는 공무원의 신규채용 임용권은 각 부처의 장관이 아니라 대통령의 권한이다.

선지분석
①, ④ 고위공무원단제도는 정부 실·국장급 공무원을 범정부적 차원에서 성과와 능력에 기반을 두고 인사관리를 함으로써 정부의 생산성을 향상시키고자 하는 제도이다.
② 직위분류제적 성격이 강한 나라(미국)는 계급제 요소를 수용하고, 계급제 성격이 강한 나라(영국, 우리나라)에서는 직위분류제적 요소를 수용하여 고위공무원단제도는 직위분류제와 계급제의 조화적 성격을 갖는다.

답 ③

| 51 | 역량평가제도 | 난이도 ●●○ |

역량평가제는 고위공무원단 후보자가 고위공무원에게 필요한 능력과 자질(역량)을 충분히 갖추고 있는지 사전에 평가하는 제도로, 실제 업무에서 나타날 수 있는 모의상황을 통해 피평가자의 행동양식을 평가하는 것이다.

선지분석
① 역량평가제는 근무실적 수준만으로 평가하는 것이 아니다. 다양한 평가기법을 활용하여 실제와 유사한 모의상황 등에서의 피평가자 행동양식을 다수의 평가자가 평가하는 체계이다.
② 역량평가제도는 사전에 미래행동에 잠재력을 측정하는 것이며, 외부변수를 통제함으로써 객관적 평가가 가능하다.
④ 고위공무원에게 필요한 능력과 자질(역량)을 충분히 갖추고 있는지 사전에 평가하는 제도로, 다양한 과제를 활용하여 평가한다.

답 ③

52

2017년 국가직 7급(10월 추가)

역량기반 교육훈련(CBC: Competency-Based Curriculum)에 대한 설명으로 옳은 것만 모두 고른 것은?

> ㄱ. 맥클리랜드(McClelland)는 우수성과자의 인사관련 행태를 역량으로 규정하고 이를 중심으로 한 인사관리를 주장한다.
> ㄴ. 직무분석으로 도출된 직무명세서를 바탕으로 교육과정을 설계하는 직무지향적 교육방법이다.
> ㄷ. 역량모델은 전체 구성원에게 적용되는 공통역량, 원활한 조직운영을 위한 직무역량, 전문적 직무수행을 위한 관리역량으로 구성된다.
> ㄹ. 피교육자의 능력을 정확히 진단하여 부족한 부분을 보충하는 교육은 가능하다.

① ㄱ, ㄴ
② ㄱ, ㄹ
③ ㄴ, ㄷ
④ ㄷ, ㄹ

53

2024년 군무원 9급

역량평가제도에 대한 설명으로 가장 적절하지 않은 것은?

① 우리나라 역량평가제도는 고위공무원단의 구성과 함께 고위공무원으로서 요구되는 역량의 사전적 검증장치로 도입되었다.
② 역량평가는 특정 피평가자에 대해 다양한 사람으로부터 입체적이고 다면적인 평가 결과를 도출함으로써 평가의 공정성을 확보할 수 있다.
③ 역량평가는 구조화된 모의 상황을 설정해 현실적 직무 상황에 근거한 행정을 관찰해 평가하는 방식이다.
④ 역량평가는 다양한 실행 과제를 종합적으로 활용함으로써 개별 평가기법의 한계를 극복하고 대상자들의 몰입을 유도하며 다양한 역량을 측정할 수 있다.

---

52 역량기반 교육훈련 난이도 ●●●

ㄱ, ㄹ. 역량기반 교육훈련(CBC)에 대한 옳은 설명이다.

(선지분석)
ㄴ. 역량분석(역량진단)으로 도출된 역량모델을 바탕으로 필요한 교육과정을 설계한다.
ㄷ. 역량군은 전체 구성원에게 적용되는 공통역량, 원활한 조직운영을 위한 관리역량, 전문적 직무수행을 위한 직무역량으로 구성된다.

답 ②

53 역량평가제도 난이도 ●●●

입체적이고 다면적인 평가는 다면평가이다.

(선지분석)
① 역량평가제는 고위공무원단 후보자가 고위공무원에게 필요한 능력과 자질(역량)을 충분히 갖추고 있는지 사전에 평가하는 제도이다.
③ 역량평가제는 실제 업무에서 나타날 수 있는 모의상황을 통해 피평가자의 행동양식을 다양한 과제를 활용하여 평가하는 것이다.
④ 역량평가제는 다양한 평가기법을 활용하여 실제와 유사한 모의상황 등에서의 피평가자의 행동 양식을 다수의 평가자가 평가하는 체계이다.

답 ②

54
2021년 지방직 9급

고위공무원단제도에 대한 설명으로 옳지 않은 것은?

① 역량 중심의 인사관리
② 계급 중심의 인사관리
③ 성과와 책임 중심의 인사관리
④ 개방과 경쟁 중심의 인사관리

55
2023년 군무원 9급

고위공무원단에 대한 설명으로 가장 적절하지 않은 것은?

① 고위공무원단은 실·국장급 공무원을 적재적소에 활용하고 개방과 경쟁을 확대하여 성과책임을 강화하고자 하는 전략적 인사시스템이다.
② 기존의 1~3급이라는 신분중심의 계급을 폐지하고 직무의 난이도와 책임도에 따라 가급과 나급으로 직무를 구분한다.
③ 민간과 경쟁하는 개방형직위제도와 타 부처 공무원과 경쟁하는 공모직위제도를 두고 있다.
④ 특히 경력에서 자격이 있는 민간인과 공무원이 지원하여 경쟁할 수 있는 경력개방형직위제도도 도입되었다.

| 54 | 고위공무원단제도 | 난이도 ●○○ |

고위공무원에 대하여 계급을 폐지하고 부처와 소속 중심의 폐쇄적 인사관리를 개방하여, 전 정부 차원에서 경쟁을 통해 최적임자를 선임하게 함으로써 적재적소 인사를 실현한다.

선지분석
① 고위공무원단으로의 승진은 역량평가를 통하여 이루어지므로 역량 중심의 인사관리이다.
③ 직무성과계약에 의한 성과관리이다.
④ 인사관리를 개방하여 경쟁을 통한 적임자를 선임한다.

답 ②

| 55 | 고위공무원단 | 난이도 ●●○ |

소속장관은 개방형 직위 중 특히 공직 외부의 경험과 전문성을 적극 활용할 필요가 있는 직위를 공직 외부에서만 적격자를 선발하는 개방형 직위(이하 "경력개방형 직위"라 한다)로 지정할 수 있다. 경력개방형 직위에 공무원은 지원할 수 없다.

선지분석
① 우리나라는 중앙정부의 실·국장급 고위공무원에 대하여 개방과 경쟁을 확대하고, 성과관리와 책임을 강화하는 고위공무원단제도를 시행하고 있다.
② 고위공무원에 대하여 계급을 폐지하고 직무등급을 도입하였다. 직무등급은 책임도와 곤란도에 따라 가급과 나급으로 구별하고 있다.
③ 고위공무원단은 개방형 직위를 통한 민간과의 경쟁뿐만 아니라 공모직위제도를 도입하여 부처 간 경쟁을 통해 적격자를 충원한다.

답 ④

56 □□□ · 2024년 군무원 9급

다음 중 우리나라 고위공무원단 또는 고위감사공무원단에 속하는 공무원이 아닌 것은?

① 「정부조직법」 제2조에 따른 중앙행정기관의 실장·국장 및 이에 상당하는 보좌기관
② 지방자치단체 및 지방교육행정기관의 지방공무원 중 국장급 직위에 상당하는 직위
③ 행정부 각급 기관의 직위 중 제1호의 직위에 상당하는 직위
④ 감사원 사무차장, 감사교육원장, 감사연구원장

57 □□□ · 2025년 국가직 7급

우리나라 중앙정부 고위공무원 역량평가에 대한 설명으로 옳지 않은 것은?

① 구조화된 모의상황을 설정해 현실적 직무 상황에 근거한 행동을 관찰해 평가한다.
② 과거의 근무성과와 근무태도에 대한 근무평정 점수를 반영한다.
③ 다양한 기법을 활용해 평가대상자의 미래 행동에 대한 잠재력을 평가한다.
④ 역량평가 기법으로는 집단토론, 서류함기법 등이 있다.

---

56 고위공무원단 — 난이도 ●○○

고위공무원단은 지방직공무원에는 도입되지 않은 제도이다.

선지분석
① 「정부조직법」 제2조에 따른 중앙행정기관의 실장·국장 및 이에 상당하는 보좌기관은 고위공무원단으로 지정할 수 있다(「국가공무원법」 제2조의2).
③ 「지방자치법」 제123조 제2항·제125조 제5항 및 「지방교육자치에 관한 법률」 제33조 제2항에 따라 국가공무원으로 보하는 지방자치단체 및 지방교육행정기관의 직위 중 제1호의 직위에 상당하는 직위는 고위공무원단으로 지정할 수 있다(「국가공무원법」 제2조의2).
④ 감사원 사무차장, 감사교육원장, 감사연구원장은 감사고위공무원단 대상이다.

답 ②

57 중앙정부 고위공무원 역량평가 — 난이도 ●○○

역량평가는 과거의 근무성과와 근무태도를 평가하는 근무성적평정과 달리 고위공무원에게 필요한 능력과 자질(역량)을 충분히 갖추고 있는지 사전에 평가하는 제도이다.

선지분석
① 역량평가제는 실제 업무에서 나타날 수 있는 모의상황을 통해 피평가자의 행동양식을 다양한 과제를 활용하여 평가하는 것이다.
③ 다양한 기법을 활용하여 평가대상자의 미래 행동에 대한 잠재력을 예측하고 평가한다.
④ 역량평가 기법으로는 그룹토론·역할연기·서류함기법·면접 등의 평가기법을 활용한다.

답 ②

CHAPTER 3 임용 및 능력발전

KEYWORD 069 신규채용 및 교육훈련

01 □□□
2022년 국가직 7급

2022년 10월 14일 기준, 「국가공무원법」상 공무원으로 임용될 수 없는 사람은? (단, 다른 상황은 고려하지 않음)

① 2021년 10월 13일에 성년후견이 종료된 甲
② 파산선고를 받고 2021년 10월 13일에 복권된 乙
③ 2019년 10월 13일에 공무원으로서 징계로 파면처분을 받은 丙
④ 2017년 금고형을 선고받고 그 집행유예기간이 2019년 10월 13일에 끝난 丁

| 01 | 공무원 임용 결격사유 | 난이도 ●●○ |

징계로 파면처분을 받은 때부터 5년이 지나지 아니한 자는 임용결격사유에 해당한다.

> 「국가공무원법」 제33조 【결격사유】 다음 각 호의 어느 하나에 해당하는 자는 공무원으로 임용될 수 없다.
> 1. 피성년후견인
> 2. 파산선고를 받고 복권되지 아니한 자
> 3. 금고 이상의 실형을 선고받고 그 집행이 종료되거나 집행을 받지 아니하기로 확정된 후 5년이 지나지 아니한 자
> 4. 금고 이상의 형을 선고받고 그 집행유예 기간이 끝난 날부터 2년이 지나지 아니한 자
> 5. 금고 이상의 형의 선고유예를 받은 경우에 그 선고유예 기간 중에 있는 자
> 6. 법원의 판결 또는 다른 법률에 따라 자격이 상실되거나 정지된 자
> 6의2. 공무원으로 재직기간 중 직무와 관련하여 「형법」 제355조(횡령, 배임) 및 제356조에 규정된 죄(업무상의 횡령과 배임)를 범한 자로서 300만 원 이상의 벌금형을 선고받고 그 형이 확정된 후 2년이 지나지 아니한 자
> 6의3. 「성폭력범죄의 처벌 등에 관한 특례법」 제2조에 규정된 죄를 범한 사람으로서 100만 원 이상의 벌금형을 선고받고 그 형이 확정된 후 3년이 지나지 아니한 사람
> 6의4. 미성년자에 대한 다음 각 목의 어느 하나에 해당하는 죄를 저질러 파면·해임되거나 형 또는 치료감호를 선고받아 그 형 또는 치료감호가 확정된 사람(집행유예를 선고받은 후 그 집행유예기간이 경과한 사람을 포함한다)
> 7. 징계로 파면처분을 받은 때부터 5년이 지나지 아니한 자
> 8. 징계로 해임처분을 받은 때부터 3년이 지나지 아니한 자

답 ③

02 □□□
2018년 국가직 7급

공무원 임용시험의 효용성을 측정하는 기준에 대한 설명으로 옳지 않은 것은?

① 시험의 타당성은 시험이 측정하고자 하는 것을 실제로 얼마나 정확하게 측정했는가를 의미하며, 그 종류에는 기준 타당성, 내용 타당성, 구성 타당성 등이 있다.
② 내용 타당성은 시험 성적이 직무수행실적과 얼마나 부합하는가를 판단하는 타당성으로, 두 요소 간 상관계수로 측정된다.
③ 측정 대상을 일관성 있게 측정하는 정도를 신뢰성이라고 하며, 같은 사람이 여러 번 시험을 반복하여 치르더라도 결과가 크게 변하지 않을 때 신뢰성을 갖게 된다.
④ 신뢰도를 측정하는 방법으로는 재시험법(test-retest)과 동질이형법(equivalent forms) 등이 사용된다.

| 02 | 공무원 임용시험의 효용성 측정 기준 | 난이도 ●●○ |

시험이 직무수행능력을 어느 정도 측정했는지는 기준 타당도에 해당한다. 내용 타당도는 직무수행에 필요한 지식·기술·태도 등 능력요소를 얼마나 정확하게 측정하느냐에 관한 타당도이다.

선지분석
① 시험의 타당도에 대한 개념과 종류에 대한 설명으로 옳은 지문이다.
③ 신뢰도란 측정도구가 갖는 일관성을 의미하는 것으로, 측정의 형식·시기·공간 등에 있어서 얼마나 규칙성과 일관성이 있는지를 의미하는 것이다.
④ 신뢰도를 검증하는 방법에는 반분법, 동질이형법, 재시험법 등이 있다.

답 ②

03　□□□　2018년 국회직 8급

다음 중 시험이 특정한 직위의 의무와 책임에 직결되는 요소들을 어느 정도 측정할 수 있느냐에 대한 타당성의 개념은?

① 내용 타당성
② 구성 타당성
③ 개념 타당성
④ 예측적 기준 타당성
⑤ 동시적 기준 타당성

04　□□□　2022년 지방직 7급

선발시험의 신뢰성을 검증하는 방법에 해당하지 않는 것은?

① 하나의 시험유형 내에서 각 문항 간의 상관관계를 종합하여 시험의 일관성을 검증한다.
② 시험성적과 본래 시험으로 예측하고자 했던 기준 사이에 얼마나 밀접한 상관관계가 있는가를 검증한다.
③ 시험을 본 수험자에게 일정한 시간이 지난 뒤, 다시 같은 문제로 시험을 보게 하여 두 점수 간의 일관성을 확인한다.
④ 문제 수준이 비슷한 두 개의 시험유형을 개발하여 동일 통제집단을 대상으로 시험을 보게 한 후 두 집단의 성적 간 상관관계를 분석한다.

03　타당성　난이도 ●●○

내용 타당성은 시험내용이 직위의 의무와 책임에 직접적으로 관련되는 능력요소들을 제대로 측정(대표)할 수 있는 정도이다.

(선지분석)
② 구성 타당도는 시험이 직무수행의 성공에 관련되어 있다고 이론적(추상적)으로 구성(추정)된 능력요소를 얼마나 정확하게 측정하고 있느냐의 정도를 의미한다.
③ 개념 타당도는 내용 타당성이나 기준에 의한 타당성으로 설명하기 어려운 감정과 같은 추상적인 개념이나 속성을 측정도구가 얼마나 적절하게 측정하였는가를 나타내는 타당성이다.
④ 예측적 기준 타당성은 시험에 합격한 합격자가 일정한 기간 직장생활을 한 다음, 그의 채용시험성적과 근무성적을 비교하여 양자의 상관관계를 확인하는 방법이다.
⑤ 동시적 기준 타당성은 사용을 앞둔 시험을 재직 중에 있는 현재직자들에게 실시한 다음, 그들의 근무성적과 시험성적을 비교하여 그 상관관계를 확인하는 방법이다.

답 ①

04　신뢰성　난이도 ●●○

시험성적과 본래 시험으로 예측하고자 했던 기준 사이의 상관관계는 기준타당도 검증이다.

(선지분석)
① 하나의 시험유형 내에서 각 문항 간의 상관관계를 종합하여 시험의 일관성을 검증하는 것은 신뢰도 검증방법 중 내적 일관성 분석법이다.
③ 신뢰도 검증방법 중 재시험법이다.
④ 신뢰도 검증방법 중 동질이형법이다.

답 ②

05　　　　　　　　　　　　　　　　2014년 지방직 7급

소방공무원의 선발시험에 대한 신뢰성과 타당성의 검증방법에 대한 연결로 옳지 않은 것은?

① 동질이형법(equivalent forms) - 내용과 난이도에 있어 동질적인 Ⓐ, Ⓑ책형을 중앙소방학교 교육후보생들을 대상으로 시험을 보게 한 후, 두 책형의 성적 간 상관관계를 분석한다.
② 내용 타당성 - 소방공무원을 선발하고자 할 때 그 직무에 정통한 전문가의 의견을 들어 선발시험의 내용을 구성한다.
③ 기준 타당성 - 소방직 시험에 합격한 사람들에게 3개월 뒤 같은 문제로 시험을 보게 하여 두 점수 간의 상관관계를 분석한다.
④ 구성 타당성 - 지원자의 근력·지구력 등을 측정하기 위해 새로 만든 시험방법을 통해 측정한 점수와 기존의 시험방법으로 측정한 결과 간의 상관관계를 분석한다.

06　　　　　　　　　　　　　　　　2022년 군무원 9급

우리나라의 시보제도에 대한 설명으로 가장 옳은 것은?

① 시보기간 동안은 신분이 보장되지 않기 때문에 그 기간은 공무원 경력에 포함되지 아니한다.
② 시보공무원은 공무원법상 공무원에 해당하기 때문에 시보기간 동안에도 보직을 부여받을 수 있다.
③ 시보기간 동안에 직권면직이 되면, 향후 3년간 다시 공무원으로 임용될 수 없는 결격사유에 해당한다.
④ 시보기간 동안은 신분이 보장되지 않기 때문에 징계처분에 대한 소청심사청구를 할 수 없다.

05　신뢰성과 타당성의 검증방법　　　난이도 ●●○

소방직 시험에 합격한 사람들에게 3개월 뒤 같은 문제로 시험을 보게 하여 두 점수 간의 상관관계를 분석하는 것은 기준 타당성이 아니라, 신뢰도를 검증하는 방법 중 재시험법에 해당한다. 기준 타당성은 시험성적과 근무성적을 비교하여 검증한다.

(선지분석)
① 신뢰성을 검증하는 동질이형법의 설명으로 옳은 지문이다.
② 내용 타당성은 직무에 정통한 전문가 집단이 시험의 구체적 내용·항목이 직무의 성공적 업무 수행에 얼마나 적합한 것인지를 판단하므로 옳은 예시의 지문이다.
④ 구성 타당성은 직무수행에 필요한 능력요소와 관련된다고 믿는 이론적 구성요소의 측정 여부이므로 옳은 예시의 지문이다.

답 ③

06　시보제도　　　난이도 ●●○

시보공무원은 정규공무원은 아니지만 「국가공무원법」상 공무원에 해당하기 때문에 시보기간 동안에도 직위를 맡을 수 있다.

(선지분석)
① 시보기간 동안의 경력도 공무원의 경력에 포함된다.
③ 시보기간 중에 직권면직이 되더라도 임용결격사유에는 해당하지 않는다.
④ 시보기간에도 징계처분에 대해서는 소청을 청구할 수 있다.

답 ②

07 시보임용 2025년 국가직 7급

시보임용에 대한 설명으로 옳은 것은?

① 5급 이상 모든 공무원은 1년의 시보임용 기간을 거친다.
② 시보임용 기간 중에 있는 공무원은 훈련을 받는 기간 동안 봉급이 지급되지 않는다.
③ 임용권자는 시보임용 기간 중에 공무원으로서 품위를 크게 손상하는 행위를 함으로써 공무원으로서의 자질이 부족하다고 판단되는 경우 시보 공무원을 면직시킬 수 있다.
④ 6급 이하 임기제 공무원의 시보임용 기간은 6개월이다.

07 시보임용 난이도 ●●○

시보 공무원이 근무성적·교육훈련성적이 나쁘거나 이 법을 위반하여 공무원으로서의 자질이 부족하다고 판단되는 경우에는 면직시킬 수 있다(「국가공무원법」 제29조).

선지분석
① 5급 공무원은 1년의 시보임용 기간을 거치지만, 4급 이상과 고위공무원단은 시보제도가 없다.
② 시보임용 기간 중에 있는 공무원은 훈련을 받는 기간 동안 봉급이 지급되고 경력에도 포함되며, 공무원연금법상 재직기간에도 포함된다.
④ 임기제 공무원은 시보제도가 적용되지 않는다.

답 ③

08 공무원 임용 2023년 지방직 7급

공무원 임용에 대한 설명으로 옳지 않은 것은?

① 국가기관의 장은 국가안보 및 보안·기밀에 관계되는 분야를 제외하고 대통령령 등으로 정하는 바에 따라 외국인을 공무원으로 임용할 수 있다.
② 임용시험 성적과 임용 후 근무성적 간의 연관성이 높다면 임용시험의 기준 타당성이 높다고 할 수 있다.
③ 국가기관의 장은 업무의 특성이나 기관의 사정 등을 고려하여 소속 공무원을 대통령령 등으로 정하는 바에 따라 통상적인 근무시간보다 짧게 근무하는 공무원으로 임용할 수 있다.
④ 신규 채용되는 공무원의 경우 시보 임용을 면제하거나 그 기간을 단축할 수 없다.

08 공무원 임용 난이도 ●●○

대통령령 등으로 정하는 경우에는 시보 임용을 면제하거나 그 기간을 단축할 수 있다(「국가공무원법」 제29조).

선지분석
① 국가기관의 장은 국가안보 및 보안·기밀에 관계되는 분야를 제외하고 대통령령 등으로 정하는 바에 따라 외국인을 공무원으로 임용할 수 있다(「국가공무원법」 제26조의3).
② 시험성적과 근무성적 간의 연관성이 높다면 임용시험의 기준타당성이 높다고 할 수 있다.
③ 「국가공무원법」 제26조의 2의 규정으로 옳은 지문이다.

답 ④

09　　　　　　　　　　　　　　　　　2016년 지방직 7급

공무원 교육방법에 대한 설명으로 옳지 않은 것은?

① 현장훈련(on the job training)은 피훈련자가 실제 직무를 수행하면서 직무수행에 관한 지식과 기술을 배우는 방법이다.
② 강의, 토론회, 시찰, 시청각교육 등은 태도나 행동의 변화를 주된 목적으로 한다.
③ 액션러닝(action learning)은 소규모로 구성된 그룹이 실질적인 업무현장의 문제를 해결해 내고 그 과정에서 성찰을 통해 학습하도록 하는 행동학습(learning by doing) 교육훈련 방법이다.
④ 감수성훈련(sensitivity training)은 대인관계의 이해와 이를 통한 인간관계의 개선을 목적으로 한다.

10　　　　　　　　　　　　　　　　　2015년 지방직 9급

공무원 교육훈련에 대한 저항 이유 중 저항 주체가 나머지와 다른 하나는?

① 교육훈련 결과의 인사관리 반영 미흡
② 교육훈련 발령을 불리한 인사조치로 이해하는 경향
③ 장기간의 훈련인 경우 복귀 시 보직 문제에 대한 불안감
④ 조직 성과의 저하 및 훈련비용의 발생

09	공무원 교육방법	난이도 ●●○

태도나 행동의 변화를 주된 목적으로 하는 교육훈련 방법은 감수성훈련(sensitivity training)에 해당한다.

선지분석
① 현장훈련(on the job training)은 대상자가 실제 직위에서 정상적으로 일을 하면서 상관이나 선임자로부터 지도훈련을 받는 것이다.
③ 액션러닝(action learning)은 이론과 지식 전달 위주의 강의식·집합식 교육의 한계를 극복하고 참여와 성과 중심의 교육훈련을 지향하는 방식으로, 실제 현장에서 부딪치는 정책현안문제에 대한 현장방문, 사례조사와 성찰, 미팅을 통하여 구체적인 문제해결능력을 제고하는 방식이다.
④ 감수성훈련(sensitivity training)은 조직발전(OD)의 핵심기법으로, 피훈련자를 외부환경과 차단시킨 상황 속에서 자신의 경험을 교환하고 비판하게 함으로써 대인관계에 대한 이해와 감수성을 높이려는 현대적 훈련방법이다.

답 ②

10	교육훈련에 대한 저항의 이유	난이도 ●●○

공무원 교육훈련에 대해서는 저항이 발생할 수 있다. 저항주체에 따라 업무공백을 우려한 나머지 소속기관이 저항할 수 있고, 공무원들 스스로도 ①, ②, ③의 이유로 저항할 수 있다. ④는 소속기관이 교육훈련에 대해서 저항하는 이유이다.

교육훈련에 대한 저항 이유

소속기관	공무원
• 업무 공백 우려 • 훈련비용의 발생	• 장기간 교육훈련 후 복귀 시 보직에 대한 불안감 • 교육훈련 발령을 불리한 인사 조치로 이해하는 경향 • 교육훈련 결과의 인사관리 반영 미흡

답 ④

11
2015년 서울시 7급

평상시 근무하면서 일을 배우는 직장 내 교육훈련방법으로 가장 옳지 않은 것은?

① 실무지도
② 인턴십
③ 직무순환
④ 감수성훈련

12
2009년 선관위 9급

교육훈련은 실시되는 장소가 직장 내인가, 외인가에 따라 직장훈련(On-the-Job Training)과 교육원훈련(Off-the-Job Training)으로 나뉜다. 다음 중 직장훈련의 장점으로 볼 수 없는 것은?

① 사전에 예정된 계획에 따라 실시하기가 용이하다.
② 상사나 동료 간의 이해와 협동정신을 강화·촉진시킨다.
③ 피훈련자의 습득도와 능력에 맞게 훈련할 수 있다.
④ 훈련으로 구체적인 학습 및 기술 향상의 정도를 알 수 있으므로 구성원의 동기를 유발할 수 있다.

---

11 직장 내 교육훈련방법 난이도 ●○○

평상시 근무하면서 일을 배우는 직장 내 교육훈련방법은 현 직장 내에서 이루어지는 현장훈련(On the job trainig)이다. 이는 대상자가 실제 직위에서 정상적으로 일을 하면서 상관이나 선임자로부터 지도훈련을 받는 것이다. 반면, 감수성훈련은 환경과 단절된 상태(연수원소집교육)에서 12명 내외를 대상으로 하여 이루어지는 교육이므로 현장훈련이 아니다.

답 ④

12 직장훈련의 장점 난이도 ●○○

직장(현장)훈련은 직장 내에서 정상적으로 업무를 수행하면서 교육이 실시되므로 업무 공백이 발생하지 않는다는 장점이 있으나, 사전에 예정된 계획에 따라 실시하기가 용이하지 않다.

직장(현장)훈련의 장단점

장점	단점
• 훈련이 구체적이고 실제적임 • 훈련으로 학습 및 기술 향상을 알 수 있으므로 구성원의 동기를 유발할 수 있음 • 구성원의 습득도와 능력에 맞게 훈련할 수 있음	• 다수인의 동시 훈련이 곤란하고 좁은 분야의 일에 대해 집중적으로 훈련하는 것이므로, 고급공무원 훈련방법으로는 적합하지 않음 • 직무현장을 이탈하지 않으므로 사전에 계획된 교육훈련의 실시가 어려움

답 ①

13　2019년 국가직 7급

교육훈련 방법에 대한 설명으로 옳은 것은?

① 직장 내 훈련(OJT: On-the-Job Training)은 감독자의 능력과 기법에 따라 훈련성과가 달라지며 많은 사람을 동시에 교육하기 어렵다.
② 감수성훈련(sensitivity training)은 원래 정신병 치료법으로 발달한 것으로 전문가의 지원을 받아 과제의 해결책을 도출하는 방법이다.
③ 모의연습(simulation)은 T-집단훈련으로도 불리며 주어진 사례나 문제에서 어떠한 역할을 실제로 연기해 봄으로써 당면한 문제를 체험해 보는 방법이다.
④ 액션러닝(action learning)은 미국 GE사 전략적 인적자원 개발프로그램으로 활용된 것으로 태도와 행동의 변화를 통해 인간관계 기술을 향상하려는 것이 주된 목적이다.

14　2019년 국가직 9급

다음 설명에 해당하는 교육훈련 방법은?

> 서로 모르는 사람 10명 내외로 소집단을 만들어 허심탄회하게 자신의 느낌을 말하고 다른 사람이 자신을 어떻게 생각하는지를 귀담아듣는 방법으로 훈련을 진행하기 위한 전문가의 역할이 요구된다.

① 역할연기
② 직무순환
③ 감수성훈련
④ 프로그램화 학습

13　교육훈련 방법　난이도 ●●○

현장훈련(OJT: On-the-Job Training)은 피훈련자가 실제 직무를 수행하면서 감독자 또는 선임자로부터 직무수행에 관한 지식과 기술을 배우는 것을 의미한다. 많은 사람을 동시에 교육하는 것은 강의식 교육의 장점이다.

선지분석
② 감수성훈련(sensitivity training)은 12명 내외의 이질적인 피훈련자끼리 자유로운 토론을 통하여 행태를 변화시키는 교육훈련기법이다. 감수성훈련이 전문가의 지원을 받아 과제의 해결책을 도출하는 방법이라는 표현은 옳지 않다.
③ 모의연습(simulation)은 실제와 유사한 가상적 상황을 꾸며 놓고 피훈련자가 거기에 대처하도록 하는 훈련방법이다. 주어진 사례나 문제에서 어떠한 역할을 실제 연기해 봄으로써 당면한 문제를 체험해보는 방법은 역할연기에 해당한다.
④ 액션러닝(action learning, 실천학습)은 실질적인 문제를 해결하는 과정에서 학습이 이루어진다.

참고 미국 GE사의 전략적 인적 자원 개발 프로그램으로 활용된 제도는 워크아웃 프로그램(work-out program)이다. 워크아웃 프로그램은 정부조직에서는 정책현안에 대한 각종 워크숍의 운영을 통해 문제 해결 방안을 모색하고 개별 공무원의 업무역량을 제고하기 위한 목적에서 활용되고 있다.

답 ①

14　교육훈련 방법　난이도 ●○○

제시문은 조직발전(OD)의 핵심기법인 감수성훈련의 개념에 해당한다. 감수성훈련은 2주 정도의 기간에 12명 내외의 소집단을 대상으로, 외부 환경과 단절된 상황 속 자신과 타인에 대한 이해를 높이기 위하여 진행하는 훈련방법이다.

선지분석
① 역할연기는 여러 사람 앞에서 실제 행동으로 연기를 하고, 연기가 끝나면 청중이 이에 대한 논평을 하는 방법이다.
② 직무순환은 여러 분야의 직무를 직접 경험하도록 하기 위하여 계획된 순서에 따라 직무를 순환시키는 실무훈련이다.
④ 프로그램화 학습은 행동주의적 학습원리(강화이론)를 교육의 실천분야에 응용한 것이다.

답 ③

15

2023년 국회직 8급

공무원 교육훈련제도의 발전 방향에 대한 설명으로 옳지 않은 것은?

① 공직 역량 계발을 촉진하는 자발적인 학습조직으로 전환해야 한다.
② 교수(teaching) 중심 체제로의 전환과 함께 현장 체험식 교육훈련을 추가해야 한다.
③ 직무수행의 전문성을 높이기 위해서 분야별 전문교육을 강화해야 한다.
④ 교육훈련에 대한 다면적 평가를 통해 교육효과성 평가와 환류체제를 확립해야 한다.
⑤ 교육훈련에 대한 저항을 줄이기 위해 교육훈련계획 수립 시 피훈련자, 관리자, 감독자 등의 의견을 충분히 반영해야 한다.

16

2023년 군무원 7급

역량기반 교육훈련제도의 하나로서, 조직의 수직적·수평적 장벽을 제거하고 전 구성원의 자발적 참여에 의한 행정혁신, 관리자의 신속한 의사결정과 문제 해결을 도모하는 교육훈련 방식으로 가장 적절한 것은?

① 멘토링(mentoring)
② 학습조직
③ 액션 러닝(action learning)
④ 워크아웃 프로그램(work-out program)

---

15 교육훈련제도 난이도 ●●○

일방적으로 지식을 전달하는 교수(teaching) 중심 체제(예 강의기법 등)에서 피훈련생 스스로 경험하면서 배우는 역량중심의 교육훈련으로 방향전환이 되어야 한다.

▶ 선지분석
① 자발적인 학습을 통한 역량중심의 교육훈련기법으로 전환해야 한다.
③ 직무수행의 전문성을 높이기 위해서 직급별 통합교육보다 분야별 전문교육을 강화해야 한다.

답 ②

---

16 교육훈련방식 난이도 ●●●

조직의 수평적·수직적 장벽을 제거하고 전 구성원의 자발적 참여에 의한 행정혁신, 관리자의 신속한 의사결정과 문제 해결을 도모하는 훈련방식은 워크아웃 프로그램이다.

역량기반 교육훈련의 대표적인 방식

멘토링	• 멘토링은 개인 간의 신뢰와 존중을 바탕으로 조직 내 발전과 학습이라는 공통 목표의 달성을 도모하고자 하는 상호 관계 • 조직 내에서 직무에 대한 많은 경험과 전문지식을 갖고 있는 멘토가 일대일 방식으로 멘티를 지도함으로써 조직 내 업무 역량을 조기에 배양시킬 수 있는 학습활동
학습조직	학습조직은 조직 내 모든 구성원의 학습과 개발을 촉진시키는 조직 형태로, 지식의 창출 및 공유와 상시적 관리 역량을 갖춘 조직
액션러닝	• 액션러닝은 이론과 지식 전달 위주의 전통적인 강의식 집합식 교육의 한계를 극복하고 참여와 성과 중심의 교육훈련을 지향하는 대표적인 역량기반 교육훈련 방법의 하나 • 액션러닝은 정책 현안에 대한 현장 방문, 사례조사와 성찰 미팅을 통해 문제 해결 능력을 함양하는 것으로 교육생들이 실제 현장에서 부딪치는 현안 문제를 가지고 자율적 학습 또는 전문가의 지원을 받으며 구체적인 문제 해결 방안을 모색
워크아웃 프로그램	• 조직의 수직적 수평적 장벽을 제거하고 전 구성원의 자발적 참여에 의한 행정혁신, 관리자의 신속한 의사결정과 문제 해결을 도모하는 교육훈련방식 • 워크아웃 프로그램은 1980년대 후반부터 미국 GE사의 전략적 인적자원 개발 프로그램으로 활용되었으며 정부조직에서도 정책 현안에 대한 각종 워크숍의 운영을 통해 집단적 토론과 함께 문제 해결 방안을 모색하고 개별 공무원의 업무 역량을 제고하기 위한 목적에서 적극 활용되고 있음

답 ④

17

2024년 국가직 9급

다음 설명에 해당하는 공무원 교육훈련 방법은?

교육 참가자들을 소그룹 규모의 팀으로 구성해 개인, 그룹 또는 조직에 중요한 의미가 있는 실제 현안 문제를 해결하면서 동시에 문제 해결 과정에 대한 성찰을 통해 학습하도록 지원하는 교육방식이다. 우리나라 정부 부문에는 2005년부터 고위공직자에 대한 교육훈련 방법으로 도입되었다.

① 액션러닝
② 역할연기
③ 감수성훈련
④ 서류함기법

KEYWORD 070 근무성적평정 및 다면평가

18

2018년 국가직 9급

근무성적평정상의 오류 중 평가자가 일관성 있는 평정기준을 갖지 못하여 관대화 및 엄격화 경향이 불규칙하게 나타나는 것은?

① 연쇄효과(halo effect)
② 규칙적 오류(systematic error)
③ 집중화 경향(central tendency)
④ 총계적 오류(total error)

| 17 | 액션러닝 | 난이도 ●●○ |

제시문은 역량중심 교육훈련기법의 하나인 액션러닝(성찰학습, 실천학습)에 해당한다.

(선지분석)
④ 서류함기법은 주어진 제약조건하에서 관리자의 의사결정능력을 측정하기 위한 역량중심의 평가기법이다.

답 ①

| 18 | 근무성적평정상의 오류 | 난이도 ●○○ |

평가자의 평정기준이 일관적이지 못하여 발생하는 불규칙적인 오류는 총계적 오류(total error)에 해당한다.

(선지분석)
① 어떤 평정요소에 대한 평가자의 인상이 다른 평정요소에 영향을 미치거나, 피평정자의 전반적인 인상이 평정에 영향을 미치는 현상을 연쇄효과라고 한다.
② 일관된 평정기준에 따라 규칙적으로 발생하는 오류가 체계적·규칙적 오류(systematic error)이다.
③ 집중화 오류는 주로 무난하게 중간 등급을 주는 현상이다.

답 ④

19 □□□ 2021년 국가직 9급

근무성적평정 과정상의 오류와 완화방법에 대한 설명으로 옳지 않은 것은?

① 일관적 오류는 평정자의 기준이 다른 사람보다 높거나 낮은 데서 비롯되며 강제배분법을 완화방법으로 고려할 수 있다.
② 근접효과는 전체 기간의 실적을 같은 비중으로 평가하지 못할 때 발생하며 중요사건기록법을 완화방법으로 고려할 수 있다.
③ 관대화 경향은 비공식집단적 유대 때문에 발생하며 평정결과의 공개를 완화방법으로 고려할 수 있다.
④ 연쇄효과는 도표식 평정척도법에서 자주 발생하며 피평가자별이 아닌 평정요소별 평정을 완화방법으로 고려할 수 있다.

20 □□□ 2017년 국가직 7급(인사조직론)

근무성적평가의 오류에 대한 설명으로 옳지 않은 것은?

① 선입견은 평가자가 중요하게 생각하는 하나의 평가요소에 대한 결과가 성격이 다른 나머지 평가요소에 연쇄적으로 영향을 미쳐 유사하게 평가되는 것을 의미하며, 도표식 평정척도법에서 자주 발생한다.
② 집중화 경향은 평정척도상의 중간등급을 중심으로 평가하는 경향을 의미하며, 평가요소를 정확하게 이해하지 못한 상태에서 발생할 수 있다.
③ 관대화 경향은 평가결과가 공개되는 경우 평가대상자와 불편한 인간관계에 놓이는 것을 피하려는 상황에서 흔히 발견된다.
④ 근접효과는 평가시점으로부터 가까운 실적이나 사건 등을 평가에 크게 반영하는 오류를 의미하며, 중요사건기록법을 통해 해당 오류를 감소시킬 수 있다.

19	근무성적평정상의 오류와 완화방법	난이도 ●●○

관대화 경향은 하급자와의 인간관계를 의식하여 평정등급이 전반적으로 높아지는 현상으로, 평정자의 통솔력 부족이나 부하와의 인간관계 고려·평정결과 공개 등으로 인해 발생한다. 평정결과의 공개로 인해 발생하는 오류이기 때문에 공개가 완화방법이 될 수 없다.

(선지분석)
① 일관적 오류는 규칙적 오류로 평정자의 기준이 다른 사람보다 높거나 낮은데서 비롯되므로, 강제배분법을 완화방법으로 고려할 수 있다.
② 근접 오류라고도 하며, 쉽게 기억할 수 있는 최근의 실적과 능력 중심으로 평가하는 것이다. 이를 시정하기 위해 목표관리평정, 중요사건기록법 등을 사용한다.
④ 연쇄효과가 나타나는 이유는 관찰이 곤란하거나, 피평정자를 잘 모르기 때문이다. 연쇄효과 방지를 위해 체크리스트 방법 또는 강제선택법을 사용하거나, 피평정자를 평정요소별로 순차적으로 평정한다.

답 ③

20	근무성적평가의 오류	난이도 ●●○

선입견은 평정대상자의 개인적 특성인 종교, 성, 연령, 교육수준, 출신학교나 지역 등에 대하여 평정자가 평소에 가지고 있는 편견이 평정 과정에 반영되는 것을 말한다. 평정자가 가장 중요시하는 하나의 평정요소에 대한 평가결과가 성격이 다른 나머지 평정요소에도 연쇄적으로 영향을 미쳐 유사하게 평가되는 것은 연쇄효과에 해당한다.

(선지분석)
② 집중화 경향은 거의 모든 평정요소와 피평정자들을 평균, 또는 평균에 가깝다고 부정확하게 평정하는 오류이다.
③ 관대화 경향은 집중화 경향과 비슷하나 평점이 관대한 쪽(우수한 쪽)에 집중되는 오류이다.
④ 근접효과는 평정시점에 가까운 실적이나 사건일수록 평정에 더 크게 반영되는 것을 말한다.

답 ①

21

2025년 국가직 9급

근무성적평정 시 나타날 수 있는 오류에 대한 설명으로 옳지 않은 것은?

① '후광효과(halo effect)'는 어떤 요소에 대한 평정이 다른 요소에 대한 평정에 연쇄적으로 영향을 미치는 현상이다.
② '근접효과(recency effect)'는 최초의 근무성적에 대한 평정자의 인식이 전체 기간의 평정에 영향을 미치는 현상이다.
③ '관대화 경향(tendency of leniency)'은 실제 수준보다 더 높게 평정하여 발생하는 현상이다.
④ '집중화 경향(central tendency)'은 평정 결과가 중간 등급을 중심으로 집중되는 현상이다.

22

2019년 지방직 9급

공무원의 근무성적평정에 대한 설명으로 옳은 것은?

① 평정대상자의 근무실적과 직무수행능력을 평가하지만 적성, 근무태도 등은 평가하지 않는다.
② 중요사건기록법은 평정대상자로 하여금 자신의 근무실적을 스스로 보고하도록 하는 방법이다.
③ 평정자가 평정대상자를 다른 평정대상자와 비교함으로써 발생하는 오류는 대비오차이다.
④ 우리나라의 6급 이하 공무원에게는 직무성과계약제가 적용되고 있다.

---

21 근무성적평정상의 오류 난이도 ●●○

근접효과는 최근의 사건이나 실적이 평정에 영향을 주는 현상이다(최초효과와 반대). 최초의 근무성적에 대한 평정자의 인식이 전체 기간의 평정에 영향을 미치는 현상은 최초효과(첫머리효과)이다.

(선지분석)
① 후광효과 또는 연쇄효과에 관한 옳은 설명이다.
③ 관대화경향에 관한 옳은 설명이다.
④ 집중화경향은 중간등급을 중심으로 평정하는 현상이다.

답 ②

22 공무원의 근무성적평정 난이도 ●○○

평정자가 평정대상자를 다른 평정대상자와 비교함으로써 발생하는 오류는 대비오차이다.

(선지분석)
① 평정대상자의 근무실적과 직무수행능력을 주로 평가하며 적성, 근무태도 등도 평가대상에 포함된다. 우리나라의 경우, 실적과 능력은 필수항목이며 태도는 임의항목이다.
② 중요사건기록법이 아니라 자기평정법에 대한 설명이다.
④ 우리나라의 4급 이상 공무원에 대해서는 성과계약 등 평가 제도가 적용되고, 5급 이하 공무원에 대해서는 근무성적평가제도가 적용되고 있다.

답 ③

23

2016년 서울시 9급

근무성적평정의 오류 중 관대화 경향, 엄격화 경향, 집중화 경향을 방지할 수 있는 방법 중 가장 효과적인 것은?

① 서술적 보고법
② 강제배분법
③ 연공서열법
④ 가점법

24

2019년 국가직 9급

근무성적평정에서 나타나기 쉬운 집중화 경향과 관대화 경향을 시정하기 위한 방법으로 적절한 것은?

① 자기평정법
② 목표관리제 평정법
③ 중요사건기록법
④ 강제배분법

| 23 | 근무성적평정의 오류 | 난이도 ●●○ |

관대화, 엄격화, 집중화 경향을 방지할 수 있는 방법은 강제배분법이다. 강제배분법은 근무성적을 평정한 결과 피평정자들의 성적 분포가 과도하게 집중되거나 관대화되는 것을 막기 위해, 즉 평정상의 오류를 방지하기 위해 평정점수의 분포비율을 획일적으로 미리 정해 놓는 방법이다. 이는 피평정자가 많을 때에는 관대화 경향에 따른 평정 오차를 방지할 수 있다는 장점이 있지만, 평정대상 전원이 무능하거나 유한한 경우에도 일정 비율만이 우수하거나 열등하다는 평정을 받게 되므로, 현실을 왜곡할 가능성이 높다.

답 ②

| 24 | 근무성적평정상의 오류 | 난이도 ●○○ |

근무성적을 평정한 결과 피평정자들의 성적 분포가 과도하게 집중되거나 관대화되는 것을 막기 위해, 즉 평정상의 오류를 방지하기 위해 평정점수의 분포 비율을 획일적으로 미리 정해 놓는 방법인 강제배분법을 사용한다.

(선지분석)
① 자기평정법은 피평정자가 자신의 근무 성적을 스스로 평가하는 방법이다.
② 목표관리제 평정법은 부하직원이 상사와의 면담을 통해 자신이 수행할 도전목표를 설정하고, 목표의 달성도를 중심으로 근무성적을 평정하는 방법이다.
③ 중요사건기록법(critical incident method)은 피평정자의 근무실적에 큰 영향을 주는 중요 사건들을 기술하는 평정 방법이다.

답 ④

25

2019년 서울시 9급

<보기>의 설명에 해당하는 근무성적평정 방법으로 가장 옳은 것은?

<보기>
저는 학생들을 평가함에 있어 성적 분포의 비율을 미리 정해 놓고 등급을 줍니다. 비록 평가 대상 전원이 다소 부족하더라도 일정 비율의 인원이 좋은 평가를 받거나, 혹은 전원이 우수하더라도 일부 학생은 낮은 평가를 받게 되지만, 이 방법을 통해 학생들의 성적 분포가 과도하게 한쪽으로 집중되는 것을 막아 평정 오차를 방지할 수 있다는 점에서 유용합니다.

① 강제배분법
② 서열법
③ 도표식 평정척도법
④ 강제선택법

---

25 근무성적평정 방법 — 난이도 ●●○

제시문의 개념은 근무성적평정 방법 중 강제배분법에 해당한다. 강제배분법은 등급분포비율을 강제로 할당하는 상대평가 방법이다. 강제선택법과는 다르다.

선지분석
② 서열법은 피평정자 간의 근무성적을 서로 비교해서 서열을 정하는 방법으로, 쌍쌍비교법, 대인비교법 등이 있다.
③ 도표식 평정척도법은 가장 많이 활용되는 근무성적평정 방법으로, 한편에 실적·능력·태도 등의 평정요소를 나열하고, 다른 한편에는 각 평정요소마다 그 우열을 나타내는 척도인 등급을 표시하는 방법이다.
④ 강제선택법은 4~5개의 항목으로 구성된 각 기술항목 중에서 피평정자의 특성에 가까운 것을 강제적으로 골라 표시하도록 하는 비계량적 방법이다.

답 ①

26

2023년 국가직 7급

근무성적평정 방법 중 강제배분법에 대한 설명으로 옳지 않은 것은?

① 역산식 평정이 불가능하며 관대화 경향을 초래한다.
② 평가의 집중화 경향을 억제하는 효과가 있다.
③ 평정대상 다수가 우수한 경우에도 일정한 비율의 인원은 하위 등급을 받을 수 있다는 단점이 있다.
④ 등급별 할당 비율에 따라 피평가자들을 배정하는 것이다.

---

26 강제배분법 — 난이도 ●●●

강제배분법은 관대화 및 집중화에 따른 평정 오차를 방지할 수 있는 장점이 있으나, 평정자가 미리 강제 배분 비율에 따라 평정 대상자를 각 등급에 분포시키고, 그 다음에 역으로 등급에 해당하는 점수를 부여하는 이른바 역산식 평정을 할 가능성이 높다.

답 ①

27 ☐☐☐ 2017년 서울시 9급

근무성적평가제에 대한 설명 중 가장 옳은 것은?

① 4급 이상 공무원을 대상으로 한다.
② 매년 말일을 기준으로 연 1회 평가가 실시된다.
③ 평가단위는 소속 장관이 정할 수 있다.
④ 공정한 평가를 위해 평가자와 피평가자의 사전협의가 금지된다.

28 ☐☐☐ 2016년 서울시 9급

공무원을 대상으로 하는 성과평가제도에 대한 설명으로 가장 옳지 않은 것은?

① 성과평가제도의 목적은 공무원의 능력과 성과를 향상시켜 성과 중심의 인사제도를 구성하는 것이 핵심 요소이다.
② 근무성적평가제도는 4급 이상 고위공무원단을 대상으로 시행한다.
③ 현행 평가제도는 직급에 따라 차별적 평가체제를 적용하고 있다.
④ 다면평가제도는 능력보다는 인간관계에 따른 친밀도로 평가가 이루어질 수 있다는 단점이 있다.

---

27 근무성적평가제 난이도 ●○○

근무성적평가는 직급별로 구성한 평가단위별로 실시하되, 소속 장관은 직무의 유사성 및 직급별 인원수 등을 고려하여 평가단위를 달리 정할 수 있다.

선지분석
① 근무성적평가는 5급 이하 공무원에 적용되며, 4급 이상 공무원은 성과계약평가가 적용된다.
② 성과계약평가가 연 1회이고, 근무성적평가는 연 2회이다.
④ 공무원이 평가자와 협의하여 성과목표 등을 선정해야 한다.

📄 근무성적평가의 대상 및 방법

대상	5급 이하 공무원, 연구사·지도사
평가방법	• 평가항목: 근무실적, 직무수행능력(직무수행태도는 소속장관이 필요 시 추가 가능) • 평가항목별 평가요소는 소속장관이 직급별·부서별·업무분야별 직무특성을 반영하여 정함

답 ③

28 성과평가제도 난이도 ●○○

우리나라는 4급 이상 및 고위공무원단을 평가의 대상으로 하는 성과계약평가 및 직무성과계약평가와 5급 이하 공무원을 대상으로 하는 근무성적평가제도로 나누어 근무성적을 평가하고 있다. 즉, 근무성적평가제도는 5급 이하의 공무원을 대상으로 시행한다.

선지분석
③ 고위공무원단, 4급 이상, 5급 이하로 나누어 평가를 실시하고 있다.
④ 다면평정은 능력이나 목표의 성취보다는 인기관리 및 원만한 대인관계의 유지에만 급급하거나, 상사가 소신을 잃고 부하의 눈치를 볼 수도 있다.

답 ②

29 ☐☐☐   2017년 서울시 7급

직무성과계약제에 대한 설명으로 가장 옳은 것은?

① 직무성과계약제는 상·하급자 간의 합의를 통해 목표를 설정하고 성과계약의 내용이 구체적이며 상향식으로 체결된다는 점에서 목표관리제(MBO)와 유사하다.
② 직무성과계약제는 실·국장 등과 5급 이하 공무원 간에 공식적 성과계약을 체결한다.
③ 직무성과계약제는 주로 개인의 성과평가제도로 조직 전반의 성과관리를 중심으로 하는 균형성과지표(BSC)와 구분된다.
④ 직무성과계약제는 산출이나 성과보다는 투입부문의 통제에 초점을 두고 있다.

30 ☐☐☐   2017년 국가직 7급(인사조직론)

직무성과계약제도에 대한 설명으로 옳지 않은 것은?

① 각 부처 전반의 정책에 대하여 성과를 평가한다는 점에서 정책평가와 유사하다.
② 성과계약에 바탕을 둔 관리는 투입이 아니라 산출, 성과를 중점적인 대상으로 하고 있으므로 투입에 대한 통제는 완화되고 성과의 측정이 강조된다.
③ 상·하급자 간에 합의를 통해 목표를 설정한다는 점에서 목표관리제(MBO)와 유사하다.
④ 종래의 성과평가시스템이 산출물(output)에 대한 평가에 치중하는 측면을 보완하기 위해 고객에게 미치는 최종결과(outcome)를 제대로 평가하고자 도입되었다.

---

29 직무성과계약제 난이도 ●●○

직무성과계약제도는 기관장과 고위관리자 간 개인별 성과계약에 기반한 성과관리제도이므로, 조직 전반의 성과관리를 중심으로 하는 균형성과관리(BSC)와 구분된다. 직무성과계약제(Job Performance Agreement) 또는 직무성과관리제도는 장·차관 등 기관의 책임자와 실·국장, 과장, 팀장 간에 성과목표와 지표 등에 대해 합의하여 top-down 방식으로 성과계약을 체결하고, 평가지표 측정 결과를 토대로 그 이행도를 계약당사자 상호 간 면담을 통해 평가한 후, 결과를 성과급·승진 등에 반영하는 인사관리시스템이다.

선지분석
① 직무성과계약제는 기관의 임무나 비전으로부터 하향적으로 성과목표가 도출된다는 점에서 상향식으로 체결하는 목표관리제(MBO)와 다르다.
② 직무성과계약제는 실·국장은 기관장과, 과장은 실·국장과 성과계약을 체결한다. 5급 이하는 성과계약 평가대상이 아니다.
④ 직무성과계약제는 투입보다는 산출이나 성과에 대한 책임을 강조한다.

답 ③

30 직무성과계약제도 난이도 ●●●

직무성과계약제도는 개인의 성과평가제도라는 점에서 각 부처 전반의 성과평가제도인 정책평가와는 다르다.

선지분석
② 성과계약에 바탕을 둔 관리는 공공조직의 관리에 있어서 투입 측면에 대한 관리에서 벗어나 산출과 성과를 관리의 핵심적인 대상으로 삼고 있다.
③ 직무성과계약제는 상·하급자 간의 합의를 통해 목표를 설정한다는 점에서 목표관리제(MBO)와 유사하다.
④ 종래의 성과평가시스템은 산출물(output)에 대한 평가에 치중함으로써 고객에게 미치는 최종결과(outcome)를 제대로 평가하기 어려운 측면이 있었다. 뿐만 아니라 평가가 어려운 정책수립 등 질적인 부분에도 성과평가를 위한 노력이 있어야 한다는 인식도 공직사회 내·외부적으로 꾸준히 제기되어 왔기 때문에, 중앙인사위원회는 결과 중심의 평가체계 구축 및 성과에 대한 책임성을 강화한다는 취지로 직무성과계약제를 도입하였다.

답 ①

31
2015년 사회복지직 9급

다음 설명에 해당하는 공무원 평정제도를 옳게 짝지은 것은?

> ㄱ. 고위공무원단제도의 도입에 따라 고위공무원으로서 요구되는 역량을 구비했는지를 사전에 검증하는 제도적 장치로 도입되었다.
> ㄴ. 직무분석을 통해 도출된 성과책임을 바탕으로 성과목표를 설정·관리·평가하고, 그 결과를 보수 혹은 처우 등에 적용하는 일련의 과정을 거친다.
> ㄷ. 행정서비스에 관한 다방향적 의사전달을 촉진하며 충성심의 방향을 다원화하는 데 기여할 수 있다.
> ㄹ. 공무원의 능력, 근무성적 및 태도 등을 평가해 교육훈련수요를 파악하고, 승진 및 보수결정 등의 인사관리자료를 얻는 데 활용한다.

	ㄱ	ㄴ	ㄷ	ㄹ
①	역량평가제	직무성과관리제	다면평가제	근무성적평정제
②	다면평가제	역량평가제	근무성적평정제	직무성과관리제
③	역량평가제	근무성적평정제	다면평가제	직무성과관리제
④	다면평가제	직무성과관리제	역량평가제	근무성적평정제

32
2015년 국가직 7급

공무원 평정제도에 대한 설명으로 옳은 것은?

① 근무성적평가 결과는 승진 및 보직관리에는 이용되지 않고 성과급 지급에만 활용된다.
② 근무성적평정 결과와 공무원 채용시험 성적의 일치성이 높을수록 시험의 타당성이 높다고 할 수 있다.
③ 역량평가제는 고위공무원으로 임용된 이후 업무실적을 평가하는 사후평가제도로써 고위공무원의 업무역량 강화에 기여할 수 있다.
④ 다면평가를 계서적 문화가 강한 조직에 적용할 경우 상급자와 하급자 간의 갈등을 최소화할 수 있다.

---

31 공무원 평정제도 난이도 ●●●

ㄱ. 고위공무원단제도의 도입에 따라 고위공무원으로서 요구되는 역량을 구비했는지를 사전에 검증하는 제도적 장치는 역량평가제이다.
ㄴ. 직무분석을 통해 도출된 성과책임을 바탕으로 성과목표를 설정·관리·평가하고, 그 결과를 보수 혹은 처우 등에 적용하는 일련의 과정을 거치는 것은 직무성과관리제(직무성과계약제)이다.
ㄷ. 행정서비스에 관한 다방향적 의사전달을 촉진하며 충성심의 방향을 다원화하는 데 기여할 수 있는 것은 다면평가제(360도 평정)이다.
ㄹ. 공무원의 능력, 근무성적 및 태도 등을 평가해 교육훈련수요를 파악하고, 승진 및 보수결정 등의 인사관리자료를 얻는 데 활용하는 것은 근무성적평정이다.

답 ①

32 공무원 평정제도 난이도 ●○○

시험의 타당성이란 측정하고자 하는 것을 얼마나 정확하게 측정했는지를 의미하는 것으로, 시험성적과 근무성적을 비교하여 상관관계가 높을수록 타당성이 높다고 본다.

선지분석
① 근무성적평정 결과는 승진(5급 이하의 경우 승진에 70% 반영), 인사배치, 교육훈련수요, 성과급적 보수 등에서 사용된다.
③ 역량평가는 고위공무원으로 임용되기 전 개인별 역량을 사전에 검증하는 제도이다.
④ 다면평가는 탈관료적 조직에 적합하며, 계서적 문화가 강한 조직에서는 부하가 상사를 평가하므로 상하 간에 갈등이 초래될 수 있다.

답 ②

33   2017년 국가직 7급(인사조직론)

역량평가(Competency Evaluation)에 대한 설명으로 옳지 않은 것은?

① 단순한 근무실적을 넘어 해당 업무수행을 위한 충분한 역량이 있는지에 대해 평가한다.
② 역량평가센터를 활용한 역량평가는 도입되지 않았다.
③ 성과에 대한 외부 변수를 통제함으로써 개인 역량에 대한 객관적인 평가를 시도한다.
④ 역량은 조직의 목표달성을 위해 뛰어난 성과를 나타내는 고성과자의 차별화된 행동특성과 태도를 의미한다.

34   2014년 사회복지직 9급

다음 역량평가제에 대한 설명 중 옳은 것만을 모두 고른 것은?

> ㄱ. 일종의 사전적 검증장치로 단순한 근무실적 수준을 넘어 공무원에게 요구되는 해당 업무 수행을 위한 충분한 능력을 보유하고 있는지에 대한 평가를 목적으로 한다.
> ㄴ. 근무실적과 직무수행능력을 대상으로 정기적으로 이루어지며 그 결과는 승진과 성과급 지급, 보직관리 등에 활용된다.
> ㄷ. 조직 구성원으로 하여금 조직 내외의 모든 사람과 원활한 인간관계를 증진시키려는 강한 동기를 부여함으로써 업무 수행의 효율성을 제고할 수 있다.
> ㄹ. 다양한 평가기법을 활용하여 실제 업무와 유사한 모의 상황에서 나타나는 평가 대상자의 행동 특성을 다수의 평가자가 평가하는 체계이다.
> ㅁ. 미래 행동에 대한 잠재력을 측정하는 것이며 성과에 대한 외부변수를 통제함으로써 객관적 평가가 가능하다.

① ㄱ, ㄴ, ㄷ
② ㄱ, ㄹ, ㅁ
③ ㄴ, ㄷ, ㄹ
④ ㄷ, ㄹ, ㅁ

| 33 | 역량평가 | 난이도 ●●● |

인사혁신처는 고위공무원으로서 요구되는 역량을 구비하였는지를 사전에 철저히 검증하여, 적격자만이 고위공무원단에 선발될 수 있도록 하는 장치로써 역량평가제도를 시행하고 있고, 정부에서 실시하는 역량평가는 평가센터기법에 따라 모의직무상황에서 평가대상자가 보이는 행동을 직접 관찰하여 평가하게 된다.

(선지분석)
① 역량평가는 일종의 사전적 검증장치로, 단순한 근무실적 수준을 넘어 공무원에게 요구되는 해당 업무 수행을 위한 충분한 능력을 보유하고 있는지에 대한 평가를 목적으로 한다.
③ 역량평가는 발전가능성이나 잠재력을 평가하는 것으로, 그 결과가 보상과 직결되지 않아 외부변수(정실과 외압 등) 통제가 용이하고 객관적인 평가가 가능하다.
④ 역량이란 조직의 목표달성과 연계하여 뛰어난 직무수행을 보이는 고성과자의 차별된 행동특성과 태도를 의미한다. 즉, 조직 측면에서 조직의 성과창출을 위한 자질이라 할 수 있다.

답 ②

| 34 | 역량평가제 | 난이도 ●●○ |

역량평가제는 정부조직의 목표·전략 달성과 관련된 성과를 산출하는데 필요한 핵심역량을 구체적·경험적으로 밝혀내어 이를 인사관리의 제반 영역에 적극 활용하려는 제도로, 2006년 고위공무원단의 역량평가관리에 활용되어 오다가 2010년에는 하위직까지 확대되었다. 역량평가 주관부처이자 중앙인사기관인 인사혁신처에는 역량평가단이 구성되어 다수의 평가자가 평가대상자를 평가한다.
ㄱ. 역량평가는 주로 과거 실적을 평가하는 근무성적평정과 달리 역량을 사전에 검증하는 것이다.
ㄹ. 역량평가는 발전가능성이나 잠재력을 평가하므로, 보상과 직결되지 않아 외부변수 통제가 용이하고 객관적 평가가 가능하다.

(선지분석)
ㄴ. 근무실적과 직무수행능력을 대상으로 정기적으로 이루어지며, 그 결과가 승진과 성과급 지급·보직관리 등에 활용되는 것은 5급 이하 공무원에게 적용되는 근무성적평가에 대한 설명이다.
ㄷ. 조직 구성원으로 하여금 조직 내외의 모든 사람과 원활한 인간관계를 증진시키려는 강한 동기를 부여함으로써 업무 수행의 효율성을 제고할 수 있는 것은 다면평가제도이다.

답 ②

35

2020년 지방직 9급

국내 최고 대학을 졸업했기 때문에 일을 잘했을 것이라고 생각하여 피평정자에게 높은 근무성적평정 등급을 부여할 경우 평정자가 범하는 오류는?

① 선입견에 의한 오류
② 집중화 경향으로 인한 오류
③ 엄격화 경향으로 인한 오류
④ 첫머리 효과에 의한 오류

36

2023년 지방직 9급

근무성적평정상의 오류에 대한 설명으로 옳지 않은 것은?

① 평정자가 피평정자를 잘 모르는 경우 집중화 경향이 발생할 수 있다.
② 평정자의 평정기준이 일정하지 않은 경우 총계적 오류(total error)가 발생할 수 있다.
③ 연쇄효과(halo effect)는 초기 실적이나 최근의 실적을 중심으로 평가함으로써 발생하는 시간적 오류를 의미한다.
④ 관대화 경향의 폐단을 막기 위해 강제배분법을 활용할 수 있다.

| 35 | 근무성적평정의 오류 | 난이도 ●○○ |

고정관념(편견이나 선입견)에 의한 평정상 오류로, 상동적 오류 또는 선입견에 의한 오류에 해당한다. 이는 특정 대학, 집단, 출신, 연령 등에 따라 평정결과가 영향을 받는 현상을 말한다.

선지분석
② 집중화의 오류란 무난하게 주로 가운데 점수를 주는 현상을 말한다.
③ 엄격화의 오류란 대부분의 구성원에게 열등한 점수를 주는 현상으로, 관대화의 오류와 반대이다.
④ 첫머리 효과의 오류란 첫인상을 중시하는데서 오는 최초 오류를 말한다. 최근의 쉽게 기억될 수 있는 가까운 사건이나 실적 등이 영향을 미치는 근접오류와는 반대이다.

답 ①

| 36 | 근무성적평정상의 오류 | 난이도 ●○○ |

초기실적이나 최근의 실적을 중심으로 평가하는 오류는 시간적 오류이다. 시간적 오류에는 첫인상 등이 근무성적평정에 영향을 미치는 첫머리 효과(= 초두효과)와 최근의 사건이나 실적이 영향을 미치는 근접오류가 있다. 연쇄효과는 어떤 평정요소에 대한 평정자의 인상이 다른 평정요소에 영향을 미치거나 피평정자의 전반적인 인상이 평정에 영향을 미치는 현상으로, 도표식 평정방법에서 많이 발생한다.

선지분석
① 피평정자를 잘 모를 경우에는 무난하게 중간점수를 주고자 하는 집중화 오류가 나타난다.
② 평정자의 평정 기준이 일정하지 않아 관대화 경향과 엄격화 경향이 불규칙하게 나타나는 것을 총계적 오류라고 한다.
④ 근무성적을 평정한 결과 피평정자들의 성적 분포가 과도하게 집중되거나 관대화되는 것을 막기 위해, 평정점수의 분포 비율을 획일적으로 미리 정해 놓는 강제배분법을 활용할 필요가 있다.

답 ③

37　　　　　　　　　　　　　　　　2022년 지방직 7급

근무성적평정에 대한 설명으로 옳지 않은 것은?

① 다면평정법은 상급자, 동료, 부하, 고객 등 다양한 구성원에게 평정에 참여할 기회를 준다.
② 목표관리제 평정법은 참여를 통한 명확한 목표의 설정과 개인과 조직 간 목표의 통합을 추구한다.
③ 강제배분법은 평정치의 편중과 관대화 경향을 막기 위해 등급별로 비율을 미리 정해 놓는다.
④ 도표식 평정척도법은 근무성적을 객관적 사실에 기초하여 평가하므로 평정자의 편견이 개입할 가능성이 작다.

38　　　　　　　　　　　　　　　　2020년 지방직 7급

다음의 설명과 근무성적평정방법을 바르게 연결한 것은?

> ㄱ. 피평정자들의 성적분포가 과도하게 집중되는 것을 방지하기 위해 등급별로 비율을 정하여 준수하도록 하는 방법
> ㄴ. 시간당 수행한 공무원의 업무량을 전체 평정기간동안 계속적으로 조사해 평균치를 측정하거나, 일정한 업무량을 달성하는 데 소요된 시간을 계산해 그 성적을 평정하는 방법
> ㄷ. 선정된 중요 과업 분야에 대해서 가장 이상적인 과업수행 행태에서부터 가장 바람직하지 못한 과업수행 행태까지를 몇 개의 등급으로 구분하고, 등급마다 중요 행태를 명확하게 기술하고 점수를 할당하는 방법

	ㄱ	ㄴ	ㄷ
①	강제배분법	산출기록법	행태기준평정척도법
②	강제선택법	주기적 검사법	행태기준평정척도법
③	강제선택법	산출기록법	행태관찰척도법
④	강제배분법	주기적 검사법	행태관찰척도법

37　근무성적평정방법

도표식 평정척도법은 평정요소의 합리적 선정이 어렵고 평정요소에 대한 등급을 정한 기준이 모호하며, 자의적 해석에 의한 평가가 이루어지기 쉽다.

[선지분석]
① 다면평정은 감독자뿐 아니라 부하·동료·민원인까지를 평정주체로 참여시키는 방법으로, 360도평정이라고도 한다.
② MBO에 대한 설명으로 옳은 지문이다
③ 강제배분법은 근무성적을 평정한 결과 피평정자들의 성적 분포가 과도하게 집중되거나 관대화되는 것을 막기 위해, 즉 평정상의 오류를 방지하기 위해 평정점수의 분포 비율을 획일적으로 미리 정해 놓는 방법이다.

답 ④

38　근무성적평정방법

제시문 중 ㄱ은 강제배분법, ㄴ은 산출기록법, ㄷ은 행태기준평정척도법이다.
ㄱ. 강제배분법: 근무성적을 평정한 결과 피평정자들의 성적 분포가 과도하게 집중되거나 관대화되는 것을 막기 위해, 즉 평정상의 오류를 방지하기 위해 평정점수의 분포 비율을 획일적으로 미리 정해 놓는 방법이다.
ㄴ. 산출기록법: 작업량을 수량적·객관적으로 평가·기록하는 방법으로 일상적·반복적인 업무에 적용한다.
ㄷ. 행태기준척도법: 주관적인 판단을 배제하기 위하여 직무분석에 기초하여 직무와 관련된 중요한 과업분야를 선정하고, 각 과업분야에 대해서는 가장 이상적인 과업행태에서부터 가장 바람직하지 못한 행태까지를 몇 개의 등급으로 구분하며, 각 등급마다 중요행태를 명확하게 기술하고 점수를 할당한다.

답 ①

39

2013년 서울시 9급

다면평가제도의 장점에 대한 설명 중 가장 거리가 먼 것은?

① 평가의 객관성과 공정성 제고에 기여할 수 있다.
② 계층제적 문화가 강한 사회에서 조직 간 화합을 제고해 준다.
③ 피평가자가 자기의 역량을 강화할 수 있는 기회를 제공해 준다.
④ 조직 내 상하 간, 동료 간, 부서 간 의사소통을 촉진할 수 있다.
⑤ 팀워크가 강조되는 현대 사회의 새로운 조직 유형에 부합한다.

40

2013년 지방직 9급

다면평가제도에 대한 설명으로 옳지 않은 것은?

① 평가 대상자의 동료와 부하를 제외하고 상급자가 다양한 측면에서 평가한다.
② 일면평가보다는 평가의 객관성과 신뢰성을 확보할 수 있다.
③ 평가 결과의 환류를 통하여 평가 대상자의 자기역량 강화에 활용할 수 있다.
④ 평가 항목을 부처별, 직급별, 직종별 특성에 따라 다양하게 설계하는 것이 바람직하다.

---

39 다면평가제도의 장점   난이도 ●○○

다면평정은 팀워크가 강조되는 현대 사회의 탈계층제적인 유기적 구조하에서 강조되는 평정이기 때문에 계층제 조직에서는 권위주의적 행정문화와 마찰이 생길 수 있다.

선지분석
①, ④ 다면평가제도는 상사, 동료, 부하, 민원인도 평가하기 때문에 평가가 객관적이고 공정하며, 이들 간의 의사소통을 촉진한다.
③ 평가가 공정하기 때문에 평가가 수용되면 이는 능력발전으로 연결된다.
⑤ 팀워크가 강조되는 탈관료제의 평정모형이다.

다면평가제도의 장단점

장점	단점
• 공정성 및 객관성을 높임 • 충성심의 다원화 • 민주적 리더십 발전 • 동기유발과 자기개발 촉진 • 의사소통의 증진 및 팀워크 발전	• 갈등과 스트레스가 커질 수 있음 • 담합 등에 의한 형평성·신뢰성·정확성 저하 우려 • 인기영합주의로 인한 목표의 왜곡

답 ②

40 다면평가제도   난이도 ●○○

다면평가란 360도 피드백으로 상사, 동료, 부하, 고객 등이 평가하는 포괄적인 평가체계를 의미한다.

선지분석
② 다수가 평가하므로 상사만 평가하는 근무성적평가에 비해 객관적이고 신뢰가 높다.
③ 공정한 평가 및 환류는 구성원에게 자기 개발을 위한 동기유발의 효과가 있다.
④ 평가 항목은 상황에 따라 다양하게 설계하는 것이 바람직하다.

답 ①

KEYWORD 071 경력평정과 배치전환

41 □□□
2014년 지방직 7급

공무원 경력개발 시 준수해야 할 기본원칙에 해당되지 않는 것은?

① 적재적소의 원칙
② 직급 중심의 원칙
③ 인재양성의 원칙
④ 자기주도의 원칙

| 41 | 공무원의 경력개발 | 난이도 ●●● |

직급이 아닌 직무 중심의 경력계획을 세워야 한다. 경력개발(CDP: Career Development Plan)이란 조직 속의 구성원이 경력 경로를 체계적으로 계획·조정해 나가도록 하는 인적자원관리 과정을 말한다.

경력개발의 원칙

적재적소의 원칙	적성·능력과 직무 간 조화
승진경로의 원칙	적합한 승진경로모형 적용
인재양성의 원칙	외부영입이 아닌 인재내부양성 원칙
직무와 역량 중심	직급이 아닌 직무가 요구하는 역량 개발에 중점
개방 및 공정경쟁	경력개발의 기회 균등 부여
자기주도의 원칙	경력목표와 경력계획을 스스로 수립

답 ②

42 □□□
2008년 경북 9급

중하위직 공무원의 잦은 보직변경을 방지하고 전문성을 제고하기 위하여 도입한 제도는?

① 직무성과계약제도
② 고위공무원단
③ 전직과 전보제도
④ 경력개발제도(CDP)

| 42 | 경력개발제도 | 난이도 ●●○ |

경력개발제도(CDP)란 전문성을 살리는 범위 안에서 적정 보직기간과 경력경로에 의한 순차적이고 체계적인 직무이동을 추구하는 것이다. 이는 잦은 순환보직제도와 짧은 보직기간, 이로 인한 전문성 훼손이라는 문제점을 해소하고자 보직 경로를 통한 전문성 축적을 지향하면서, 적정 보직기간을 확보하고 경력경로를 설계하려는 목적에서 도입되었다.

답 ④

43

2014년 사회복지직 9급

정부 내의 인적자원을 효율적으로 활용하기 위한 배치전환의 본질적인 용도와 가장 거리가 먼 것은?

① 선발에서의 불완전성을 보완하여 개인의 능력을 촉진한다.
② 조직 구조 변화에 따른 저항을 줄이고 비용을 절감한다.
③ 부서 간 업무 협조를 유도하고 구성원 간 갈등을 해소한다.
④ 징계의 대용이나 사임을 유도하는 수단으로 사용한다.

44

2019년 서울시 9급

배치전환에 대한 설명으로 가장 옳지 않은 것은?

① 능력의 정체와 퇴행현상을 방지할 수 있다.
② 직무의 부적응을 해소하고 조직 구성원에게 재적응의 기회를 부여할 수 있다.
③ 행정의 전문성과 능률성을 증진시킬 수 있다.
④ 정당한 징계절차에 의하지 않고 일종의 징계수단으로 활용될 가능성이 존재한다.

43	배치전환	난이도 ●●○

징계의 대용이나 사임을 유도하는 수단으로 사용되는 것은 배치전환의 본질적(적극적) 용도가 아니다. 배치전환이란 전직, 전보, 파견 등 수평적인 인사이동을 말하는데, 조직에 활력을 불어넣고 부처 간 교류와 협력을 증진하고자 하는 것이 본질적·적극적 용도이며, 징계나 사임의 수단으로 악용되는 것은 소극적·부정적 용도이다.

선지분석
① 시험이나 선발의 불완전성을 보완하려는 것은 배치전환의 적극적인 용도이다.
② 구조를 변경하지 않고도 직무변화를 유도하여 능률 제고가 가능하다.
③ 교류·협력의 증진과 안목 확대 등은 배치전환의 적극적인 용도이다.

답 ④

44	배치전환	난이도 ●○○

배치전환이란 전직, 전보, 파견 등 수평적 근무이동을 의미하는 것으로, 구성원들의 안목을 확대시킨다는 장점은 있지만 행정의 전문성을 저해한다는 단점이 있다.

선지분석
① 다양한 업무를 경험하게 하여 능력의 정체와 퇴행현상을 방지할 수 있다.
② 새로운 직무를 경험하게 함으로써 직무의 부적응을 해소하고 조직 구성원에게 재적응의 기회를 부여할 수 있다.
④ 정당한 징계절차에 의하지 않고 일종의 징계수단으로 활용될 가능성이 존재한다.

배치전환의 효용 및 문제점

효용	문제점
• 공무원의 훈련과 능력발전 • 직무수행에 대한 사기저하 방지 • 개인 의사 존중과 조직에의 충성심 제고 • 보직 부적응에 관한 문제의 완화 • 행정조직의 개편이나 관리상 변동에 대처 • 대민관계 업무가 많은 부서나 이권 개입이 잦은 부서에 근무하는 공무원의 직위를 자주 교체하여 부정부패를 방지하는 수단으로 사용	• 개인적 특혜의 제공 및 개인세력 확대의 도구로 활용 • 비위에 대한 공식적 징계절차 없이 한직 좌천·지방 전출 등의 실질적 징계수단으로 활용 • 비중이 낮은 직책을 담당하게 해서 사임을 강요하는 목적으로 이용

답 ③

45　　　2020년 국가직 9급

공무원의 인사이동에 대한 설명으로 옳은 것은?

① 겸임은 한 사람에게 둘 이상의 직위를 부여하는 것으로 그 대상은 특정직공무원이며, 겸임 기간은 3년 이내로 한다.
② 전직은 인사 관할을 달리하는 기관 사이의 수평적 인사이동에 해당하며, 예외적인 경우에만 전직시험을 거치도록 하고 있다.
③ 같은 직급 내에서 직위 등을 변경하는 전보는 수평적 인사이동에 해당하며, 전보의 오용과 남용을 방지하기 위해 전보가 제한되는 기간이나 범위를 두고 있다.
④ 예산 감소 등으로 직위가 폐지되어 하위 계급의 직위에 임용하려면 별도의 심사 절차를 거쳐야 하고, 강임된 공무원에게는 강임된 계급의 봉급이 지급된다.

46　　　2025년 국가직 9급

공무원의 인사이동 방식에 대한 설명으로 옳지 않은 것은?

① '승진'은 상위 직급에 적합한 인재를 하위 직급으로부터 선별해 내는 내부임용을 말한다.
② '겸임'은 한 사람의 공무원에게 둘 이상의 직위를 부여하는 것을 말한다.
③ '강임'은 같은 직렬 내에서 하위 직급에 임명하거나 하위 직급이 없어 다른 직렬의 하위 직급으로 임명하는 것을 말한다.
④ '전직'은 같은 직급 내에서의 보직 변경 또는 고위공무원단 직위 간의 보직 변경을 말한다.

45　인사이동　　난이도 ●○○

수평적 인사이동에는 전직, 전보 등이 있다. 전보는 동일한 직급 내에서 직위나 부서만 이동되는 수평적 인사이동으로, 전보가 제한되는 기간(2~3년)이나 범위를 두고 있다.

선지분석
① 겸임은 특정직만 대상으로 하는 것은 아니며, 겸임 기간도 2년 이내이고 필요시에는 2년 범위에서 연장이 가능하다.
② 전직은 직렬을 달리하는 수평적 인사이동으로, 원칙적으로 전직시험을 거치도록 하고 있다. 인사 관할을 달리하는 기관 사이의 수평적 인사이동은 전직이 아니라 전출·입에 해당한다.
④ 강임은 별도의 심사절차를 걸쳐야 하는 것은 아니며, 봉급도 강임된 봉급이 강임되기 전보다 많아지게 될 때까지는 강임되기 전의 봉급에 해당하는 금액을 지급한다.

> 「공무원보수규정」 제6조 【강임 시 등의 봉급 보전】 ① 강임된 사람에게는 강임된 봉급이 강임되기 전보다 많아지게 될 때까지는 강임되기 전의 봉급에 해당하는 금액을 지급한다.

답 ③

46　공무원 인사이동　　난이도 ●○○

같은 직급 내에서 보직변경 등은 전보에 해당한다.

선지분석
① 승진은 하위직급에서 상위직급의 이동을 말한다.
② 겸임은 한 사람의 공무원에게 둘 이상의 직위를 부여하는 것을 말한다.
③ 강임은 같은 직렬 또는 다른 직렬의 하위직급으로 임명되는 것을 말한다.

답 ④

47 □□□　　　　　　　　　　　　　2025년 국가직 7급

순환보직에 대한 설명으로 옳지 않은 것은?

① 배치전환이라고도 하며 외부임용 중 하나이다.
② 기관이 수행하는 다양한 업무에 대한 이해를 가능하게 한다.
③ 특정 분야에서 전문성 축적을 어렵게 한다.
④ 조직단위에서 새로운 아이디어의 유입을 기대할 수 있다.

47　순환보직　　　　　　　　　난이도 ●○○

전직, 전보 등과 함께 배치전환(transfer)은 외부임용이 아니라 내부임용 중 하나이다.

(선지분석)
② 순환보직을 통하여 다양한 업무에 대한 경험과 이해를 가능하게 하는 장점이 있다.
③ 빈번한 전보는 특정 분야에서 전문성 축적을 어렵게 한다.
④ 순환보직을 통한 새로운 직무는 새로운 아이디어의 유입을 기대할 수 있다.

답 ①

CHAPTER 4 동기부여

KEYWORD 072 고충처리 및 제안제도

01 □□□   2017년 국가직 7급(8월 시행)

소청심사제도에 대한 설명으로 옳은 것은?

① 소청심사위원회의 결정은 처분 행정청에 대해 권고와 같은 효력이 있다.
② 강임과 면직은 심사대상이나 휴직과 전보는 심사대상에 해당되지 않는다.
③ 지방소청심사위원회는 기초자치단체별로 설치되어 있다.
④ 지방소청심사위원회 위원은 자치단체의 장이 임명 또는 위촉하나 위원장은 위촉위원 중에서 호선한다.

02 □□□   2024년 국가직 9급

공무원과 관할 소청심사기관의 연결로 옳지 않은 것은?

① 경기도청 소속의 지방공무원 甲 – 경기도 소청심사위원회
② 지방검찰청 소속의 검사 乙 – 법무부 소청심사위원회
③ 소방청 소속의 소방위 丙 – 인사혁신처 소청심사위원회
④ 국립대학교 소속의 교수 丁 – 교육부 교원소청심사위원회

| 01 | 소청심사제도 | 난이도 ●●● |

지방소청심사위원회 위원은 자치단체의 장이 임명 또는 위촉하며 위원장은 위촉위원 중에서 호선(互選)한다(「지방공무원법」 제13조).

선지분석
① 소청심사위원회의 결정은 재결로 처분 행정청에 대해 기속력을 갖는다.
② 강임과 면직은 물론 휴직과 전보 등 불리한 처분이나 부작위(不作爲)는 모두 소청심사대상에 포함된다. 그러나 승진 탈락과 근평은 소청의 대상이 되지 아니한다.
③ 지방소청심사위원회는 광역자치단체인 시·도별로 설치되어 있다.

답 ④

| 02 | 소청심사기관 | 난이도 ●●● |

소청심사기관은 중앙인사관장기관 및 시·도별로 설치·운영된다. 따라서 행정부 소속 국가공무원은 인사혁신처 소청심사위원회, 헌법상 독립기관소속 공무원은 각 헌법상 독립기관 소청심사위원회, 지방공무원은 각 시·도소청심사위원회에서 담당하며 검사는 소청심사제도가 없다.

선지분석
① 경기도 소속 지방공무원에 대한 소청은 경기도 소청심사위원회에서 담당한다.
③ 소방공무원은 2020년 모두 국가직화 하였으므로 현재는 인사혁신처 소청심사위원회에서 담당한다.
④ 국공립대 교수는 국가직 교육공무원이므로 교육부 교원소청심사위원회에서 담당한다.

답 ②

03   2017년 지방직 9급(6월 시행)

공무원의 사기관리에 대한 설명으로 옳은 것은?

① 「공무원 제안 규정」상 우수한 제안을 제출한 공무원에게 인사상 특전을 부여할 수 있지만, 상여금은 지급할 수 없다.
② 소청심사제도는 징계처분과 같이 의사에 반하는 불이익 처분을 받은 공무원이 그에 불복하여 이의를 제기했을 때 이를 심사하여 결정하는 절차이다.
③ 우리나라는 공무원의 고충을 심사하기 위하여 행정안전부에 중앙고충심사위원회를 둔다.
④ 성과상여금제도는 공직의 경쟁력을 높이기 위하여 공무원 인사와 급여체계를 사람과 연공 중심으로 개편한 것이다.

04   2015년 지방직 9급

고충처리제도와 소청심사제도에 대한 설명으로 옳지 않은 것은?

① 양자 모두 공무원의 권익보호를 위한 제도이다.
② 고충심사위원회와 소청심사위원회의 결정은 관계기관의 장을 기속한다.
③ 중앙고충심사위원회의 기능은 인사혁신처 소청심사위원회에서 관장한다.
④ 소청심사제도는 공무원이 징계처분 기타 그 의사에 반하는 불이익 처분에 대해 이의를 제기하는 경우 이를 심사·결정하는 특별행정심판제도이다.

---

03 사기관리 난이도 ●○○

소청심사제도란, 징계처분이나 강임·휴직·직위해제 또는 면직처분 등 그의 의사에 반하는 불이익 처분을 받은 공무원이 그에 불복하여 이의를 제기하는 경우 이를 심사하여 구제하는 절차이다.

(선지분석)
① 제안이 채택된 공무원에게는 특별승진 또는 특별승급 등 인사상 특전과 상여금이 지급될 수 있다.
③ 중앙고충심사위원회는 인사혁신처에 설치된 소청심사위원회가 겸한다.
④ 성과상여금제도는 공직의 경쟁력을 높이기 위하여 연공 중심이 아니라 능력과 성과 중심으로 개편한 것이다.

답 ②

04 고충처리제도와 소청심사제도 난이도 ●●○

소청심사위원회의 결정은 구속력이 있지만, 고충심사위원회의 결정은 구속력이 없다.

(선지분석)
① 직무상 고충을 처리하는 고충처리제도나 불이익처분에 대해 불복하는 제도인 소청 모두 공무원의 권익보장제도이다.
③ 중앙고충심사위원회는 인사혁신처 소청심사위원회가 겸한다.
④ 특별행정심판제도로 소청심사제도를 두고 있다.

답 ②

05 □□□
2012년 국가직 7급

제안제도의 직접적인 효용으로 옳지 않은 것은?

① 행정절차의 간소화, 경비 절감 등의 업무 개선
② 공직의 침체 방지와 비공식적 집단의 활성화
③ 조직 구성원의 자기개발능력을 자극하여 창의력, 문제해결능력 신장
④ 참여의식의 조장으로 조직 구성원의 사기 제고

KEYWORD 073 공무원의 보수 및 연금

06 □□□
2017년 지방직 9급(6월 시행)

「공무원보수규정」상 고위공무원단 소속 공무원에 적용되는 직무성과급적 연봉제에 대한 설명으로 옳지 않은 것은?

① 고위공무원단에 속하는 모든 공무원에 대하여 적용한다.
② 기본연봉은 기준급과 직무급으로 구성된다.
③ 기준급은 개인의 경력 및 누적성과를 반영하여 책정된다.
④ 직무급은 직무의 곤란성 및 책임의 정도를 반영하여 직무 등급에 따라 책정된다.

05	제안제도	난이도 ●●○

제안제도란 직무수행과정에서 예산의 절약과 행정능률의 향상을 가져올 수 있는 사항에 대하여 이를 제안하도록 하고, 그것이 행정의 능률화와 합리화에 공헌할 수 있다고 인정되는 경우에 그 정도에 따라 표창하고 상금을 지급하는 제도로, 공직의 침체 방지와 비공식집단 활성화는 제안제도와 직접적인 관련이 없다.

📄 제안제도의 장단점

장점	단점
• 하의상달·참여 수단으로서 커뮤니케이션의 촉진 • 직원의 사기 앙양 • 직무에 대한 일체감과 신뢰감의 증진 • 경제적·합리적·능률적인 업무 관리 • 직무에 대한 관심과 흥미 조성 • 창의력 개발과 문제해결능력 제고	• 지나친 경쟁심리로 인한 동료 간의 인간관계 악화(상하 간에는 인간관계 촉진) • 지나치게 기술적 제안에 치중 • 합리적이고 공정한 심사 곤란 • 실질적인 제안자의 식별 곤란

답 ②

06	직무성과급적 연봉제	난이도 ●●○

고위공무원단 소속 공무원은 일반직, 특정직, 별정직을 대상으로 하며 직무성과급적 연봉제가 적용되지만, 고위공무원단 소속 공무원 중 일부 별정직공무원에 대해서는 직무성과급적 연봉제가 아니라 호봉제를 적용한다.

> 「공무원보수규정」제63조【고위공무원의 보수】① 고위공무원에 대해서는 별표 31에 따라 직무성과급적 연봉제를 적용한다. 다만, 대통령경호처 직원 중 고위공무원단에 속하는 별정직공무원에 대해서는 호봉제를 적용한다.
> ② 직무성과급적 연봉제를 적용하는 고위공무원의 기본연봉은 개인의 경력 및 누적성과를 반영하여 책정되는 기준급과 직무의 곤란성 및 책임의 정도를 반영하여 직무등급에 따라 책정되는 직무급으로 구성한다.

답 ①

07

2016년 지방직 7급

공무원 보수제도 중 연봉제에 대한 설명으로 옳지 않은 것은?

① 직무성과급적 연봉제는 고위공무원단 소속 공무원에게 적용된다.
② 고정급적 연봉제에서 연봉은 기본연봉과 성과연봉으로 구성된다.
③ 직무성과급적 연봉제에서 기본연봉은 기준급과 직무급으로 구성된다.
④ 성과급적 연봉제와 직무성과급적 연봉제의 성과연봉은 전년도의 업무실적에 따른 평가결과에 따라 차등 지급된다는 점에서 유사한 면이 있다.

08

2011년 지방직 7급

공무원 보수제도로서 연봉제에 대한 설명으로 옳은 것은?

① 연봉제 도입을 통하여 관료제 내부의 공동체 의식이나 팀 정신이 향상된다.
② 연봉제는 실적주의 및 직위분류제를 강화시키지만 직업공무원제 및 계급제는 약화시키는 경향이 있다.
③ 우리나라의 경우 연봉액을 1년 단위로 책정하여 전액을 매년 1회 일괄해서 지급하는 것이 원칙이다.
④ 우리나라 고위공무원단에 속하는 공무원의 연봉제 수립에 있어서 직무분석이 직무평가보다 더 중요한 기능을 한다.

---

07 연봉제

고정급적 연봉제는 정무직에게 적용되는 연봉제로, 성과연봉 없이 기본연봉만 지급되는 제도이다.

선지분석
①, ③ 고위공무원단 소속 공무원의 보수제도는 직무성과급적 연봉제이며, 기본연봉은 기준급과 직무급으로 구성된다.
④ 성과급이란 보수제도에 업무실적에 따른 차등지급이 포함된 개념이다. 따라서 5급 이상에 적용되는 성과급적 연봉제나 직무성과급적 연봉제에는 이 개념이 모두 포함되어 있다.

답 ②

08 연봉제

연봉제는 성과 중심의 보수제도이므로 실적주의 및 직위분류제를 강화시키지만, 연공서열이나 계급 중심의 직업공무원제나 계급제는 약화시키는 경향이 있다.

선지분석
① 연봉제는 기본적으로 경쟁을 통한 성과에 기초하므로, 공동체 의식이나 팀워크가 저해될 수 있다.
③ 연봉총액을 12로 나눈 후, 매월 지급하는 연봉월액의 형식으로 지급한다.
④ 직무평가가 직무분석보다 더 중요한 기능을 한다.

답 ②

09

2022년 군무원 7급

다음 중 '직무성과급적 연봉제'의 적용을 받는 공무원으로 옳은 것은?

① 고위공무원단
② 1~5급 공무원
③ 임기제공무원
④ 정무직공무원

10

2020년 국가직 7급

총액인건비제도에 대한 설명으로 옳지 않은 것은?

① 정원관리에 대한 각 부처의 자율성 확대를 목표로 한다.
② 김대중 정부에서 중앙행정기관 및 지방자치단체에 처음 도입되었으며, 공공기관으로 확대되었다.
③ 보수관리에 대한 각 부처의 자율성이 확대되었다.
④ 시행기관은 성과중심의 조직운영을 위하여 총액인건비제도를 활용할 수 있다.

| 09 | 직무성과급적 연봉제 | 난이도 ●○○ |

직무성과급적 연봉제가 적용되는 공무원은 고위공무원단이다.

선지분석
② 1~5급 공무원 중 실·국장 고위공무원단은 직무성과급적 연봉제가, 그 밖의 공무원들은 성과급적 연봉제가 각각 적용된다.
③ 임기제공무원(일반임기제의 경우)의 연봉은 채용된 직위에 해당하는 경력직 또는 별정직공무원으로 임용될 경우에 받게 되는 급여(봉급, 정근수당, 관리업무수당, 인사혁신처장이 정하는 급여를 합산한 금액)의 150% 이하에서 인사혁신처장이 정하는 기준에 따라 소속 장관이 책정한다.
④ 장·차관 등 정무직공무원은 고정급적 연봉제가 적용된다.

답 ①

| 10 | 총액인건비제도 | 난이도 ●○○ |

총액인건비제는 노무현 정부인 2007년 1월 1일부터 전 부처로 전면 확대·실시되었다.

선지분석
① 중앙예산기관(기획재정부)과 조직관리기관(행정안전부)이 총정원과 인건비 예산의 총액을 정해주면, 각 부처는 그 범위 안에서 재량권을 발휘하여 인력 운영 및 기구설치에 대한 자율성과 책임성을 보장받는 제도이다.
③ 총액인건비 내에서 조직·정원 관리 및 인건비 배분을 기관 특성에 맞게 운영할 수 있도록 각 기관에 기구 설치와 직급에 자율권을 부여함으로써 인적자원관리의 분권화 실현이 가능하다.
④ 총액인건비는 각 기관은 업무 특성을 고려하여 성과 중심의 정부조직을 운영한다.

답 ②

11 □□□　　　　　　　　　　　　　2011년 지방직 9급

총액인건비제도의 운영 목표와 가장 거리가 먼 것은?

① 민주적 통제의 강화
② 성과와 보상의 연계 강화
③ 자율과 책임의 조화
④ 기관 운영의 자율성 제고

12 □□□　　　　　　　　　　　　　2024년 지방직 7급

총액인건비제에 대한 설명으로 옳은 것만을 모두 고르면?

> ㄱ. 총액인건비제의 시행으로 보수관리에 대한 각 부처의 자율성이 확대되었다.
> ㄴ. 책임운영기관의 설치·운영에 관한 법령에 따른 책임운영기관은 총액인건비제 시행의 대상에 해당하지 않는다.
> ㄷ. 총액인건비제를 시행하는 기관은 의도적 절감노력으로 확보한 재원을 성과상여금 및 성과연봉 등에 활용할 수 있다.

① ㄱ
② ㄱ, ㄷ
③ ㄴ, ㄷ
④ ㄱ, ㄴ, ㄷ

| 11 | 총액인건비제도의 운영 목표 | 난이도 ●○○ |

총액인건비제도는 총액인건비 범위 내에서는 인사 운영의 자율성을 부여하기 위한 제도로, 민주적 통제보다는 기구·인력·예산·정원 운영상 자율성을 부여하여 자율과 성과·책임을 조화시키려는 인사제도이다.

(선지분석)
총액인건비제도는 부처에게 자율을 부여하고 성과로 책임을 묻는 제도이므로 ② 성과와 보상의 연계 강화, ③ 자율과 책임의 조화, ④ 기관 운영의 자율성 제고는 모두 옳은 내용이다.

📄 총액인건비제

의의	중앙예산기관(기획재정부)과 조직관리기관(행정안전부)이 총정원과 인건비 예산의 총액만을 정해주면, 각 부처는 그 범위 안에서 재량권을 발휘하여 인력 운영 및 기구 설치에 대한 자율성과 책임성을 보장받는 제도
장점	• 인사의 자율화 및 분권화 • 성과와 책임의 조화
단점	무분별한 증원과 상위직 증설로 직급 인플레이션이 유발되는 등 재직자 이기주의가 나타남

답 ①

| 12 | 총액인건비제 | 난이도 ●●● |

ㄴ만 틀리다.
ㄱ. 총액인건비제는 중앙예산기관(기획재정부)과 조직관리기관(행정안전부)이 총정원과 인건비 예산의 총액만을 정해주면, 각 부처는 그 범위 안에서 재량권을 발휘하여 인력 운영 및 기구설치에 대한 자율성과 책임성을 보장받는 제도이다.
ㄷ. 총액인건비제를 시행하는 기관은 의도적 절감 노력으로 확보한 총액인건비 재원을 성과상여금 및 성과연봉 등에 활용할 수 있다.

(선지분석)
ㄴ. 책임운영기관도 국가행정기관이므로 총액인건비제 시행의 대상에 포함된다.

답 ②

13

2022년 지방직 9급

공무원 보수의 유형에 대한 설명으로 옳지 않은 것은?

① 직능급은 자격증을 갖춘 유능한 인재의 확보에 유리하다.
② 연공급은 근속연수를 기준으로 하기 때문에 전문기술인력 확보에 유리하다.
③ 직무급은 동일 노동에 대한 동일 임금이라는 합리적인 보수 책정이 가능하다.
④ 성과급은 결과를 중시하며 변동급의 성격을 가진다.

14

2025년 국가직 9급

공무원의 보수에 대한 설명으로 옳지 않은 것은?

① 직능급은 직무수행능력을 기준으로 기본급을 결정하는 보수체계이다.
② 연공급은 사람을 중심으로 하는 속인적 기본급이다.
③ 실적급은 근무실적을 기준으로 기본급을 결정하는 보수체계이다.
④ 계급제에서의 보수는 직무급이 특징이다.

---

13 공무원 보수의 유형 난이도 ●○○

연공급이란 근속연수를 기준으로 하기 때문에 장기근속자가 유리한 보수제도로, 전문행정가보다는 일반행정가 확보에 유리한 보수제도이다.

선지분석
① 직능급은 직무수행능력에 따라 지급되는 보수이므로, 자격증 등 능력을 갖춘 유능한 인재확보에 유리하다.
③ 직위분류제가 채택하는 직무급은 동일 직무·동일 보수라는 직무 중심의 보수제도로, 공평하고 합리적인 보수라는 평가를 받는다.
④ 성과급은 성과에 따라 보수가 변화하므로, 고정급이 아닌 변동급의 성격을 띤다.

답 ②

14 공무원 보수 난이도 ●○○

계급제에서의 보수는 생활급이 원칙이다.

선지분석
① 직능급에 대한 옳은 설명이다.
② 연공급에 대한 옳은 설명이다.
③ 실적급에 대한 옳은 설명이다.

답 ④

15

2025년 군무원 9급

보수 체계를 결정하는 원칙 중 노동 대가의 원칙과 가장 거리가 먼 것은?

① 근속급
② 직무급
③ 직능급
④ 성과급

16

2018년 국가직 7급

공무원 인사제도에 대한 설명으로 옳지 않은 것은?

① 직업공무원제도는 공직을 직업전문분야로 확립시키기도 하지만, 행정의 전문성 약화를 가져오기도 한다.
② 엽관주의하에서는 행정의 민주성과 관료적 대응성의 향상은 물론 정책수행 과정의 효율성 제고도 기대할 수 있다.
③ 대표관료제는 역차별 문제의 발생과 실적주의 훼손의 비판이 제기되며, 사회적 소외집단을 배려하는 우리나라의 균형인사정책은 미국의 적극적 조치(affirmative action)의 관점에서 이해될 수 있다.
④ 총액인건비제도는 일반적으로 기구·정원 조정에 대한 재정당국의 중앙통제는 그대로 둔 채 수당의 신설·통합·폐지와 절감예산 활용 등에서의 부처 자율성을 부여하는 특성을 갖는다.

---

15 공무원 보수   난이도 ●○○

근속급은 공무원 개인의 생활을 보호하고, 일정한 노동력을 확보하기 위하여 근속연수에 따라 임금수준을 결정하는 임금체계이다.

선지분석

② 직무급은 개개인이 맡고 있는 직무의 곤란도와 책임도를 평가하여 임금을 결정하는 방식이다. 이는 동일 직무에 대한 동일 보수(equal to pay, equal to work)라는 논리에 근거한 것이다.
③ 직능급은 공무원의 직무수행능력을 측정하여 그 능력이 우수할수록 보수를 우대하는 보수체계이다.
④ 성과급은 실적, 성과, 능률 중심의 보수로서 구성원의 동기유발에 유용한 제도이다.

답 ①

16 공무원 인사제도   난이도 ●●●

총액인건비제도는 인건비 총액과 총정원만 통제하고, 기구설치 및 직급의 자율성을 부여하는 성과 중심의 방식이다.

선지분석

① 직업공무원제도는 공직을 전문직업분야로 확립시키는 데에는 공헌하지만, 직위분류제에 비해 행정의 전문성(전문행정가주의)을 저해한다.
② 엽관주의는 행정의 대응성과 책임성·민주성을 구현할 수 있고, 정치권과 행정부 간의 관계도 원만하게 되므로 정책수행 과정의 효율성도 제고시킬 수 있다.
③ 대표관료제는 역차별의 논란과 실적주의의 훼손이라는 비판이 있으며, 미국에서는 1960년대 적극적 조치(affirmative action) 형태로 도입되었다.

답 ④

17
2017년 지방직 9급(12월 추가)

공무원 연금은 재원의 형성방식에 따라 부과방식과 적립방식으로 나눌 수 있다. 부과방식과 비교한 적립방식의 장점이 아닌 것은?

① 인구구조의 변화나 경기 변동에 영향을 덜 받는다.
② 인플레이션이 심하더라도 연금급여의 실질가치를 유지할 수 있다.
③ 연금재정 및 급여의 안정성을 꾀할 수 있다.
④ 기금 수익을 통해 장기 비용부담을 덜어 제도의 안정적인 운영이 가능하다.

18
2016년 국가직 7급

다음 중 우리나라 공무원 연금제도에 대한 설명으로 옳은 것만을 모두 고른 것은?

> ㄱ. 최초의 공적연금제도로서 직업공무원을 대상으로 하는 특수직역연금제도이다.
> ㄴ. 「공무원연금법」상 공무원 연금 대상에는 군인, 공무원 임용 전의 견습직원 등이 포함된다.
> ㄷ. 사회보험 원리와 부양원리가 혼합된 제도이다.

① ㄱ
② ㄱ, ㄷ
③ ㄴ, ㄷ
④ ㄱ, ㄴ, ㄷ

---

17 공무원 연금의 구분 | 난이도 ●●○

적립방식이란 기금을 조성하여 기금에서 연금을 지급하는 방식으로, 안정적인 연금재정 운영은 가능하나, 인플레이션 등 물가변동이 심한 경우 연금급여의 실질적 가치를 유지하기 힘들다는 단점이 있다.

📄 공무원 연금재원 조성 · 운용 방식

구분	개념	장점	단점
비기금제 (부과방식)	연금의 재원을 일반세입에서 충당하는 제도	• 시행 초 적은 부담 • 인플레이션이나 투자위험에 무관	• 후세대 부담 과중 • 재정 운영 불안 • 인구구조 변화에 취약
기금제 (적립방식)	공무원 기여금과 정부부담금으로 기금을 적립하는 방식	• 보험료의 평준화 • 연금재정의 안정화 • 인구구조 변화에 무관	• 시행 초 부담 과중 • 장기적 예측 곤란 • 인플레이션에 취약

답 ②

18 공무원 연금제도 | 난이도 ●●○

ㄱ. 우리나라는 1960년 「공무원연금법」을 제정하여 직업공무원을 대상으로 하는 특수직역연금제도를 처음으로 실시하였다.
ㄷ. 우리나라 공무원 연금제도는 사회보험 원리와 부양 원리가 혼합된 제도로 운영된다. 즉, 정부와 공무원이 균등 부담하는 사회보험의 성격과 재정수지 부족액을 재정으로 보전하는 부양 원리를 채택하고 있다.

(선지분석)
ㄴ. 「공무원연금법」상 군인과 선거에 취임하는 공무원은 제외된다. 또한 임용 전의 견습직원은 임용 전이기 때문에 포함되지 않는다.

답 ②

19 □□□
2025년 국가직 9급

기금에 대한 설명으로 옳지 않은 것은?

① 국회는 정부가 제출한 기금운용계획안의 주요항목 지출금액을 증액하는 경우에도 미리 정부의 동의를 얻어야 한다.
② 기금의 종류 중 사업성 기금에는 공무원연금기금, 기술보증기금, 무역보험기금 등이 있다.
③ 기획재정부장관은 회계연도마다 전체 기금 중 3분의 1 이상의 기금에 대해 대통령령으로 정하는 바에 따라 그 운용실태를 조사 및 평가하여야 한다.
④ 기금관리주체는 안정성, 유동성, 수익성, 공공성을 고려하여 투명하고 효율적으로 운용하여야 한다.

| 19 | 기금 | 난이도 ●●○ |

공무원 연금기금은 사회보험성 기금이다.

선지분석
① 기금도(예산과동일하게) 국회가 증액을 할 경우에는 정부의 동의를 얻어야 한다.
③ 기획재정부장관은 매년 전체 기금의 3분의 1 이상에 해당하는 기금에 대한 운용실태를 조사하여야 한다(「국가재정법 시행령」 제90조).
④ 기금관리주체는 안정성, 유동성, 수익성, 공공성을 고려하여 투명하고 효율적으로 기금을 운용하여야 한다.

답 ②

---

20 □□□
2019년 국가직 7급

공무원 연금제도에 대한 설명으로 옳은 것은?

① 비기금제는 적립된 기금 없이 연금급여가 발생할 때마다 필요한 비용을 조달하여 지급하는 방식으로 미국 등이 채택하고 있다.
② 2009년 연금 개혁으로 공무원연금의 적용대상이 확대됨에 따라 공무원연금공단 직원도 대상에 포함하게 되었다.
③ 공무원연금제도는 행정안전부가 관장하고, 그 집행은 공무원 연금공단에서 실시하고 있다.
④ 비기여제는 정부가 연금재원의 전액을 부담하는 제도이다.

| 20 | 공무원 연금제도 | 난이도 ●○○ |

기여제는 정부와 공무원이 공동으로 기금 조성에 기여하는 제도이고, 비기여제는 정부가 연금재원의 전액을 부담하는 제도이다.

선지분석
① 비기금제는 기금을 미리 조성하지 않고 그때그때 연금급여에 필요한 재원만을 조달하는 제도이다(영국과 독일). 이에 반해 기금제는 연금급여에 필요한 재원을 조달하기 위해 미리 기금을 조성하는 제도이다(미국과 우리나라).
② 공무원연금공단과 같은 준정부기관의 직원은 공무원연금 적용대상이 아니다.
③ 「공무원연금법」에 따른 공무원연금제도의 운영에 관한 사항은 인사혁신처장이 주관한다. 기금은 공무원연금공단이 관리·운용한다.

답 ④

21　　　　　　　　　　　　　　　　2020년 국회직 8급

우리나라 공무원 연금제도에 대한 설명으로 옳지 않은 것은?

① 공무원 연금제도의 주무부처는 인사혁신처이며, 공무원연금기금은 공무원연금공단이 관리·운용한다.
② 공무원 연금제도는 기금제를 채택하고 있다.
③ 공무원 연금제도는 기여제를 채택하고 있다.
④ 기여금을 부담하는 재직기간은 최대 36년까지이다.
⑤ 퇴직수당은 공무원과 정부가 분담한다.

| 21 | 공무원 연금제도 | 난이도 ●○○ |

퇴직수당은 퇴직연금과 달리 재원을 정부가 단독 부담한다.

선지분석
① 공무원 연금제도는 중앙인사행정기관인 인사혁신처가 관장하고, 연금기금은 공무원연금공단에서 관리·운용한다.
②, ③ 우리나라 공무원 연금은 재원조성방식이 기금제이자 기여제이다.
④ 기여금 납부기한은 최대 36년까지이다. 종래 33년에서 2016 연금개혁 후 36년으로 연장되었다.

답 ⑤

22　　　　　　　　　　　　　　　　2020년 지방직 7급

현행 법령상 공무원의 보수 및 연금제도에 대한 설명으로 옳지 않은 것은?

① 호봉 간 승급에 필요한 기간은 1년이며, 직종별 구분 없이 하나의 봉급표가 적용된다.
② 고위공무원단에 속하는 공무원에 대해서는 대통령경호처 직원 중 별정직공무원을 제외하고 직무성과급적 연봉제를 적용한다.
③ 「공무원연금법」상 퇴직급여에는 퇴직연금, 퇴직연금일시금, 퇴직연금공제일시금, 퇴직일시금이 있다.
④ 군인과 선거에 의하여 취임하는 공무원은 「공무원연금법」상의 공무원에서 제외된다.

| 22 | 공무원의 보수 및 연금제도 | 난이도 ●○○ |

호봉 간 승급에 필요한 기간은 1년이지만, 공무원봉급표는 하나의 봉급표가 일률적으로 적용되는 것이 아니라 직종에 따라 일반직, 연구직, 지도직, 우정직, 군인, 경찰직, 헌법연구관 등 다양하게 적용된다.

선지분석
② 「공무원보수규정」 제63조에 명시되어 있다.

> 「공무원보수규정」 제63조 【고위공무원의 보수】 ① 고위공무원에 대해서는 별표 31에 따라 직무성과급적 연봉제를 적용한다. 다만, 대통령경호처 직원 중 고위공무원단에 속하는 별정직공무원에 대해서는 호봉제를 적용한다.

③ 「공무원연금법」상 퇴직급여에는 퇴직연금, 퇴직연금일시금, 퇴직연금공제일시금, 퇴직일시금 4종류가 있다.
④ 군인과 선거로 취임하는 공무원은 「공무원연금법」 비적용 대상이다.

답 ①

23. 2015년 공무원연금 개혁에 대한 설명으로 옳지 않은 것은?

2022년 지방직 9급

① 퇴직연금 지급률을 1.7%로 단계적 인하
② 퇴직연금 수급 재직요건을 20년에서 10년으로 완화
③ 퇴직연금 기여율을 기준소득월액의 9%로 단계적 인상
④ 퇴직급여 산정 기준은 퇴직 전 3년 평균보수월액으로 변경

24. 공공부문에 임금피크제를 도입하고자 하는 이유(배경)는 무엇인가?

2008년 경기 9급

① 공무원 보수 중에서 기본급보다 수당의 비중이 더 큰 기형적인 상태를 개선하기 위해서이다.
② J자 모양의 보수곡선이 초래하는 공무원 인건비 부담(재정상 부담) 때문이다.
③ 적극적인 성과급 제도를 보급하기 위해서이다.
④ 부족한 공무원 보수를 민간부문 수준으로 향상시키기 위한 방안이다.

---

23 2015년 공무원연금 개혁 난이도 ●●●

퇴직급여 산정기준은 퇴직 전 3년이 아니라 총재직기간의 평균보수월액이다.

선지분석
① 퇴직연금 지급률을 1.9%에서 1.7%까지 단계적으로 인하하였다.
② 퇴직연금 수급 재직요건이 20년 이상에서 10년 이상으로 완화되었다.
③ 퇴직연금 기여율이 기준소득월액 7%에서 9%까지 단계적으로 인상되었다.

답 ④

24 임금피크제 난이도 ●○○

임금피크제란 정년까지 고용을 유지하는 대신 일정 연령이 되면 생산성을 감안해 임금을 줄이는 제도로, 연공서열형 임금구조의 문제점(인건비 부담, 생계비와 임금의 괴리)을 해소하기 위하여 도입을 검토하고 있는 제도이다. 하지만 임금피크제는 임금을 생계비와 연동시킨 제도이므로, 직무와 성과 중심의 보수 체계의 개편방향과 부합하지 못한다.

답 ②

CHAPTER 5 인사행정의 규범

KEYWORD 074 신분보장

01 ☐☐☐　　　　　　　　　　　　　　2015년 국가직 9급

우리나라의 공무원 인사제도에 대한 내용으로 옳지 않은 것은?

① 공무원이 인사에 관하여 자신의 의사에 반한 불리한 처분을 받았을 때에는 소청심사를 청구할 수 있다.
② 임용권자는 직무수행 능력이 부족하거나 근무성적이 극히 나쁜 자에게 직위를 부여하지 아니할 수 있다.
③ 직권면직은 「국가공무원법」상 징계의 한 종류로서, 임용권자가 특정한 사유에 해당되는 공무원을 직권으로 면직시키는 것이다.
④ 해임 처분을 받은 때부터 3년, 파면 처분을 받은 때부터 5년이 지나지 아니한 자는 공무원으로 임용될 수 없다.

02 ☐☐☐　　　　　　　　　　　　　　2014년 서울시 7급

공무원 신분의 변경과 소멸에 대한 설명으로 옳은 것은?

① 면직 처분에 대하여는 소청심사를 청구할 수 있으나 승진 탈락에 대하여는 청구할 수 없다.
② 직제와 정원규정이 바뀌어 현재의 공무원 수가 정원을 초과한 경우는 당연퇴직 요건에 해당한다.
③ 권고사직은 의원면직의 형식을 취하므로 강제퇴직이라고 볼 수 없다.
④ 직위해제를 받게 되면 직무를 담당하지 못하게 되어 공무원의 신분을 유지할 수 없다.
⑤ 강임은 승진과 반대로 현 직급보다 낮은 하위 직급에 임용되는 것으로 징계에 해당한다.

01 　공무원 인사제도　　　　　　　　　　난이도 ●○○

직권면직이나 직위해제, 강임 등은 「국가공무원법」상 징계가 아니다. 징계에는 견책, 감봉, 정직, 강등, 해임, 파면 등이 있다.

(선지분석)
① 인사상 불리한 처분에 대해서는 소청을 청구할 수 있다.
② 임용권자가 직무수행능력이 부족하거나 근무성적이 극히 나쁜 자에게 직위를 부여하지 않는 것은 직위해제의 사유로 옳은 지문이다.
④ 해임은 3년, 파면은 5년간 임용결격 사유이다.

답 ③

02 　공무원 신분의 변경과 소멸　　　　　난이도 ●●○

면직은 인사상 불이익 처분으로 소청의 대상이나, 승진 탈락·근무성적평정은 인사권자의 고유 권한으로 소청의 대상이 되지 않는다.

(선지분석)
② 직제와 정원규정이 바뀌어 현재의 공무원 수가 정원을 초과한 경우에는 당연퇴직이 아니라 직권면직 사유이다.
③ 권고사직은 의원면직의 형식을 취하지만, 사직을 강요하는 수단으로 악용되어 왔다.
④ 직위해제는 직위에 해당하는 직무수행을 못할 뿐 신분은 유지된다.
⑤ 강임은 직제나 정원이 변경된 경우, 폐직·과원이 되거나 본인이 동의한 경우 하위 직위로 임용되는 것으로, 징계가 아니며 강등과는 다르다.

답 ①

03 2024년 지방직 9급

「지방공무원법」상 공무원 인사이동에 대한 설명으로 옳지 않은 것은?

① 전직은 직렬을 달리하는 임명을 말한다.
② 전보는 같은 직급 내에서 보직변경을 말한다.
③ 강임의 경우, 같은 직렬의 하위 직급이 없는 경우 다른 직렬의 하위 직급으로는 이동할 수 없다.
④ 지방자치단체의 장 또는 지방의회의 의장은 공무원을 전입시키려고 할 때에는 해당 공무원이 소속된 지방자치단체의 장 또는 지방의회의 의장의 동의를 받아야 한다.

04 2023년 국가직 9급

공무원의 직위해제에 대한 설명으로 옳은 것은?

① 직위해제는 공무원 징계의 한 종류이다.
② 직위해제 처분을 받은 공무원은 잠정적으로 공무원 신분이 상실된다.
③ 직무수행 능력이 부족하거나 근무성적이 극히 나쁜 자에 대해서도 직위해제가 가능하다.
④ 직위해제의 사유가 소멸된 경우 임용권자는 인사위원회의 심의를 거쳐 3개월 이내에 직위를 부여하여야 한다.

---

03 공무원 인사이동 난이도 ●●○

강임(降任)이란 같은 직렬 내에서 하위 직급에 임명하거나 하위 직급이 없어 다른 직렬의 하위 직급에 임명하는 것을 말한다(「지방공무원법」 제5조).

(선지분석)
① 전직(轉職)이란 직렬을 달리하여 임명하는 것을 말한다.
② 전보(轉補)란 같은 직급 내에서의 보직변경을 말한다.
④ 지방자치단체의 장 또는 지방의회의 의장은 공무원을 전입시키려고 할 때에는 해당 공무원이 소속된 지방자치단체의 장 또는 지방의회의 의장의 동의를 받아야 한다(「지방공무원법」 제29조의3).

답 ③

04 직위해제 난이도 ●●○

직무수행능력이 부족하거나 근무성적이 극히 나쁜 자에 대해서는 직위해제가 가능하다.

(선지분석)
① 직위해제는 징계는 아니다.
② 직위해제는 공무원 신분은 유지되며 직위가 부여되지 않는다.
④ 직위해제사유가 소멸된 경우 임용권자는 지체 없이 직위를 부여하여야 한다.

답 ③

05

2014년 국가직 7급

임용에 대한 설명으로 옳지 않은 것은?

① 징계로 해임 처분을 받은 때부터 5년이 지나지 아니한 자는 공무원으로 임용될 수 없다.
② 승진의 기준으로 공무원 근무경력만을 중시하는 경우 행정의 능률성을 저하시킬 수 있다.
③ 전직과 전보는 부처 간 할거주의의 폐단을 타파하고 부처 간 협력조성을 위한 기반을 마련해 줄 수 있다.
④ 임용권자는 직제 또는 정원이 변경되거나 예산의 감소 등으로 직위가 폐직되었을 경우 또는 본인이 동의한 경우에는 소속 공무원을 강임할 수 있다.

06

2013년 국가직 7급

공무원의 징계에 대한 설명으로 옳지 않은 것은?

① 징계로 파면 처분을 받은 때부터 5년이 지나지 아니한 자와 징계로 해임 처분을 받은 때부터 3년이 지나지 아니한 자는 공무원으로 임용될 수 없다.
② 금품 및 향응 수수, 공금의 횡령·유용으로 징계 해임된 자의 퇴직급여는 감액하지 아니한다.
③ 탄핵 또는 징계에 의하여 파면된 경우, 재직기간이 5년 이상인 사람의 퇴직급여는 1/2을 감액하여 지급한다.
④ 탄핵 또는 징계에 의하여 파면된 경우, 재직기간이 5년 미만인 사람의 퇴직급여는 1/4을 감액하여 지급한다.

---

05 임용 난이도 ●○○

징계로 해임 처분을 받은 경우, 3년간 재임용될 수 없다.

(선지분석)
② 경력만을 강조할 경우 경쟁의 결여로 인한 효율성이 저하된다.
③ 전직이나 전보는 할거주의를 극복하고 교류와 협력을 촉진시킨다.
④ 임용권자는 직제 또는 정원이 변경되거나 예산의 감소 등으로 직위가 폐직되었을 경우 또는 본인이 동의한 경우에는 소속 공무원을 강임할 수 있다. 강임은 징계가 아니며, 강등이 징계다.

답 ①

06 공무원의 징계 난이도 ●○○

금품 및 향응 수수, 공금의 횡령·유용으로 징계 해임된 자의 퇴직급여는 제한할 수 있다.

(선지분석)
① 파면 처분은 5년간, 해임 처분은 3년간 공무원 임용의 결격사유이다.
③, ④ 파면된 경우, 5년 이상 근무자는 퇴직급여의 2분의 1을 삭감하고, 5년 미만 근무자는 퇴직급여의 4분의 1을 삭감한다.

답 ②

07　2018년 국가직 9급

「국가공무원법」상 징계에 대한 설명으로 옳은 것은?

① 징계는 파면·해임·정직·감봉·견책으로 구분한다.
② 정직은 1개월 이상 3개월 이하의 기간으로 하고, 정직 처분을 받은 자는 그 기간 중 공무원의 신분은 보유하나 직무에 종사하지 못하며 보수의 3분의 2를 감한다.
③ 감봉은 1개월 이상 3개월 이하의 기간 동안 보수의 3분의 1을 감한다.
④ 감사원에서 조사 중인 사건에 대하여는 조사개시 통보를 받은 후부터 징계 의결의 요구나 그 밖의 징계 절차를 진행할 수 있다.

08　2020년 국회직 8급

징계위원회에서 징계위원 7명의 의견이 다음과 같다. 「공무원 징계령」에 따를 때 결정된 징계 종류는?

- 위원 A: 파면
- 위원 B: 감봉
- 위원 C: 강등
- 위원 D: 해임
- 위원 E: 정직
- 위원 F: 해임
- 위원 G: 파면

① 파면
② 해임
③ 정직
④ 강등
⑤ 감봉

---

07 징계　난이도 ●○○

감봉은 1개월 이상 3개월 이하의 기간 동안 보수의 3분의 1을 감한다.

선지분석
① 징계는 파면·해임·강등·정직·감봉·견책으로 구분한다.
② 정직은 보수의 전액을 삭감한다.
④ 감사원에서 조사 중인 사건에 대하여는 조사개시 통보를 받은 후부터는 징계 의결의 요구나 그 밖의 징계 절차를 진행할 수 없다(「국가공무원법」 제83조 제1항).

답 ③

08 징계　난이도 ●●○

징계위원회는 5명 이상의 출석과 출석 과반수의 찬성으로 의결하되, 의견이 나뉘어 과반의 찬성을 얻지 못한 경우에는 과반수가 될 때까지 징계대상자에게 가장 불리한 의견에 차례로 유리한 의견을 더하여 가장 유리한 의견을 합의된 의견으로 보기 때문이다. 즉, 위 사례의 경우 어떤 의견도 과반수가 안되므로(파면2, 해임2, 강등1, 정직1, 감봉1) 가장 불리한 의견(파면2)에 그 다음 유리한 의견(해임2)을 더하면 4명으로 과반수가 된다. 그 4명 중 유리한 의견은 해임이므로 결국 해임으로 결정되는 것이다.

답 ②

09　　　　　　　　　　　　　　　　2022년 국가직 9급

공무원 신분의 변경과 소멸에 대한 설명으로 옳지 않은 것은?

① 직권면직은 법률상 징계의 종류로 규정되어 있지 않다.
② 정직은 징계처분의 일종으로, 정직 기간 중에는 보수의 1/2을 감하도록 되어 있다.
③ 임용권자는 사정에 따라서는 공무원 본인의 의사에도 불구하고 휴직을 명해야 한다.
④ 임용권자는 직무수행 능력 부족을 이유로 직위해제를 받은 공무원이 직위해제 기간에 능력의 향상을 기대하기 어렵다고 인정된 때에 직권면직을 통해 공무원의 신분을 박탈할 수 있다.

| 09 | 공무원 신분의 변경과 소멸 | 난이도 ●○○ |

정직은 1개월 내지 3개월 동안 보수의 전액을 삭감하고, 18개월간 승급이 정지되는 징계처분의 일종이다.

선지분석
① 직권면직은 일정한 사유에 의하여 직권으로 면직시키는 인사처분이지만, 「국가공무원법」상 징계의 종류에는 포함되지 않는다.
③ 직권휴직에 해당하는 설명으로 본인 의사에 관계없이 임용권자가 직권으로 휴직을 명령하는 경우도 있을 수 있다. 공무원 노동조합 전임자 등에 대한 휴직명령이 그 경우이다.
④ 직위해제에 따라 대기명령을 받은 자가 그 기간에 능력 또는 근무성적의 향상을 기대하기 어렵다고 인정된 때는 직권면직 사유가 된다.

답 ②

10　　　　　　　　　　　　　　　　2023년 국가직 7급

우리나라 공무원제도에 대한 설명으로 옳은 것만을 모두 고르면?

ㄱ. 중앙정부·지방자치단체 및 그 하부기관에 근무하는 공무원은 직장협의회를 설립할 수 있으며, 하나의 기관에 복수의 협의회 설립이 가능하다.
ㄴ. 휴직은 공무원으로서의 신분을 보유하게 하면서 직무 담임을 일시적으로 해제하는 것으로서 임용권자가 직권으로 휴직을 명하는 직권휴직과 본인의 원에 따라 휴직을 명하는 청원휴직이 있다.
ㄷ. 공무원은 소청심사위원회를 통해 부당하다고 여겨지는 징계에 대한 구제를 신청할 수 있으며, 소청심사위원회의 결정은 처분청과 소청인 모두를 기속한다.
ㄹ. 시보 임용기간 중에 있는 공무원이 근무성적·교육훈련성적이 나빠서 공무원으로서의 자질이 부족하다고 판단되는 경우에는 면직시킬 수 있다.

① ㄱ, ㄴ
② ㄱ, ㄷ
③ ㄴ, ㄹ
④ ㄷ, ㄹ

| 10 | 우리나라 공무원제도 | 난이도 ●●● |

ㄴ. 「국가공무원법」 제71조에 규정되어 있다.

> 제71조【휴직】① 공무원이 다음 각 호의 어느 하나에 해당하면 임용권자는 본인의 의사에도 불구하고 휴직을 명하여야 한다.
> ② 임용권자는 공무원이 다음 각 호의 어느 하나에 해당하는 사유로 휴직을 원하면 휴직을 명할 수 있다.

ㄹ. 시보 임용 기간 중에 있는 공무원이 근무성적·교육훈련성적이 나쁘거나 이 법 또는 이 법에 따른 명령을 위반하여 공무원으로서의 자질이 부족하다고 판단되는 경우에는 면직시키거나 면직을 제청할 수 있다(「국가공무원법」 제29조).

선지분석
ㄱ. 중앙정부·지방자치단체 및 그 하부기관에 근무하는 공무원은 직장협의회를 설립할 수 있으며, 하나의 기관에 하나만 설립 가능하다.
ㄷ. 소청심사위원회의 결정은 처분 행정청을 기속(羈束)한다(「국가공무원법」 제15조). 소청인을 기속하지는 않는다.

답 ③

KEYWORD 075 공무원 단체와 공무원의 정치적 중립

11
2017년 국가직 7급(인사조직론) 변형

「공무원의 노동조합 설립 및 운영 등에 관한 법률」상 공무원 노동조합에 대한 설명으로 옳은 것은?

① 인사 및 보수에 관한 업무를 수행하는 공무원은 노동조합에 가입할 수 있다.
② 국가와 지방자치단체는 전임자에게 그 전임기간 중 보수를 지급해야 한다.
③ 노동조합과 그 조합원은 정치활동을 할 수 있다.
④ 노동조합과 그 조합원은 파업, 태업 또는 그 밖에 업무의 정상적인 운영을 방해하는 일체의 행위를 하여서는 아니 된다.

12
2017년 국가직 7급(8월 시행)

「공무원의 노동조합 설립 및 운영 등에 관한 법률」상 단체교섭 대상은?

① 기관의 조직 및 정원에 관한 사항
② 조합의 보수에 관한 사항
③ 예산·기금의 편성 및 집행에 관한 사항
④ 정책의 기획 등 정책결정에 관한 사항

---

11 공무원 노동조합 난이도 ●●○

노동조합과 그 조합원은 파업, 태업 또는 그 밖에 업무의 정상적인 운영을 방해하는 일체의 행위를 하여서는 아니 된다.

선지분석
① 업무의 주된 내용이 인사·보수 또는 노동관계의 조정·감독 등 노동조합의 조합원 지위를 가지고 수행하기에 적절하지 아니한 업무에 종사하는 공무원은 노동조합에 가입할 수 없다.
② 국가와 지방자치단체는 전임자에게 그 전임기간 중 보수를 지급하여서는 아니 된다.
③ 노동조합과 그 조합원은 정치활동을 하여서는 아니 된다.

답 ④

---

12 단체교섭 대상 난이도 ●●○

공무원 노조의 교섭대상은 조합의 보수에 관한 사항 등 근무조건이다.

선지분석
① 기관의 조직 및 정원에 관한 사항, ③ 예산·기금의 편성 및 집행에 관한 사항, ④ 정책의 기획 등 정책결정에 관한 사항은 모두 재직자의 근무조건과는 관계 없는 사항으로, 단체교섭 대상이 될 수 없다.

> 「공무원의 노동조합 설립 및 운영 등에 관한 법률 시행령」 제4조 【비교섭 사항】 법 제8조 제1항 단서에 따른 법령 등에 따라 국가나 지방자치단체가 그 권한으로 행하는 정책 결정에 관한 사항, 임용권의 행사 등 그 기관의 관리·운영에 관한 사항은 다음 각 호와 같다.
> 1. 정책의 기획 또는 계획의 입안 등 정책 결정에 관한 사항
> 2. 공무원의 채용·승진 및 전보 등 임용권의 행사에 관한 사항
> 3. 기관의 조직 및 정원에 관한 사항
> 4. 예산·기금의 편성 및 집행에 관한 사항
> 5. 행정기관이 당사자인 쟁송(불복신청을 포함한다)에 관한 사항
> 6. 기관의 관리·운영에 관한 그 밖의 사항

답 ②

13 ◻◻◻ 2013년 국가직 9급

공무원 단체활동 제한론의 근거로 옳지 않은 것은?

① 실적주의 원칙을 침해할 우려가 있다.
② 공무원의 정치적 중립성이 훼손될 수 있다.
③ 공직 내 의사소통을 약화시킨다.
④ 보수 인상 등 복지 요구 확대는 국민 부담으로 이어진다.

14 ◻◻◻ 2010년 국가직 9급

우리나라의 현행 인사행정제도에 관한 설명으로 옳지 않은 것은?

① 「국가공무원법」에 의거한 징계의 종류에는 파면·해임·강등·정직·감봉·견책이 있다.
② 고위공무원단에는 「정부조직법」상 중앙행정기관의 실장·국장 등 보조기관뿐 아니라 이에 상당하는 보좌기관도 포함된다.
③ 「정당법」에 의한 정당의 당원은 소청심사위원회의 위원이 될 수 없다.
④ 사실상 노무에 종사하는 공무원으로서 노동조합에 가입된 자가 조합 업무에 전임하려면 노동부장관의 허가를 받아야 한다.

| 13 | 공무원 단체활동 제한론의 근거 | 난이도 ●●○ |

공무원 단체를 통하여 관리층과 구성원 간 의사소통이 촉진되고 행정관리 개선에 기여한다. 이는 공무원 단체활동을 허용해야 하는 논거가 된다.

선지분석
① 공무원의 신분보장을 지나치게 강조하고 선임 위주의 인사원칙을 내세워 실적주의 인사원칙을 저해할 가능성이 있다.
② 공무원 단체가 특정 정당·정파를 지지하거나 반대하는 등 정치세력화되어 정쟁에 휘말릴 수 있다.
④ 과도한 공무원 집단의 이익 추구 시 나타나는 부정적 견해이다.

답 ③

| 14 | 인사행정제도 | 난이도 ●●● |

사실상 노무에 종사하는 공무원으로서 노동조합에 가입된 자가 조합업무에 전임하려면 고용노동부장관이 아니라 소속 장관의 허가를 받아야 한다.

「**국가공무원법**」 **제66조 【집단 행위의 금지】** ① 공무원은 노동운동이나 그 밖에 공무 외의 일을 위한 집단 행위를 하여서는 아니 된다. 다만, 사실상 노무에 종사하는 공무원은 예외로 한다.
③ 제1항 단서에 규정된 공무원으로서 노동조합에 가입된 자가 조합 업무에 전임하려면 소속 장관의 허가를 받아야 한다.
참고 사실상 노무에 종사하는 공무원은 「공무원의 노동조합 설립 및 운영 등에 관한 법률」 제7조의 적용을 받지 않고 「국가공무원법」 제66조의 적용을 받는다.

「**국가공무원법**」 **제7조 【노동조합 전임자의 지위】** ① 공무원은 임용권자의 동의를 받아 노동조합의 업무에만 종사할 수 있다.

답 ④

15

2012년 국가직 9급

공무원에게 정치적 중립이 요구되는 근거로 가장 미약한 것은?

① 정치적 무관심화를 통한 직무수행의 능률성 확보를 위해 필요하다.
② 정치적 개입에 의한 부정부패를 방지하기 위해 필요하다.
③ 행정의 계속성과 전문성을 확보하기 위해 필요하다.
④ 공무원 집단의 정치세력화를 방지하기 위해 필요하다.

16

2022년 국가직 9급

공무원의 정치적 중립의 정당화 근거로 옳지 않은 것은?

① 엽관주의의 폐해를 극복하여 행정의 안정성과 전문성을 제고할 수 있다.
② 공무원은 국민 전체의 이익을 위해 공평무사하게 봉사해야 하는 신분이다.
③ 공무원의 정치적 기본권을 강화하여 공직의 계속성을 제고할 수 있다.
④ 공명선거를 통해 민주적 기본질서를 제고할 수 있다.

| 15 | 공무원의 정치적 중립 근거 | 난이도 ●○○ |

공무원에게 정치적 중립이 요구되는 이유는 공무원이 일체 정치로부터 단절되거나 정치적 무관심·무감각을 조장하기 위한 것이 아니라, 정권이 교체되더라도 편당성 없이 공평무사하게 국민에게 봉사하게 하기 위함이다.

선지분석
② 정치적 중립은 정치적 개입에 의한 행정의 낭비와 부정부패를 방지하기 위해 필요하다.
③ 정치적 중립을 통하여 행정의 안정성과 전문성을 유지하여 실적주의를 확립하여야 한다.
④ 공무원 집단이 안정된 중립적 세력으로 기능함으로써 행정에 대한 국민의 신뢰를 확보하여야 한다.

답 ①

| 16 | 공무원의 정치적 중립의 정당화 근거 | 난이도 ●●○ |

공무원의 정치적 중립을 지나치게 강조할 경우, 공무원의 참정권(기본권)의 지나친 제한을 초래하기 때문에 정치적 기본권을 보장하고 있는 민주정치의 원리와 모순된다.

선지분석
① 실적주의의 등장과 함께 인사에 대한 정치적 간섭을 배제하여, 엽관주의의 폐해 및 정치적 남횡으로부터 공무원을 보호하고, 행정의 안정성과 전문성을 확보하는 방법으로 대두되었다.
② 민주국가에서 국민 전체의 봉사자로서 공익을 옹호하고 증진시키기 위해 불편부당하게 어느 정당이 집권하더라도 공평무사하게 중립적 도구로서 근무하여야 한다.
④ 정치적 중립은 소극적으로 정권 교체에 따른 신분의 동요 없이 공무를 수행하는 정치로부터의 중립과 적극적으로 공무원의 선거운동 등 정치 활동의 금지를 포함한다.

답 ③

KEYWORD 076 공직윤리 및 공직부패

17 □□□
2018년 교육행정직 9급

공직윤리이론에 관한 설명으로 옳은 것을 〈보기〉에서 모두 고른 것은?

〈보기〉
ㄱ. 공직자 윤리기준은 행위의 이유에 따라 판단하는 목적론적 접근방법과 그 행위의 결과나 성과에 따라 판단하는 의무론적 접근방법으로 구분된다.
ㄴ. 공직자의 통제 방식은 입법적·사법적 통제에 초점을 둔 외적 통제와 직업가치 및 윤리 기준에 의한 내적 통제로 구분된다.
ㄷ. 공직자의 책임은 외부의 기대에 부응해야 하는 객관적 책임과 자신의 양심 및 가치에 따라 결정하는 주관적 책임으로 구분된다.
ㄹ. 공직자의 역할 책임론은 전문 직업가 역할과 민주주의 담론의 촉진자 역할로 구분된다.

① ㄱ, ㄷ
② ㄴ, ㄹ
③ ㄱ, ㄴ, ㄷ
④ ㄴ, ㄷ, ㄹ

18 □□□
2017년 국가직 9급(4월 시행)

「부정청탁 및 금품 등 수수의 금지에 관한 법률」상 금지하는 부정청탁에 해당하지 않는 것은?

① 채용·승진·전보 등 공직자 등의 인사에 관하여 법령을 위반하여 개입하거나 영향을 미치도록 하는 행위
② 공공기관이 주관하는 각종 수상, 포상, 우수기관 선정 또는 우수자 선발에 관하여 법령을 위반하여 특정 개인·단체·법인이 선정 또는 탈락되도록 하는 행위
③ 공개적으로 공직자 등에게 특정한 행위를 요구하는 행위
④ 각급 학교의 입학·성적·수행평가 등의 업무에 관하여 법령을 위반하여 처리·조작하도록 하는 행위

| 18 | 부정청탁 | 난이도 ●○○ |

공개적으로 공직자 등에게 특정한 행위를 요구하는 행위는 부정청탁에 해당하지 않는다.

> 「부정청탁 및 금품 등 수수의 금지에 관한 법률」 제5조 【부정청탁의 금지】 ② 다음의 어느 하나에 해당하는 경우에는 「부정청탁 및 금품 등 수수의 금지에 관한 법률」을 적용하지 아니한다.
> 1. 「청원법」, 「민원사무 처리에 관한 법률」, 「행정절차법」, 「국회법」 및 그 밖의 다른 법령에서 정하는 절차·방법에 따라 권리침해의 구제·해결을 요구하거나 그와 관련된 법령·기준의 제정·개정·폐지를 제안·건의하는 등 특정한 행위를 요구하는 행위
> 2. 공개적으로 공직자 등에게 특정한 행위를 요구하는 행위
> 3. 선출직 공직자, 정당, 시민단체 등이 공익적인 목적으로 제3자의 고충민원을 전달하거나 법령·기준의 제정·개정·폐지 또는 정책·사업·제도 및 그 운영 등의 개선에 관하여 제안·건의하는 행위
> 4. 공공기관에 직무를 법정기한 안에 처리하여 줄 것을 신청·요구하거나 그 진행상황·조치결과 등에 대하여 확인·문의 등을 하는 행위
> 5. 직무 또는 법률관계에 관한 확인·증명 등을 신청·요구하는 행위
> 6. 질의 또는 상담 형식을 통하여 직무에 관한 법령·제도·절차 등에 대하여 설명이나 해석을 요구하는 행위
> 7. 그 밖에 사회상규(社會常規)에 위배되지 아니하는 것으로 인정되는 행위

답 ③

| 17 | 공직윤리이론 | 난이도 ●●● |

ㄴ. 공직자의 통제 방식은 입법적·사법적 통제에 초점을 둔 외부통제와 직업가치 및 윤리 기준에 의한 내부통제로 구분된다.
ㄷ. 공직자의 책임은 국민의 여망 등 외부의 기대에 부응해야 하는 객관적(제도적) 책임과, 자신의 양심 및 가치에 따라 결정하는 주관적(자율적) 책임으로 구분된다.
ㄹ. 공직자의 역할 책임론은 전문 직업가로서의 역할을 성실히 수행해야 한다는 기능적 책임과, 국민의 여망이나 입법부의 의도에 부응하기 위하여 민주주의 담론의 촉진자 역할을 수행해야 하는 응답적 책임으로 구분된다.

(선지분석)
ㄱ. 공직자 윤리판단 기준은 행위의 결과나 성과에 따라 판단하는 목적론(상대론)적 접근방법과, 그 행위의 이유와 의도에 따라 판단하는 의무론(절대론)적 접근방법으로 구분된다.

답 ④

19 ☐☐☐
2018년 서울시 7급(3월 추가)

「부정청탁 및 금품 등 수수의 금지에 관한 법률」(일명 김영란법) 및 동법 시행령에 규정된 내용 중 가장 옳지 않은 것은?

① 누구든지 직접 또는 제3자를 통하여 법에 규정된 직무를 수행하는 공직자 등에게 부정청탁을 해서는 아니된다.
② 공직자 등이 직무와 관련하여 1회 100만 원 이하의 금품을 수수하는 경우 형사 처벌할 수 있다.
③ 이 법의 적용대상은 언론사의 임직원은 물론 그 배우자를 포함한다.
④ 경조사비는 축의금, 조의금은 5만 원까지 가능하고, 축의금과 조의금을 대신하는 화환이나 조화는 10만 원까지 가능하다.

20 ☐☐☐
2016년 국가직 9급

공직윤리 확보를 위한 행동강령(code of conduct)에 대한 설명으로 옳지 않은 것은?

① 행동강령은 공무원에게 기대되는 바람직한 가치판단이나 의사결정을 담고 있으며, 공무원이 준수하여야 할 행동기준으로 작용한다.
② 「공무원 행동강령」은 「부패방지 및 국민권익위원회의 설치와 운영에 관한 법률」 제8조에 근거해 대통령령으로 제정되었다.
③ 「공무원 행동강령」은 중앙행정기관의 장 등에게 「공무원 행동강령」의 시행에 필요한 범위에서 해당 기관의 특성에 적합한 세부적인 기관별 공무원 행동강령을 제정하도록 규정하고 있다.
④ OECD 국가들의 행동강령은 1970년대부터 집중적으로 제정되었으며, 주로 법률 형식으로 규정하고 있다.

| 19 | 청탁금지법 관련 법규정 | 난이도 ●●● |

ⓐ 공직자(배우자 포함) 등은 직무 관련 여부 및 기부·후원·증여 등 그 명목에 관계없이 동일인으로부터 1회에 100만 원 또는 매 회계연도에 300만 원을 초과하는 금품 등을 받거나 요구 또는 약속해서는 아니 된다. 이를 위반할 경우 3년 이하의 징역 또는 3천만 원 이하의 벌금에 처한다.
ⓑ 공직자 등은 직무와 관련하여 대가성 여부를 불문하고 동일인으로부터 1회에 100만 원 또는 매 회계연도에 300만 원을 이하의 금품 등을 받거나 요구 또는 약속해서는 아니 된다. 이를 위반할 경우 그 위반 행위와 관련된 금품 등 가액의 2배 이상 5배 이하에 상당하는 금액의 과태료를 부과한다.

답 ②

| 20 | 공무원 행동강령 | 난이도 ●●● |

「공무원 행동강령」은 시대적 상황을 수시로 반영할 수 있도록 법률이 아닌 주로 대통령령 형식을 취하고 있다.

(선지분석)
① 공무원 행동강령은 공무원의 바람직한 행동방향을 안내하는 지침이다.
② 「부패방지 및 국민권익위원회의 설치와 운영에 관한 법률」 제8조에 근거해 대통령령으로 「공무원 행동강령」을 두고 있다.
③ 중앙행정기관의 장 등에게 「공무원 행동강령」의 시행에 필요한 범위에서 해당 기관의 특성에 적합한 세부적인 기관별 공무원 행동강령을 제정하도록 규정하고 있는 것을 실천강령이라 한다.

답 ④

21 ☐☐☐ 2024년 지방직 7급

공무원 행동강령에 대한 설명으로 옳지 않은 것은?

① 대통령령으로 제정되었다.
② 법원, 헌법재판소, 선거관리위원회 소속 공무원에게도 적용된다.
③ 외부강의등의 사례금 수수 제한 규정을 담고 있다.
④ 부패방지 및 국민권익위원회의 설치와 운영에 관한 법률 제8조에 따라 공무원이 준수하여야 할 행동기준을 규정하는 것을 목적으로 한다.

22 ☐☐☐ 2020년 지방직 7급

「국가공무원법」상 공직윤리에 위배되는 행위는?

① 공무원 甲은 소속 상관에게 직무상 관계가 없는 증여를 하였다.
② 공무원 乙은 소속 기관장의 허가를 받아 다른 직무를 겸하였다.
③ 수사기관이 현행범인 공무원 丙을 소속 기관의 장에게 미리 통보하지 않고 구속하였다.
④ 공무원 丁은 대통령의 허가를 받고 외국 정부로부터 증여를 받았다.

| 21 | 공무원 행동강령 | 난이도 ●●● |

법원, 헌법재판소, 선거관리위원회 소속 공무원이나 지방의회의원들에게는 적용되지 않는다(영 제3조).

(선지분석)
① 행동강령은 노무현정부에 의하여 대통령령으로 제정되었다.
③ 외부강의등의 사례금 수수 제한 규정을 담고 있다. 중앙행정기관의 장등이 정하는 금액을 초과하는 사례금을 받아서는 아니 된다고 규정하고 있다.
④ (영 제1조 목적):「부패방지 및 국민권익위원회의 설치와 운영에 관한 법률」제8조의 규정에 따라 공무원이 준수하여야 할 행동기준을 규정하고 있다

답 ②

| 22 | 공직윤리 | 난이도 ●●○ |

공무원은 직무상의 관계가 있든 없든 그 소속 상관에게 증여하거나 소속 공무원으로부터 증여를 받아서는 아니 된다(「국가공무원법」제61조 제2항).

(선지분석)
②, ③, ④「국가공무원법」에 규정된 공직윤리에 어긋나지 않는 행위이다.

답 ①

23　　　　　　　　　　　　　　　　2016년 국회직 8급

현행 「국가공무원법」상 공무원의 의무에 대한 내용으로 옳지 않은 것은?

① 공무원은 직무와 관련하여 직접적이든 간접적이든 사례·증여 또는 향응을 주거나 받을 수 없다.
② 공무원은 재직 중은 물론 퇴직 후에도 직무상 알게 된 비밀을 엄수하여야 한다.
③ 공무원은 직무상의 관계가 있든 없든 그 소속 상관에게 증여하거나 소속공무원으로부터 증여를 받아서는 아니 된다.
④ 수사기관이 현행범인 공무원을 구속하려면 그 소속 기관의 장에게 미리 통보하여야 한다.
⑤ 공무원은 소속 상관의 허가 또는 정당한 사유가 없으면 직장을 이탈하지 못한다.

24　　　　　　　　　　　　　　　　2015년 서울시 7급

「공직자윤리법」의 내용으로 가장 옳지 않은 것은?

① 이해충돌 방지 의무
② 정무직공무원 등의 재산등록 의무
③ 외국정부 등으로부터 받은 선물의 신고
④ 비위면직자의 취업 제한

| 23 | 공무원의 의무 | 난이도 ●●○ |

현행범인 공무원을 구속하는 경우에는 기관장에게 미리 통보할 필요가 없다.

선지분석
①, ③ 「국가공무원법」제61조 청렴의 의무에 해당하는 내용이다.
② 「국가공무원법」제60조 비밀 엄수의 의무에 해당하는 내용이다.
⑤ 「국가공무원법」제58조 직장 이탈 금지에 해당하는 내용이다.

답 ④

| 24 | 공직자윤리법 | 난이도 ●○○ |

비위면직자의 취업 제한은 「공직자윤리법」이 아니라 「부패방지 및 국민권익위원회 설치와 운영에 관한 법률」에 규정되어 있다.

공무원의 의무와 제한

「공직자윤리법」	「부패방지 및 국민권익위원회 설치와 운영에 관한 법률」
• 고위공직자의 재산등록 및 공개 • 외국인의 선물 신고 및 등록 의무 • 퇴직공무원의 취업 제한 • 주식백지신탁의무 • 이해충돌 방지 의무	• 비위면직자의 취업 제한 • 내부고발자 보호 의무

답 ④

25　　2021년 군무원 9급

우리나라 「공직자윤리법」에 규정된 내용에 해당하지 않는 것은?

① 주식백지신탁
② 퇴직공직자의 취업제한
③ 선물신고
④ 상벌사항 공개

| 25 | 공직자윤리법 | 난이도 ●○○ |

상벌사항 공개는 「공직자윤리법」에 규정된 내용이 아니다.

답 ④

26　　2022년 지방직 9급

「공직자윤리법」상 재산등록의무자로 옳지 않은 것은?

① 법관 및 검사
② 소령 이상의 장교 및 이에 상당하는 군무원
③ 총경 이상의 경찰공무원과 소방정 이상의 소방공무원
④ 4급 이상의 일반직 공무원에 상당하는 보수를 받는 별정직 공무원

| 26 | 재산등록의무자 | 난이도 ●●● |

군인의 경우 재산등록의무자는 소령 이상이 아니라 대령 이상의 장교이다.

(선지분석)

①, ③, ④ 모두 재산등록의무자로 옳은 지문이다.

📋 재산등록대상자와 공개대상자

구분	등록대상자	공개대상자
정무직	전원	전원
일반직 · 별정직	4급 이상(상당 별정직)	1급 이상(상당 별정직)
법관 · 검사	모든 법관 및 검사	고등법원 부장판사 이상 · 대검찰청 검사급 이상
군인 등	대령 이상의 장교	중장 이상의 장교
경찰 · 소방	총경 · 소방정 이상	치안감 · 소방정감 이상

답 ②

27 2023년 국가직 7급

「공직자윤리법」상 재산등록에 대한 내용으로 옳은 것은?

① 등록하여야 할 재산이 국채, 공채, 회사채인 경우는 액면가로 등록하여야 한다.
② 혼인한 직계비속인 여성이 소유한 재산은 재산등록 의무자가 등록할 재산에 포함된다.
③ 공직자는 등록의무자가 된 날부터 3개월이 되는 날이 속하는 달의 말일까지 재산등록을 해야 한다.
④ 교육공무원 중 대학교 학장은 재산등록 의무자가 아니다.

28 2023년 지방직 7급

공직윤리 관련 제도에 대한 설명으로 옳지 않은 것은?

① 공익신고자의 동의 없이 공익신고자의 인적사항 등을 다른 사람에게 알려주거나 공개할 경우, 징역 또는 벌금 등 법적 제재 대상이 된다.
② 지방공무원이 외국 정부로부터 영예나 증여를 받을 경우에는 소속 지방자치단체장의 허가를 받아야 한다.
③ 「공직자윤리법」을 통해 이해충돌방지의무를 규정하고 주식백지신탁제도를 도입하였다.
④ 「공직자윤리법」상 재산등록의무자 모두가 등록재산 공개 대상은 아니다.

---

27 「공직자윤리법」상 재산등록   난이도 ●●●

「공직자윤리법」 제4조 제3항에 규정되어 있다.

> 「공직자윤리법」 제4조 【등록대상재산】 ① 등록의무자가 등록할 재산은 다음 각 호의 어느 하나에 해당하는 사람의 재산으로 한다.
> 3. 본인의 직계존속·직계비속. 다만, 혼인한 직계비속인 여성과 외증조부모, 외조부모, 외손자녀 및 외증손자녀는 제외한다.
> ③ 제1항에 따라 등록할 재산의 종류별 가액(價額)의 산정방법 또는 표시방법은 다음과 같다.
> 6. 국채·공채·회사채 등 유가증권은 액면가
>
> 제5조 【재산의 등록기관과 등록시기 등】 ① 공직자는 등록의무자가 된 날부터 2개월이 되는 날이 속하는 달의 말일까지 등록의무자가 된 날 현재의 재산을 다음 각 호의 구분에 따른 기관에 등록하여야 한다.

(선지분석)
② 혼인한 직계비속인 여성이 소유한 재산은 재산등록 의무자가 등록할 재산에 제외한다.
③ 3개월이 아닌 2개월이다.
④ 대학교 학장은 재산등록 의무자이다.

답 ①

28 공직윤리 관련 제도   난이도 ●●○

공무원은 외국정부로부터 영예 또는 증여를 받을 경우에는 대통령의 허가를 받아야 한다(「지방공무원법」 제54조).

(선지분석)
① 공익신고자의 동의 없이 공익신고자의 인적사항 등을 다른 사람에게 알려주거나 공개할 경우 형사처벌 대상이 된다(「공익신고자보호법」 제12조).
③ 이해충돌 방지의무는 「공직자윤리법」 제2조의 2에 규정되어 있고, 주식백지신탁제도는 「공직자윤리법」 제14조의 4에 규정되어 있다.
④ 「공직자윤리법」상 재산등록의무자는 일반직의 경우 4급 이상이지만 공개대상은 1급 이상이므로 재산등록의무자 모두가 공개 대상은 아니다.

답 ②

29
2021년 국가직 9급

「국가공무원법」에 명시된 공무원의 의무에 해당하지 않는 것은?

① 부패행위 신고의무
② 품위 유지의 의무
③ 복종의 의무
④ 성실 의무

30
2017년 국가직 7급(10월 추가) 변형

「공직자윤리법」의 내용으로 옳지 않은 것은?

① 공개대상자 등 및 그 이해관계인이 보유하고 있는 주식의 직무관련성을 심사·결정하기 위하여 인사혁신처에 주식백지신탁 심사위원회를 둔다.
② 한국은행과 공기업은 정부공직자윤리위원회에 의해서 공직유관단체로 지정될 수 있다.
③ 재산등록 의무자는 공직자윤리위원회로부터 퇴직 전 5년 동안 소속하였던 부서업무와 밀접한 관련성이 없다는 확인 또는 취업 승인을 받지 않고는 3년간 취업대상기관에 취업에 불가하다.
④ 공무원의 가족이 외국 혹은 외국인으로부터 받은 선물은 신고절차를 거친 후 지체 없이 당사자에게 반환하여야 한다.

| 29 | 공무원의 의무 | 난이도 ●○○ |

부패행위 신고의무는 「부패방지 및 국민권익위원회 설치·운영에 관한 법률」에 규정되어 있다.

답 ①

| 30 | 공직자윤리법 | 난이도 ●●○ |

공직자 또는 그 가족이 외국정부 또는 외국인으로부터 (미화 100달러 이상의) 선물을 받을 경우에는 이를 정부에 신고·인도하여야 한다.

(선지분석)
① 「공직자윤리법」 제14조의5, ② 「공직자윤리법」 제3조의2, ③ 「공직자윤리법」 제17조에 해당하는 내용으로, 옳은 지문이다.

> 「공직자윤리법」 제15조 【외국 정부 등으로부터 받은 선물의 신고】
> ① 공무원(지방의회의원을 포함한다. 이하 제22조에서 같다) 또는 공직유관단체의 임직원은 외국으로부터 선물을 받거나 그 직무와 관련하여 외국인(외국단체를 포함한다. 이하 같다)에게 선물을 받으면 지체 없이 소속 기관·단체의 장에게 신고하고 그 선물을 인도하여야 한다. 이들의 가족이 외국으로부터 선물을 받거나 그 공무원이나 공직유관단체 임직원의 직무와 관련하여 외국인에게 선물을 받은 경우에도 또한 같다.
> ② 제1항에 따라 신고할 선물의 가액은 대통령령으로 정한다.
> 「공직자윤리법 시행령」 제28조 【선물의 가액】 ① 법 제15조 제1항에 따라 신고하여야 할 선물은 그 선물 수령 당시 증정한 국가 또는 외국인이 속한 국가의 시가로 미국화폐 100달러 이상이거나 국내 시가로 10만 원 이상인 선물로 한다.

답 ④

31

2023년 군무원 7급

현행 「공직자윤리법」상 재산등록의무자가 등록할 재산이 아닌 것은?

① 부동산에 관한 소유권·지상권 및 전세권
② 소유자별 합계액 1천만 원 이상의 가상화폐
③ 품목당 500만 원 이상의 골동품 및 예술품
④ 소유자별 연간 1천만 원 이상의 소득이 있는 지식재산권

| 31 | 공직자윤리법 | 난이도 ●●● |

2023년 출제 당시에는 가상화폐는 등록대상재산이 아니었지만, 2023년 12월부터 시행된 「공직자윤리법」에서 '「특정 금융거래정보의 보고 및 이용 등에 관한 법률」 제2조 제3호에 따른 가상자산'이 등록재산대상으로 추가되었다.

답 없음

32

2014년 경찰간부

「국가공무원법」에 규정한 공무원의 복무상 의무가 아닌 것은?

① 퇴직공직자의 사기업 등 취업 제한
② 성실 의무
③ 품위 유지의 의무
④ 종교중립의 의무

| 32 | 공무원의 복무상 의무 | 난이도 ●○○ |

퇴직공직자의 사기업 등 취업 제한 의무는 「공직자윤리법」에 규정되어 있다.

선지분석

② 성실 의무, ③ 품위 유지의 의무, ④ 종교중립의 의무는 「국가공무원법」에 규정된 의무이다.

> 「국가공무원법」 제56조 【성실 의무】 모든 공무원은 법령을 준수하며 성실히 직무를 수행하여야 한다.
>
> 제59조의2 【종교중립의 의무】 ① 공무원은 종교에 따른 차별 없이 직무를 수행하여야 한다.
>
> 제63조 【품위 유지의 의무】 공무원은 직무의 내외를 불문하고 그 품위가 손상되는 행위를 하여서는 아니 된다.

답 ①

33

2020년 국가직 7급

우리나라의 행정윤리에 대한 설명으로 옳은 것만을 모두 고르면?

> ㄱ. 「공직자윤리법」상 지방의회의원은 외국 정부 등으로부터 받은 선물의 신고 의무가 없다.
> ㄴ. 우리나라에서는 내부고발자 보호제도를 법률로 규정하고 있다.
> ㄷ. 「공직자윤리법」에 따르면 총경 이상의 경찰공무원과 소방정 이상의 소방공무원은 재산을 등록해야 한다.
> ㄹ. 공무원의 주식백지신탁 의무는 「부패방지 및 국민권익위원회의 설치와 운영에 관한 법률」에 규정되어 있다.

① ㄱ, ㄴ
② ㄱ, ㄷ
③ ㄴ, ㄷ
④ ㄷ, ㄹ

34

2024년 국가직 7급

「공직자윤리법」상 공직자윤리 확보에 대한 설명으로 옳지 않은 것은?

① 「공직자윤리법」의 목적은 공익과 사익의 이해충돌을 방지하고, 국민 전체의 봉사자로서 행정의 민주성과 능률성을 확립하는 것이다.
② 국가는 공직자가 공직에 헌신할 수 있도록 공직자의 생활을 보장하고 공직윤리 확립에 노력하여야 한다.
③ 퇴직공직자는 재직 중인 공직자의 공정한 직무수행을 해치는 상황이 일어나지 않도록 노력하여야 한다.
④ 공직자는 자신이 수행하는 직무가 자신의 재산상 이해와 관련되어 공정한 직무수행이 어려운 상황이 일어나지 않도록 직무수행의 적정성을 확보하여야 한다.

---

33 우리나라의 행정윤리   난이도 ●●○

ㄴ. 우리나라에서 내부고발자 보호제도는 「부패방지 및 국민권익위원회 설치·운영에 관한 법률」에 규정되어 있다.
ㄷ. 「공직자윤리법」에 따르면 경찰은 총경 이상, 소방은 소방정 이상인 경우 재산을 등록하도록 되어 있다.

(선지분석)
ㄱ. 지방의회의원은 정무직 공무원으로서 외국 정부 등으로부터 선물(미화 100달러 이상, 한화 10만 원 이상)을 받은 경우에는 이를 신고·등록·인도하여야 한다.
ㄹ. 주식백지신탁 의무는 「공직자윤리법」에 규정되어 있다.

답 ③

34 공직윤리   난이도 ●●●

「공직자윤리법」은 공직자의 부정한 재산 증식을 방지하고, 공무집행의 공정성을 확보하는 등 공익과 사익의 이해충돌을 방지하여 국민에 대한 봉사자로서 가져야 할 공직자의 윤리를 확립하는 것을 목적으로 한다. '국민 전체의 봉사자로서 행정의 민주적이며 능률적인 운영을 기하게 하는 것을 목적으로 한다.'는 「국가공무원법」의 목적이다.

(선지분석)
② 「공직자윤리법」 제2조에 규정된 '생활보장 등'에 관한 내용이다.
③ 「공직자윤리법」 제2조의2 제4항에 규정된 '이해충돌 방지의무'에 관한 내용이다.
④ 「공직자윤리법」 제2조의2 제2항에 규정된 '이해충돌 방지의무'에 관한 내용이다.

답 ①

35　2023년 국가직 7급

백지신탁제도에 대한 설명으로 옳지 않은 것은?

① 주식백지신탁의 수탁기관은 신탁재산을 관리·운용·처분한 내용을 관할 공직자윤리위원회에 보고하여야 한다.
② 우리나라의 「공직자의 이해충돌 방지법」에는 백지신탁제도가 규정되어 있지 않다.
③ 공개대상자 및 그 이해관계인이 보유하고 있는 주식의 직무관련성을 심사·결정하기 위하여 인사혁신처에 주식백지신탁 심사위원회를 둔다.
④ 백지신탁은 이해충돌이 존재하는 주식을 신탁회사에서 해당 공직자의 의견을 반영해 이해충돌이 없는 주식으로 변경하는 제도이다.

36　2012년 국가직 7급

행정윤리를 벗어나는 행정권 오용행위에 대한 설명으로 옳은 것은?

① '비윤리적 행위'란 공무원들이 고속도로 통행료를 착복하고 영수증을 허위 작성한다든가 또는 공공기금을 횡령하고 계약의 대가로 지불금의 일부를 가로채는 등의 행위를 말한다.
② '부정행위'란 공무원들이 친구 또는 특정 정파에 호의를 베풀거나 자신의 경제적 이익을 위해 어떤 결정을 내리는 행위를 말한다.
③ '입법의도의 편향된 해석'이란 정부가 환경보호 의견을 무시한 채 관련 법규에서 개발업자나 목재 회사 측의 편을 들어 벌목을 허용하는 등의 행위를 말한다.
④ '실책의 은폐'는 공무원들이 부여된 재량권을 행사하지 않고 적극적인 조치를 취하기를 꺼리는 현상을 말한다.

35　백지신탁제도　난이도 ●●●

백지신탁은 이해충돌이 존재하는 주식을 신탁회사에서 신탁자인 공직자의 이해충돌이 없는 주식으로 변경하는 것이다. 해당 공직자의 의견을 반영하지는 않는다.

선지분석

① 「공직자윤리법」 제14조의8에 규정되어 있다.
② 「공직자윤리법」에 규정되어 있다.
③ 「공직자윤리법」 제14조의5에 규정되어 있다.

> 「공직자윤리법」 제14조의5 【주식백지신탁 심사위원회의 직무관련성 심사 등】 ① 공개대상자 등 및 그 이해관계인이 보유하고 있는 주식의 직무관련성을 심사·결정하기 위하여 인사혁신처에 주식백지신탁 심사위원회를 둔다.
> 제14조의8 【신탁상황의 보고 등】 ① 주식백지신탁의 수탁기관은 매년 1월 1일(주식백지신탁계약이 체결된 해의 경우에는 계약체결일)부터 12월 31일까지 신탁재산을 관리·운용·처분한 내용을 다음 해 1월 중에 관할공직자윤리위원회에 보고하여야 한다.

답 ④

36　행정권 오용행위　난이도 ●●○

입법의도의 편향된 해석에 대한 옳은 지문이다.

선지분석

각각 ① 부정행위, ② 비윤리적 행위, ④ 무사안일에 해당한다.

니그로(Nigro)가 제시한 행정권 오용의 유형

부정행위	공무원들이 고속도로 통행료를 착복하고 영수증을 허위 작성하는 행위, 공공기금을 횡령하고 계약의 대가로 지불금의 일부를 가로채는 행위 등
비윤리적 행위	특혜의 대가로 금전을 수수하지는 않지만 친구 또는 특정 정파에 호의를 베풀거나 자신의 경제적 이익을 위해 어떤 결정을 내리는 행위 등
법규의 경시	공무원들이 법규를 무시하거나 자신의 행위를 정당화하는 방향으로 법규를 해석하는 경우
입법의도의 편향된 해석	법규를 위반하지 않은 합법적인 테두리 안에서 특정 이익을 옹호하는 경우
불공정한 인사	업무수행능력과 무관한 다른 이유로 해임되거나 징계받는 공무원들이 많으며, 자신의 의견을 용기있게 말하는 정직성 때문에 징계받는 경우
무능	의도가 좋더라도 업무를 적절히 수행하지 못하면 책임을 다하지 못한 것이 됨 예 다소의 실책은 불가피하더라도 부주의로 인해 막대한 예산의 낭비, 지나친 비능률의 경우 등
실책의 은폐	자신의 실책을 은폐하려 하거나 입법부 또는 시민과의 협력을 거부하는 경우, 화난 의원들이 이를 무책임한 행동으로 매도해 언론이나 많은 시민들은 공무원의 편에서 이를 용기로 간주할 수 있음
무사안일	상황이 명백히 어떤 조치를 요구함에도 불구하고 사후 책임이 두려워 아무런 조치도 취하지 않음

답 ③

37 ☐☐☐
2023년 국가직 9급

공직자의 이해충돌에 대한 설명으로 옳지 않은 것은?

① 우리나라는 2021년 5월 「공직자의 이해충돌 방지법」을 제정하였다.
② 이해충돌은 그 특성에 따라 실제적, 외견적, 잠재적 형태로 분류할 수 있다.
③ 이해충돌 회피에 있어서는 '어느 누구도 자신이 연루된 사건의 재판관이 되어서는 안 된다'라는 원칙이 적용된다.
④ 「공직자의 이해충돌 방지법」의 위반행위는 감사원, 수사기관, 국민권익위원회 등에 신고할 수 있으나 위반행위가 발생한 기관은 제외된다.

38 ☐☐☐
2024년 국가직 9급

「공직자의 이해충돌 방지법」상 '사적이해관계자'로 규정하고 있는 대상이 아닌 것은?

① 공직자 자신 또는 그 가족
② 공직자의 직무수행과 관련하여 이익 또는 불이익을 직접적으로 받는 다른 공직자
③ 공직자로 채용·임용되기 전 2년 이내에 공직자 자신이 재직하였던 법인 또는 단체
④ 공직자 자신 또는 그 가족이 임원·대표자·관리자 또는 사외이사로 재직하고 있는 법인 또는 단체

| 37 | 공직자의 이해충돌 | 난이도 ●●● |

이해충돌 위반행위는 위반행위가 발생한 공공기관 및 그 감독기관에도 신고할 수 있다.

> 「공직자의 이해충돌 방지법」 제18조【위반행위의 신고 등】① 누구든지 이 법의 위반행위가 발생하였거나 발생하고 있다는 사실을 알게 된 경우에는 다음 각 호의 어느 하나에 해당하는 기관에 신고할 수 있다.
> 1. 이 법의 위반행위가 발생한 공공기관 또는 그 감독기관
> 2. 감사원 또는 수사기관
> 3. 국민권익위원회

선지분석
① 「공직자의 이해충돌 방지법」은 2021.5.18. 제정되었고 2022.5.19. 시행되었다.
② 이해충돌의 유형에는 실질적 이해충돌, 외견상 이해충돌, 잠재적 이해충돌이 있다.
③ 이해충돌 방지제도는 누구도 자신의 행동에 대해서는 스스로 심판관이 될 수 없다는 원칙에 근거한 제도이다.

이해충돌의 유형

실질적 이해충돌	현재도 발생하고 있고 과거에도 발생한 이해충돌
외견상 이해충돌	공무원의 사익이 부적절하게 공적 의무의 수행에 영향을 미칠 가능성이 있는 상태로서, 부정적 영향이 현재화한 것은 아닌 상태의 이해충돌
잠재적 이해충돌	공무원이 미래에 공적 책임에 관련되는 일에 연루되는 경우에 발생하는 이해충돌

답 ④

38 「공직자의 이해충돌 방지법」상 사적이해관계자
난이도 ●●●

공직자의 직무수행으로 이익 또는 불이익을 직접적으로 받는 다른 공직자는 사적이해관계자가 아닌 직무관련자에 해당한다.

선지분석

①, ③, ④ 모두 「공직자의 이해충돌 방지법」상 사적이해관계자에 해당한다.

직무관련자와 사적이해관계자

직무관련자	사적이해관계자
㉠ 공직자의 직무수행과 관련하여 일정한 행위나 조치를 요구하는 개인이나 법인 또는 단체 ㉡ 공직자의 직무수행과 관련하여 이익 또는 불이익을 직접적으로 받는 개인이나 법인 또는 단체 ㉢ 공직자가 소속된 공공기관과 계약을 체결하거나 체결하려는 것이 명백한 개인이나 법인 또는 단체 ㉣ 공직자의 직무수행과 관련하여 이익 또는 불이익을 직접적으로 받는 다른 공직자(다만, 공공기관이 이익 또는 불이익을 직접적으로 받는 경우에는 그 공공기관에 소속되어 해당 이익 또는 불이익과 관련된 업무를 담당하는 공직자)	㉠ 공직자 자신 또는 그 가족 ㉡ 공직자 자신 또는 그 가족이 임원·대표자·관리자 또는 사외이사로 재직하고 있는 법인 또는 단체 ㉢ 공직자 자신이나 그 가족이 대리하거나 고문·자문 등을 제공하는 개인이나 법인 또는 단체 ㉣ 공직자로 채용·임용되기 전 2년 이내에 공직자 자신이 재직하였던 법인 또는 단체 ㉤ 공직자로 채용·임용되기 전 2년 이내에 공직자 자신이 대리하거나 고문·자문 등을 제공하였던 개인이나 법인 또는 단체 ㉥ 공직자 자신 또는 그 가족이 대통령령으로 정하는 일정 비율 이상의 주식·지분 또는 자본금 등을 소유하고 있는 법인 또는 단체 ㉦ 최근 2년 이내에 퇴직한 공직자로서 퇴직일 전 2년 이내에 제5조 제1항 각 호의 어느 하나에 해당하는 직무를 수행하는 공직자와 국회규칙, 대법원규칙, 헌법재판소규칙, 중앙선거관리위원회규칙 또는 대통령령으로 정하는 범위의 부서에서 같이 근무하였던 사람 ㉧ 그 밖에 공직자의 사적 이해관계와 관련되는 자로서 국회규칙, 대법원규칙, 헌법재판소규칙, 중앙선거관리위원회규칙 또는 대통령령으로 정하는 자

답 ②

39 공무원의 복무와 윤리
2025년 국가직 7급

공무원의 복무와 윤리에 대한 설명으로 옳지 않은 것은?

① 「공직자의 이해충돌 방지법」상 모든 공직자는 직무관련자가 사적이해관계자임을 안 경우 안 날부터 7일 이내에 신고하여야 한다.
② 「국가공무원법」에는 종교중립의 의무가 규정되어 있다.
③ 「공직자윤리법」에는 선물신고와 주식의 매각 또는 신탁에 관한 규정이 포함되어 있다.
④ 「국가공무원법」상 수사기관이 공무원을 구속하려면 그 소속기관의 장에게 미리 통보하여야 하나, 현행법은 그러하지 아니하다.

39 공무원의 복무와 윤리
난이도 ●●○

「공직자의 이해충돌 방지법」상 모든 공직자는 직무관련자가 사적이해관계자임을 안 경우 안 날부터 14일 이내에 신고하여야 한다(법 제5조).

선지분석

② 「국가공무원법」에는 "공무원은 종교에 따른 차별 없이 직무를 수행하여야 한다"는 종교중립의 의무가 규정되어 있다(법 제59조의2).
③ 「공직자윤리법」에는 선물신고와 주식의 매각 또는 신탁에 관한 규정이 포함되어 있다(법 제15조 및 14조의4).
④ 「국가공무원법」상 수사기관이 공무원을 구속하려면 그 소속기관의 장에게 미리 통보하여야 하나, 현행범은 그러하지 아니하다[법 제58조(직장이탈금지 의무)].

답 ①

40 2020년 지방직 9급

행정통제의 유형 중 외부통제가 아닌 것은?

① 감사원의 직무감찰
② 의회의 국정감사
③ 법원의 행정명령 위법 여부 심사
④ 헌법재판소의 권한쟁의심판

41 2021년 국가직 9급

행정부에 대한 외부통제에 해당하는 것만을 모두 고르면?

> ㄱ. 행정안전부의 각 중앙행정기관 조직과 정원 통제
> ㄴ. 국회의 국정조사
> ㄷ. 기획재정부의 각 부처 예산안 검토 및 조정
> ㄹ. 국민들의 조세부과 처분에 대한 취소소송
> ㅁ. 국무총리의 중앙행정기관에 대한 기관평가
> ㅂ. 환경운동연합의 정부정책에 대한 반대
> ㅅ. 중앙행정기관장의 당해 기관에 대한 자체평가
> ㅇ. 언론의 공무원 부패 보도

① ㄱ, ㄷ, ㅁ, ㅅ
② ㄴ, ㄷ, ㄹ, ㅁ
③ ㄴ, ㄹ, ㅁ, ㅇ
④ ㄴ, ㄹ, ㅂ, ㅇ

---

40 외부통제 난이도 ●○○

감사원의 직무감찰 등은 내부통제에 해당한다. 감사원은 직무상으로는 독립되어 있지만, 소속은 어디까지나 대통령 소속이므로 내부통제 기능에 해당한다.

(선지분석)
②, ③, ④ 모두 외부통제에 해당한다.

답 ①

41 외부통제 난이도 ●○○

외부통제에 해당하는 것은 ㄴ, ㄹ, ㅂ, ㅇ이다.
ㄴ. 국회의 국정조사는 외부통제이다.
ㄹ. 국민들의 행정소송에 의한 통제는 외부통제이다.
ㅂ. 시민단체에 의한 통제는 외부통제이다.
ㅇ. 언론기관에 의한 통제는 외부통제이다.

(선지분석)
ㄱ. 행정안전부의 조직과 정원 통제는 내부통제이다.
ㄷ. 기획재정부에 의한 예산안 검토 및 조정은 내부통제이다.
ㅁ. 국무총리의 정부업무평가는 내부통제이다.
ㅅ. 중앙행정기관장의 자체평가는 내부통제이다.

답 ④

42

2020년 지방직 7급

부패의 원인에 관한 도덕적 접근방법의 입장과 가장 가까운 것은?

① 부패는 관료 개인의 윤리의식과 자질로 인하여 발생한다.
② 부패는 관료 개인의 속성, 제도, 사회문화적 환경 등의 여러 요인이 복합적으로 상호작용한 결과이다.
③ 부패는 현실과 괴리된 법령의 이중적인 규제 기준과 모호한 법규정, 적절한 통제장치의 미비 등에 의해 발생한다.
④ 부패는 공식적 법규나 규범보다는 관습과 같은 사회문화적 환경에 의해 유발된다.

---

42 부패의 원인에 관한 도덕적 접근방법 난이도 ●○○

관료 개인의 윤리의식, 자질 부족으로 인하여 부패가 발생한다고 보는 입장은 도덕적 접근법에 해당한다.

선지분석
② 체제론적 접근방법에 대한 설명이다.
③ 제도적 접근방법에 대한 설명이다.
④ 사회·문화의 환경적 접근방법에 대한 설명이다.

부패에 대한 접근법

관점	원인	대책
㉠ 개인적, 도덕적	윤리성 부재	행정윤리 강화
㉡ 제도적	• 행정통제 장치 미비 • 법과 제도의 미비	• 행정통제 강화 • 법과 제도의 정비
㉢ 사회·문화적	지배적 인습 (인사문화)	문화의 선진화
㉣ 체제적	㉠ + ㉡ + ㉢	㉠ + ㉡ + ㉢

답 ①

43

2016년 서울시 7급

공무원 부패의 원인에 대한 접근방법을 설명한 것 중 가장 옳지 않은 것은?

① 도덕적 접근은 부패의 원인을 부패를 저지르는 관료 개인의 윤리의식과 자질의 탓으로 돌린다.
② 제도적 접근은 법과 제도상의 결함이나 운영의 미숙 등이 부정부패의 원인으로 작용한다고 본다.
③ 사회문화적 접근은 관료 부패를 사회문화적 환경의 독립변수로 본다.
④ 체제론적 접근은 관료 부패 현상을 관료 개인의 속성과 제도, 사회문화 환경 등 여러 요인이 복합적으로 상호 작용한 결과로 이해한다.

---

43 공무원 부패의 원인에 대한 접근방법 난이도 ●●○

사회·문화적 접근은 관료의 부패를 사회문화적 환경의 종속변수로 본다.

선지분석
① 도덕적 접근은 부패의 원인을 부패행위에 참여한 개인의 윤리나 자질 탓으로 보는 접근이다.
② 제도적 접근은 사회의 법과 제도상의 결함으로 인해 부패가 발생한다고 보는 입장이다(행정통제 장치의 미비).
④ 체제론적 접근은 부패란 하나의 변수에 의해 발생하는 것이 아니라 복합적 요인에 의하여 발생한다고 보는 접근법이다.

답 ③

44

2018년 국가직 9급

공무원 부패의 사례와 그 유형을 바르게 연결한 것은?

> ㄱ. 무허가 업소를 단속하던 공무원이 정상적인 단속활동을 수행하다가 금품을 제공하는 특정 업소에 대해서는 단속을 하지 않는다.
> ㄴ. 금융위기가 심각함에도 불구하고 국민들의 동요나 기업활동의 위축을 방지하기 위해 금융위기가 전혀 없다고 관련 공무원이 거짓말을 한다.
> ㄷ. 인·허가와 관련된 업무를 담당하는 공무원의 대부분은 업무를 처리하면서 민원인으로부터 의례적으로 '급행료'를 받는다.
> ㄹ. 거래당사자 없이 공금 횡령, 개인적 이익 편취, 회계 부정 등이 공무원에 의해 일방적으로 발생한다.

	ㄱ	ㄴ	ㄷ	ㄹ
①	제도화된 부패	회색 부패	일탈형 부패	생계형 부패
②	일탈형 부패	생계형 부패	조직 부패	회색 부패
③	일탈형 부패	백색 부패	제도화된 부패	비거래형 부패
④	조직 부패	백색 부패	생계형 부패	비거래형 부패

45

2015년 국가직 7급

공무원 부패에 대한 체제론적 접근방법을 설명한 것으로 옳은 것은?

① 공무원 부패는 개인들의 윤리의식과 자질 때문에 발생한다.
② 부패는 하나의 변수가 아니라 다양한 요인에 의해 복합적으로 나타난다.
③ 사회의 법과 제도상의 결함 때문에 부패가 발생한다.
④ 특정한 지배적 관습이나 경험적 습성과 같은 것이 부패를 조장한다.

---

44 공무원 부패의 사례와 유형   난이도 ●●○

ㄱ. 무허가 업소를 단속하던 공무원이 정상적인 단속활동을 수행하다가 금품을 제공하는 특정 업소에 대해서는 단속을 하지 않는 것은 일탈형 부패이다.
ㄴ. 금융위기가 심각함에도 불구하고 국민들의 동요나 기업활동의 위축을 방지하기 위해 금융위기가 전혀 없다고 관련 공무원이 거짓말을 하는 것은 선의의 부패로서 백색부패이다.
ㄷ. 인·허가와 관련된 업무를 담당하는 공무원의 대부분은 업무를 처리하면서 민원인으로부터 의례적으로 '급행료'를 받는 것은 관행화된 제도화된 부패이다.
ㄹ. 거래당사자 없이 공금 횡령, 개인적 이익 편취, 회계 부정 등이 공무원에 의해 일방적으로 발생하는 것은 상대가 없는 비거래형 부패에 대한 설명이다.

답 ③

45 공무원 부패에 대한 체제론적 접근방법   난이도 ●○○

체제론적 관점에서 공무원 부패는 어느 한 변수에 의해 설명되는 것이 아니라 그 나라의 문화적 특성, 제도상의 결함, 구조상의 모순, 공무원의 부정적 행태 등 다양한 요인에 의해 복합적으로 나타난다고 보는 입장이다.

(선지분석)
① 공무원 부패는 개인들의 윤리의식과 자질 때문에 발생한다고 보는 입장은 도덕적 접근방법이다.
③ 사회의 법과 제도상의 결함 때문에 부패가 발생한다고 보는 입장은 제도적 접근방법이다.
④ 특정한 지배적 관습이나 경험적 습성과 같은 것이 부패를 조장한다고 보는 입장은 사회·문화적 접근방법이다.

답 ②

46

2014년 국가직 7급

부패와 행정통제에 대한 설명으로 옳지 않은 것은?

① 계층제는 공식적 행정통제 방법이다.
② 공금횡령은 거래형 부패에 해당된다.
③ 우리나라는 공공기관의 부패행위에 대해 국민감사청구제를 시행하고 있다.
④ 우리나라는 '모든 국민의 공공기관 부패방지 시책에 대한 협력의무'를 법률로 규정하고 있다.

| 46 | 부패와 행정통제 | 난이도 ●●○ |

공금횡령은 상대가 없는 내부부패로, 사기형 부패에 해당한다. 거래형 부패는 상대가 있는 대외적 부패로, 뇌물수수 및 특혜교환이 전형적이다.

선지분석
① 상하 간 감독관계에 의한 가장 일차적인 내부·공식통제이다.
③ 국민이 감사원에 감사청구가 가능하다(「부패방지 및 국민권익위원회 설치와 운영에 관한 법률」 제72조).
④ 「부패방지 및 국민권익위 설치운영에 관한 법률」에 국민뿐 아니라 공공기관, 정당, 기업 등의 책무를 규정하고 있다.

답 ②

47

2014년 사회복지직 9급

행정체제 내에서 조직의 임무수행에 필요한 행동규범이 예외적인 것으로 전락되고, 부패가 일상적으로 만연화되어 있는 상황을 지칭하는 부패의 유형은?

① 일탈형 부패
② 제도화된 부패
③ 백색 부패
④ 생계형 부패

| 47 | 부패의 유형 | 난이도 ●●○ |

행정체제 내에서 조직의 임무수행에 필요한 행동규범이 예외적인 것으로 전락되고, 부패가 일상적으로 만연화되어 있는 상황을 지칭하는 부패의 유형은 제도화된 부패이다.

선지분석
① 일탈형 부패는 행정관료 개개인이 저지르는 부패이다.
③ 백색 부패는 부패가 용인되는 경미한 부패로, 사회 구성원들이 일반적으로 처벌을 원하지 않는 선의의 거짓말 등이다.
④ 생계형 부패는 정경유착과 대비되는 부패로, 작은 부패를 의미한다.

답 ②

48

2013년 국가직 7급

제도화된 부패(institutionalized corruption)의 특징이 아닌 것은?

① 부패 저항자에 대한 제재와 보복
② 부패 행위자에 대한 보호와 관대한 처분
③ 실제로 지켜지지 않는 반부패 행동규범의 대외적 표방
④ 공식적 행동규범을 준수하려는 성향의 일상화

| 48 | 제도화된 부패 | 난이도 ●○○ |

제도화된 부패는 조직 내에서 부패가 먹이사슬처럼 체제화된 것(예 급행료 등)으로, 공식적 행동규범은 형식화된다.

> **제도화된 부패의 특징[카이든(G. E. Caiden)]**
> ㉠ 부패가 실질적 규범이 되고 바람직한 행동규범은 예외적인 것으로 전락
> ㉡ 부패행위자에 대한 보호와 관대한 처분
> ㉢ 부패에 젖은 조직 내의 전반적 관행을 정당화함으로써 집단의 죄책감을 해소
> ㉣ 실제로 지켜지지 않는 반부패 행동규범의 대외적 표방
> ㉤ 부패저항자에 대한 제재와 보복
> ㉥ 부패 적발의 공식적 책임을 진 사람들은 책무수행 회피

답 ④

49

2009년 국회직 8급

부패의 유형에 관한 설명으로 옳지 않은 것은?

① 일탈형 부패는 부패의 제도화 정도에 따른 유형 구분으로써 개인부패에서 많이 발생한다.
② 공금횡령, 개인적 이익의 편취, 회계부정 등은 사기형 부패에 해당한다.
③ 선의의 목적으로 행해지는 부패를 회색 부패(gray corruption)라고 한다.
④ 뇌물을 주고 받음으로써 금전적 이익을 보는 사람과 이를 대가로 특혜를 제공받은 사람 간에 발생하는 부패를 거래형 부패라고 한다.
⑤ 생계형 부패를 작은 부패(petty corruption)라고 부르기도 한다.

| 49 | 부패의 유형 | 난이도 ●●○ |

선의의 목적으로 행해지는 부패를 백색 부패(white corruption)라고 하며, 이는 사회 구성원들이 일반적으로 처벌을 원하지 않고 부패가 용인되는 경미한 부패를 일컫는다.

선지분석
① 제도화 정도에 따라 개별적 부패와 제도화된 부패로 구별할 때, 일탈형 부패는 개별적 부패에서 주로 나타난다.
② 민간과 거래 없이 관료 단독형 부패를 사기형 부패라 한다.
④ 뇌물을 매개로 민간과 거래가 이루어지는 부패를 거래형 부패라 한다.
⑤ 생계형 부패를 작은 부패라 하고, 정경유착형 부패를 큰 부패라 한다.

답 ③

50

2022년 국가직 7급

공직부패의 유형에 대한 설명으로 옳지 않은 것은?

① 인·허가 업무처리 시 소위 '급행료'를 당연하게 요구하는 행위를 일탈형 부패라고 한다.
② 정치인이나 고위공무원이 자신의 권력을 남용해 사적 이익을 추구하는 것을 권력형 부패라고 한다.
③ 공금 횡령, 회계 부정 등 거래 당사자 없이 공무원에 의해 일방적으로 발생하는 부패를 사기형 부패라고 한다.
④ 사회체제에 파괴적 영향을 미칠 잠재성이 있음에도 불구하고, 일부 집단은 처벌을 원하는 반면, 다른 집단은 처벌을 원하지 않는 경우를 회색부패라고 한다.

51

2025년 국가직 9급

공직부패의 유형과 사례가 바르게 연결된 것은?

① 제도화된 부패 - A기관은 인·허가 관련 업무를 처리할 때 민원인에게 '급행료'를 받는 것이 관례화 되어 있다.
② 회색 부패 - 금융위기가 심각함에도 불구하고 경제안정이라는 공익을 위해 관련 공직자 B가 문제가 없다는 거짓말을 한다.
③ 거래형 부패 - 회계 담당 공무원 C는 공금을 횡령하여 이익을 편취한다.
④ 조직 부패 - 공무원 D는 담당직무를 수행하면서 개인적으로 금품을 수수한다.

| 50 | 공직부패의 유형 | 난이도 ●○○ |

'급행료'를 당연하게 요구하는 행위는 제도화된 부패이다.

답 ①

| 51 | 공직부패의 유형 | 난이도 ●○○ |

급행료는 제도화된 부패에 해당한다.

선지분석
② 백색부패에 해당한다.
③ 비거래형 부패에 해당한다.
④ 개인부패에 해당한다.

답 ①

PART 5

재무행정론

CHAPTER 1 / 재무행정의 기초
CHAPTER 2 / 예산의 분류와 종류
CHAPTER 3 / 예산제도론
CHAPTER 4 / 예산과정

/

CHAPTER 1 재무행정의 기초

KEYWORD 077 예산의 의의와 형식

01 □□□ 2016년 경찰간부

재정을 배분하는 기준은 경제적 측면과 정치적 측면이 있다. 다음 중 재정배분에 대한 설명으로 가장 옳은 것은?

① 점증주의는 경제적 합리성을 강조하는 이론이다.
② 총체주의는 형평성에 의한 재정배분을 중시한다.
③ 파레토의 최적은 경제적 효율성보다는 형평성에 의해 달성된다.
④ 점증주의는 정치적 협상과 타협, 단편적 결정 등을 통해 효율성보다는 형평성을 고려한다.

02 □□□ 2014년 서울시 7급

우리나라의 예산에 관한 설명으로 옳지 않은 설명은?

① 예산은 정부만이 제안권을 갖고 있고 국회는 제안권을 갖고 있지 않다.
② 예산안을 심의할 때 국회는 정부가 제출한 예산안의 범위 내에서 삭감할 수 있으나, 정부의 동의 없이 지출예산 각 항의 금액을 증액할 수 없다.
③ 예산은 국가기관만을 구속한다.
④ 예산은 국회의 의결로 성립하지만 정부의 수입·지출의 권한과 의무는 별도의 법률로 규정된다.
⑤ 국회에서 의결된 예산에 대해서 대통령이 거부권을 행사할 수 있다.

| 01 | 재정배분 | 난이도 ●●○ |

점증주의는 분석이 협상과 타협에 의존하므로, 자원배분의 효율성보다는 당사자 간 형평성을 더 중시한다.

선지분석
① 경제적 합리성을 강조하는 이론은 합리주의이다.
② 총체주의(합리모형)는 형평성이 아니라 효율성에 의한 재정배분을 중시한다.
③ 파레토(Pareto)의 최적은 자원배분의 경제적 효율성을 중시한다.

답 ④

| 02 | 우리나라의 예산 | 난이도 ●○○ |

법률에 대해서는 거부권 행사가 가능하지만, 우리나라의 경우 예산과 법률은 형식과 성립요건이 다르다. 따라서 대통령이 예산에 대해서는 거부권 행사가 불가능하다.

선지분석
① 예산은 법률이 아니므로 국회는 제안권이 없다.
② 새로운 비목 설치나 증액은 정부 동의가 필요하다.
③ 예산은 국가재정이므로 국가기관만 구속하지만, 법률은 그 효력이 국민 모두에게 미치는 대인적 효력을 가진다.
④ 예산 자체는 국회 의결로 성립되지만, 수입·지출의 권한과 의무는 별도의 법률(「국가재정법」, 「국고금관리법」 등)이 필요하다.

답 ⑤

03

2019년 국가직 7급

우리나라에서 예산과 법률의 차이에 대한 설명으로 옳은 것은?

① 국회는 발의·제출된 법률안을 수정·보완할 수 있지만, 제출된 예산안은 정부의 동의 없이는 수정할 수 없다.
② 국회에 제출된 법률안은 의결기한에 제한이 없으나, 예산안은 매년 12월 2일까지 예산결산특별위원회의 심사를 마쳐야 한다.
③ 대통령은 국회가 의결한 법률안에 대해 거부권이 있지만, 국회의결 예산에 대해서는 사안별로만 재의요구권이 있다.
④ 일반적으로 법률은 국가기관과 국민에 대해 구속력을 갖지만, 예산은 국가기관에 대해서만 구속력을 갖는다.

04

2018년 서울시 9급

우리나라의 예산안과 법률안의 의결방식에 대한 설명으로 가장 옳지 않은 것은?

① 법률에 대해서는 대통령의 거부권 행사가 가능하지만 예산은 거부권을 행사할 수 없다.
② 예산으로 법률의 개폐가 불가능하지만, 법률로는 예산을 변경할 수 있다.
③ 법률과 달리 예산안은 정부만이 편성하여 제출할 수 있다.
④ 예산안을 심의할 때 국회는 정부가 제출한 예산안의 범위 내에서 삭감할 수 있고, 정부의 동의 없이 지출예산의 각 항의 금액을 증가하거나 새 비목을 설치할 수 없다.

| 03 | 예산과 법률의 차이 | 난이도 ●●○ |

일반적으로 법률은 국가기관과 국민에 대해 구속력을 갖지만, 예산은 국가기관에 대해서만 구속력을 갖는다.

선지분석
① 국회는 예산안에 대해서도 정부 동의 없이 삭감·삭제하는 수정은 할 수 있다.
② 국회에 제출된 법률안은 의결기한에 제한이 없으나, 예산안은 회계연도 개시 30일 전까지 본회의의 의결을 완료해야 한다.
③ 대통령은 국회가 의결한 법률에 대해 거부권이 있지만, 국회의결 예산에 대해서는 거부권이나 재의요구권이 없다.

답 ④

| 04 | 예산안과 법률안의 의결방식 | 난이도 ●○○ |

우리나라에서는 예산이 법률이 아닌 의결형식이다. 따라서 예산과 법률은 그 성립요건과 형식이 본질적으로 다르기 때문에 상호 간에 수정·개폐·변경이 불가능하다.

선지분석
① 법률안에 대해서는 대통령이 거부권을 행사할 수 있지만, 예산은 법률이 아니므로 거부권을 행사할 수 없다.
③ 법률은 정부와 국회가 모두 제출 가능하지만, 예산은 정부만이 제출할 수 있다.
④ 법률은 국회가 임의대로 수정의결 또는 폐기가 가능하다. 그러나 예산의 경우 국회가 삭감은 자유로우나 정부의 동의 없이 지출예산의 각항의 금액을 증가하거나 새 비목을 설치할 수는 없다.

답 ②

05

2023년 국가직 7급

예산과 법률의 차이점에 대한 설명으로 옳지 않은 것은?

① 법률안은 국회의원과 정부가 제출할 수 있지만, 예산안은 정부만이 제출할 수 있다.
② 발의·제출된 법률안에 대해 국회는 수정할 수 있지만, 예산안의 경우 국회는 정부의 동의 없이 제출된 지출예산 각항의 금액을 증가하거나 새 비목을 설치할 수 없다.
③ 법률안은 대외적 효력을 인정받기 위해 공포 절차를 거쳐야 하지만 예산안은 국회에서 의결되면 효력을 갖는다.
④ 대통령은 국회가 의결한 법률안에 대해 재의 요구를 할 수 있으나, 국회는 정부가 제출한 예산안에 대한 심의·의결 자체를 거부할 수 있다.

| 05 | 예산과 법률의 차이점 | 난이도 ●●○ |

대통령의 법률안 거부권은 인정되나 국회는 정부가 제출한 예산안에 대한 심의·의결 자체를 거부할 수 없다.

📄 예산과 법률

구분	예산	법률
법적 근거	예산의결권: 헌법 제54조	법률의결권: 헌법 제53조
제출권	• 예산안 편성 및 집행권은 정부만 보유 • 예산심의 시 국회는 정부 동의 없이 지출예산 각 항의 금액 증가나 신비목 설치 불가능	법률안은 국회·정부 모두 제출 가능
제출기한	회계연도 개시 120일 전	제한 없음
대통령의 거부권 행사	불가	가능
의사표시의 대상	정부에 대한 재정권 부여의 국회의 의사표시	국민에 대한 국가의 의사표시
효력	일회계연도 → 한시적 효력 발생	법률은 대체로 영속적 효력 발생
효력 발생 시기	국회의 의결로 효력 발생 (정부는 공고만 할 뿐)	국회의 의결 후 정부의 공포로 효력 발생
구속력	• 정부와 국회 간 효력 발생 • 정부에 대한 구속	• 국민과 국민 간 효력 • 쌍방의 권리의무 구속
법규 변경·수정	예산으로 법률 개폐 불가	법률로써 예산 변경 불가

답 ④

06

2021년 군무원 7급

우리나라 국회에 관한 현행 대한민국 헌법에서 규정한 내용으로 옳지 않은 것은?

① 지방세의 세목과 세율도 국세처럼 모두 법률로 정하지 않으면 안 된다.
② 국회의장이 확정된 법률을 공포하는 경우도 있다.
③ 국회에서 심의·의결된 예산안은 공포 없이 확정되어 효력을 가진다.
④ 심의·확정된 예산은 법률로 변경할 수 있다.

| 06 | 국회에 관한 헌법 규정 | 난이도 ●○○ |

예산과 법률 상호 간에 수정이나 개폐가 불가하다.

선지분석
① 조세의 종목과 세율은 법률로 정한다(헌법 제59조).
② 확정법률이 정부에 이송된 후 5일 이내에 대통령이 공포하지 아니할 때에는 국회의장이 이를 공포한다(헌법 제53조).
③ 예산은 국회가 심의하고 의결로 확정된다. 공포는 불필요하다.

답 ④

07

2013년 군무원 9급

예산편성 형식의 순서로 옳은 것은?

① 세입세출예산 - 명시이월비 - 국고채무부담행위 - 총칙 - 계속비
② 총칙 - 세입세출예산 - 계속비 - 명시이월비 - 국고채무부담행위
③ 총칙 - 국고채무부담행위 - 계속비 - 세입세출예산 - 명시이월비
④ 세입세출예산 - 국고채무부담행위 - 총칙 - 명시이월비 - 계속비

| 07 | 예산편성 형식의 순서 | 난이도 ●○○ |

예산편성의 형식은 총칙 - 세입세출예산 - 계속비 - 명시이월비 - 국고채무부담행위 순이다.

예산편성의 내용	
예산총칙	세입·세출 예산, 명시이월비, 계속비, 국고채무부담행위에 관한 총괄적 규정과 국채 또는 차입금의 한도액, 재정 증권의 발행과 일시차입금의 최고액 등을 규정
세입세출예산	예산의 핵심 부분이며, 한 회계연도에 있어서 수입·지출의 추계
계속비	공사나 제조에 있어서 그 완성에 수년도를 요하는 것에 관하여 경비총액과 연부액을 미리 입법부의 의결을 얻어 수년도에 걸쳐서 지출할 수 있도록 한 경비
명시이월비	세출예산 중 경비의 성질상 연도 내에 그 지출을 끝내지 못할 것이 예측될 때, 미리 입법부의 승인을 얻어 다음 연도에 이월하여 사용할 수 있는 경비
국고채무부담행위	세출예산·계속비의 범위 밖에서 국가가 채무만을 부담하는 행위를 할 수 있는 권한을 부여하는 것

답 ②

KEYWORD 078 예산의 기능과 원칙

08

2015년 서울시 7급

머스그레이브(R. A. Musgrave)가 주장한 재정의 3대 기능 중 '공공재의 외부효과 및 소비의 비경합성과 비배제성에 기인한 시장실패(market failure)를 재정을 통해서 교정하고 사회적 최적 생산과 소비수준이 이루어지도록 한다.'라는 내용과 관련성이 가장 높은 재정의 기능은?

① 소득 재분배 기능
② 경제 안정화 기능
③ 자원 배분 기능
④ 행정적 기능

| 08 | 재정의 3대 기능 | 난이도 ●●○ |

공공재의 외부효과 및 소비의 비경합성과 비배제성에 기인한 시장실패(market failure)를 재정을 통하여 교정하고, 사회적 최적 생산과 소비수준이 이루어지도록 한다는 내용은 예산의 경제적 기능 중 자원 배분 기능에 해당한다.

머스그레이브(Musgrave)의 재정의 3대 기능	
경제 안정 기능	예산은 재정 정책의 도구로서 경제안정화(stabilizer)에 기여하는 전략적 기능을 수행
자원 배분 기능	예산은 희소한 자원을 효율적으로 배분하는 기능을 하며, 비효율적인 자원배분에 의하여 발생한 시장실패를 치유하는 역할을 수행
소득 재분배 기능	예산은 세입에 있어서는 누진소득세, 세출에 있어서는 사회보장적 지출 등을 통하여 소득 재분배 기능을 수행

답 ③

09 □□□   2018년 지방직 9급

머스그레이브(Musgrave)의 정부재정 기능의 기본 원칙에 대한 설명으로 옳지 않은 것은?

① 시장실패를 교정하고 사회적 최적 생산과 소비수준이 이루어지도록 해야 한다.
② 세입 면에서는 차별 과세를 하고, 세출 면에서는 사회보장적 지출을 통해 소외계층을 지원해야 한다.
③ 고용, 물가 등과 같은 거시경제 지표들을 안정적으로 조절해야 한다.
④ 정부에 부여된 목적과 자원을 연계하여 소기의 성과를 거둘 수 있도록 관료를 통제해야 한다.

10 □□□   2012년 서울시 9급

배분기구로서의 정부 예산에 대한 설명으로 옳지 않은 것은?

① 예산의 본질적 모습은 예산을 통해 추진하고자 하는 정책과 사업이라고 할 수 있다.
② 예산에는 정책결정자의 사실판단에 근거하며 가치판단은 배제되어 있다.
③ 공공부문의 희소성은 공공자원을 사용할 수 있는 제약 상태를 반영한 개념이다.
④ 거시적 배분은 민간부문과 공공부문 간의 자원 배분에 관한 결정이다.
⑤ 미시적 배분은 주어진 예산의 총액 범위 내에서 각 대안 간에 자금을 배분하는 것이다.

| 09 | 정부재정 기능의 기본 원칙 | 난이도 ●●○ |

머스그레이브(Musgrave)는 재정의 3대 기능으로 경제 안정화, 자원 배분의 효율화, 소득의 재분배 기능을 강조하였다. 관료에 대한 통제는 머스그레이브(Musgrave)의 3대 재정 기능에 포함되지 않는다.

(선지분석)
① 시장실패를 교정하는 것은 자원 배분의 효율화 기능이다.
② 소득 재분배의 기능을 설명하고 있다.
③ 경제 안정화 기능에 대한 설명이다.

답 ④

| 10 | 정부 예산 | 난이도 ●●○ |

예산은 자원배분에 관한 문제로, 희소한 자원의 배분에 관한 가치판단과정이 요구된다.

(선지분석)
① 예산은 정책이나 사업의 내용과 수준을 구체적인 금액의 형식으로 표시하는 것이다.
③ 자원의 희소성이 자원의 제약상태를 나타내는 개념이다.
④, ⑤ 총액을 결정하는 것이 거시적 배분이고, 총액 범위 내에서 대안 간 자금배분을 미시적 배분이라 한다.

답 ②

11 ☐☐☐   2016년 지방직 7급

예산원칙에 대한 설명으로 옳지 않은 것은?

① 입법부가 사전에 의결한 사항만 집행이 가능하다는 사전의결원칙의 예외로는 긴급명령과 준예산 등이 있다.
② 예산총계주의는 모든 세입과 세출이 예산에 계상되어야 한다는 것을 의미한다.
③ 정부가 특정 수입과 특정 지출을 직접 연계해서는 안 된다는 한계성 원칙의 예외로는 예비비, 계속비 등이 있다.
④ 예산은 결산과 일치해야 한다는 예산 엄밀성의 원칙은 정확성의 원칙이라고도 불린다.

12 ☐☐☐   2016년 서울시 9급

예산의 원칙 중 스미스(H. Smith)가 주장한 현대적 예산의 원칙은?

① 예산은 미리 결정되어 회계연도가 시작되면 바로 집행할 수 있도록 해야 한다.
② 예산의 편성, 심의, 집행은 공식적인 형식을 가진 재정 보고 및 업무 보고에 기초를 두어야 한다.
③ 모든 예산은 공개되어야 한다.
④ 예산구조나 과목은 국민들이 이해하기 쉽게 단순해야 한다.

| 11 | 예산원칙 | 난이도 ●●○ |

정부가 특정 수입과 특정 지출을 직접 연계해서는 안 된다는 원칙은 통일성의 원칙을 의미하며, 이 원칙의 예외로는 목적세, 수입대체경비, 특별회계, 기금 등이 있다.

선지분석
① 대통령의 긴급명령과 준예산은 예산의 집행이 이루어지기 전에 입법부에 제출되고 심의·의결되어야 한다는 사전의결원칙의 예외이다.
② 예산총계주의는 모든 수입은 세입예산에, 모든 지출은 세출예산에 포함되어야 한다는 원칙이다.
④ 엄밀성의 원칙은 예산과 결산이 일치하여야 한다는 원칙이다.

답 ③

| 12 | 현대적 예산의 원칙 | 난이도 ●●○ |

예산의 편성, 심의, 집행은 공식적인 형식을 가진 재정 보고 및 업무 보고에 기초를 두어야 한다는 것은 현대적 예산의 원칙 중 보고의 원칙이다.

선지분석
① 예산은 미리 결정되어 회계연도가 시작되면 바로 집행할 수 있도록 해야 한다는 것은 노이마르크(Neumark)가 주장한 전통적 예산의 원칙 중 사전의결의 원칙에 대한 설명이다.
③ 모든 예산은 공개되어야 한다는 것은 전통적 예산의 원칙 중 공개성의 원칙이다.
④ 예산구조나 과목은 국민들이 이해하기 쉽게 단순해야 한다는 것은 전통적 예산의 원칙 중 명확성(명료성)의 원칙에 대한 내용이다.

답 ②

13
2016년 국가직 9급

다음 중 ㄱ과 ㄴ에 해당하는 내용을 옳게 연결한 것은?

(ㄱ)은/는 국가가 특별한 용역 또는 시설을 제공하고 그 제공을 받은 자로부터 비용을 징수하는 경우의 당해 경비로서 기획재정부장관이 정하는 경비를 의미하며, 「국가재정법」상 (ㄴ)의 예외로 규정되어 있다.

	ㄱ	ㄴ
①	수입대체경비	예산총계주의 원칙
②	전대차관	예산총계주의 원칙
③	전대차관	예산공개의 원칙
④	수입대체경비	예산공개의 원칙

---

13 예산의 원칙과 예외   난이도 ●○○

ㄱ. 수입대체경비에 해당하고 ㄴ. 예산총계주의(완전성) 원칙에 해당한다. 수입대체경비는 현물출자, 전대차관 등과 함께 예산총계주의(완전성 원칙)의 예외이다. 여기서 수입대체경비란 지출이 직접 수입을 수반하는 경비로, 중앙예산기관의 장이 지정하는 것을 말한다. 이는 국고수입은 국고에 납부해야 한다는 국고통일의 원칙에 대한 예외로, 자체수입으로 관련경비 총액을 충당할 수 있도록 한 제도이며, 대법원 등기소 등기부등·초본 발행 경비, 외무부 여권발급 경비, 교육부 대학입시 경비, 각 시험연구기관의 위탁시험연구비 등이 그 예이다.

답 ①

14
2015년 서울시 9급

다음은 예산의 원칙에 대한 설명이다. 옳게 짝지어진 것은?

A: 한 회계연도의 세입과 세출은 모두 예산에 계상하여야 한다.
B: 모든 수입은 국고에 편입되고 여기에서부터 지출이 이루어져야 한다.

① A: 예산단일의 원칙, B: 예산총계주의 원칙
② A: 예산총계주의 원칙, B: 예산단일의 원칙
③ A: 예산통일의 원칙, B: 예산총계주의 원칙
④ A: 예산총계주의 원칙, B: 예산통일의 원칙

---

14 예산의 원칙   난이도 ●○○

A. 한 회계연도의 세입과 세출은 모두 예산에 계상해야 한다는 것은 예산완전성의 원칙(예산총계주의)에 해당한다.
B. 모든 수입은 국고에 편입되고 여기에서부터 지출이 이루어져야 한다는 것은 예산통일의 원칙에 해당한다.

선지분석
예산단일의 원칙이란 예산은 가능한 한 단일의 회계 내에서 정리되어야 한다는 것이다.

답 ④

15 2015년 지방직 9급

예산의 원칙과 그 예외사항에 대한 설명으로 옳은 것은?

① 특정 수입과 특정 지출이 연계되어서는 안 된다는 것은 단일성의 원칙이다.
② 예산은 주어진 목적, 규모 그리고 시간에 따라 집행되어야 한다는 원칙은 예산총계주의이다.
③ 예산구조나 과목은 이해하기 쉽도록 단순해야 한다는 것은 통일성의 원칙이다.
④ 특별회계는 통일성의 원칙과 단일성의 원칙의 예외적인 장치에 해당된다.

16 2014년 국가직 7급

예산한정성 원칙의 예외로 볼 수 없는 것은?

① 예비비 편성
② 추가경정예산
③ 특별회계 운용
④ 예산의 이용 및 전용

---

15 예산의 원칙과 예외   난이도 ●○○

특별회계는 통일성의 원칙과 단일성의 원칙의 예외적인 장치에 해당된다.

선지분석
① 특정 수입과 특정 지출이 연계되어서는 안된다는 것은 통일성의 원칙에 대한 설명이다.
② 예산은 주어진 목적, 규모 그리고 시간에 따라 집행되어야 한다는 원칙은 한정성의 원칙이다.
③ 예산구조나 과목은 이해하기 쉽도록 단순해야 한다는 것은 명료성의 원칙이다.

답 ④

16 예산한정성 원칙의 예외   난이도 ●○○

특별회계는 단일성이나 통일성 원칙의 예외이다.

선지분석
①, ② 예비비 편성, 추가경정예산은 금액이 부족할 경우에 대비한 제도로, 양적 한정성의 예외이다.
④ 예산의 이용 및 전용은 목적 외로 옮겨 사용하는 제도로, 질적 한정성의 예외이다.

답 ③

17　　　　　　　　　　　　　　　　2017년 지방직 9급(6월 시행)

「국가재정법」상 다음 원칙의 예외에 대한 규정으로 옳지 않은 것은?

> - 한 회계연도의 모든 수입을 세입으로 하고, 모든 지출을 세출로 한다.
> - 한 회계연도의 세입과 세출은 모두 예산에 계상하여야 한다.

① 수입대체경비에 있어 수입이 예산을 초과하거나 초과할 것이 예상되는 때에는 그 초과수입을 대통령령이 정하는 바에 따라 그 초과수입에 직접 관련되는 경비 및 이에 수반되는 경비에 초과지출할 수 있다.
② 국가가 현물로 출자하는 경우에는 이를 세입세출예산 외로 처리할 수 있다.
③ 국가가 외국차관을 도입하여 전대하는 경우에는 이를 세입세출예산 외로 처리할 수 있다.
④ 출연금이 지원된 국가연구개발사업의 개발 성과물 사용에 따른 대가를 사용하는 경우에는 이를 세입세출예산 외로 처리할 수 있다.

18　　　　　　　　　　　　　　　　2019년 지방직 7급

다음 중 예산원칙의 예외를 옳게 짝지은 것은?

	한정성 원칙	단일성 원칙
①	목적세	특별회계
②	예비비	목적세
③	이용과 전용	수입대체경비
④	계속비	기금

17　예산원칙의 예외　　난이도 ●○○

제시문의 원칙은 예산총계주의 원칙을 의미하는 것으로, 연구개발사업의 대가는 2014년 「국가재정법」의 개정으로 예외에서 제외되었다.

> 「국가재정법」 제53조 【예산총계주의 원칙의 예외】 ① 각 중앙관서의 장은 용역 또는 시설을 제공하여 발생하는 수입과 관련되는 경비로서 대통령령으로 정하는 경비(이하 "수입대체경비"라 한다)의 경우 수입이 예산을 초과하거나 초과할 것이 예상되는 때에는 그 초과수입을 대통령령으로 정하는 바에 따라 그 초과수입에 직접 관련되는 경비 및 이에 수반되는 경비에 초과지출할 수 있다.
> ② 국가가 현물로 출자하는 경우와 외국차관을 도입하여 전대(轉貸)하는 경우에는 이를 세입세출예산 외로 처리할 수 있다.
> ③ 차관물자대(借款物資貸)의 경우 전년도 인출예정분의 부득이한 이월 또는 환율 및 금리의 변동으로 인하여 세입이 그 세입예산을 초과하게 되는 때에는 그 세출예산을 초과하여 지출할 수 있다.
> ④ 전대차관을 상환하는 경우 환율 및 금리의 변동, 기한 전 상환으로 인하여 원리금 상환액이 그 세출예산을 초과하게 되는 때에는 초과한 범위 안에서 그 세출예산을 초과하여 지출할 수 있다.
> ⑥ 수입대체경비 등 예산총계주의 원칙의 예외에 관하여 필요한 사항은 대통령령으로 정한다.

답 ④

18　예산원칙의 예외　　난이도 ●●○

예산의 원칙이란 '예산이 지켜야 할 규범적 기준'을 말하는 것으로, 정부역할에 대한 태도에 따라 전통적 예산원칙과 현대적 예산원칙으로 구분된다. 그 중 전통적 예산원칙은 노이마르크(Neumark)와 선델슨(Sundelson)가 주장한 것으로, 한정성 원칙과 단일성 원칙을 비롯하여 8가지 원칙을 제시했다. 그 원칙 안에서도 한계에 따라 예외가 존재하는데, 한정성 원칙의 대표적인 예는 이월, 추경예산 등이 있고 단일성 원칙의 예로는 특별회계와 기금 등이 있다.

📄 한정성의 원칙과 단일성의 원칙

한정성 원칙	예산은 주어진 목적, 금액, 시간에 따라 한정된 범위 내에서 집행되어야 한다는 원칙으로 세 가지 한정성으로 구분됨 • 비목 외 사용금지라는 질적 한정성(예외: 이용, 전용 등) • 금액초과 사용금지라는 양적 한정성(예외: 예비비, 추경예산) • 회계연도 독립원칙 준수라는 시간적 한정성(예외: 이월, 계속비 등)
단일성 원칙	• 예산은 가능한 한 단일의 회계 내에서 정리되어야 한다는 원칙 • 예외: 특별회계, 기금, 추경예산 등

답 ④

19

2025년 지방직 9급

입법부 우위의 전통적 예산원칙에서 '국민의 눈높이에서 국민이 쉽게 이해할 수 있도록 예산서의 과목과 구조가 작성되어야 한다'는 원칙은?

① 명료성의 원칙
② 완전성의 원칙
③ 공개성의 원칙
④ 한정성의 원칙

20

2024년 국가직 9급

「국가재정법」상 온실가스감축인지 예산제도에 대한 설명으로 옳지 않은 것은?

① 온실가스감축인지 예산제도는 정부예산의 원칙 중 하나이다.
② 온실가스감축인지 예산서에는 온실가스 감축에 대한 기대효과, 성과목표, 효과분석 등을 포함해야 한다.
③ 정부의 기금은 온실가스감축인지 예산제도의 대상에 포함되지 않는다.
④ 정부는 예산이 온실가스를 감축하는 방향으로 집행되었는지를 평가하는 보고서를 작성하여야 한다.

19	전통적 예산원칙	난이도 ●○○

제시문은 고전적 예산원칙 중 명료성(Clarification)의 원칙에 해당한다.

답 ①

20	온실가스감축인지 예산제도	난이도 ●●○

기금도 온실가스감축인지 예산제도의 대상에 포함된다.

선지분석

①, ② 정부는 예산이 「기후위기 대응을 위한 탄소중립·녹색성장 기본법」 제2조 제5호에 따른 온실가스 감축에 미치는 효과를 평가하고, 그 결과를 정부의 예산편성에 반영하기 위하여 노력하여야 한다.
④ 온실가스감축인지 결산보고서에 대한 설명으로 옳은 지문이다.

답 ③

CHAPTER 2 예산의 분류와 종류

KEYWORD 079 예산의 분류와 종류

01 □□□
2018년 지방직 7급

2000년대 초반 도입된 한국의 프로그램예산제도에 대한 설명으로 옳지 않은 것은?

① 프로그램예산제도는 현재 운영되지 않는 제도이다.
② 프로그램예산분류(과목) 체계는 분야 - 부문 - 프로그램 - 단위사업 - 세부사업 등으로 구성된다.
③ 프로그램예산제도 도입 시 비목(품목)의 개수를 대폭 축소함으로써 비목 간 칸막이를 최대한 줄였다.
④ 프로그램예산제도는 정책과 성과 중심의 예산운영을 위해 설계·도입된 제도이다.

02 □□□
2016년 국가직 7급

프로그램예산제도에 대한 설명으로 옳지 않은 것은?

① 동일한 정책목표를 가진 단위사업들을 하나의 프로그램으로 묶어 예산 및 성과관리의 기본 단위로 삼는다.
② 우리나라에서는 지방자치단체가 2004년부터, 중앙정부는 2008년부터 공식적으로 채택하였다.
③ 자원배분의 투명성을 높일 수 있고 일반 국민이 예산 사업을 쉽게 이해할 수 있게 된다.
④ 우리나라가 도입한 배경에는 투입 중심 예산 운용의 한계를 극복하고자 하는 측면이 있었다.

01	프로그램예산제도	난이도 ●○○

프로그램예산제도란 전통적인 품목별 분류 대신 프로그램(정책사업) 중심으로 예산을 분류하는 방식이다. 우리나라에는 2007년 도입되어 현재 활용되고 있다.

선지분석
② 종전 예산과목 체계는 '장 - 관 - 항 - 세항 - 세세항 - 목 - 세목'의 다단계의 복잡한 체계로 되어 있으나, 프로그램예산 구조는 '분야 - 부문 - 프로그램 - 단위사업 - 목 - 세목'의 단순한 체계로 구성된다.
③ 프로그램예산도 말단에서 품목별 분류가 사용되지만, 품목의 수는 대폭 축소·통합되어 칸막이를 축소했다.
④ 프로그램예산제도는 통제 중심의 품목별 분류를 탈피하고, 정책과 성과 중심의 예산운영을 지향한다.

📄 프로그램예산제도에서의 예산과목 체계형

장	관	항	세항	세세항	목	세목
분야	부문	프로그램	단위사업	(세부사항)	편성비목	통계비목
기능별 분류		사업별 분류			품목별 분류	

답 ①

02	프로그램예산제도	난이도 ●●○

우리나라 프로그램예산제도는 중앙정부 2007년, 지방정부는 2008년부터 공식적으로 도입되었다.

선지분석
① 프로그램예산제도는 '프로그램(사업)을 중심으로 예산을 편성하는 제도'이다. 여기서 프로그램이란 동일한 정책을 수행하는 단위사업(activity/project)의 묶음을 말한다.
③ 자율성, 책임성, 투명성, 효율성, 성과지향성 등의 가치 개념에서 볼 때 프로그램은 그 중심점이 된다. 즉, 프로그램은 자율중심점, 책임중심점, 성과중심점, 정보공개중심점 등이 된다. 정보공개에 따라 국민이 예산사업을 쉽게 이해할 수 있다.
④ 프로그램예산(program budget)은 기존의 품목별(항목별) 분류체계를 탈피하여, 성과를 지향하는 프로그램 중심으로 예산을 분류·운영하는 것이라고 할 수 있다.

답 ②

03　　　　　　　　　　　　　　　2024년 지방직 9급

프로그램예산제도에 대한 설명으로 옳지 않은 것은?

① 우리나라 중앙정부는 2007년부터 프로그램 예산제도를 도입하였다.
② 예산 전 과정을 프로그램 중심으로 구조화하고 성과평가 체계와 연계시킨다.
③ 세부 업무와 단가를 통해 예산 금액을 산정하는 상향식(bottom-up) 방식을 사용한다.
④ 일반회계, 특별회계, 기금이 포괄적으로 표시되어 총체적 재정배분파악이 가능하다.

04　　　　　　　　　　　　　　　2022년 지방직 7급

예산의 분류 방법과 분류 기준을 바르게 연결한 것은?

	분류 방법	분류 기준
①	기능별 분류	정부가 무슨 일을 하는 데 얼마를 쓰느냐
②	조직별 분류	정부가 무엇을 구입하는 데 얼마를 쓰느냐
③	경제 성질별 분류	누가 얼마를 쓰느냐
④	시민을 위한 분류	국민경제에 미치는 총체적인 효과가 어떠한가

03　프로그램예산제도　　　　　난이도 ●●○

프로그램예산제도는 '프로그램(사업)을 중심으로 예산을 편성하는 제도'이다. 여기서 프로그램이란 동일한 정책을 수행하는 단위사업(activity/project)의 묶음을 의미한다. 프로그램예산제도에서 프로그램은 예산편성 단계에서 전략적 배분 단위가 되며, 총액배분 자율편성 방식의 하향식 방식을 사용한다.

(선지분석)
① 프로그램예산제도는 중앙정부는 2007년, 지방정부는 2008년부터 공식적으로 도입되었다.
② 프로그램예산(program budget)은 기존의 품목별(항목별) 분류체계를 탈피하여 성과를 지향하는 프로그램 중심으로 예산을 분류·운영하는 것이라고 할 수 있다.
④ 프로그램예산제도는 일반회계, 특별회계, 기금이 포괄적으로 관리 운용되도록 유사한 목적의 재정자원은 동일한 프로그램으로 설계한다. 이를 위해 '프로그램 – 단위사업', '회계 – 기금'을 연계한다.

답 ③

04　예산의 분류　　　　　난이도 ●○○

기능별 분류는 무슨 일을 하는 데 얼마를 쓰는지에 초점을 둔다.

예산의 분류 방법과 기준

구분	초점
기능별 분류	무슨 일을 하는 데 얼마를 쓰는가?
조직별 분류	누가 얼마를 쓰는가?
품목별 분류	무엇을 구입하는 데 얼마를 쓰는가?
경제성질별 분류	국민경제에 미치는 영향은 무엇인가?

답 ①

05

2013년 서울시 7급

우리나라 정부예산의 과목구조에 대한 설명으로 옳은 것은?

① 우리나라 예산은 소관별로 구분된 후 목별로 분류되고 마지막으로 기능을 중심으로 분류된다.
② 성질별로 분류할 때 물건비는 목(성질)에 해당하고, 운영비는 세목에 해당한다.
③ 기능을 중심으로 장은 부문, 관은 분야, 항은 프로그램, 세항은 단위사업을 의미한다.
④ 장 사이의 상호융통(전용)은 국회의 통제를 받는다.
⑤ 세항의 경우 입법과목이고, 목은 행정과목이다.

06

2016년 국회직 8급

우리나라의 예산에 대한 설명으로 옳지 않은 것은?

① 정부는 예측할 수 없는 예산 외의 지출 또는 예산초과지출에 충당하기 위하여 일반회계 예산총액의 100분의 1 이내의 금액을 예비비로 세입세출예산에 계상할 수 있다.
② 완성에 수년도를 요하는 공사나 제조 및 연구개발사업은 그 경비의 총액과 연부액을 정하여 미리 국회의 의결을 얻는 범위 안에서 그 회계연도부터 10년 이내로 정하여 수년도에 걸쳐서 지출할 수 있다고 보는 것이 원칙이다.
③ 매 회계연도의 세출예산은 다음 연도에 이월하여 사용할 수 없는 것이 원칙이다.
④ 각 중앙관서의 장은 세출예산이 정한 목적 외에 경비를 사용할 수 없는 것이 원칙이다.
⑤ 각 중앙관서의 장은 예산의 목적범위 안에서 재원의 효율적 활용을 위하여 대통령령이 정하는 바에 따라 기획재정부장관의 승인을 얻어 각 세항 또는 목의 금액을 전용할 수 있다.

| 05 | 정부예산의 과목구조 | 난이도 ●●● |

목에서는 물건비(목), 운영비(세목) 등으로 구분된다.

선지분석
① 우리나라 예산은 소관별로 구분된 후 기능별로 분류되고 마지막으로 품목을 중심으로 분류된다.
③ 프로그램예산 측면에서 볼 때 기능을 중심으로 장은 분야, 관은 부문, 항은 프로그램, 세항은 단위사업을 각각 의미한다.
④ 장 사이의 상호융통인 이용은 입법과목 간 융통이므로, 국회의 통제를 받는다.
⑤ 장·관·항은 입법과목, 세항과 목은 행정과목이다.

답 ②

| 06 | 우리나라의 예산 | 난이도 ●●○ |

계속비는 원칙적으로 5년이며, 사업의 규모나 재정여건상 필요한 경우 예외적으로 10년으로 할 수 있다. 즉, 계속비의 사용기간은 원칙이 5년이다.

선지분석
① 「국가재정법」상 예비비 총액 규정으로 옳은 지문이다.
③ 회계연도 독립원칙상 세출예산 다음연도로 이월하여 사용할 수 없는 것이 원칙이며, 예외적으로 이월을 인정하고 있다.
⑤ 세항·목 간의 전용은 기획재정부장관의 승인으로 중앙관서의 장이 행한다.

답 ②

07　　　　　　　　　　　　　　　　2024년 지방직 9급

예산집행의 신축성 유지 방안에 대한 설명으로 옳지 않은 것은?

① 추가경정예산의 경우, 정부는 국회에서 추가경정예산안이 확정되기 전에 이를 미리 배정하거나 집행할 수 없다.
② 예비비의 경우, 정부는 예측할 수 없는 예산 외의 지출 또는 예산초과지출에 충당하기 위하여 일반회계 예산총액의 100분의 5 이내의 금액으로 세입세출예산에 계상할 수 있다.
③ 계속비의 경우, 국가가 지출할 수 있는 연한은 그 회계연도로부터 5년 이내이나, 사업규모 및 국가재원 여건을 고려하여 필요한 경우에는 예외적으로 10년 이내로 할 수 있다.
④ 각 중앙관서의 장은 예산의 목적범위 안에서 재원의 효율적 활용을 위하여 대통령령으로 정하는 바에 따라 기획재정부장관의 승인을 얻어 각 세항 또는 목의 금액을 전용(轉用)할 수 있다.

08　　　　　　　　　　　　　　　　2024년 군무원 9급

다음 중 우리나라의 예비비에 대한 설명으로 가장 적절하지 않은 것은?

① 목적예비비는 예산총칙 등에서 미리 사용목적을 지정해야 하며, 따로 세입·세출예산에 계상할 수 있다.
② 예측할 수 없는 예산 외의 지출 또는 초과지출에 충당하기 위해서 편성한다.
③ 재해대책비·공공요금·환율상승에 따른 원화부족액 보정 등을 위해 사용 가능한 한도액을 정한 목적예비비가 있다.
④ 일반예비비는 그 사용 목적을 특정하지 않고 국회의 사전 의결을 거친 경비이므로 회계연도를 달리하여 사용할 수 있다.

| 07 | 예산집행의 신축성 유지 방안 | 난이도 ●○○ |

「국가재정법」에서는 일반회계 예산총액의 1% 이내의 금액을 예비비로 세입세출예산에 계상할 수 있다고 규정하고 있다.

선지분석
① 정부는 국회에서 추가경정예산안이 확정되기 전에 이를 미리 배정하거나 집행할 수 없다.
③ 계속비의 지출연한은 5 회계연도 이내로 한다. 다만, 사업규모 및 국가재원 여건상 필요한 경우에는 예외적으로 10년 이내로 할 수 있다.
④ 예산의 전용은 행정과목인 세항·목 간에 상호 융통하는 것을 말한다. 각 중앙관서의 장은 대통령령이 정하는 바에 따라 국회의 의결 없이 기획재정부장관의 승인을 얻어 전용할 수 있다.

답 ②

| 08 | 예비비 | 난이도 ●●○ |

일반예비비는 회계연도를 달리하여 사용하지 못하는 것이 원칙이다.

선지분석
① 목적예비비는 예산총칙 등에 따라 미리 사용목적을 지정해 놓은 예비비는 별도로 세입세출예산에 계상할 수 있다. 다만, 공무원의 보수 인상을 위한 인건비 충당을 위하여는 예비비의 사용목적을 지정할 수 없다.
② 예비비는 '예측할 수 없는 예산 외의 지출 또는 예산 초과지출에 충당하기 위해 세입세출예산에 계상한 금액'을 말한다.
③ 목적예비비는 특정한 용도를 정하여 배타적으로 사용할 수 있는 것(예 봉급예비비·공공요금예비비·재해대책예비비·급량비예비비·사전조사예비비 등)이다.

답 ④

09

2016년 국가직 9급

다음 내용의 괄호 안에 해당하는 것은?

> 최근 미국은 의회의 연방예산 처리 지연으로 예산편성 및 집행에 큰 어려움을 겪으면서 행정업무가 마비되는 사태를 겪은 바 있다. 우리나라는 새로운 회계연도가 개시될 때까지 예산안이 국회에서 의결되지 못한 경우에 대비하여 (   ) 제도를 시행하고 있다.

① 준예산
② 가예산
③ 수정예산
④ 잠정예산

10

2023년 지방직 9급

예산 불성립에 따른 예산 종류에 대한 설명으로 옳지 않은 것은?

① 준예산은 전년도 예산을 기준으로 예산을 편성해 운영하는 제도이다.
② 현재 우리나라는 준예산제도를 채택하고 있다.
③ 가예산은 1개월분의 예산을 국회의 의결을 거쳐 집행하는 것으로 우리나라가 운영한 경험이 있다.
④ 잠정예산은 수개월 단위로 임시예산을 편성해 운영하는 것으로 가예산과 달리 국회의 의결이 불필요하다.

| 09 | 준예산 | 난이도 ●○○ |

우리나라에서 새로운 회계연도가 개시될 때까지 예산안이 국회에서 의결되지 못한 경우를 대비한 제도는 준예산이다.

각 제도의 비교

구분	기간 제한	국회의결	지출가능 항목	채택시기
준예산	무제한	불필요	한정적	현재
잠정예산	무제한	필요	전반적	-
가예산	1개월	필요	전반적	1공화국
답습예산	수개월	필요	전반적	-

답 ①

| 10 | 예산 종류 | 난이도 ●●○ |

잠정예산은 국회의 의결이 필요하다.

답 ④

11

2021년 국가직 9급

우리나라 예산제도에 대한 설명으로 옳지 않은 것은?

① 국회는 정부의 동의 없이 정부가 제출한 지출예산 각 항의 금액을 증가시킬 수 없다.
② 정부가 예산안 편성 시 감사원의 세출예산요구액을 감액하고자 할 때에는 국무회의에서 감사원장의 의견을 구하여야 한다.
③ 정부는 회계연도 개시 전까지 예산안이 의결되지 못한 때에는 전년도 예산에 준해 모든 예산을 편성해 운영할 수 있다.
④ 국회는 감사원이 검사를 완료한 국가결산보고서를 정기회 개회 전까지 심의·의결을 완료해야 한다.

12

2021년 국가직 7급

준예산에 대한 설명으로 옳지 않은 것은?

① 예산안이 회계연도 개시일까지 국회에서 의결되지 못한 경우에 활용된다.
② 국회의 의결을 필요로 한다.
③ 법률상 지출 의무를 이행하기 위한 경우에 집행할 수 있다.
④ 이미 예산으로 승인된 사업의 계속을 위해 집행할 수 있다.

| 11 | 우리나라 예산제도 | 난이도 ●●○ |

예산안이 회계연도 개시 전까지 의결되지 못한 때에는 ㉠ 헌법이나 법률로 설치된 기관의 유지운영비, ㉡ 법률상 지출 의무가 있는 경비, ㉢ 이미 예산으로 승인된 계속비에 한해서 전년도 예산에 준하여 국회의결 없이 지출할 수 있다. 즉, 모든 예산이 아니다.

(선지분석)
① 국회는 정부 동의 없이 지출예산 각 항의 금액을 증가시키거나 새로운 비목을 설치할 수 없다.
② 감사원이 요구한 예산액을 감액하고자할 때에는 국무회의에서 감사원장의 의견을 구하여야 한다.
④ 국가결산보고서는 정기회 개회 전까지 심의·의결하여야 한다.

답 ③

| 12 | 준예산 | 난이도 ●○○ |

국회의 의결을 필요로 하지 않는다. 예산이 회계연도 개시일까지 의결되지 못한 경우에 국회의 의결 없이 일정한 경비는 전년도에 준하여 지출할 수 있는 제도이다.

준예산의 용도
㉠ 헌법이나 법률에 의하여 설치된 기관 또는 시설의 유지·운영
㉡ 법률상 지출의무의 이행
㉢ 이미 예산으로 승인된 사업의 계속

답 ②

13

2023년 군무원 9급

다음 중 추가경정예산에 대한 설명으로 가장 적절하지 않은 것은?

① 추가경정예산은 예산이 성립한 후의 사후적인 예산변경 제도이다.
② 추가경정예산은 일반회계·특별회계·기금을 대상으로 한다.
③ 추가경정예산은 대내·외 여건에 중대한 변화가 발생하였거나 발생할 우려가 있는 경우에 편성할 수 있다.
④ 정부는 국회에서 추가경정예산안이 확정되기 전에 긴급한 상황이 발생한 경우 이를 미리 배정하거나 집행할 수 있다.

14

2021년 국가직 9급

「국가재정법」상 추가경정예산안 편성이 가능한 사유에 해당하지 않는 것은?

① 전쟁이나 대규모 재해가 발생한 경우
② 남북관계의 변화와 같은 중대한 변화가 발생한 경우
③ 경기침체, 대량실업 같은 중대한 변화가 발생할 우려가 있는 경우
④ 경제협력, 해외원조를 위한 지출을 예비비로 충당해야 할 우려가 있는 경우

13	추가경정예산	난이도 ●○○

정부는 국회에서 추가경정예산안이 확정되기 전에 이를 미리 배정하거나 집행할 수 없다.

(선지분석)
① 추가경정예산은 '예산이 성립하고 회계연도가 개시된 후에 발생한 사유로 이미 성립된 예산에 변경을 가할 필요가 있을 때 편성되는 예산'을 말한다.
② 추가경정예산은 국회에서 심의, 의결한 일반회계·특별회계·기금을 대상으로 한다.
③ 「국가재정법」제89조상 추가경정예산의 편성사유에 해당한다.

답 ④

14	추가경정예산안 편성사유	난이도 ●○○

경제협력, 해외원조를 위한 지출을 예비비로 충당해야 할 우려가 있는 경우는 추가경정예산의 편성사유에 해당하지 않는다.

답 ④

15 2020년 지방직 7급

「국가재정법」상 추가경정예산에 대한 설명으로 옳은 것은?

① 정부는 국회에서 추가경정예산안이 확정되기 전에 이를 미리 배정하거나 집행할 수 있다.
② 새로운 회계연도가 개시될 때까지 국회에서 예산안이 의결되지 못한 때에 편성된다.
③ 법령에 따라 국가가 지급하여야 하는 지출이 발생하거나 증가하여 이미 확정된 예산에 변경을 가할 필요가 있는 경우에 편성할 수 있다.
④ 경기침체 등과 같은 대내외 여건에 중대한 변화가 발생할 우려가 있어 이미 확정된 예산에 변경을 가할 필요가 있는 경우라도 편성할 수 없다.

16 2023년 군무원 7급

현행 「국가재정법」상 추가경정예산안을 편성할 수 있는 경우가 아닌 것은?

① 전쟁이나 대규모 재해(재난 및 안전관리기본법상 자연재난과 사회재난에 따른 피해)가 발생한 경우
② 전쟁이나 대규모 재해(재난 및 안전관리기본법상 자연재난과 사회재난에 따른 피해)가 발생할 우려가 있는 경우
③ 경기침체, 대량실업, 남북관계의 변화, 경제협력과 같은 대내·외 여건에 중대한 변화가 발생한 경우
④ 경기침체, 대량실업, 남북관계의 변화, 경제협력과 같은 대내·외 여건에 중대한 변화가 발생할 우려가 있는 경우

---

15 추가경정예산 난이도 ●●○

추가경정예산의 편성사유 중 하나로서 옳은 지문이다.

선지분석
① 정부는 국회에서 추가경정예산안이 확정되기 전에 이를 미리 배정하거나 집행할 수 없다.
② 추가경정예산이 아니라 준예산에 대한 설명이다.
④ 경기침체·대량실업, 남북관계의 변화 등 대내외 여건에 중대한 변화가 발생하였거나 발생할 우려가 있는 경우 편성할 수 있다.

답 ③

16 추가경정예산안 편성사유 난이도 ●●●

전쟁이나 대규모 재해(「재난 및 안전관리기본법」상 자연재난과 사회재난에 따른 피해)가 발생할 우려가 있는 경우는 「국가재정법」상 편성사유에 해당하지 않는다.

> 「국가재정법」 제89조 【추가경정예산안의 편성】 ① 정부는 다음 각 호의 어느 하나에 해당하게 되어 이미 확정된 예산에 변경을 가할 필요가 있는 경우에는 추가경정예산안을 편성할 수 있다.
> 1. 전쟁이나 대규모 재해(「재난 및 안전관리 기본법」 제3조에서 정의한 자연재난과 사회재난의 발생에 따른 피해를 말한다)가 발생한 경우
> 2. 경기침체, 대량실업, 남북관계의 변화, 경제협력과 같은 대내·외 여건에 중대한 변화가 발생하였거나 발생할 우려가 있는 경우
> 3. 법령에 따라 국가가 지급하여야 하는 지출이 발생하거나 증가하는 경우

답 ②

17

2020년 국회직 8급

예산에 대한 설명으로 옳지 않은 것은?

① 정기국회 심의를 거쳐 확정된 최초 예산을 본예산 혹은 당초예산이라고 한다.
② 준예산 제도는 국회에서 예산안이 의결될 때까지 전년도 예산에 준해 집행할 권한을 정부에 부여하는 제도이다.
③ 예산이 성립되면 잠정예산은 그 유효기간이나 지출 잔액 유무에 관계없이 본예산에 흡수된다.
④ 적자예산으로 인한 재정적자는 국채발행, 한국은행으로부터의 차입, 해외차입 등으로 보전한다.
⑤ 수정예산은 예산 성립 후에 발생한 사유로 인하여 필요한 경비의 과부족이 발생한 때 본예산에 수정을 가한 예산이다.

18

2018년 국가직 9급

예산과 재정관리에 대한 설명으로 옳지 않은 것은?

① 우리나라의 예산은 행정부가 제출하고 국회가 심의·확정하지만, 미국과 같은 세출예산법률의 형식은 아니다.
② 조세는 현 세대의 의사결정에 대한 재정 부담을 미래 세대로 전가하지 않는다는 장점이 있다.
③ 성과주의예산제도의 도입에도 불구하고 품목별예산제도는 우리나라에서 여전히 활용되고 있다.
④ 추가경정예산은 예산의 신축성 확보를 위한 제도로서, 최소 1회의 추가경정예산을 편성하도록 「국가재정법」에 규정되어 있다.

---

17 예산   난이도 ●○○

예산 성립 후에 발생한 사유로 인하여 필요한 경비의 부족이 발생할 때, 본예산과 별도로 추가로 편성되는 예산은 수정예산이 아니라 추가경정예산이다. 수정예산은 예산이 제출된 후, 성립되기 이전에 본예산에 수정을 가하는 예산이다.

(선지분석)
① 본예산에 대한 옳은 설명이다.
② 준예산제도에 대한 옳은 설명이다.
③ 본예산이 성립되면 잠정예산은 그 유효기간이나 지출잔액 유무에 관계없이 본예산에 흡수된다.
④ 재정적자 시 재원보전방법에 대한 설명으로 옳은 지문이다.

답 ⑤

18 예산과 재정관리   난이도 ●○○

추가경정예산은 그 편성횟수에 있어서 제한이 없다.

(선지분석)
① 행정부가 편성하고 국회가 심의·의결하며, 미국과 달리 예산은 법률이 아닌 예산의 형식으로 의결된다.
② 조세는 채무를 부담하는 것이 아니기 때문에 현 세대가 부담하며, 미래 세대에게 전가하지 않는다.
③ 예산편성의 방식 중 품목별예산제도는 사용하기 간편하다는 장점으로 여전히 활용되고 있다.

답 ④

19 ☐☐☐
2023년 지방직 9급

정부예산의 종류에 대한 설명으로 옳지 않은 것은?

① 기금은 예산원칙의 일반적 제약으로부터 벗어나 탄력적으로 운용된다.
② 특별회계예산은 국가의 회계 중 특정한 세입으로 특정한 세출을 충당하기 위한 예산이다.
③ 특별회계예산은 일반회계예산과 달리 예산편성에 있어 국회의 심의 및 의결을 받지 않는다.
④ 기금은 예산 통일성 원칙의 예외가 된다.

20 ☐☐☐
2021년 지방직 9급

특별회계예산과 기금에 대한 설명으로 옳지 않은 것은?

① 기금은 특정 수입과 지출의 연계가 강하다.
② 특별회계예산은 세입과 세출이라는 운영 체계를 지닌다.
③ 특별회계예산은 합목적성 차원에서 기금보다 자율성과 탄력성이 강하다.
④ 특별회계예산과 기금은 모두 결산서를 국회에 제출하여야 한다.

| 19 | 정부예산의 종류 | 난이도 ●○○ |

특별회계예산도 일반회계예산과 마찬가지로 국회의 심의·의결을 받는다.

(선지분석)
① 기금은 예산 외로 운영되며 단일성과 통일성의 예산원칙의 예외에 해당하여 탄력적으로 운용된다.
② 특별회계는 특정한 세입으로 특정한 세출에 충당하기 위하여 일반회계와는 구분·운용되는 예산이다.
④ 기금은 특정한 수입이 특정한 지출로 사용되는 것이 허용되므로 예산 통일성 원칙의 예외가 된다.

답 ③

| 20 | 특별회계예산과 기금 | 난이도 ●○○ |

특별회계예산은 기금에 비하여 합법성 차원의 통제가 강하므로, 기금에 비하여 자율성과 탄력성이 약하다.

(선지분석)
① 기금은 특정 수입과 지출이 연계된 통일성 원칙의 예외이다.
② 특별회계예산도 예산이므로 세입과 세출이라는 운영체계를 갖는다.
④ 일반회계, 특별회계, 기금도 모두 결산서를 국회에 제출하여 심의·의결을 받아야 한다.

답 ③

21 | 2020년 지방직 7급

우리나라의 특별회계에 대한 설명으로 옳지 않은 것은?

① 설치근거가 되는 법률을 별도로 정하고 있다.
② 세출예산뿐 아니라 세입예산도 일반회계와 특별회계로 구분한다.
③ 특별회계의 설치요건 중에는 특정한 세입으로 특정한 세출에 충당함으로써 일반회계와 구분하여 회계처리할 필요가 있을 경우도 포함된다.
④ 예산의 이용 및 전용과 마찬가지로 예산 한정성의 원칙이 적용되지 않는다.

22 | 2018년 교육행정직 9급

우리나라 정부기금에 관한 설명으로 옳은 것은?

① 세입·세출예산 내에서 운영해야 한다.
② 재원의 자율적 운영을 위하여 국회의 심의를 거치지 않는다.
③ 기금운용계획안은 국무회의의 심의와 대통령의 승인이 필요하다.
④ 기금은 법률로써 설치하며 출연금, 부담금 등은 기금의 재원으로 활용할 수 없다.

---

21 우리나라의 특별회계   난이도 ●●○

특별회계는 단일성이나 통일성 원칙의 예외가 된다. 이용과 전용은 돈의 용도를 바꾸어 사용하므로 한정성 원칙의 예외이다.

선지분석
① 「국가재정법」에 의거하여 특별회계는 법률로써 설치하도록 되어 있다.
② 세출·세입예산 모두 일반회계와 특별회계로 구분한다.
③ 특별회계의 설치 요건으로는 '국가가 특별한 사업을 운영하고자 할 때, 국가가 특정한 자금을 보유·운영하고자 할 때, 특정한 세입으로 특정한 세출에 충당함으로써 일반회계와 구분하여 회계처리할 필요가 있을 때'가 있다.

답 ④

22 정부기금   난이도 ●●○

기획재정부장관은 각 중앙관서장이 제출한 기금운용계획안에 대하여 기금관리 주체와 협의·조정하여 기금운용계획안을 마련한 후, 국무회의의 심의를 거쳐 대통령의 승인을 얻어야 한다(「국가재정법」 제66조 제6항).

선지분석
① 기금은 세입·세출예산 외로 운영되므로 법정예산이 아니다.
② 일반회계보다 재원운용의 자율성이 보장되지만, 예산과 마찬가지로 국회에 제출하여 국회의 심의를 거쳐야 한다.
④ 기금은 법률로써 설치하며, 재원은 조세가 아닌 일반회계로부터의 전출입이나 출연금, 부담금 등이 재원이 된다.

답 ③

23　　　　　　　　　　　　　　　2022년 지방직 9급

일반회계, 특별회계, 기금에 대한 설명으로 옳지 않은 것은?

① 일반회계는 조세수입 등을 주요 세입으로 하여 국가의 일반적인 세출에 충당하기 위하여 설치한다.
② 특별회계와 기금은 예산총계주의 원칙의 예외이다.
③ 일반회계, 특별회계, 기금 모두 국회로부터 결산의 심의 및 의결을 받아야 한다.
④ 일반회계와 특별회계는 전쟁이나 대규모 재해가 발생한 경우 추가경정예산을 편성할 수 있다.

24　　　　　　　　　　　　　　　2025년 지방직 9급

중앙정부의 일반회계에 대한 설명으로 옳지 않은 것은?

① 조세수입 등을 주요 재원으로 한다.
② 특정한 세입과 특정한 세출의 연계를 배제한다.
③ 세출은 주로 국가의 존립과 유지를 위한 기본적 경비로 구성된다.
④ 국가의 고유 기능 수행을 위해 양곡관리, 조달, 우편사업, 우체국예금, 책임운영기관 등 총 6개의 일반회계가 설치되어 있다.

| 23 | 일반회계, 특별회계, 기금 | 난이도 ●○○ |

특별회계와 기금은 예산총계주의 원칙의 예외가 아니라 단일성과 통일성의 원칙에 대한 예외이다. 예산총계주의의 예외가 되는 것은 현물출자, 전대차관, 차관물자대, 수입대체경비이다.

선지분석
① 일반회계에 대한 옳은 설명이다.
③ 우리나라는 일반회계, 특별회계, 기금 모두 국회로부터 결산의 심의·의결을 받아야 한다.
④ 추가경정예산의 편성사유로 옳은 지문이다.

답 ②

| 24 | 일반회계 | 난이도 ●○○ |

국가의 고유기능수행을 위한 회계는 일반회계인 것은 옳으나, 양곡관리, 조달, 우편사업, 우체국예금은 「정부기업예산법」을 적용 받는 기업특별회계에 해당한다. 책임운영기관은 특별회계로 운영되는 경우도 있다.

①, ③ 일반회계는 조세수입 등을 주요 세입으로 하여 국가의 일반적인 세출에 충당하기 위하여 설치한다(「국가재정법」 제4조).
② 일반회계는 특정수입과 특정지출이 연계되어서는 안 된다는 통일성 원칙을 준수한다.

답 ④

25

2013년 지방직 9급

추가경정예산에 대한 설명으로 옳지 않은 것은?

① 예산이 성립된 후에 생긴 사유로 이미 성립된 예산에 변경을 가할 필요가 있을 때 정부가 편성하는 예산이다.
② 예산 팽창의 원인이 될 수 있으므로, 「국가재정법」에서 그 편성사유를 제한하고 있다.
③ 과거에 추가경정예산이 편성되지 않은 연도도 있다.
④ 본예산과 별개로 성립되므로 당해 회계연도의 결산에는 포함되지 않는다.

26

2012년 지방직 9급

성인지예산(gender budgeting)에 대한 설명으로 옳지 않은 것은?

① 예산과정에 성 주류화(gender mainstreaming)의 적용을 의미한다.
② 성 중립적(gender neutral) 관점에서 출발한다.
③ 우리나라는 「국가재정법」에서 성인지 예산서와 결산서 작성을 의무화하였다.
④ 성인지적 관점의 예산 운영은 새로운 재정 운영의 규범이 되고 있다.

| 25 | 추가경정예산 | 난이도 ●●○ |

추가경정예산은 본예산의 항목·금액을 추가하거나 수정하는 것이므로, 일단 성립하면 본예산에 흡수되어 본예산과 추가경정예산을 통산하여 전체로서 집행하게 되므로 당해 회계연도 결산에 당연히 포함된다.

(선지분석)
① 추가경정예산은 성립된 예산을 변경하는 것이다.
② 「국가재정법」은 추가경정예산의 편성사유를 명문화하고 있다.
③ 추가경정예산의 편성 횟수에는 제한이 없으나, 편성되지 않은 회계연도도 있다.

답 ④

| 26 | 성인지예산 | 난이도 ●○○ |

성인지예산제도는 예산과정에서 남녀평등을 적극적으로 실현하려는 성 주류화(남녀평등) 예산을 말한다. 따라서 성인지 내지는 성 주류화 관점은 소극적인 성 중립적 관점을 비판하고 나온 제도이다.

(선지분석)
① 성인지예산제도는 예산 과정에서 남녀평등을 적극적으로 실현하려는 성 주류화 작용이다.
③ 「국가재정법」에 명문으로 도입되어 있다.
④ 기존의 성 중립적 관점과 구별되는 새로운 재정 운영규범이다.

답 ②

27 □□□   2018년 국가직 9급

우리나라의 성인지예산제도에 대한 설명으로 옳지 않은 것은?

① 정부는 예산이 여성과 남성에게 미치는 효과를 평가하고, 그 결과를 정부의 예산편성에 반영하기 위하여 노력하여야 한다.
② 성인지예산서는 기획재정부장관이 각 중앙관서의 장과 협의하여 제시한 작성기준 및 방식 등에 따라 성평등가족부장관이 작성한다.
③ 성인지예산서에는 성인지 예산의 개요, 규모, 성평등 기대효과, 성과목표 및 성별 수혜 분석 등의 내용이 포함되어야 한다.
④ 성인지결산서에는 집행실적, 성평등 효과분석 및 평가 등이 포함되어야 한다.

28 □□□   2021년 국가직 7급

성인지예산제도에 대한 설명으로 옳은 것은?

① 2010회계연도 성인지예산서가 처음으로 국회에 제출되었다.
② 성인지예산제도의 목적은 여성성을 지원하는 것이다.
③ 1984년 독일에서 처음 도입되었다.
④ 우리나라 성인지예산제도는 예산사업만을 대상으로 하고 기금사업을 제외한다.

---

27   성인지예산제도   난이도 ●●●

성인지예산서는 기획재정부장관이 성평등가족부장관과 협의하여 제시한 작성기준 및 방식에 따라 각 중앙관서의 장이 작성하도록 되어 있다.

> 「국가재정법」 제26조【성인지예산서의 작성】① 정부는 예산이 여성과 남성에게 미칠 영향을 미리 분석한 보고서[이하 "성인지(性認知)예산서"라 한다]를 작성하여야 한다.
> ③ 성인지예산서의 작성에 관한 구체적인 사항은 대통령령으로 정한다.
>
> 「국가재정법 시행령」 제9조【성인지예산서의 내용 및 작성기준 등】② 성인지예산서는 기획재정부장관이 성평등가족부장관과 협의하여 제시한 작성기준(성인지예산서 작성 대상사업 선정 기준을 포함한다) 및 방식 등에 따라 각 중앙관서의 장이 작성한다.

답 ②

28   성인지예산제도   난이도 ●○○

성인지예산제도는 우리나라에서는 중앙정부는 2010회계연도부터, 지방정부는 2013회계연도부터 도입되었다.

선지분석
② 성인지예산제도는 예산과정에 있어서 남녀평등을 구현하고자 하는 예산제도로, 여성을 지원하는 제도가 아니다.
③ 성인지예산제도는 호주에서 세계 최초로 도입되었다.
④ 우리나라의 성인지예산제도는 예산과 기금 모두 적용이 되고 있다.

답 ①

29 ☐☐☐　　　　　　　　　　　2012년 지방직 9급

예산을 성립시기에 따라 분류한 것으로 옳은 것은?

① 일반회계, 특별회계
② 본예산, 수정예산, 추가경정예산
③ 정부출자기관예산, 정부투자기관예산
④ 잠정예산, 가예산, 준예산

30 ☐☐☐　　　　　　　　　　　2022년 국가직 9급

동일 회계연도 예산의 성립을 기준으로 볼 때 시기적으로 빠른 것부터 순서대로 바르게 나열한 것은?

① 본예산, 수정예산, 준예산
② 준예산, 추가경정예산, 본예산
③ 수정예산, 본예산, 추가경정예산
④ 잠정예산, 본예산, 준예산

| 29 | 성립시기에 따른 예산 분류 | 난이도 ●○○ |

예산을 성립시기에 따라 분류하면 본예산, 수정예산, 추가경정예산으로 분류된다.

📄 **성립시기에 따른 예산분류**

본예산	당초에 국회의 의결을 거쳐 확정·성립된 예산
수정예산	예산안이 국회에 제출된 후 의결·성립되기 이전에 부득이한 사유로 그 내용의 일부를 수정하고자 하는 경우에 작성되는 예산
추가경정예산	예산이 성립하고 회계연도가 개시된 후에 발생한 사유로 이미 성립된 예산에 변경을 가할 필요가 있을 때 편성되는 예산

(선지분석)
① 일반회계, 특별회계는 세입세출의 성질에 따른 분류이다.
③ 정부출자기관예산, 정부투자기관예산은 현재 사용하지 않는 명칭이다.
④ 잠정예산, 가예산, 준예산은 예산 불성립 시 예산제도이다.

답 ②

| 30 | 예산의 성립 시기 | 난이도 ●○○ |

본예산이 국회에서 의결되기 전에 제출하는 것이 수정예산이고, 본예산이 국회에서 의결된 후에 제출하는 것이 추가경정예산이다. 예산의 "성립"을 기준으로 볼 때는 수정예산 → 본예산 → 추가경정예산의 순서가 된다. 제출순서가 아니라 성립을 기준으로 한 문제이다.

답 ③

31 □□□ 2019년 국가직 7급

재정·예산제도에 대한 설명으로 옳은 것은?

① 조세지출예산제도는 조세지출의 투명성과 항구성·지속성을 제고하는 장점이 있다.
② 통합재정은 일반회계, 특별회계, 기금을 모두 포괄하며, 재정 활동의 전모를 파악할 수 있도록 융자지출을 통합재정수지의 계산에 포함하고 있다.
③ 성인지예산제도는 각 지출부처가 기획재정부와 성평등가족부의 지휘 아래 대부분의 재정사업에 대해 성인지 예산서·결산서를 작성하도록 하고 있다.
④ 예비타당성조사는 대규모 건설사업, 정보화사업, 연구개발사업 등을 대상으로 하며, 교육·보건·환경 분야 등에는 아직 적용되지 않고 있다.

32 □□□ 2019년 서울시 9급

예산 유형에 대한 〈보기〉의 설명 중 옳은 것을 모두 고르면?

〈보기〉
ㄱ. 준예산은 회계연도 개시 전까지 예산이 의결되지 않을 경우 편성하는 예산이다.
ㄴ. 본예산은 매 회계연도 개시 전에 국회의 심의·의결을 거쳐 성립되는 예산이다.
ㄷ. 추가경정예산은 본예산과 별개로 성립하며 결산 심의 역시 별도로 이루어진다.
ㄹ. 우리나라는 1960년도 이후부터 잠정예산제도를 채택하고 있다.

① ㄱ, ㄴ
② ㄱ, ㄹ
③ ㄴ, ㄷ
④ ㄷ, ㄹ

| 31 | 재정 및 예산제도 | 난이도 ●●○ |

중앙정부와 지방정부의 일반회계, 특별회계, 기금을 포괄한다.

선지분석

① 조세지출예산제도는 조세면제나 감면과 같은 조세지출의 구체적인 내역을 예산구조에 밝히고, 국회의 심의·의결을 받도록 하는 제도이다. 조세지출항목에 대한 평가를 통해 의회의 예산심사권이 충실화되며, 재정민주주의에 기여한다. 즉, 의회의 심사권을 통하여 조세지출의 항구성·지속성을 타파하는 데 기여한다.
③ 성인지예산서는 기획재정부장관이 성평등가족부장관과 협의하여 제시한 작성기준 및 방식 등에 따라 각 중앙관서의 장이 작성한다. '기획재정부와 성평등가족부의 지휘 아래'라는 표현은 적합하지 않다고 본다. 성인지예산서 작성 대상사업은 부처 성평등 목표 달성에 직접적으로 기여하는 직접목적 사업(양성평등정책 기본계획 추진 사업)과 부처 성평등 목표 달성에 간접적으로 기여하는 간접목적 사업(성별영향분석평가 결과 개선이 필요한 사업, 기타 성별영향분석이 가능한 사업)에 대해 실시하므로, '대부분의 재정사업에 대해 성인지예산서·결산서를 작성하도록 하고 있다.'는 표현도 오류성이 있는 표현이다.
④ 예비타당성조사는 건설사업, 정보화사업, 연구개발사업 외에 교육·보건·환경 분야 등에도 적용하고 있다.

답 ②

| 32 | 예산 유형 | 난이도 ●○○ |

ㄱ. 준예산은 사전의결 원칙의 예외에 해당한다.
ㄴ. 본예산은 당초에 국회의 의결을 거쳐 확정·성립되는 예산이다.

선지분석

ㄷ. 추가경정예산은 본예산과 별도로 성립되지만, 집행이나 결산 등은 본예산과 통합되어 이루어진다.
ㄹ. 우리나라는 1960년도 이후부터 준예산제도를 채택하고 있다.

답 ①

KEYWORD 080 국가재정법

33 □□□
2018년 국가직 7급

「국가재정법」상 재정건전화에 대한 설명으로 옳지 않은 것은?

① 국세감면율이란 당해 연도 국세 수입총액 대비 국세감면액 총액의 비율을 말한다.
② 국가의 회계 또는 기금의 국고채무부담행위는 국가채무에 해당한다.
③ 국가가 보증채무를 부담하고자 하는 때에는 미리 국회의 동의를 얻어야 한다.
④ 정부는 국회에서 추가경정예산안이 확정되기 전에 이를 미리 배정하거나 집행할 수 없다.

| 33 | 재정건전화 | 난이도 ●●● |

국세감면율 = [국세감면액 / (국세수입총액 + 국세감면액)]이다.

> 「국가재정법」 제88조 【국세감면의 제한】 ① 기획재정부장관은 대통령령이 정하는 당해 연도 국세 수입총액과 국세감면액 총액을 합한 금액에서 국세감면액 총액이 차지하는 비율(이하 "국세감면율"이라 한다)이 대통령령이 정하는 비율 이하가 되도록 노력하여야 한다.

(선지분석)
② 국고채무부담행위는 국가의 공식채무에 포함된다.
③ 보증채무부담행위는 미리 국회의 동의를 얻어야 한다.
④ 정부는 국회에서 추가경정예산안이 확정되기 전에 이를 미리 배정하거나 집행할 수 없다.

답 ①

34 □□□
2023년 국가직 7급

「국가재정법」에 규정되지 않은 재정제도는?

① 재정준칙
② 총액계상
③ 총사업비관리
④ 국가재정운용계획

| 34 | 재정준칙 | 난이도 ●●○ |

재정준칙에 대해 정부는 2025년부터 시행을 목표로 「국가재정법」 개정을 추진 중이지, 현재 법제화되지는 않았다.

(선지분석)
② 기획재정부장관은 대통령령으로 정하는 사업으로서 세부내용을 미리 확정하기 곤란한 사업의 경우에는 이를 총액으로 예산에 계상할 수 있다(「국가재정법」 제37조).
③ 각 중앙관서의 장은 완성에 2년 이상이 소요되는 사업으로서 대통령령으로 정하는 대규모사업에 대하여는 그 사업규모·총사업비 및 사업기간을 정하여 미리 기획재정부장관과 협의하여야 한다(「국가재정법」 제50조).
④ 정부는 재정운용의 효율화와 건전화를 위하여 매년 해당 회계연도부터 5회계연도 이상의 기간에 대한 재정운용계획을 수립하여 회계연도 개시 120일 전까지 국회에 제출하여야 한다(「국가재정법」 제7조).

답 ①

35

재정투명성에 대한 설명으로 옳지 않은 것은?

① 재정투명성이란 재정에 관한 정보를 체계적으로 적시에 공개하는 것을 의미한다.
② 2007년의 IMF 「재정투명성 규약」에는 예산과정의 공개, 재정 정보의 완전성 보장, 정부의 역할과 책임에 대한 명확성 등이 규정되어 있다.
③ 「국가재정법」에서는 공공부문을 제외한 일반정부의 재정통계를 매년 1회 이상 투명하게 공표하도록 규정하고 있다.
④ 「국가재정법」은 예산·기금의 불법 지출에 대한 국민감시 규정을 두고 있다.

36

2018년 서울시 7급(6월 시행)

현행 「국가재정법」에서 규율하고 있는 제도들 중 재정운용의 건전성 강화 목적과 직접적 관련이 있는 사항을 <보기>에서 모두 고른 것은?

<보기>
ㄱ. 성인지예산서 및 결산서 도입
ㄴ. 예산·기금 지출에 대한 국민 감시와 예산성과금 지급
ㄷ. 추가경정예산안 편성의 제한
ㄹ. 세계잉여금 일정 비율의 공적자금 등 상환 의무화
ㅁ. 국가채무관리계획 수립
ㅂ. 국가 보증채무 부담의 국회 사전 동의
ㅅ. 국세 감면의 제한
ㅇ. 재정정보 연 1회 이상 공개 의무화
ㅈ. 법률안 재정 소요 추계제도
ㅊ. 예산, 기금 간 여유재원의 상호 전출·입

① ㄱ, ㄴ, ㄷ, ㄹ, ㅁ, ㅂ
② ㄴ, ㄹ, ㅂ, ㅅ, ㅇ, ㅊ
③ ㄴ, ㄷ, ㅁ, ㅅ, ㅇ, ㅊ
④ ㄷ, ㄹ, ㅁ, ㅂ, ㅅ, ㅈ

| 35 | 재정투명성 | 난이도 ●●○ |

공공부문을 포함하여 공표한다.

선지분석
① 재정투명성(fiscal transparency)은 정부가 보유하는 주요 재정정보를 국민 등 이해관계자에게 적시에, 정확하고 공정하고, 접근 가능한 방식으로 공개하는 것을 의미한다.
② IMF는 재정투명성 기준에서 정부의 예산활동, 재정상태와 운영성과, 그리고 예측정보를 적시에 다양한 방식으로 공개할 것으로 강조하고 있다.

> 「국가재정법」 제9조 【재정정보의 공표】 ① 정부는 예산, 기금, 결산, 국채, 차입금, 국유재산의 현재액, 통합재정수지 및 제2항에 따른 일반정부 및 공공부문 재정통계, 그 밖에 대통령령으로 정하는 국가와 지방자치단체의 재정에 관한 중요한 사항을 매년 1회 이상 정보통신매체·인쇄물 등 적당한 방법으로 알기 쉽고 투명하게 공표하여야 한다.
>
> 제100조 【예산·기금의 불법지출에 대한 국민감시】 ① 국가의 예산 또는 기금을 집행하는 자, 재정지원을 받는 자, 각 중앙관서의 장(그 소속기관의 장을 포함한다) 또는 기금관리주체와 계약 그 밖의 거래를 하는 자가 법령을 위반함으로써 국가에 손해를 가하였음이 명백한 때에는 누구든지 집행에 책임 있는 중앙관서의 장 또는 기금관리주체에게 불법지출에 대한 증거를 제출하고 시정을 요구할 수 있다.

답 ③

| 36 | 재정운용의 건전성 강화 | 난이도 ●●● |

ㄷ. 추가경정예산안 편성의 제한은 추경예산의 남발로 인한 재정낭비를 방지하기 위한 제도이다.
ㄹ. 세계잉여금 일정 비율의 공적자금 등 상환 의무화는 재정의 건전성 확보차원이다.
ㅁ. 국가채무관리계획 수립은 국가채무의 팽창을 방지하는 건전성 방안이다.
ㅂ. 국가 보증채무 부담의 국회 사전 동의는 보증채무행위 남발로 인한 국고손실을 방지하기 위한 제도이다.
ㅅ. 국세 감면비율을 대통령령 이하가 되도록 제한하는 것은 무분별한 국세 감면을 막고, 재정건전성을 확보하기 위한 것이다.
ㅈ. 재정부담이 소요되는 법률안을 제출 시 5개년 이상의 소요재원 조달계획을 첨부하도록 하는 것은 재원확보 없는 무분별한 사업추진을 방지하기 위한 것이다.

선지분석
ㄱ. 성인지예산서 및 결산서 도입은 남녀평등, ㄴ. 국민 감시는 재정의 민주성, ㄴ. 예산성과금 지급과 ㅇ. 재정정보 연 1회 이상 공개 의무화는 투명성, ㅊ. 예산, 기금 간 여유재원의 상호 전출·입은 재정운용의 효율성을 목적으로 한다.

답 ④

37　　2016년 서울시 9급

우리나라의 국가채무에 대한 설명으로 가장 옳지 않은 것은?

① 국가채무의 범위는 「국가회계법」 제91조 제2항에 따라 결정된다.
② 정부의 대지급 이행이 확정된 채무의 경우 국공채 및 차입금이 아니더라도 국가채무에 포함시킨다.
③ 국가의 회계 또는 기금이 인수하여 보유하고 있는 채권과 차입금은 국가채무 대상에서 제외시킨다.
④ 보증채무는 재정통계에 포함시키지 않는다.

38　　2019년 지방직 9급

국가채무에 대한 설명으로 옳지 않은 것은?

① 기획재정부장관은 국가채무관리계획을 수립하여야 한다.
② 국채를 발행하고자 할 때에는 국회의 의결을 얻어야 한다.
③ 우리나라가 발행하는 국채의 종류에 국고채와 재정증권은 포함되지 않는다.
④ 우리나라의 GDP 대비 국가채무비율은 일본과 미국보다 낮은 상태이다.

37　국가채무　　난이도 ●●○

국가채무의 범위는 「국가재정법」에 의해 결정된다.

선지분석
② 정부의 대지급 이행이 확정된 채무는 국고채무부담행위를 뜻하고 있으며, 이는 국가채무에 포함된다.
③ 국가의 회계 또는 기금이 인수 또는 매입하여 보유하고 있는 채권은 국가채무에서 제외된다.
④ 보증채무행위는 국고채무부담행위와 분리되어 현재는 국가채무에 포함되지 않는다.

답 ①

38　국가채무　　난이도 ●●○

우리나라가 발행하는 국채의 종류에는 국고채, 재정증권, 국민주택채권, 외국환평형기금채권(외평채)이 있다.

우리나라 국채의 종류와 발행목적

종류	발행목적
국고채권	사회복지정책 등 공공목적 수행
재정증권	일시 부족 자금 조달
외화표시 외국환평형기금채권	외화자금매입, 해외부문통화관리
(제1종)국민주택채권	국민주택사업 재원조달

선지분석
① 기획재정부장관은 국가채무관리계획을 수립하여야 한다.
② 국채는 국회의 의결을 거쳐 정부가 발행한다(「국채법」 제5조).
④ 우리나라의 GDP 대비 국가채무비율은 일본과 미국보다는 아직 현저히 낮은 상태이다. 2018년 현재 우리나라의 GDP 대비 국가채무비율은 38.2%, 미국은 136%, 일본은 233%이다.

답 ③

39 ☐☐☐ 2023년 국가직 7급

국가채무에 대한 설명으로 옳지 않은 것은?

① 「국가재정법」에 따른 국가채무는 국가의 회계가 발행한 채권을 포함하며, 모든 기금이 발행한 채권은 제외된다.
② 우리나라 중앙정부가 발행하는 국채에는 국고채권, 국민주택채권, 외화표시 외국환평형기금채권 등이 있다.
③ 국가채무는 크게 금융성 채무와 적자성 채무로 구분한다.
④ 채권의 발행 주체가 중앙정부일 때는 국채, 지방자치단체일 때는 지방채라고 할 수 있다.

---

39 국가채무   난이도 ●●○

「국가재정법」상 기금이 발행한 채권도 국가채무에 포함된다.

> 「국가재정법」 제91조 【국가채무의 관리】 ① 기획재정부장관은 국가의 회계 또는 기금이 부담하는 금전채무에 대하여 매년 다음 각 호의 사항이 포함된 국가채무관리계획을 수립하여야 한다.
> ② 제1항의 규정에 따른 금전채무는 다음 각 호의 어느 하나에 해당하는 채무를 말한다.
> 1. 국가의 회계 또는 기금(재원의 조성 및 운용방식 등에 따라 실질적으로 국가의 회계 또는 기금으로 보기 어려운 회계 또는 기금으로서 대통령령으로 정하는 회계 또는 기금은 제외한다)이 발행한 채권

선지분석
② 국채의 종류로 옳은 지문이다.
③ 국가채무는 성질에 따라 적자성 채무와 금융성 채무로 구분한다. 금융성 채무는 융자금·외화자산 등 대응 금융자산이 있어 별도의 재원 조성 없이 자체 상환이 가능한 채무이며 적자성 채무는 상환할 때 별도의 재원을 마련하여 상환하는 채무이다.

답 ①

---

40 ☐☐☐ 2025년 국회직 8급

우리나라의 국가채무와 국가부채에 대한 설명으로 옳지 않은 것은?

① 「국가재정법」에서는 국가채무를 국가의 회계 또는 기금이 부담하는 금전적 채무로 정의하고 있다.
② 국가채무의 기관 포함범위에는 중앙정부, 지방자치단체(교육자치단체 포함) 및 비영리공공기관이 포함된다.
③ 국가채무는 현금주의 기준에 의해 작성되는 채무 규모이다.
④ 일반정부 부채는 국제지침에 따라 발생주의 기준에 의해 산출된다.
⑤ 공공부문 부채는 발생주의 기준에 의해 산출되며 공공부문의 재정건전성 관리에 활용된다.

---

40 국가채무와 국가부채   난이도 ●●●

국가채무는 국가재정법상 국가채무는 중앙정부(국가)의 회계 및 기금이 부담하는 채무만을 포함한다. 즉, 지방자치단체나 비영리공공기관은 포함되지 않는다. 지방자치단체나 비영리공공기관은 '일반정부부채'에는 포함될 수 있으나 국가채무 범위에는 포함되지 않는다.

선지분석
① 「국가재정법」 제91조에서는 국가채무를 국가의 회계 또는 기금이 부담하는 금전적 채무로 정의하고 있다.
③ 발생주의로 작성되는 "국가부채"와는 달리 "국가채무"는 현금주의 기준에 의해 작성되는 채무이다.
④ 중앙정부(국가) 뿐 아니라 지방재정, 비영리공공기관까지 모두 포함되는 일반정부 부채는 국제적 지침에 따라 발생주의에 의해 산출된다.
⑤ 공공부문 부채 역시 발생주의 기준에 의해 산출되며 공공부문 전체의 재정건전성 관리에 활용된다.

답 ②

41

2016년 경찰간부

「국가재정법」에서 정하는 결산에 관한 설명으로 옳지 않은 것은?

① 정부는 성인지결산서를 작성하여야 한다.
② 각 중앙관서의 장은 회계연도마다 작성한 중앙관서결산보고서를 다음 연도 2월 말일까지 행정안전부장관에게 제출하여야 한다.
③ 기획재정부장관은 대통령의 승인을 받은 국가결산보고서를 다음 연도 4월 10일까지 감사원에 제출하여야 한다.
④ 정부는 감사원의 검사를 거친 국가결산보고서를 다음 연도 5월 31일까지 국회에 제출하여야 한다.

42

2024년 군무원 7급

다음 중 우리나라의 결산 절차에 대한 설명으로 가장 적절한 것은?

① 「국가회계법」에 따라 각 중앙관서의 장은 회계연도마다 일반회계·특별회계 및 기금을 통합한 중앙관서결산보고서를 작성하여 국무총리에게 제출하며, 국무총리는 중앙관서결산보고서를 통합하여 국가의 결산보고서를 작성하여 국무회의 심의를 거쳐 대통령의 승인을 받는다.
② 「국가재정법」에 따라 국무총리는 대통령의 승인을 받은 국가결산보고서를 감사원에 제출하여야 하며, 감사원은 결산보고서에 대한 재심의를 수행한다.
③ 재심의를 거친 국가결산보고서에 대해 감사위원회의 의결을 거쳐 확정한 후 감사원장이 국회의 소관 상임위원회에 제출한다.
④ 국회는 국가결산보고서를 소관 상임위원회와 예산결산특별위원회를 거쳐 본회의에서 심의·의결을 통해 최종 판단한다. 결산의 심사결과 위법하거나 부당한 사항이 있는 경우에는 본회의 의결 후 정부 또는 해당 기관에 변상 및 징계 조치 등 그 시정을 요구한다.

41	결산	난이도 ●○○

각 중앙관서의 장은 회계연도마다 작성한 중앙관서결산보고서를 다음 연도 2월 말일까지 기획재정부장관에게 제출하여야 한다.

선지분석
① 정부는 성인지결산서도 결산서와 같이 5월 31일까지 국회에 제출하여야 한다.
③ 기획재정부장관은 회계검사를 받기 위해 4월 10일까지 결산보고서를 감사원에 제출하여야 한다.
④ 정부결산안은 5월 31일까지 국회로 제출되어야 한다.

답 ②

42	결산	난이도 ●●○

결산에 대한 국회에서의 절차로 올바른 지문이다.

선지분석
① 중앙관서결산보고서는 기획재정부장관에게 제출하여야 한다.
② 기획재정부장관이 대통령의 승인을 받으며, 감사원은 국가결산보고서를 검사한다. 결산보고서에 대한 재심의를 수행하지는 않는다.
③ 정부는 감사원의 검사를 거친 국가결산보고서를 다음 연도 5월 31일까지 국회에 제출하여야 한다.

답 ④

43

2015년 지방직 9급

우리나라 예산과정에 대한 설명으로 옳은 것은?

① 정부는 회계연도마다 예산안을 편성하여 회계연도 개시 60일 전까지 국회에 제출해야 한다.
② 예산총액배분자율편성제도는 중앙예산기관과 정부부처 사이의 정보 비대칭성을 완화하려는 목적을 갖고 있다.
③ 예산집행의 신축성을 확보하기 위한 제도로써 이용, 총괄예산, 계속비, 배정과 재배정 제도가 있다.
④ 예산불성립 시 조치로서 가예산제도를 채택하고 있다.

44

2024년 지방직 9급

예산과정에 대한 설명으로 옳지 않은 것은?

① 「국가재정법」에서는 대통령의 승인을 얻은 정부 예산안이 회계연도 개시 90일 전까지 국회에 제출되어야 한다고 규정하고 있다.
② 기획재정부장관은 국무회의의 심의를 거쳐 대통령의 승인을 얻은 다음 연도의 예산안편성지침을 매년 3월 31일까지 중앙관서의 장에게 통보해야 한다.
③ 국회 예산결산특별위원회는 소관 상임위원회에서 삭감한 세출예산 각 항의 금액을 증가하게 하거나 새 비목을 설치할 경우 소관 상임위원회의 동의를 받아야 한다.
④ 정부는 국회에 예산안을 제출한 후 부득이한 사유로 인하여 그 내용의 일부를 수정하고자 하는 때에는 국무회의의 심의를 거쳐 대통령의 승인을 얻은 수정예산안을 국회에 제출할 수 있다.

---

43 예산과정 난이도 ●○○

예산총액배분자율편성제도는 사업의 우선순위나 정보면에서 정부부처가 더 유리하므로 지출한도만 중앙예산기관이 정해주고, 사업의 우선순위 등은 해당 부처의 자율에 맡기는 것으로, 중앙예산기관과 정부부처 사이의 정보 비대칭성을 완화시키는 것이 목적이다.

선지분석

① 정부는 회계연도마다 예산안을 편성하여 회계연도 개시 120일 전까지 국회에 제출해야 한다.
③ 배정과 재배정 제도는 재정통제제도이다.
④ 가예산제도는 제1공화국 때 사용한 제도이며, 현재는 준예산제도를 채택하고 있다.

답 ②

44 예산과정 난이도 ●○○

「국가재정법」에서는 대통령의 승인을 얻은 정부 예산안이 회계연도 개시 120일 전까지 국회에 제출되어야 한다고 규정하고 있다.

선지분석

② 기획재정부장관(중앙예산기관장)은 매년 3월 31일까지 예산안편성지침을 국무회의 심의와 대통령의 승인을 받아 각 중앙관서의 장에게 시달하여야 한다.
③ 상임위원회가 삭제·삭감한 예산을 예산결산특별위원회가 설치·증액하고자 하는 경우에는 상임위원회의 동의를 받아야 한다.
④ 수정예산은 '예산안이 국회에 제출된 후 의결·성립되기 이전에 부득이한 사유로 그 내용의 일부를 수정하고자 하는 경우에 작성되는 예산'을 말한다.

답 ①

45

2022년 국가직 9급

예산집행의 신축성을 유지하기 위한 제도로 옳지 않은 것은?

① 계속비
② 수입대체경비
③ 예산의 재배정
④ 예산의 이체

46

2017년 지방직 9급(12월 추가)

예산과정에 대한 설명으로 옳지 않은 것은?

① 단원제에서의 예산심의는 양원제의 경우보다 심의를 신속하게 할 수 있으나 신중한 심의가 어렵다.
② 과거 중앙예산기관과 결산관리기관을 분리하기도 했다.
③ 예산의 배정은 국가예산을 회계체계에 따라 질서있게 집행하도록 하기 위한 내부통제의 기능을 수행한다.
④ 상향식 예산관리모형인 총액배분자율편성예산제도는 전략적 재원배분을 촉진한다.

| 45 | 예산집행의 신축성 유지를 위한 제도 | 난이도 ●○○ |

예산의 배정과 재배정은 신축성 유지 방안이 아니라 재정통제수단에 해당한다.

선지분석
① 완성에 수년을 요하는 공사·제조·연구개발사업에 대하여 5년 이내에 걸쳐 지출을 허용하는 제도로, 회계연도 독립의 원칙에 대한 예외이다.
② 수입대체경비는 예산총계주의의 예외이고 통일성 원칙의 예외이므로 신축성 유지 방안이다.
④ 이체는 한정성의 원칙의 예외로서 신축성 유지 방안이다.

답 ③

| 46 | 예산과정 | 난이도 ●●○ |

전략적 재원배분을 중시하는 총액배분자율편성예산제도는 상향식이 아니라 하향식 예산관리모형이다.

선지분석
① 양원제가 단원제에 비하여 심의는 신중히 하나 신속성은 떨어진다. 반면, 단원제는 양원제에 비해 신속하나 신중성은 떨어진다.
② 과거 우리나라는 중앙예산기관(기획예산처)과 결산관리기관(국고수지총괄기관인 재정경제부)을 분리·운영한 적이 있다.
③ 예산의 배정은 분기별로 예산을 집행할 수 있는 금액과 책임소재를 명확히 해주는 내부통제 기능을 수행한다.

답 ④

47
2015년 국가직 9급

예비타당성조사의 분석 내용을 경제성 분석과 정책적 분석으로 구분할 때, 경제성 분석에 해당하는 것은?

① 상위계획과의 연관성
② 지역경제에의 파급효과
③ 사업추진 의지
④ 민감도분석

48
2023년 군무원 7급

현행 「국가재정법」상 예비타당성조사에 관한 규정으로 가장 적절하지 않은 것은?

① 기획재정부장관은 총사업비가 500억 원 이상이고 국가의 재정지원 규모가 300억 원 이상인 신규사업으로서 일정한 경우에 해당하는 대규모 사업에 대한 예산을 편성하기 위하여 미리 예비타당성조사를 실시해야 한다. 다만, 특정한 분야의 사업은 중기사업계획서에 의한 재정지출이 500억 원 이상 수반되는 신규 사업으로 한다.
② 예비타당성조사 대상사업은 중앙관서의 장의 신청이 있는 경우에 한하여 기획재정부장관이 선정할 수 있다.
③ 기획재정부장관은 국회가 그 의결로 요구하는 사업에 대하여는 예비타당성조사를 실시하여야 한다.
④ 기획재정부장관은 일정한 국가연구개발사업에 대한 예비타당성조사에 관해서는 대통령령으로 정하는 바에 따라 과학기술정보통신부장관에게 위탁할 수 있다.

---

47 예비타당성조사 난이도 ●●○

예비타당성조사는 경제성 분석과 정책적 분석이 있는데, 경제성 분석은 비용편익분석과 민감도분석 등을 한다.

예비타당성조사의 경제성·정책적 분석 비교

경제성 분석	정책적 분석
• 본격적인 타당성조사 필요성 여부를 판단하기 위한 개략적인 수준에서 조사 • 수요 및 편익 추정 • 비용 추정 • 경제·재무성 평가 • 민감도분석	• 경제성 분석 이외에 국민경제적·정책적 차원에서 고려되어야 할 사항들을 분석 • 지역경제 파급 효과 • 지역균형개발 • 상위계획과 연관성 • 국고지원의 적합성 • 재원조달 가능성 • 환경성, 사업추진 의지 등

답 ④

---

48 예비타당성조사 난이도 ●●○

예비타당성조사 대상사업은 기획재정부장관이 중앙관서의 장의 신청에 따라 또는 직권으로 선정할 수 있다.

(선지분석)
① 「국가재정법」 제38조 제1항에 규정되어 있다.
③ 「국가재정법」 제38조 제4항에 규정되어 있다.
④ 「국가재정법」 제38조의3에 규정되어 있다.

답 ②

49 ☐☐☐ 2022년 지방직 9급

다음은 「국가재정법」상 예비타당성조사에 대한 내용이다. (가)와 (나)에 들어갈 숫자로 옳은 것은?

> 기획재정부장관은 총사업비가 (가)억 원 이상이고 국가의 재정지원 규모가 (나)억 원 이상인 신규 사업으로서 건설공사가 포함된 사업 등에 대한 예산을 편성하기 위하여 미리 예비타당성조사를 실시하고, 그 결과를 요약하여 국회소관 상임위원회와 예산결산특별위원회에 제출하여야 한다.

	(가)	(나)
①	300	100
②	300	200
③	500	250
④	500	300

49 예비타당성조사 난이도 ●○○

제시문은 예비타당성조사에 대한 설명으로, 총사업비가 500억 이상이고 국가지원규모가 300억 이상인 신규사업이 예비타당성조사의 대상이 된다.

답 ④

50 ☐☐☐ 2022년 지방직 7급

정부 예산 편성에 대한 설명으로 옳지 않은 것은?

① 국가재정운용계획은 중·장기적 국가비전과 정책 우선순위를 고려한 계획으로 단년도 예산편성의 기본틀이 된다.
② 기획재정부는 예산안 편성시 사전에 지출한도를 설정하고 각 중앙부처는 그 한도 내에서 예산을 자율적으로 편성한다.
③ 기획재정부는 예비타당성조사를 실시하여 정치·경제적 이해관계가 배제될 수 있도록 예산배분의 타당성을 검토한다.
④ 각 중앙관서의 장은 완성에 2년 이상이 소요되는 사업으로서 대통령령으로 정하는 대규모사업에 대하여는 그 사업규모·총사업비 및 사업기간을 정하여 미리 기획재정부장관과 협의해야 한다.

50 국가재정법 난이도 ●●○

예비타당성 조사제도는 대규모 개발사업에 대하여 개략적인 사전조사를 통하여 경제성, 투자 우선순위, 적정 투자시기, 재원조달 방법, 타부문과의 연계성 등 타당성을 (사전에) 검증함으로써 대형 신규사업의 신중한 착수와 재정투자의 효율성을 높이기 위한 제도이다. 정치·경제적 이해관계가 배제되는 것이 아니다.

선지분석
① 국가재정운용계획은 당해 연도를 포함해 향후 5년을 대상으로 재정운용에 관한 계획이다. 단년도 예산편성과 연계시키려는 노력으로 2004년부터 도입·운영되고 있다.
② 우리나라의 총액배분 자율편성 예산제도에 대한 설명이다.
④ 「국가재정법」 제50조에 규정되어 있다.

> 「국가재정법」 제50조【총사업비의 관리】① 각 중앙관서의 장은 완성에 2년 이상이 소요되는 사업으로서 대통령령으로 정하는 대규모사업에 대하여는 그 사업규모·총사업비 및 사업기간을 정하여 미리 기획재정부장관과 협의하여야 한다.

답 ③

51

2015년 국가직 9급

우리나라의 예산과정에 대한 설명으로 옳지 않은 것은?

① 각 중앙관서의 장은 매년 1월 31일까지 당해 회계연도부터 5회계연도 이상의 기간 동안의 신규사업 및 기획재정부장관이 정하는 주요 계속사업에 대한 중기사업계획서를 기획재정부장관에게 제출하여야 한다.
② 국가가 특정한 목적을 위하여 특정한 자금을 신축적으로 운용할 필요가 있을 때에 법률로써 설치하는 기금은, 세입세출예산에 의하지 아니하고 운용할 수 있다.
③ 예산안편성지침은 부처의 예산편성을 위한 것이기 때문에 국무회의의 심의를 거쳐 대통령의 승인을 받아야 하지만 국회예산결산특별위원회에 보고할 필요는 없다.
④ 정부는 회계연도마다 예산안을 편성하여 회계연도 90일 전까지 국회에 제출하도록 헌법에 규정되어 있다.

52

2018년 서울시 7급(6월 시행)

현행「국가재정법」에 의한 우리나라 예산편성절차에 관한 설명으로 가장 옳은 것은?

① 중앙관서의 장은 매년 3월 31일까지 다음 회계연도의 신규사업계획서를 기획재정부장관에게 제출한다.
② 기획재정부장관은 국무총리의 승인을 얻어 예산안편성지침을 4월 30일까지 중앙관서의 장에게 통보한다.
③ 중앙관서의 장은 6월 30일까지 예산요구서에 기획재정부장관과 국회예산결산특별위원회에 제출한다.
④ 행정부 예산안은 대통령의 승인을 거쳐 회계연도 개시 120일 전까지 국회에 제출한다.

---

51 예산과정   난이도 ●●○

예산안편성지침은 국회예산결산특별위원회에도 보고해야 한다.

📋 **우리나라의 예산편성 과정**
㉠ 주요 사업계획서의 제출 → ㉡ 예산안편성지침의 작성과 시달 → ㉢ 예산요구서 작성과 제출 → ㉣ 예산사정(review) → ㉤ 정부예산안의 확정과 국회 제출

선지분석
① 각 부처는 1월 31일까지 중기사업계획서를 기획재정부장관에게 제출한다.
② 기금은 법률로 설치하고, 예산 외로 운용한다.
④ 헌법상 예산안 제출 일정은 90일 전이다.

답 ③

---

52 예산편성절차   난이도 ●○○

행정부 예산안은 대통령의 승인을 거쳐 회계연도 개시 120일 전까지 국회에 제출한다.

선지분석
① 중앙관서의 장은 매년 1월 31일까지 다음 회계연도의 신규 사업계획서를 기획재정부장관에게 제출한다.
② 기획재정부장관은 대통령의 승인을 얻어 예산안편성지침을 3월 31일까지 중앙관서의 장에게 통보한다.
③ 중앙관서의 장은 5월 31일까지 예산요구서를 기획재정부장관에게 제출한다.

답 ④

53　　　　　　　　　　　2018년 국가직 7급

「국가재정법」 및 「지방자치법」상 정부와 지방자치단체의 장은 국회와 지방의회에 회계연도 개시 며칠 전까지 예산안을 제출해야 하는가?

	정부	광역지방자치단체	기초지방자치단체
①	90일	40일	30일
②	90일	50일	30일
③	120일	50일	40일
④	120일	50일	30일

54　　　　　　　　　　　2014년 국가직 7급

예비타당성조사제도에 대한 설명으로 옳지 않은 것은?

① 경제적 타당성뿐만 아니라 정책적 타당성도 분석의 대상이 된다.
② 사업 주무부처(기관)에서 수행하며, 기술적인 검토와 예비설계 등에 초점을 맞춘다.
③ 경제적 타당성의 분석을 위해 수요, 편익, 비용을 추정하고 재무성 평가와 민감도분석을 시행한다.
④ 대형 신규사업에서 발생할 수 있는 예산 낭비를 방지하고 재정운용의 효율성을 제고하기 위해 도입되었다.

53　예산안 제출기한　　난이도 ●○○

「국가재정법」상 예산은 회계연도 개시 120일 전까지, 「지방자치법」상 지방예산은 광역단체의 경우 회계연도 개시 50일 전까지, 기초단체의 경우 40일 전까지 제출해야 한다.

예산안 제출 및 의결기한

구분	중앙정부예산	지방정부예산
제출시한	120일 전	• 광역: 50일 전 • 기초: 40일 전
의결시한	30일 전	• 광역: 15일 전 • 기초: 10일 전

답 ③

54　예비타당성조사제도　　난이도 ●○○

예비타당성조사는 주무부처가 아니라 중앙예산기관인 기획재정부가 타당성조사 전에 경제적·정책적 측면에서 실시하는 예비조사이다.

선지분석
① 타당성조사는 기술적 타당성, 예비타당성조사는 주로 경제적·정책적 타당성에 초점을 둔다.
③ 예비타당성조사 때에는 비용편익분석과 민감도분석을 사용한다.
④ 대형 신규사업에서 발생할 수 있는 예산 낭비를 방지하고 재정운용의 효율성을 제고하기 위함은 예비타당성조사제도의 도입 취지로 옳은 지문이다.

답 ②

55

2019년 지방직 9급

예비타당성조사에 대한 설명으로 옳은 것은?

① 기존에 유지된 타당성조사의 문제점을 보완하기 위해 2013년부터 도입하였다.
② 신규 사업 중 총사업비가 300억 원 이상인 사업은 예비타당성조사 대상에 포함된다.
③ 중앙행정기관의 장은 예비타당성조사를 실시하고 기획재정부장관과 그 결과를 협의해야 한다.
④ 조사대상 사업의 경제성, 정책적 필요성 등을 종합적으로 검토하여 그 타당성 여부를 판단한다.

56

2014년 서울시 9급

예산성과금에 대한 설명으로 옳지 않은 것은?

① 각 중앙관서의 장은 예산낭비신고센터를 설치·운영하여야 한다.
② 각 중앙관서의 장은 예산의 집행방법 또는 제도의 개선 등으로 인하여 수입이 증대되거나 지출이 절약된 때에는 이에 기여한 자에게 성과금을 지급할 수 있다.
③ 각 중앙관서의 장은 직권으로 성과금을 지급하거나 절약된 예산을 다른 사업에 사용할 수 있다.
④ 예산낭비신고, 예산절감과 관련된 제안을 받은 중앙관서의 장 또는 기금관리 주체는 그 처리결과를 신고 또는 제안을 한 자에게 통지하여야 한다.
⑤ 예산낭비를 신고하거나 예산낭비 방지방안을 제안한 일반 국민도 성과금을 받을 수 있다.

---

55 예비타당성조사 난이도 ●○○

예비타당성조사는 기획재정부가 경제적·정책적 차원에서 타당성을 종합적으로 검토·판단하는 재정통제제도이다.

[선지분석]
① 기존에 유지된 타당성조사의 문제점을 보완하기 위해 1999년부터 도입하였다.
② 신규 사업 중 총사업비가 500억 원 이상(국고지원 300억 원 이상)인 사업은 예비타당성조사 대상에 포함된다.
③ 예비타당성조사는 기획재정부장관이 실시한다.

답 ④

56 예산성과금 난이도 ●●●

각 중앙관서의 장은 성과금을 지급하거나 절약된 예산을 다른 사업에 사용하고자 하는 때에는 예산성과금심사위원회의 심사를 거쳐야 한다. 즉, 직권으로 사용할 수 없다(「국가재정법」 제49조 제2항).

[선지분석]
① 「국가재정법 시행령」 제51조 제1항 규정으로 옳은 지문이다.
②, ④ 「국가재정법」 제49조 제1항 규정으로 옳은 지문이다.

> 「국가재정법」 제49조 【예상성과금의 지급 등】 ① 각 중앙관서의 장은 예산의 집행방법 또는 제도의 개선 등으로 인하여 수입이 증대되거나 지출이 절약된 때에는 이에 기여한 자에게 성과금을 지급할 수 있으며, 절약된 예산을 다른 사업에 사용할 수 있다.
> ② 각 중앙관서의 장은 성과금을 지급하거나 절약된 예산을 다른 사업에 사용하고자 하는 때에는 예산성과금심사위원회의 심사를 거쳐야 한다.

⑤ 공무원뿐 아니라 국민도 성과금을 받을 수 있다.

답 ③

57
2017년 서울시 9급

우리나라의 재정건전성 관련제도에 대한 설명으로 가장 옳은 것은?

① 총사업비관리제도는 예비타당성조사제도와 같은 시기에 도입되었다.
② 예비타당성조사는 총사업비 500억 원 이상이면서 국가재정지원이 300억 원 이상인 신규사업 중에 일정한 절차를 거쳐 심사한다.
③ 토목사업은 400억 이상일 경우 총사업비관리 대상이다.
④ 재정사업자율평가제도는 2004년부터 실시되었다.

| 57 | 재정건전성 관련제도 | 난이도 ●●○ |

예비타당성조사에 대한 내용은 「국가재정법」과 시행령에 명시되어 있다.

선지분석
① 총사업비제도는 1994년, 예비타당성조사는 1999년 도입되었다.
③ 총사업비가 500억 이상이고 국가재정지원이 300억 이상인 토목 및 지능정보화사업은 총사업비관리 대상이다.
④ 재정사업자율평가제도는 2005년부터 실시하고 있다.

총사업비관리와 예비타당성조사의 대상사업 비교

총사업비관리	국가가 직접 시행 또는 위탁사업, 국가예산·기금의 보조를 받아 자치단체나 공공기관이 시행하는 사업 중 2년 이상이 소요되는 다음 사업 • 총사업비가 500억 이상이고 국가재정지원이 300억 이상인 토목 및 지능정보화사업 • 총사업비가 200억 이상인 건축사업 • 총사업비가 200억 이상인 연구개발사업
예비타당성조사	총사업비가 500억 이상이고 국가재정지원이 300억 이상인 신규사업 중 다음 사업 • 건설공사가 포함된 사업 • 지능정보화사업 • 국가연구개발사업 등

답 ②

KEYWORD 081 특별회계와 기금

58
2016년 서울시 9급

특별회계예산의 특징으로 가장 옳지 않은 것은?

① 특별회계예산은 세입과 세출의 수지가 명백하다.
② 특별회계예산에서는 행정부의 재량이 확대된다.
③ 특별회계예산은 국가재정의 전체적인 관련성을 파악하기 곤란하다.
④ 특별회계예산에서는 입법부의 예산통제가 용이해진다.

| 58 | 특별회계예산의 특징 | 난이도 ●●○ |

일반회계와 구분해 특별회계를 설치하는 경우, 단일회계와 비교해 볼 때 예산제도가 복잡해져 국가재정의 전체 내용을 용이하게 파악할 수 없는 단점이 있다.

특별회계의 장단점

장점	단점
• 정부가 운영하는 사업의 수지가 명확해짐 • 행정기관의 재량범위를 넓혀 줌으로써 능률의 증진과 경영의 합리화 추구가 가능함 • 안정된 자금을 확보하여 사업운영의 안정성을 도모함 • 행정 기능의 전문화와 다양화에 기여함	• 예산구조를 복잡하게 하여 예산의 심의·관리 및 재정경제정책과의 연계운영이 곤란함 • 국가재정의 전체적인 관련성을 명확하지 않게 하여 재정의 통합성을 저해함 • 입법부의 예산통제 또는 국민의 행정통제가 곤란함

답 ④

59

2017년 국가직 7급(8월 시행)

「국가재정법」상 특별회계를 설치할 수 있는 근거법률이 아닌 것은?

① 「국가균형발전 특별법」
② 「정부기업예산법」
③ 「군인연금특별회계법」
④ 「책임운영기관의 설치·운영에 관한 법률」

60

2013년 지방직 7급

우리나라 특별회계에 대한 설명으로 옳지 않은 것은?

① 특별회계 설립 주체에 따라 중앙정부 특별회계와 지방자치단체 특별회계로 구분한다.
② 특정한 사업을 운영하기 위한 중앙정부 특별회계의 일례로 교육비특별회계가 있다.
③ 「지방공기업법」에 따라 설립된 모든 지방직영기업은 지방자치단체 공기업특별회계 대상이다.
④ 중앙정부의 기업특별회계에는 책임운영기관 특별회계와 「정부기업예산법」의 적용을 받는 우편사업·우체국예금·양곡관리·조달특별회계가 있다.

| 59 | 특별회계 설치 근거법률 | 난이도 ●●○ |

군인연금은 특별회계가 아니라 기금으로 운영된다. 즉, 「군인연금특별회계법」이란 존재하지 않는다.

선지분석
① 국가균형발전특별회계는 「국가균형발전 특별법」에 근거하여 설치되었다.
② 정부기업특별회계는 「정부기업예산법」에 근거하여 설치되었다.
④ 책임운영기관특별회계는 「책임운영기관의 설치·운영에 관한 법률」에 근거하여 설치되었다.

답 ③

| 60 | 특별회계 | 난이도 ●●● |

교육비특별회계는 중앙정부가 아니라 지방정부의 특별회계이다.

선지분석
① 주체에 따라 중앙정부와 지방정부 특별회계로 구별된다.
③ 지방직영기업이란 글자 그대로 지방공기업을 경영하는 지방자치단체가 자신의 직원에 의해 지방공기업에 관한 사무를 직접 처리하는 것을 말한다. 따라서 지방직영기업이라고 명명된 직접 경영방식에서 그 소속직원은 공무원이며, 그 조직은 일반 행정의 국, 과 또는 사업소의 형태를 취한다. 그 예산도 공기업특별회계의 대상이다.
④ 책임운영기관 특별회계와 정부기업이 기업특별회계로 운영된다.

답 ②

61

2015년 국가직 7급

우리나라 기금 운영에 대한 설명으로 옳지 않은 것은?

① 기금이란 국가가 특정한 목적을 위하여 특정한 자금을 신축적으로 운용할 필요가 있을 때에 한하여 법률로써 설치한다.
② 기금운용계획안은 국회의 심의와 의결을 거쳐 확정된다.
③ 군인연금, 공무원연금, 국민연금은 기금으로 운영된다.
④ 주한 미군기지 이전, 행정중심 복합도시 건설 등 기존의 일반회계에서 처리하기 곤란한 대규모 국책사업을 실행하기 위해 운영된다.

62

2014년 국가직 7급

예산 외 공공재원으로서의 기금에 대한 설명으로 옳지 않은 것은?

① 정부는 매년 기금운용계획안을 마련하여 국무회의의 의결을 받아야 하며, 국회에 제출할 필요는 없다.
② 출연금, 부담금 등 다양한 재원으로 융자 사업 등을 수행한다.
③ 특정 수입과 지출을 연계한다는 점에서 특별회계와 공통점이 있다.
④ 합목적성 차원에서 예산에 비하여 운영의 자율성과 탄력성이 높다.

---

61 기금 운영   난이도 ●●○

기존의 일반회계에서 처리하기 곤란한 대규모 국책사업을 시행하기 위해서는 특별회계를 설치·운영해야 한다.

선지분석
① 기금은 국가가 특정한 목적을 위해 특정한 자금을 운용할 필요가 있을 때 법률로 설치되는 예산 외의 특별재원이다.
② 기금도 국회의 심의의결을 받는다.
③ 우리나라에서는 군인연금, 공무원연금, 국민연금이 기금제로 운용된다.

답 ④

62 기금   난이도 ●○○

정부는 매년 기금운용계획안을 마련하여 국회에 제출하여 심의를 받아야 한다.

선지분석
② 기금은 조세수입이 아니라 다른 회계로부터 전출입, 출연금, 부담금 등 다양한 세입을 재원으로 한다.
③ 기금은 통일성 원칙의 예외라는 점에서 특별회계와 공통점이 있다.
④ 기금관리 주체는 주요 항목 지출금액을 변경하여 집행하고자 할 때 금융성 기금은 30% 이내, 비금융성 기금은 20% 이내일 경우는 국회의 의결을 얻지 않아도 된다. 따라서 예산에 비해 합목적성 차원의 자율적 운영이 가능하다.

답 ①

63

2011년 서울시 9급

기금, 일반회계, 특별회계에 대한 설명 중 가장 적절하지 않은 것은?

① 일반회계는 국가 고유의 일반적 재정 활동을, 기금은 특정한 세입으로 특정한 사업을 운용하기 위해 설치된다.
② 특별회계는 일반회계와 기금 운용 형태가 혼재되어 있다.
③ 기금과 예산 모두 국회 심의·의결 확정 절차를 따른다.
④ 기금과 특별회계는 특정 수입과 지출이 연계되어 있다.
⑤ 기금은 주요항목 지출금액의 20% 이상 변경 시 국회의 의결이 필요하다.

KEYWORD 082 통합예산과 자본예산

64

2015년 서울시 7급

통합재정 또는 통합예산에 대한 설명으로 가장 옳지 않은 것은?

① 국가예산의 세입, 세출을 총계 개념으로 파악하여 재정건전성을 판단한다.
② 중앙재정을 일반회계와 특별회계 외에 기금 및 세입세출 외 자금을 포함해 파악한다.
③ 통합재정은 중앙재정, 지방재정, 지방교육재정(교육비특별회계)을 포함한다.
④ 재정이 국민경제에 미치는 효과를 효과적으로 파악하게 한다.

---

63 기금, 일반회계, 특별회계 난이도 ●○○

특정한 세입으로 특정한 사업을 운용하기 위해 설치되는 것은 특별회계이다.

선지분석
② 특별회계는 세입·세출로 운영된다는 측면에서는 일반회계, 특정한 수입과 지출이 연계된다는 측면에서는 기금의 성격이 혼재되어 있다.
③ 일반회계, 특별회계, 기금 모두 국회가 심의·의결한다.
④ 기금과 특별회계는 특정 수입과 지출이 연계되어 있는 통일성 원칙의 예외이다.
⑤ 비금융성 기금은 20% 이상 변경 시 국회의 의결을 받는다.

답 ①

64 통합재정 또는 통합예산 난이도 ●○○

국가예산의 세입·세출은 총계가 아닌 순계 개념으로 파악한다. 즉, 회계 간의 전출입 거래는 물론 실질적으로 내부거래인 회계 간의 예탁, 이자지급 등 거래까지 제거한 예산순계 개념으로 작성한다.

선지분석
② 수입 차원에서 보면 '일반회계 + 특별회계 + 기금 - 내부거래 - 보전거래'이지만, 지출 차원으로 보면 '경상지출 + 자본지출 + 융자지출의 합'을 말한다.
③ 지방교육재정도 통합재정에 포함된다.
④ 재정이 국민경제에 미치는 영향을 효과적으로 파악하게 하는 것은 통합재정을 작성한 의의로 옳은 지문이다.

답 ①

65

2014년 국가직 9급

기획재정부에서 국가재정규모를 파악할 때 사용하는 '중앙정부 총지출' 산출방식으로 옳은 것은?

① 일반회계 + 특별회계 + 기금
② 일반회계 + 특별회계 + 기금 – 내부거래
③ 경상지출 + 자본지출 + 융자지출
④ 경상지출 + 자본지출 + 융자지출 – 융자회수

66

2023년 국가직 9급

우리나라의 통합재정에 대한 설명으로 옳지 않은 것은?

① 세입과 세출은 경상거래와 자본거래로 구분하여 작성한다.
② 통합재정의 범위에는 일반정부와 공기업 등 공공부문 전체가 포함된다.
③ 정부의 재정이 국민 경제에 미치는 효과를 파악하고자 하는 예산의 분류체계이다.
④ 통합재정 산출 시 내부거래와 보전거래를 제외함으로써 세입·세출을 순계 개념으로 파악한다.

| 65 | 중앙정부 총지출 산출방식 | 난이도 ●●○ |

총지출 규모의 개념은 수입 차원에서 보면 '일반회계 + 특별회계 + 기금 – 내부거래 – 보전거래'이지만, 지출 차원으로 보면 '경상지출 + 자본지출 + 융자지출'의 합을 말한다.

📄 총지출 규모

수입 측면	일반회계 + 특별회계 + 기금 – 내부거래 – 보전거래
지출 측면	경상지출 + 자본지출 + 융자지출

답 ③

| 66 | 통합재정 | 난이도 ●●○ |

통합재정의 범위에는 일반정부 부문은 포함되지만 공기업예산은 포함되지 않는다.

선지분석

① 통합예산은 일반회계·통합회계·기금을 포괄하여 경상수지, 자본수지, 융·출자 수지, 보전수지의 분류방식을 취하는 예산이다. 세입과 세출은 거래의 성격에 따라 경상거래와 자본거래로 구분하여 작성한다.
③ 통합예산(통합재정)은 일반회계, 특별회계, 기금을 모두 포함하는 정부의 재정활동으로, 이를 체계적으로 분류하여 표시함으로써 재정이 국민소득, 통화, 국제수지 등의 국민경제에 미치는 효과를 파악하고자 하는 예산제도이다.
④ 내부거래와 보존거래를 제외한 순계개념으로 작성된다.

답 ②

67 □□□
2016년 서울시 7급

자본예산제도의 특징으로 가장 옳지 않은 것은?

① 재정안정화 효과 증진
② 중장기 예산운용 가능
③ 부채의 정당화
④ 예산의 적자재정 편성

68 □□□
2013년 국회직 8급

자본예산제도의 장점으로 옳지 않은 것은?

① 자본예산제도는 자본적 지출에 대한 특별한 분석과 예산 사정을 가능하게 한다.
② 자본예산제도에 수반되는 장기적인 공공사업계획은 조직적인 자원의 개발 및 보존을 위한 수단이 될 수 있다.
③ 계획과 예산 간의 불일치를 해소하고 이들 간에 서로 밀접한 관련성을 갖게 한다.
④ 경제적 불황기 내지 공황기에 적자예산을 편성하여 유효수요와 고용을 증대시킴으로써 불황을 극복하는 유용한 수단이 될 수 있다.
⑤ 국가 또는 지방자치단체의 순자산 상황의 변동과 사회간접자본의 축적·유지의 추이를 나타내는 데 사용할 수 있다.

---

67 자본예산제도의 특징 난이도 ●●○

자본예산제도는 불황 시 실업을 극복하기 위해 정부가 지출을 확대하는 것이므로, 경기를 과열시킴에 따라 경제안정을 해치고 인플레이션을 유발할 수 있다.

선지분석
② 자본예산 균형의 개념은 주기적인 경기변동에 의한 장기적인 안목에서 이해되어야 한다는 주기적 균형의 원칙에 입각한 것이므로, 중장기 예산운용이 가능하다.
③, ④ 공채발행으로 부채를 진다해도 부채인 차입금이 자산취득을 위한 투자로 지출된다면 결과적으로 재정 건전성 요구에 배치되는 것은 아니다.

자본예산제도의 장단점

장점	단점
• 수익자 부담원칙의 구현	• 자원배분의 불합리
• 재정 기본구조의 이해 용이	• 정치적 이용(적자재정 은폐 수단)
• 장기적 재정계획 수립의 용이	• 경제안정 위협(인플레이션 조장 가능)
• 불경기 극복에 이용	• 계정 구분의 불명확성
• 예산운영의 합리화	• 민간자본의 효율적 이용 불확실
• 일관성 있는 조세정책 수립 가능	

답 ①

68 자본예산제도의 장점 난이도 ●●○

계획과 예산 간의 불일치를 해소하고 이들 간에 서로 밀접한 관련성을 갖게 하는 것은 자본예산제도의 장점이 아니라 계획예산제도(PPBS)의 특징이다.

선지분석
① 자본적 지출이 경상적 지출과 구분되므로 자본지출에 대해 보다 엄격히 심사 및 분석을 할 수 있다.
② 장기사업과 자본예산을 연결하여 장기적 재정계획수립과 집행에 용이하다.
④ 지역개발을 위한 자본을 축적하거나 불황기에 적자예산에 의해 유효수요증대 수단으로 활용할 수 있어 경기변동 조절에 도움을 준다.
⑤ 자본적 지출이 경상적 지출과 구분되므로 정부의 순자산상태 변동파악이 용이하여 예산운영을 합리화할 수 있다.

답 ③

69

2019년 국가직 9급

정부가 동원하는 공공재원에 대한 설명으로 옳지 않은 것은?

① 조세로 투자된 자본시설은 개인이 대가를 지불하지 않는 것으로 인식되어 과다 수요 혹은 과다 지출되는 비효율성 문제가 발생할 수 있다.
② 수익자부담금은 시장기구와 유사한 매커니즘을 통해 공공서비스의 최적 수준을 지향하여 자원 배분의 효율성을 제고할 수 있다.
③ 국공채는 사회간접자본(SOC) 관련 사업이나 시설로 인해 편익을 얻게 될 경우 후세대도 비용을 분담하기 때문에 세대 간 형평성을 훼손시킨다.
④ 조세의 경우 납세자인 국민들은 정부지출을 통제하고 성과에 대한 직접적인 책임을 요구할 수 있다.

KEYWORD 083 조세지출예산제도

70

2011년 서울시 7급

조세지출에 대한 설명으로 가장 적절하지 않은 것은?

① 조세지출이란 정부가 받아야 할 세금을 받지 않고 포기한 액수를 의미한다.
② 현재 우리나라에서는 조세지출예산제도를 도입하여 실시하고 있다.
③ 조세지출은 행정부에 의해 탄력적으로 운영될 여지가 많다.
④ 조세지출예산제도는 조세감면 등의 정책효과를 판단하기 위해 필요한 제도이다.
⑤ 현재 우리나라의 경우 지방세에 대해서도 조세지출예산제도를 적용하고 있다.

---

69 공공재원 난이도 ●●○

국공채는 사회간접자본(SOC) 관련 사업이나 시설로 인해 편익을 얻게 될 경우 후세대도 비용을 분담하기 때문에 이용자나 세대 간 비용부담의 형평성을 높여준다.

선지분석
① 조세로 투자된 시설은 정부 정책에서는 정책의 비용부담 집단과 편익수혜 집단이 서로 다르게 되는 절연(decoupling)이 존재한다. 이러한 편익과 비용 간의 절연으로 인해 정책수혜 집단은 정치적 조직화나 로비를 통해 과도한 정부개입을 창출하려고 시도하며, 정책 비용부담 집단은 정부의 비개입을 창출하려고 시도한다. 이러한 진정한 정책수요보다 과다·과소의 정부개입은 경제적 차원에서 비효율적일 수밖에 없다.
② 공공재나 공공서비스를 이용하는 주민에게 사용료를 징수하는 시장화 전략은 공공서비스의 최적 수준을 지향하여 자원 배분의 효율성을 제고할 수 있다.
④ 납세자주권 등을 통해 납세자인 국민들은 정부 지출을 통제하고 성과에 대한 직접적인 책임을 강하게 요구할 수 있다.

답 ③

---

70 조세지출 난이도 ●●○

조세지출이란 조세감면을 의미하며, 조세법률주의상 예산이 아닌 법률에 의하여 지출이 이루어지므로 경직되게 운영될 가능성이 높다. 법에 규정되면 관심을 가지지 않는 한 지속적으로 조세감면의 혜택이 이루어진다.

선지분석
① 조세감면의 의미는 조세지출로, 이는 받아야 할 세금을 감면한 것을 의미한다.
②, ⑤ 중앙정부와 지방정부 모두 조세지출예산제도가 도입되어 있다.
④ 조세지출은 형식은 조세지만 실질은 보조금을 지급하는 것과 같기 때문에 이를 국회가 심의하는 것은 감면의 정책효과를 판단하는 것이다.

답 ③

71 　　2011년 국가직 7급

조세지출예산제도(tax expenditure budget)의 특징으로 옳지 않은 것은?

① 조세지출은 법률에 따라 집행되기 때문에 경직성이 강하다.
② 조세지출의 주된 분류방법은 세목별 분류로서 의회의 예산심의를 완화하기 위한 제도이다.
③ 조세지출은 세출예산상의 보조금과 같은 경제적 효과를 초래한다.
④ 과세의 수직적·수평적 형평을 파악할 수 있기 때문에 세수인상을 위한 정책판단의 자료가 된다.

72 　　2020년 지방직 9급

조세지출예산제도에 대한 설명으로 옳지 않은 것은?

① 세제 지원을 통해 제공한 혜택을 예산지출로 인정하는 것이다.
② 예산지출이 직접적 예산 집행이라면 조세지출은 세제상의 혜택을 통한 간접지출의 성격을 띤다.
③ 직접 보조금과 대비해 눈에 보이지 않는 숨겨진 보조금이라고 이해할 수 있다.
④ 세금 자체를 부과하지 않은 비과세는 조세지출의 방법으로 볼 수 없다.

71　조세지출예산제도의 특징　　난이도 ●●○

조세지출예산은 세목별 분류를 위주로 하고, 기능별 분류를 가미할 수 있다. 이는 의회의 예산심사권이 강화되어 재정민주주의에 기여한다.

선지분석
① 조세지출은 조세법률주의상 예산이 아닌 법률에 의하여 지출이 이루어지므로 경직되게 운영될 가능성이 높다.
③ 조세지출은 형식은 조세이지만 실질은 보조금과 같다.
④ 과세의 수직적·수평적 형평을 파악할 수 있기 때문에 부정한 조세지출의 폐지, 재정부담의 형평성 제고, 세수인상을 위한 정책판단의 자료가 된다.

답 ②

72　조세지출예산제도　　난이도 ●●○

조세지출예산이란 조세감면에 의하여 이루어진 간접지출을 의미하는 것으로 그 형식은 조세감면, 비과세 등 다양하다.

선지분석
① 조세감면 등 세제 지원을 통해 제공한 혜택을 예산지출에 준하여 인정하는 것이다.
② 조세감면에 의한 간접지출의 성격을 띤다.
③ 간접지출이지만 직접지출인 보조금과 실질적인 효과는 동일하므로 숨겨진 보조금이라고도 부른다.

답 ④

73 ☐☐☐   2025년 국가직 7급

조세지출(tax expenditure)에 대한 설명으로 옳지 않은 것은?

① 우리나라에서는 지출 항목별 평가 등을 통해 국회의 심의와 의결을 받고 있다.
② 세법상의 비과세, 감면, 공제 등 다양한 형태로 이루어진다.
③ 정부가 실제로 지출하지 않고도 지출과 유사한 효과를 얻을 수 있다.
④ 조세 상의 특혜를 부여한다는 점에서 '감추어진 보조금'(hidden subsidies)이라고도 한다.

| 73 | 조세지출 | 난이도 ●●○ |

우리나라에서는 조세지출예산이 첨부서류로 국회에 제출되는 것이지 심의와 의결을 받아 확정되지는 않는다.

(선지분석)
② 조세지출은 세법상의 비과세, 감면, 공제 등 다양한 형태로 이루어진다.
③ 조세감면을 통하여 지출과 유사한 효과를 얻을 수 있다(간접지출의 효과가 있다).
④ 조세 상의 특혜를 부여한다는 점에서 감추어진 보조금이라고도 한다.

답 ①

CHAPTER 3 예산제도론

KEYWORD 084 예산결정이론

01 □□□
2017년 지방직 9급(12월 추가)

점증주의적 예산결정에 대한 설명으로 옳지 않은 것은?

① 현상유지(status quo)적 결정에 치우칠 수 있다.
② 자원이 부족한 경우 소수기득권층의 이해를 먼저 반영하게 되어 사회적 불평등을 야기할 우려가 있다.
③ 다수의 참여자들 간 고리형의 상호작용을 통한 합의를 중시하는 합리주의와는 달리 선형적 과정을 중시한다.
④ 긴축재정 시의 예산행태를 잘 설명해주지 못한다.

02 □□□
2023년 국가직 9급

예산이론에 대한 설명으로 옳지 않은 것은?

① 총체주의는 계획예산(PPBS), 영기준예산(ZBB)과 같은 예산제도 개혁을 설명하기에 적합한 이론이다.
② 점증주의는 거시적 예산결정과 예산삭감을 설명하기에 적합한 이론이다.
③ 총체주의는 합리적·분석적 의사결정과 최적의 자원배분을 전제로 한다.
④ 점증주의는 예산을 결정할 때 대안을 모두 고려하지는 못한다는 것을 전제로 한다.

| 01 | 점증주의적 예산결정 | 난이도 ●●○ |

다수의 참여자들 간 고리형의 상호작용을 통한 합의를 중시하는 모형은 점증주의이다.

참고 목표와 수단 간의 선형적 과정은 합리주의의 특징이고, 행정부와 의회 간·전년도와 현 연도 간의 선형적 과정은 점증주의의 특징이다.

선지분석
① 점증주의는 기득권이나 현상을 유지하므로 보수적이라는 비판을 받는다.
② 자원의 한계가 있는 경우 기득권층의 이익을 우선 반영하여 불평등을 초래할 수 있다.
④ 긴축재정 시 점증주의는 타당하지 못하다. 감축을 지향하는 예산제도는 영기준예산제도이다.

답 ③

| 02 | 예산이론 | 난이도 ●●○ |

점증주의는 거시적 예산결정과 예산삭감을 설명하기에 적합하지 못하다. 점증주의는 부분에서 전체로 지향하는 상향적(Bottom-up) 예산과정에 중점을 두는 미시적 예산결정(Micro-budgeting)이다. 아울러 점증주의 예산모형은 전년도를 기준으로 해서 소폭적인 예산의 증감이 있을 뿐이다.

선지분석
① 총체주의(합리주의)예산제도에는 계획예산(PPBS), 영기준예산(ZBB)이 있고 점증주의예산제도에는 품목별예산(LIBS), 성과주의예산(PBS)이 있다. 합리주의모형에 의한 예산은 대폭적이며 체계적인 변화의 필요성을 강조한다
③ 합리주의 예산결정모형은 합리적·분석적 의사결정 단계를 거쳐 비용과 효용의 측면에서 프로그램이나 정책대안을 체계적으로 검토하여 예산을 배분하는 것을 말한다.
④ 점증주의는 대안을 모두 고려하지는 못한다는 것을 전제로 과거의 결정에 연속해서 한정적·제한적 변수를 고려하는 범위 안에서 예산을 결정한다.

답 ②

03　2019년 국가직 7급

윌다브스키(A. Wildavsky)의 예산행태 유형 중 국가의 경제력은 낮지만 재정 예측력이 높은 경우에 나타나는 행태는?

① 점증적 예산(incremental budgeting)
② 반복적 예산(repetitive budgeting)
③ 세입예산(revenue budgeting)
④ 보충적 예산(supplemental budgeting)

04　2017년 국가직 7급(8월 시행)

예산이론에 대한 설명으로 옳은 것은?

① 루이스(Lewis)는 예산배분결정에 경제학적 접근법을 적용하여, '상대적 가치', '증분분석', '상대적 효과성'이라는 세 가지 분석명제를 제시한다.
② 니스카넨(Niskanen)의 예산극대화모형은 의회의원들이 재선 가능성을 높이기 위해 지역구 예산을 극대화하는 행태에 분석초점을 둔다.
③ 윌로비와 서메이어(Wiloughby & Thurmaier)의 다중합리성모형은 의원들의 복수의 합리성 기준이 의회의 예산결정에 미치는 영향을 주로 분석한다.
④ 단절균형예산이론(Punctuated Equilibrium Theory)은 급격한 단절적 예산변화를 설명하고, 나아가 그러한 변화를 예측할 수 있는 장점이 있다.

03　윌다브스키(A. Wildavsky)의 예산행태 유형　난이도 ●●●

윌다브스키(A. Wildavsky)의 예산행태 유형 중 국가의 경제력은 낮지만 재정 예측력이 높은 경우에 나타나는 행태는 세입예산(revenue)이다.

📄 윌다브스키(A. Wildavsky)의 예산행태 유형

재정의 예측가능성 \ 국가의 경제력	높다	낮다
높다	점증적(선진국)	양입제출(量入制出) = 세입예산
낮다	보충적	반복적(후진국)

답 ③

04　예산이론　난이도 ●●●

루이스(Lewis)는 예산배분결정에 경제학적 접근법을 적용함으로써, '상대적 가치', '증분분석', '상대적 효과성'이라는 세 가지 분석명제를 제시하였다.

선지분석
② 니스카넨(Niskanen)의 예산극대화모형은 관료가 자신의 이익을 위하여 자기가 소속된 부서의 예산을 극대화하려는 행태에 분석초점을 둔다.
③ 다중합리성모형은 정책결정과 예산결정의 상호 영향력을 행사함을 설명하며, 중앙예산실 분석가들이 거시적 예산결정과 미시적 예산결정의 연계 역할을 수행함을 강조한다.
④ 단절균형예산이론은 급격한 단절적 예산변화를 설명하지만, 단절에 의한 급격한 변화를 미리 예측할 수 없다는 단점이 있다.

답 ①

05

2019년 서울시 7급(3월 추가)

서메이어(K. Thumaier)와 윌로비(K. Willough-by)의 예산 운영의 다중합리성모형에 대한 설명으로 가장 옳은 것은?

① 정부예산의 결과론적 접근방법에 근거한다.
② 미시적 수준의 예산상의 의사결정을 설명하고 탐구한다.
③ 정부 예산의 성공을 위해서는 예산과정 각 단계에서 예산활동과 행태를 구분해서는 안 된다고 주장하였다.
④ 예산과정과 정책과정 간의 연계점의 인식틀을 제시하기 위해 킹던(J. W. Kingdon)의 정책결정모형과 그린과 톰슨(Green & Thompson)의 조직과정 모형을 통합하고자 하였다.

06

2020년 국가직 7급

다중합리성 예산모형(multiple rationalities model of budgeting)의 근간이 되는 두 모형에 대한 설명으로 옳지 않은 것은?

① 루빈(Rubin)의 실시간 예산운영(real-time budgeting)모형은 세입, 세출, 균형, 집행, 과정 등과 관련한 의사결정 흐름 개념을 활용하고 있다.
② 킹던(Kingdon)의 의제설정모형은 정책과정의 복잡하고 불확실한 역동성을 부각시킨다는 점에서 다중합리성모형의 중요한 모태라고 할 수 있다.
③ 루빈(Rubin)의 실시간 예산운영(real-time budgeting)모형에서 다섯 가지의 의사결정 흐름은 느슨하게 연계된 상호의존성을 가지고 있다.
④ 루빈(Rubin)의 실시간 예산운영(real-time budgeting)모형에서 예산균형 흐름에서의 의사결정은 기술적 성격이 강하며, 책임성(accountability)의 정치적 특징을 갖는다.

05	다중합리성모형	난이도 ●●●

서메이어(K. Thumaier)와 윌로비(K. Willoughby)의 다중합리성모형은 복수의 합리성 기준이 중앙예산실의 예산분석가들에게 어떤 영향을 미치는지를 미시적으로 분석하였다.

선지분석
① 정부예산이 편성되는 과정을 중심으로 접근하였다.
③ 정부 예산의 성공을 위해서는 예산과정 각 단계에서 나타나는 예산활동과 행태를 구분하여야 한다고 주장하였다.
④ 예산과정과 정책과정 간의 연계점의 인식틀을 제시하기 위해 킹던(J. W. Kingdon)의 정책결정모형과 루빈(I. S. Rubin)의 실시간 예산운영모형(Real time budgeting)을 통합하고자 하였다.

답 ②

06	다중합리성 예산모형	난이도 ●●●

예산균형 흐름이 아니라 예산집행 흐름에 대한 설명이다.

선지분석
① 루빈(Rubin)의 실시간 예산운영(real-time budgeting)모형은 흐름의 모형을 예산에 적용한 것으로 세입, 세출, 균형, 집행, 과정 등의 5단계 과정과 관련한 의사결정 흐름 개념을 활용하고 있다.
② 킹던(Kingdon)의 정책창모형은 정책과정의 복잡하고 불확실하고 역동적인 상황에서의 세가지 흐름(정책, 정치, 문제)의 중요성을 부각시킨다는 점에서 다중합리성모형의 모태가 되었다.
③ 루빈(Rubin)의 실시간 예산운영(real-time budgeting)모형에서 다섯 가지의 의사결정 흐름은 느슨하게 연계된 상호의존성을 가지며, 단계별로 서로 다른 복수의 합리성이 지배한다.

📋 루빈(Rubin)의 실시간 예산운영모형

성격이 다르지만 상호 연결된 세입, 세출, 균형, 집행, 과정의 다섯 가지 의사결정의 흐름이 통합되면서 초래되는 의사결정모형

세입	누가 얼마만큼 부담할 것인가에 대한 질문으로, 설득의 정치가 내재해 있음
세출	예산획득을 위한 경쟁과 예산배분에 관한 결정으로, 선택의 정치가 나타남
예산균형	예산균형에 관한 결정은 제약 조건의 정치적 성격을 지님
집행	본질적으로 기술적 성격이 강하며, 책임성의 정치가 나타남
예산과정	어떻게 그리고 누가 예산을 결정할 것인가에 관한 정치

답 ④

07　　　　　　　　　　　　　　　　2016년 지방직 9급

점증주의 예산결정이론의 특성이 아닌 것은?

① 현실설명력은 높지만 본질적인 문제해결방식이 아니며 보수적이다.
② 정책과정상의 갈등을 완화하고 해결하는 데 필요한 정치적 합리성을 갖는다.
③ 계획예산제도(PPBS)와 영기준예산제도(ZBB)는 점증주의 접근을 적용한 대표적 사례이다.
④ 자원이 부족한 경우 소수기득권층의 이해를 먼저 반영하게 되어 사회적 불평등을 야기할 우려가 있다.

08　　　　　　　　　　　　　　　　2025년 군무원 9급

예산결정과정에서 점증주의에 대한 설명으로 가장 적절하지 않은 것은?

① 예산의 지속적인 증가를 조장하여 만성적인 예산적자의 원인이 될 수 있다.
② 경직된 예산구조로 인해 경기변동에 대응하는 재정정책적 기능을 수행하는 데 장애가 될 수 있다.
③ 예산과정 참여자들의 역할과 기대를 안정시켜 갈등의 소지를 줄이고, 예산과정의 예측가능성을 높인다.
④ 합리주의적 의사결정의 대표적인 형태로서, 예산결정에 대한 수용성을 높일 수 있다.

07　점증주의 예산결정이론의 특성　　난이도 ●○○

계획예산제도(PPBS)와 영기준예산제도(ZBB)는 합리주의 접근을 적용한 대표적 예산제도이다.

선지분석
① 점증주의는 보수적 성격으로, 쇄신이 강력히 요구되거나 과감한 정책전환이 요구되고 경제·사회발전이 시급한 발전도상국에는 적절하지 않다는 비판을 받는다.
② 타협과 조정이라는 정치적 합리성으로 갈등을 완화시키는 장점이 있다.
④ 자원이 희소할 경우 권력·영향력이 강한 집단이나 강자에게 유리하고 약자에게 불리하다.

답 ③

08　점증주의 예산결정과정　　난이도 ●○○

점증주의 예산결정과정은 정치성을 강조하기 때문에 수용성은 높으나 합리주의 예산결정과정이 아니다.

선지분석
① 점증주의 예산결정모형은 해당 연도의 예산액을 기준으로 거기에 점차적으로 증감하여 다음 연도의 예산액을 결정하므로 만성적인 예산적자의 원인이 될 수 있다.
② 급격한 변화를 지양하기 때문에 근본적으로 보수주의적인 모형이다. 경기변동에 대응하는 재정정책적 기능을 수행하는 데 장애가 될 수 있다.
③ 점진적인 변화를 통한 정책의 계속성·지속성·안정성을 도모하기 때문에 예산과정 참여자들의 역할과 기대를 안정시켜 갈등의 소지를 줄이고, 예산과정의 예측가능성을 높인다.

답 ④

09 □□□
2021년 군무원 9급

다음 중 예산과 관련된 이론으로 가장 옳지 않은 것은?

① 욕구체계이론
② 다중합리성모형
③ 단절균형이론
④ 점증주의

10 □□□
2013년 서울시 9급

예산개혁의 경향이 시대에 따라 변화해 온 것을 시기순으로 가장 잘 나타낸 것은?

① 통제 지향 – 관리 지향 – 기획 지향 – 감축 지향 – 참여 지향
② 통제 지향 – 감축 지향 – 기획 지향 – 관리 지향 – 참여 지향
③ 관리 지향 – 감축 지향 – 통제 지향 – 기획 지향 – 참여 지향
④ 관리 지향 – 기획 지향 – 통제 지향 – 감축 지향 – 참여 지향
⑤ 기획 지향 – 감축 지향 – 통제 지향 – 관리 지향 – 참여 지향

| 09 | 예산 관련 이론 | 난이도 ●○○ |

매슬로우(Maslow)의 욕구체계이론은 동기부여이론으로, 예산과 관련된 이론은 아니다.

선지분석
③ 단절균형이론은 정책변동(제도변화나 예산변동)은 사회경제적 위기나 군사적 갈등과 같은 강력한 외부적 충격(중요한 분기점)에 의해 단절적으로 급격하게 발생한다고 본다.
②, ④ 합리주의, 점증주의, 다중합리성은 대표적인 예산결정에 관한 이론이다.

답 ①

| 10 | 예산개혁의 경향 변화 | 난이도 ●○○ |

• 참여예산을 강조하는 거버넌스적 관점에서는 품목별예산(통제 중심) → 성과주의예산(관리 중심) → 계획예산(기획 중심) → 영기준예산(감축 중심) → 주민참여예산(참여 중심)으로 발전해왔다.
• 목표관리예산을 강조하는 입장에서는 품목별예산(통제 중심) → 성과주의예산(관리 중심) → 계획예산(기획 중심) → 목표관리예산(참여 중심) → 영기준예산(감축 중심)으로 이해하는 입장도 있다.

답 ①

11　　　　　　　　　　　　　　　　2022년 군무원 7급

예산이론에 대한 설명 중 가장 옳지 않은 것은?

① 계획예산제도는 점증모형에 의한 예산결정이다.
② 총체주의는 자원배분의 최적화를 통한 사회후생의 극대화를 추구한다.
③ 합리모형은 예산을 탄력적으로 활용하여 경기변동에 대응하는 재정정책적 기능을 수행한다.
④ 점증주의는 정치적 협상과 타협 등 정치적 합리성을 중시한다.

KEYWORD 085　품목별예산제도(LIBS)와 성과주의예산제도(PBS)

12　　　　　　　　　　　　　　2017년 지방직 9급(12월 추가)

품목별예산제도에 대한 설명으로 옳지 않은 것은?

① 비교적 운영하기 쉬우나 회계책임이 분명하지 않은 단점이 있다.
② 지출품목마다 그 비용이 얼마인가에 따라 예산을 배정하는 제도이다.
③ 예산담당 공무원들에게 필요한 핵심적 기술은 회계기술이다.
④ 예산집행자들의 재량권을 제한함으로써 행정의 정직성을 확보하려는 제도이다.

11	예산이론	난이도 ●○○

계획예산제도는 영기준예산제도와 함께 대표적인 합리주의예산이다.

(선지분석)
② 총체주의예산이란 자원배분의 최적화를 추구하는 합리주의예산을 말한다.
③ 합리모형예산은 점증모형과 달리 분석적 도구를 활용하여 재정정책적 기능을 수행한다.
④ 점증주의예산은 타협과 협상에 의한 정치적 합리성을 중시한다.

답 ①

12	품목별예산제도	난이도 ●○○

품목별예산제도는 지출의 대상에 따라 예산을 편성하는 통제 중심의 예산으로, 회계책임을 명확하게 할 수 있고 운영이 쉽다는 장점이 있다.

(선지분석)
② 품목별예산은 지출품목별로 예산을 배정한다.
③ 회계책임을 강조하는 통제지향적 제도이므로, 공무원에게 필요한 핵심 기술은 회계학적 기술이다.
④ 재량권을 억제하는 통제 중심의 예산이다.

답 ①

13　　　2021년 지방직 9급

예산제도에 대한 설명으로 옳지 않은 것은?

① 품목별예산제도는 행정부의 재량권을 확대하기 위해 도입되었다.
② 성과주의예산제도에서는 사업의 단위원가를 기초로 예산을 편성한다.
③ 계획예산제도에서는 장기적인 기획과 단기적인 예산편성을 연계하여 합리적 예산 배분을 시도한다.
④ 영기준예산제도는 예산을 편성할 때 전년도 예산에 구애받지 않는다.

13	예산제도	난이도 ●○○

품목별예산제도는 행정부의 재량권 남용을 방지하기 위한 통제 중심의 예산제도이다.

(선지분석)
② 성과주의예산은 '단위원가 × 사업량'의 방식으로 예산이 편성된다.
③ 계획예산은 장기적 계획과 단년도 예산을 프로그래밍에 의하여 일치시키고자 하는 예산제도이다.
④ 영기준예산은 전년도 예산을 전혀 고려하지 않고 모든 예산을 원점에서 검토한다.

답 ①

14　　　2016년 지방직 9급

품목별예산제도에 대한 설명으로 옳지 않은 것은?

① 재정민주주의 구현에 유리한 통제지향 예산제도이다.
② 정부 활동의 중복 방지와 통합·조정에 유리한 예산제도이다.
③ 지출 대상에 따라 자세히 예산이 표시되어 있으므로 예산심의가 용이하다.
④ 정부가 수행하는 사업과 그 효과에 대한 명확한 정보를 제공하지 못한다.

14	품목별예산제도	난이도 ●●○

품목별예산제도는 품목 중심으로 예산을 편성하므로, 사업내용과 목적이 제시되지 않아 정부 활동의 중복 방지와 통합·조정에 불리한 예산제도이다.

(선지분석)
① 예산과목의 최종단계인 '목' 중심으로 예산액이 배분되기 때문에 회계책임과 예산통제를 용이하게 하여, 재정민주주의 구현에 유리하다.
③ 의회의 예산심의를 용이하게 함으로써 행정부에 대한 의회의 권한을 강화할 수 있다.
④ 정부사업의 성격을 알지 못하기 때문에 사업성과와 정부 생산성을 평가하기 어렵다.

답 ②

15

2023년 지방직 9급

품목별예산제도(line-item budget system)에 대한 설명으로 옳지 않은 것은?

① 미국에서 공무원의 부정부패를 막고 행정의 능률을 향상시키기 위해 도입되었다.
② 정부 활동에 대한 총체적인 사업계획과 우선순위 결정에 유리하다.
③ 예산 집행의 책임성을 확보할 수 있는 통제지향 예산제도이다.
④ 특정 사업의 지출 성과에 대해서는 파악하기 어렵다.

16

2019년 국가직 9급

품목별예산제도에 대한 설명으로 옳은 것은?

① 지출을 통제하고 공무원들로 하여금 회계적 책임을 쉽게 확보 할 수 있는 데 용이하다.
② 미국 케네디 행정부의 국방장관인 맥나마라(McNamara)가 국방부에 최초로 도입하였다.
③ 거리 청소, 노면 보수 등과 같이 활동 단위를 중심으로 예산재원을 배분한다.
④ 능률적인 관리를 위하여 구성원의 참여를 촉진한다는 점에서는 목표에 의한 관리(MBO)와 비슷하다.

---

15 품목별예산제도 | 난이도 ●○○

품목별예산은 투입중심이기 때문에 정부사업의 성격을 알지 못하고, 정부활동에 대한 총체적인 사업계획이나 우선순위 결정이 불리하다.

선지분석
① 1907년 뉴욕시 보건국 예산에 최초로 도입된 이래, 1910년 태프트(Taft) 위원회(절약과 능률에 관한 대통령 위원회)가 통제 본위의 품목별예산제도를 정부에 건의하였다.
③ 품목별예산은 예산책임성을 확보하기 위한 통제지향적 예산제도이다.
④ 품목중심이므로 정부사업의 성격을 알지 못하고, 사업성과와 정부 생산성을 평가하기 어렵다.

답 ②

16 품목별예산제도 | 난이도 ●○○

품목별예산제도는 지출의 대상과 성질별로 예산을 편성함으로써 지출을 통제하고 회계적 책임을 확보할 수 있게 하여, 재정민주주의를 구현하는 데 용이한 제도이다.

선지분석
② 미국 케네디 행정부의 국방장관인 맥나마라(McNamara)가 국방부에 최초로 도입한 것은 계획예산(PPBS)에 해당한다.
③ 거리 청소, 노면 보수 등과 같이 활동 단위를 중심으로 예산재원을 배분하는 것은 성과주의예산(PBS)에 해당한다.
④ 능률적인 관리를 위하여 구성원의 참여를 촉진한다는 점에서 목표에 의한 관리(MBO)와 비슷한 제도는 영기준예산(ZBB)이다.

답 ①

17　　　　　　　　　　　　　　　　2013년 서울시 7급

성과주의예산제도에 대한 설명으로 옳은 것은?

① 운영관리를 위한 지침으로 효과적이다.
② 기획 기능을 상대적으로 강조한다.
③ 회계책임을 명확하게 한다.
④ 예산비목의 증가를 통제하기 쉽다.
⑤ 입법부에 의한 예산 통제에 효과적이다.

18　　　　　　　　　　　　　　　　2010년 서울시 9급

성과주의예산의 단점을 설명한 것으로 옳은 것은?

① 국민이나 입법부가 정부사업의 목적을 이해하기 어렵다.
② 총괄예산계정에 적합하지 않고 입법부의 재정통제가 곤란하다.
③ 정책과 계획수립을 어렵게 하고 입법부에 의한 예산심의가 복잡하다.
④ 예산집행의 신축성이 떨어진다.
⑤ 하향적 의사결정에 따라 권한이 상부에 집중되는 경향이 있다.

17　성과주의예산제도　　난이도 ●○○

성과주의예산제도는 관리·능률지향적 예산제도로서 운영관리를 위한 지침으로 효과적이다.

(선지분석)
② 계획예산제도(PPBS)가 기획지향적이다.
③ 책임 확보와 통제 지향은 품목별예산제도의 특징이다.
④ 성과주의예산은 점증주의예산이므로 예산의 증가를 통제하기는 어렵다.
⑤ 입법부에 의한 예산 심의가 용이하며, 신축성이 부여되므로 예산 통제는 곤란하다.

답 ①

18　성과주의예산제도의 단점　　난이도 ●●○

단위사업별로 예산이 편성되기 때문에 총괄계정에 적합하지 못하고, 신축성을 부여하므로 재정통제가 약화된다.

(선지분석)
①, ③ 사업별 예산편성으로 입법부에 의한 예산심의가 용이하고, 정부가 무엇(사업의 성격)을 하는지 국민들이 이해하기 쉽다.
④ 관리 중심의 예산이므로 예산집행의 신축성이 높아진다.
⑤ 상향적 흐름을 띠는 예산이다.

답 ②

19

2018년 서울시 7급(6월 시행)

성과주의예산제도(PBS: Performance Budgeting System)의 장점에 대한 설명으로 가장 옳지 않은 것은?

① 평가 대상 업무단위가 중간 산출물인 경우가 많아 예산성과의 질적인 측면까지 평가할 수 있다.
② 계량화된 정보를 통해 합리적인 의사결정과 관리 개선에 기여할 수 있다.
③ 입법부의 예산심의를 간편하게 만든다.
④ 사업 또는 활동별로 예산이 편성되기 때문에 국민들이 정부의 추진사업을 쉽게 이해할 수 있다.

20

2023년 국회직 8급

다음 <보기> 중 성과주의예산제도의 장점으로 옳은 것만을 모두 고르면?

<보기>
ㄱ. 예산심의가 용이하다.
ㄴ. 정책목표의 설정이 용이하다.
ㄷ. 예산과 사업의 연계가 용이하다.
ㄹ. 업무측정단위를 선정하기 용이하다.
ㅁ. 품목별 예산제도에 비해 사업 관리가 용이하다.
ㅂ. 현금주의를 택하고 있는 조직에서 운영하기 용이하다.

① ㄱ, ㄴ, ㄷ
② ㄱ, ㄷ, ㅁ
③ ㄴ, ㄹ, ㅁ
④ ㄷ, ㅁ, ㅂ
⑤ ㄹ, ㅁ, ㅂ

---

19 성과주의예산제도의 장점 | 난이도 ●●●

평가 대상 업무단위가 중간 산출물인 경우가 많아 예산성과의 질적인 측면까지는 평가할 수 없다는 단점이 있다.

(선지분석)
② 업무량 등 계량화된 정보가 제시되기 때문에 관리 개선에 유용한 예산제도이다.
③, ④ 사업별로 예산이 편성되기 때문에 정부가 무엇을 하는지 알 수 있어 의회의 예산심의가 용이하다.

답 ①

20 성과주의예산제도의 장단점 | 난이도 ●●●

ㄱ. 사업별로 예산을 편성하므로 의회의 예산심의가 용이하다.
ㄷ. 사업별로 예산을 편성하므로 예산과 사업의 연계가 용이하다.
ㅁ. 사업중심의 예산이므로 품목별 예산제도에 비해 사업관리가 용이하다.

(선지분석)
ㄴ. 성과주의 예산의 편성단위는 개별단위사업이나 중간산출(output)에 초점을 두므로 정책목표의 설정이 곤란하다.
ㄹ. 업무측정단위의 선정이 용이하지 않다.
ㅂ. 사업의 성과를 정확하게 측정하기 위해서는 발생주의 회계방식이 필요하다.

답 ②

21 2023년 군무원 9급

다음 중 성과주의예산(PBS, Performance Budgeting System)의 장점으로 가장 거리가 먼 것은?

① 프로그램을 이용하여 장기적인 계획과 연차별 예산이 유기적으로 연계된다.
② 사업별 총액배정을 통한 예산집행의 신축성·능률성 제고를 들 수 있다.
③ 투입·산출 간 비교와 평가가 쉬워 환류가 강화된다.
④ 과학적 계산에 의한 효율적인 자원배분으로 예산편성과 집행의 관리가 쉽다.

22 2025년 국가직 9급

성과주의 예산제도에 대한 설명으로 옳은 것만을 모두 고르면?

ㄱ. 행정의 재량 범위를 축소시켜 입법부의 통제가 상대적으로 용이하다.
ㄴ. 각 사업마다 가능한 한 업무 측정단위를 선정하여 업무를 계량화한다.
ㄷ. 사례로는 미국 테네시계곡개발청(TVA) 사업의 예산제도가 있다.
ㄹ. 이 제도는 1970년대 미국 연방정부 예산에 도입되었다.

① ㄱ, ㄴ
② ㄱ, ㄹ
③ ㄴ, ㄷ
④ ㄷ, ㄹ

---

21 성과주의예산제도의 장단점 난이도 ●●○

프로그램을 이용하여 장기적인 계획과 연차별 예산이 유기적으로 연계하는 예산제도는 계획예산(PPBS)이다.

선지분석
② 행정부는 사업성과의 달성에 대한 책임만 질 뿐 지출대상에 대한 책임은 지지 않기 때문에 행정부가 신축적으로 예산을 운영할 수 있다.
③ 성과주의예산(PBS)은 투입과 산출을 비교·평가하여 성과관리가 가능하고 환류 기능을 강화시킨다.
④ 업무단위의 선정과 단위원가의 과학적 계산에 의해 합리적이고 효율적인 자원배분을 도모할 수 있으므로 행정기관의 관리층에게 효과적인 관리수단을 제공할 수 있다.

답 ①

22 성과주의 예산제도 난이도 ●●○

ㄴ, ㄷ은 맞고 ㄱ, ㄹ은 틀리다.
ㄴ. 사업별로 업무측정단위를 선정하고 업무량을 측정한 다음 단위원가를 곱하는 방식으로 예산편성과정을 계량화 한다.
ㄷ. 성과주의예산은 1950년 트루먼 대통령에 의하여 채택되었고 테네시강개발청(TVA)에서 사용되었다.

선지분석
ㄱ. 성과주의예산은 품목이 아닌 사업에 중점을 두므로 입법부의 예산통제가 곤란하고 회계 책임의 한계가 모호하여 공급 관리가 곤란해진다.
ㄹ. 성과주의예산은 1970년대가 아닌 1950년 미국연방정부에 채택되었다.

답 ③

23

2024년 군무원 7급

다음 중 '결과지향적' 혹은 '성과주의' 예산제도에 대한 설명으로 가장 적절하지 않은 것은?

① 재정사업의 운영 과정이나 기능을 강조하면서 설계되었다.
② 사업의 목표, 결과 및 재원을 모두 연계해서 성과에 대한 계약으로 활용한다.
③ 지출에 대한 집권적 통제와 지출 관련 행정권의 남용의 최소화를 목표로 한다.
④ 내부관리의 효율성 제고와 서비스 공급비용의 감소를 추구한다.

| 23 | 성과주의예산제도 | 난이도 ●●● |

결과지향적 또는 성과주의예산제도에서는 재정사업 담당자들에게 재원배분과 관련해 더 많은 권한을 주는 분권화된 체제를 추구한다. 즉, 지출에 대한 집권적 통제와 지출 관련 행정권의 남용의 최소화를 목표로 한다는 옳지 않은 설명이다.

(선지분석)
①, ② 결과지향적 혹은 성과주의예산제도는 재정사업의 운영 과정이나 기능을 강조하여 설계하며 사업의 목표, 결과 및 재원을 모두 연계해서 성과에 대한 계약으로 활용한다.
④ 자율을 가지고 내부관리의 효율성 제고와 서비스 공급비용의 감소를 추구한다.

답 ③

KEYWORD 086 계획예산제도(PPBS)와 영기준예산제도(ZBB)

24

2017년 국가직 9급(4월 시행)

예산제도에 대한 설명으로 옳지 않은 것은?

① 쉬크(Schick)는 통제 - 관리 - 기획이라는 예산의 세 가지 지향(orientation)을 제시하였다.
② 영기준예산제도(ZBB)가 단위사업을 사업 - 재정계획에 따라 장기적인 예산편성 쪽으로 방향을 잡았다면, 계획예산제도(PPBS)는 당해 연도의 예산 제약 조건을 먼저 고려한다.
③ 우리나라는 예산편성과 성과관리의 연계를 위해 재정사업자율평가제도를 실시하고 있다.
④ 조세지출예산제도는 조세지출의 내용과 규모를 주기적으로 공표해 조세지출을 관리하는 제도이다.

| 24 | 예산제도 | 난이도 ●○○ |

계획예산제도가 장기적인 계획과 단기적인 예산편성을 프로그램을 통해 유기적으로 연결시키기 때문에 장기성을 가지는 예산편성제도라면, 영기준예산제도는 당해 연도의 예산 제약 조건을 먼저 고려하여(자원의 희소성을 고려), 매년 근본적인 재평가를 바탕으로 검토하는 예산제도이다.

(선지분석)
① 쉬크(Schick)는 『예산개혁단계론(1966)』에서 예산에는 세 가지 행정적 기능(통제·관리·계획 기능)이 공존하고 있다고 보았다.
③ 재정사업성과관리제도는 재정성과목표관리제도, 재정사업자율평가제도, 재정사업심층평가제도의 세 가지 형태로 운영되고 있다.
④ 조세지출예산(tax expenditure budget)은 조세감면의 구체적 내역을 예산구조를 통해 매년 밝히는 것을 말한다.

답 ②

25
2008년 국가직 9급

계획예산제도(PPBS)의 특성에 해당하는 것은?

① 예산이 조직의 일선기관들에 의하여 분산되어 편성되기 쉽다.
② 투입 중심의 예산편성으로 인해 목표가 불명확하다.
③ 장기적인 안목을 중시하며 비용편익분석 등 계량적인 분석기법의 사용을 강조한다.
④ 정책결정단위가 정책결정패키지를 작성함에 있어 신축성을 가지며, 체제적 접근을 선호한다.

26
2021년 국가직 7급

다음의 단점 혹은 한계로 인하여 정착이 어려운 예산제도는?

- 사업구조를 작성하는 것이 어렵다.
- 결정구조가 집권화되는 문제가 있다.
- 행정부처의 직원들이 복잡한 분석 기법을 이해하기 어렵다.

① 품목별예산제도
② 성과주의예산제도
③ 계획예산제도
④ 영기준예산제도

---

25 계획예산제도의 특성 난이도 ●○○

계획예산은 장기적인 기획과 단기적인 예산을 일치시키고자 하는 예산제도로서 비용편익분석 등 계량적인 분석기법이 사용된다.

선지분석
① 계획예산제도(PPBS)는 거시·집권·하향적 특성을 갖는다.
② 투입 중심은 품목별예산제도(LIBS)이고, 계획예산제도(PPBS)는 계획지향 예산제도이다.
④ 계획의 경직성으로 인하여 장기계획에 구속되기 때문에 상황변화에 대한 적응력이 떨어진다.

예산제도의 비교

비교기준	품목별 예산제도	성과주의 예산제도	계획예산제도
기본적인 정향	지출통제	관리의 도구	계획
고려의 범위	투입	투입과 산출	투입·산출·효과 및 대안
결정의 흐름	위로의 통합 (상향식)	위로의 통합 (상향식)	하향식
대안선택의 유형	점증적 결정모형	점증적 결정모형	총체적 결정모형

답 ③

26 계획예산제도 난이도 ●○○

계획예산제도(PPBS)의 한계에 대한 설명이다.
ⓐ 계획예산제도(PPBS)는 사업구조(program structure)의 작성이 어렵다.
ⓑ 지나친 집권화의 초래(하향적·일방적 의사결정)한다. 대통령이나 장관 등 최고관리층의 권한을 강화시키고, 막료 중심으로 운용되어 하급 공무원 및 계선기관의 참여가 곤란하다.
ⓒ 환산작업 및 성과계량화가 곤란하다. 행정문제는 환산작업(수작업·계량화)이 곤란하고, 성과계량화도 어렵다.

답 ③

27

2020년 지방직 9급

A 예산제도에서 강조하는 기능은?

> A 예산제도는 당시 미국의 국방장관이었던 맥나마라(McNamara)에 의해 국방부에 처음 도입되었고, 국방부의 성공적인 예산개혁에 공감한 존슨(Johnson) 대통령이 1965년에 전 연방정부에 도입하였다.

① 통제
② 관리
③ 기획
④ 감축

| 27 | 계획예산제도 | 난이도 ●○○ |

제시문은 기획과 예산을 연계시키는 계획예산제도(PPBS)에 해당하는 설명이다. 1961년 맥나마라(McNamara) 국방장관은 국방성에 계획예산제도를 도입하였으며, 1965년 존슨(Johnson) 대통령에 의해 연방정부 기관에 계획예산이 도입되었으나, 1971년에 공식적으로 중단되었다.

(선지분석)
① 통제기능은 전통적인 품목별예산제도(LIBS)이다.
② 관리기능은 성과주의예산제도(PBS)이다.
④ 감축기능은 영기준예산제도(ZBB)이다.

답 ③

28

2021년 군무원 9급

참여적(민주적) 관리와 가장 관련이 없는 것은?

① ZBB(영기준예산)
② MBO(목표에 의한 관리)
③ 브레인스토밍(brainstorming)
④ PPBS(계획예산)

| 28 | 참여적(민주적) 관리 | 난이도 ●○○ |

PPBS(계획예산)는 대통령이나 장관 등 최고관리층의 권한을 강화시키고, 막료 중심으로 운용되어 하급 공무원 및 계선기관의 참여가 곤란하다.

(선지분석)
① ZBB(영기준예산)는 상향적인 의사결정을 택함으로써 모든 수준의 관리자들이 참여하고, 그렇게 함으로써 관리자들이 자기 업무를 개선하여 경제성을 추구하도록 동기를 부여한다.
② MBO(목표에 의한 관리)는 조직구성원들의 광범위한 참여에 의한 관리를 강조한다. 따라서 Y이론적·상향적 관리방식이라고 할 수 있다.
③ 브레인스토밍(brainstorming)은 자유로운 분위기에서 아이디어를 도출하기 때문에 다수의 참여를 강조한다.

답 ④

29 □□□   2016년 서울시 7급

ZBB에 대한 설명으로 가장 옳지 않은 것은?

① 과거연도의 예산지출이 참고자료로 고려되지 않는다.
② 예산의 과대추정을 억제할 수 있다.
③ 비용편익분석과 시스템분석을 주요 수단으로 활용한다.
④ 각 부처에서 지출 규모에 대한 결정을 한다.

30 □□□   2018년 지방직 9급

다음 설명에 해당하는 예산제도는?

- 합리적 선택을 강조하는 총체주의 방식의 예산제도이다.
- 조직 구성원의 참여가 상대적으로 높은 분권화된 관리체계를 갖는다.
- 예산편성에 비용·노력의 과다한 투입을 요구한다는 비판을 받는다.

① 성과주의예산제도
② 계획예산제도
③ 영기준예산제도
④ 품목별예산제도

| 29 | 영기준예산제도(ZBB) | 난이도 ●●○ |

비용편익분석과 시스템분석 등 계량적·경제학적 기법을 도입하고 활용한 것은 계획예산제도(PPBS)이다. 영기준예산(ZBB)은 사업 항목별로 분석하기 때문에 시스템분석과는 거리가 있다.

선지분석

①, ② 영기준예산제도(ZBB: Zero-Base Budget)란 과거의 관행을 전혀 참조하지 않고(zero base 상태에서) 목적과 방법, 자원에 대한 근본적인 재평가를 바탕으로, 각 사업과 계획에 대한 우선순위를 부여하고 우선순위가 높은 사업과 활동을 선택하여 예산을 편성하는 제도를 말한다.
④ 의사결정단위별로 의사결정패키지가 결정되므로 각 부처에서 지출규모에 대한 결정을 한다.

답 ③

| 30 | 영기준예산제도 | 난이도 ●○○ |

영기준예산제도(ZBB)는 계속사업과 신규사업 모두를 원점에서부터 재검토하는 합리주의(총체주의) 예산방식이다. 계획예산제도(PPBS)가 집권·하향이라면 영기준예산제도(ZBB)는 분권·상향적 예산제도이다. 모든 사업을 검토하기 때문에 분석·평가·서류작업 등에 투입하는 시간과 노력의 부담이 과중하다.

답 ③

31

2015년 사회복지직 9급

영기준예산제도(ZBB)의 장점으로 옳지 않은 것은?

① 국방비, 공무원의 보수, 교육비와 같은 경직성 경비가 많으면 영기준예산제도의 효용이 커진다.
② 최고관리자는 각 기관의 업무수행에 대한 보다 상세한 자료를 입수할 수 있다.
③ 예산 과정에 대한 관리자 및 실무자의 참여를 촉진한다.
④ 전년도 답습주의로 인한 재정의 경직성을 완화할 수 있다.

| 31 | 영기준예산제도의 장점 | 난이도 ●○○ |

공공부문에서는 국방비, 인건비, 교육비 등 경직성 업무나 경비가 많고 국민생활의 연속성이 고려되어야 하며, 법령상의 제약이 심하기 때문에 사업의 축소나 폐지가 용이하지 않아 영기준예산의 적용이 제한될 수밖에 없다.

(선지분석)
② 관리자는 조직 내 각 의사결정단위들이 제출한 의사결정패키지들에 의하여 상세한 정보를 접할 수 있다.
③ 정책결정 항목이 위로 올라가면서 상향적으로 검토되고 우선순위가 결정되므로, 전문참모가 아닌 계선기관의 중간관리자나 하급관리자에게 참여 기회가 제공된다.
④ 우선순위를 토대로 그 가치가 낮은 사업활동을 축소·폐지할 수 있으므로, 재정의 경직성을 완화하고 재정운영의 탄력성을 제고시킨다.

답 ①

32

2023년 국회직 8급

영기준예산제도(Zero Based Budget, ZBB)에 대한 설명으로 옳지 않은 것은?

① 사업의 우선순위를 설정할 때 의사결정자들의 주관적 판단이 개입될 여지가 있다.
② 과거 연도의 예산지출을 고려하지 않는다.
③ 동일 사업에 대해 예산배분 수준별로 예산이 편성된다.
④ 계속사업의 예산이 점증적으로 증가하는 과정에서 발생하는 비효율을 개선한다.
⑤ 인건비나 임대료 등 경직성 경비의 비중이 높은 사업에 특히 효과적이다.

| 32 | 영기준예산제도 | 난이도 ●○○ |

인건비나 임대료 등 경직성 경비의 비중이 높은 사업에는 영기준예산이 효과적이지 않다.

(선지분석)
③ 동일 사업에 대해 전년도보다 못한 수준, 비슷한 수준, 더 나은 수준으로 각각 나누어 예산배분 수준별로 비교·평가된 후 편성된다.

답 ⑤

33 □□□   2024년 국가직 9급

영기준예산(ZBB)에 대한 설명으로 옳지 않은 것은?

① 기존 사업과 새로운 사업을 구분하지 않고 사업의 목적, 방법, 자원에 대한 근본적인 재평가를 바탕으로 예산을 편성하는 제도이다.
② 우리나라는 정부예산에 영기준예산제도를 적용한 경험이 있다.
③ 예산편성의 기본단위는 의사결정단위(decision unit)이며 조직 또는 사업 등을 지칭한다.
④ 집권화된 관리체계를 갖기 때문에 예산편성 과정에 소수의 조직 구성원만이 참여하게 된다.

---

34 □□□   2022년 국가직 7급

예산제도에 대한 설명으로 옳지 않은 것은?

① 영기준예산제도는 예산배분의 관행을 인정하지 않는 제도로서 미국의 민간기업 Texas Instruments에서 처음 시작되었고, 1970년대 미국 연방정부에 도입되었다.
② 계획예산제도는 장기적 계획, 사업, 예산을 연결시키는 제도로서 미국에서 베트남 전쟁, 위대한 사회 프로그램 등 정부예산이 팽창하던 1960년대에 도입·운영되었다.
③ 성과주의예산제도는 산출 이후의 성과에 관심을 가지며 예산집행의 재량과 결과에 대한 책임을 강조하는 제도로서 1950년대 연방정부를 비롯해 지방정부에 확산되었다.
④ 품목별예산제도는 예산을 지출대상별로 분류해 편성하는 통제지향적 제도로서 1920년대 대부분 미국 연방 부처가 도입하였다.

| 33 | 영기준예산 | 난이도 ●○○ |

영기준예산은 예산편성과정에 중하급관리자들이 참여하기 때문에 분권화된 예산관리체계이다.

선지분석
① 영기준예산은 기존사업과 신규사업 모두를 zero-base(원점)에서부터 재평가하는 예산제도이다.
② 우리나라는 1980년대 국방비 등에 영기준예산제도를 적용한 경험이 있다.
③ 영기준예산에서의 예산편성 기본단위는 의사결정단위로 조직단위 또는 사업단위를 말한다.

답 ④

| 34 | 예산제도 | 난이도 ●●● |

성과주의예산제도는 사업 및 활동을 중심으로 예산을 편성한다. 업무단위가 실질적으로는 최종산출물이 아니라 중간산출물인 경우가 많아서, 성과의 질적인 측면을 파악하기 곤란하다. 산출 이후의 성과에 관심을 가지는 것은 20세기 후반부터 시작된 신성과주의(결과기준)예산제도이다.

선지분석
① 영기준예산제도는 1969년 미국의 민간기업 Texas Instruments에서 처음 도입되었고, 카터 대통령에 의해 연방정부에 도입되었다.
② 계획예산제도는 1963년 맥나마라(McNamara)에 의해 미국 국방부에 도입되었고, 1965년 존슨(Johnson) 대통령에 의해 모든 연방정부에 전면적으로 도입되었다.
④ 1907년 뉴욕시 보건국 예산에 최초로 도입된 이래, 1910년 태프트(Taft) 위원회(절약과 능률에 관한 대통령 위원회)가 통제 본위의 품목별예산제도를 정부에 건의하였다. 이후 1921년 예산회계법의 제정과 더불어 행정부제출 예산제도가 확립되면서, 품목별예산제도를 대부분의 연방부처에서 도입하게 되었다.

답 ③

KEYWORD 087 일몰법과 신성과주의예산

35 □□□
2010년 서울시 7급

일몰법과 영기준예산에 대한 설명으로 부적절한 것은?

① 둘 다 감축관리의 실행에 활용된다.
② 일몰법은 대개 3~7년의 기간 후에 사업을 종료한다.
③ 영기준예산은 매년 심사하여 결정한다.
④ 둘 다 자원의 합리적 배분을 의도한다.
⑤ 영기준예산은 입법적 과정이다.

36 □□□
2015년 국가직 7급

1990년대에 새롭게 주목받게 된 성과관리예산제도에 대한 설명으로 옳지 않은 것은?

① 투입보다는 산출 또는 성과를 중심으로 삼고 있다.
② 거리청소사업으로 예를 들면, 거리의 청결도와 주민의 만족도 등을 다음 연도 예산배분에 반영하는 것이다.
③ 장기적인 기획과 단기적인 예산편성을 유기적으로 연결하여 합리적인 자원배분을 이루려는 제도다.
④ 모든 조직에 공통적으로 적용할 수 있는 표준적 성과측정지표를 개발하기 어렵다는 점은 성과관리예산제도의 단점으로 지적된다.

---

35 일몰법과 영기준예산의 비교   난이도 ●○○

영기준예산이 행정적 과정이라면, 일몰법은 입법적 과정이다.

📄 일몰법과 영기준예산제도의 비교

구분		일몰법	영기준예산제도
차이점	성격	법률	예산제도
	과정	예산 심의·통제를 위한 입법 과정	예산편성에 관련된 행정 과정
	주기	3~7년의 장기	매년
	계층	최상위 계층의 주요정책 심사	중·하위 계층 포함
	심사범위	최상위 정책	모든 정책
공통점		• 모든 사업의 지속 여부를 결정하기 위한 재심사 • 기득권 의식을 없애고 자원의 합리적 배분 • 자원난 시대에 대비하는 감축관리의 일환	

답 ⑤

36 성과관리예산제도   난이도 ●●○

장기적인 기획과 단기적인 예산편성을 유기적으로 연결하여 합리적인 자원배분을 이루려는 제도는 신성과주의가 아니라 계획예산제도(PPBS)의 특징에 해당한다.

선지분석
① 효과성을 상대적으로 중시하므로 옳은 지문이다.
② 고객만족 등 최종 성과까지 중시하여 다음 연도에 환류시킨다.
④ 모든 조직에 공통적으로 적용할 수 있는 표준적 성과측정지표를 개발하기 어려운 것은 성과관리의 한계다.

답 ③

37

2018년 서울시 7급(3월 추가)

신성과주의예산(New Performance Budgeting)의 특징으로 가장 옳지 않은 것은?

① 투입요소 중심이 아니라 산출 또는 성과를 중심으로 예산을 운용하는 제도이다.
② 과거의 성과주의예산과 비교하여 프로그램 구조와 회계제도에 미치는 영향이 훨씬 광범위하고 포괄적이다.
③ 책임성 확보를 위해 시행되고 있는 성과관리를 예산과 연계시킨 제도이다.
④ 예산집행에서의 자율성을 부여하되, 성과평가와의 연계를 통해 책임성을 확보하고자 한다.

| 37 | 신성과주의예산의 특징 | 난이도 ●●● |

신성과주의예산(New Performance Budgeting)은 이미 발생주의와 복식부기, 프로그램예산분류가 도입되었기 때문에 프로그램 구조와 회계제도 개편 등 큰 틀의 제도개혁보다는 성과정보의 예산과정에서의 활용을 개혁의 목표로 삼는다.

(선지분석)
① 투입이 아니라 산출과 성과 중심으로 예산을 운용한다.
③, ④ 자율을 부여하고 성과로 책임을 지는 예산제도이다.

답 ②

38

2019년 국가직 7급

1980년대 이후 주요 국가들의 예산개혁에 대한 설명으로 옳은 것은?

① 성과주의예산제도는 재정사업에 대한 투입보다는 그 결과에 대한 관심을 강조하고 있으나, 정작 성과측정, 사업원가 산정, 성과-예산의 연계 등에서 여전히 많은 난관이 있다.
② 중기재정계획은 단년도 예산의 장점인 안정성과 일관성보다는 재정건전성 등 중장기적 거시 재정목표의 효과적인 추구를 위해 도입되었다.
③ 하향식 예산편성제도는 추계한 예산총량을 전략적 우선순위에 따라 먼저 부문별·부처별로 배분하여 예산의 기술적 효율성(technical efficiency)의 제고를 우선적인 목적으로 한다.
④ 총액배분자율편성예산제도는 기획재정부가 부문별·부처별로 예산상한을 할당하는 집권화된 예산편성 방식으로, 부처의 사업별 재원배분에 대한 보다 세밀한 관리·통제 필요성에 따라 도입되었다.

| 38 | 1980년대 이후 주요 국가의 예산개혁 | 난이도 ●●○ |

성과주의예산제도는 재정사업에 대한 투입보다는 그 결과에 대한 관심을 강조한다. 그러나 성과측정, 사업원가 산정, 성과-예산의 연계 등 실제 운영과정에서 많은 어려움이 있다는 비판을 받는다.

(선지분석)
② 중기재정계획은 단년도 예산의 문제점을 극복하고 사업 추진의 안정성과 일관성을 유지하며, 재정건전성 등 중장기적 거시 재정목표의 효과적인 추구를 위해 도입되었다.
③ 하향식 예산편성제도는 추계한 예산총량을 전략적 우선순위에 따라 먼저 부분별·부처별로 배분하여 예산의 배분적 효율성(allocative efficiency)을 제고하기 위해 도입되었다.
  참고 운영상의 효율성(operational efficiency)은 개별적 지출 차원의 효율성을 의미하며, 기술적 효율성 또는 생산적 효율성이라고도 한다.
④ 총액배분자율편성예산제도는 기획재정부가 부분별·부처별로 예산상한을 할당하면, 그 범위 내에서 각 부처에서 구체적인 사업별 재원배분을 결정하는 제도이다. 따라서 예산편성과정에서 기획재정부의 각 부처에 대한 통제가 완화되고 각 부처의 자율성이 높아지는 제도이다.

답 ①

39

2014년 사회복지직 9급

제2차 세계대전 이후 미국은 경제발전, 효율성, 공공서비스 개선에 초점을 맞추고 경직적인 관료제의 병리와 국가부채 문제를 해소하기 위해 새로운 예산제도를 도입하였다. 정부에 대한 구조조정 작업을 추진하면서 제안된 성과주의예산제도에 대한 설명으로 옳은 것은?

① 결과보다 기획 기능의 강조
② 회계 책임의 명확화
③ 모든 대안에 대한 검토
④ 사업과 예산의 연계

40

2014년 서울시 9급

정부 각 기관에 배정될 예산의 지출한도액은 중앙예산기관과 행정수반이 결정하고 각 기관의 장에게는 그러한 지출한도액의 범위 내에서 자율적으로 목표달성방법을 결정하는 자율권을 부여하는 예산관리모형은 무엇인가?

① 총액배분자율편성예산제도
② 목표관리예산제도
③ 성과주의예산제도
④ 결과기준예산제도
⑤ 계획예산제도

---

39 성과주의예산제도   난이도 ●○○

성과주의예산은 예산(재원)을 사업에 연계시키는 제도이다.

(선지분석)
① 기획 기능을 강조하는 예산제도는 계획지향예산제도(PPBS)이다.
② 회계 책임의 명확화는 품목별예산제도(LIBS)이다.
③ 기존 사업·신규사업 모든 대안에 대한 검토는 영기준예산제도(ZBB)이다.

답 ④

40 총액배분자율편성예산제도   난이도 ●●○

정부 각 기관에 배정될 예산의 지출한도액은 중앙예산기관과 행정수반이 결정하고, 각 기관의 장에게는 그러한 지출한도액의 범위 내에서 자율적으로 목표달성 방법을 결정하는 자율권을 부여하는 예산관리모형은 신성과주의예산의 일종으로 2005년 우리 정부가 도입한 총액배분자율편성예산제도를 말한다.

(선지분석)
② 목표관리예산제도(MBO)는 진행 중인 사업의 모니터링을 위한 관리도구로서의 예신제도이다.
③ 성과주의예산제도는 산출을 중심으로 예산을 편성하는 제도이다.
⑤ 계획예산제도(PPBS)는 장기적 계획과 단년도 예산을 연계하는 예산제도이다.

답 ①

41 ☐☐☐ 2013년 국가직 7급

총액배분자율편성예산제도에 대한 설명으로 옳지 않은 것은?

① 사전에 결정된 예산의 지출한도 내에서 각 부처가 자율적으로 예산을 편성해 운영한다.
② 부처의 자율성이 높아지는 예산제도로 상향식(bottom-up) 방식이다.
③ 중기적 시각에서 정부 전체의 재정 규모를 검토하기 때문에 전략적 계획의 발전을 촉진하고 재정의 경기조절 기능을 강화할 수 있다.
④ 미래 예측을 강조함으로써 점증주의적 예산편성 관행을 바꾸는 데 기여할 수 있다.

42 ☐☐☐ 2010년 서울시 7급

개개의 항목에 대한 통제가 아니라 예산 총액만 통제하고, 구체적인 항목별 지출에 관해서는 집행부에 대한 재량권을 확대하는 성과지향적 예산제도는?

① 조세지출예산제도
② 통합재정제도
③ 성인지예산제도
④ 지출통제예산제도
⑤ 기금관리제도

---

41 총액배분자율편성예산제도 난이도 ●●○

총액배분자율편성예산제도는 부처의 자율성이 높아지는 예산제도이지만 하향식(top-down) 방식이다.

선지분석
① 지출한도인 총액이 결정되면 총액의 범위 내에서 각 부처가 자율적으로 편성한다.
③ 중기사업계획서에 의거하여 총액을 요구하므로 중기적 시각에서 재정운용을 한다.
④ 중기적 전망을 하므로 단년도 예산 중심인 점증주의예산을 어느 정도 탈피할 수 있다.

답 ②

42 지출통제예산제도 난이도 ●●○

개개의 항목에 대한 통제가 아니라 예산 총액만 통제하고, 구체적인 항목별 지출에 관해서는 집행부에 대한 재량권을 확대하는 성과지향적 예산제도는 최근 신성과주의예산의 핵심제도인 지출통제예산제도의 개념에 해당한다.

선지분석
① 조세지출예산제도는 조세지출(= 조세감면)을 예산의 구조로 밝히는 것이다.
② 통합재정은 국가재정을 총체적으로 파악하기 위하여 일반회계, 특별회계, 기금을 모두 포함한 예산이다.
③ 성인지예산은 남녀평등을 구현하려는 정책의지를 예산과정에 도입한 차별철폐지향적 예산이다.

답 ④

KEYWORD 088 예산제도 종합

43 □□□
2014년 경찰간부

예산제도에 대한 설명으로 가장 옳지 않은 것은?

① 품목별예산제도에서 공무원의 회계책임 확보가 곤란하다는 단점이 있다.
② Top-down 제도에서 지출총액에 대한 통제가 강조된다.
③ 윌다브스키(Wildavsky)는 영기준예산제도가 점증주의식 예산행태를 벗어나지 못했다고 비판하였다.
④ 계획예산제도의 핵심은 목표와 계획에 따른 사업의 효율적 수행에 있다.

44 □□□
2014년 지방직 9급

우리나라의 재정정책 관련 예산제도에 대한 설명으로 옳은 것은?

① 지출통제예산은 구체적 항목별 지출에 대한 집행부의 재량행위를 통제하기 위한 예산이다.
② 우리나라의 통합재정수지에 지방정부예산은 포함되지 않는다.
③ 우리나라의 통합재정수지에서는 융자지출을 재정수지의 흑자요인으로 간주한다.
④ 조세지출예산제도는 국회 차원에서 조세감면의 내역을 통제하고 정책효과를 판단하기 위한 제도이다.

---

43 예산제도   난이도 ●○○

품목별예산제도는 세부항목별로 예산을 편성함으로써 재정민주주의를 구현하고 공무원의 회계책임 확보가 용이하다는 장점이 있다.

선지분석
② Top-Down 제도는 총액만 통제하고, 구체적 지출에 대해서는 자율을 부여한다.
③ 윌다브스키(Wildavsky)는 사실상 영기준예산제도가 백지상태에서부터 분석을 시도하지 못했기 때문에 예산제도를 근본적으로 개혁하는 데에 실패했다고 비판했다.
④ 계획예산제도(PPBS)는 계획과 예산의 연계를 통해 사업의 효율적 수행을 목표로 한다.

답 ①

44 재정정책 관련 예산제도   난이도 ●●○

조세지출예산제도는 조세감면 내역을 예산에 명시하여 국회 차원의 통제를 받게 하자는 취지의 제도이다.

선지분석
① 지출통제예산은 항목별 구분을 없애고, 지출을 총액으로만 통제하는 예산제도이다.
② 2004년부터 우리나라의 통합재정수지에는 지방정부예산도 포함된다.
③ 융자지출을 적자요인으로 간주하고 있다.

답 ④

45

2012년 국가직 9급

미국의 예산개혁과 결부시켜 쉬크(A. Schick)가 도출한 예산제도의 주된 지향점으로 볼 수 없는 것은?

① 성과 지향
② 통제 지향
③ 기획 지향
④ 관리 지향

46

2020년 국가직 9급

예산제도에 대한 설명으로 옳지 않은 것은?

① 품목별예산제도는 일에 대한 정보를 제공하며, 세입과 세출의 유기적 연계를 고려한다.
② 성과주의예산제도는 업무량과 단위당 원가를 곱하여 예산액을 산정한다.
③ 계획예산제도는 비용편익분석 등을 활용함으로써 자원배분의 합리화를 추구한다.
④ 영기준예산제도는 예산 편성에서 의사결정단위(decision unit) 설정, 의사결정 패키지 작성 등이 필요하다.

---

45 쉬크(A. Schick)의 예산제도 난이도 ●○○

쉬크(A. Schick)는 예산의 중점이 통제 지향(품목별예산)에서 관리 지향(성과주의예산), 기획 지향(계획예산제도)으로 변천하였다고 주장하였다.

예산의 행정적 기능과 예산제도[쉬크(A. Schick)]

통제 기능	품목별예산(LIBS)	
관리 기능	성과주의예산(PBS)	
계획 기능	계획예산(PPBS)	
참여 기능	목표관리예산(MBO)	
감축 기능	영기준예산(ZBB)	
최근의 경향	신성과주의 예산	성과 지향
	주민참여예산	참여 지향

답 ①

46 예산제도 난이도 ●○○

품목별예산제도(LIBS)는 투입인 지출대상인 품목을 중심으로 예산을 편성하므로 정부사업(일)의 성격을 알지 못하고, 사업성과와 정부 생산성을 평가하기 어렵다. 또한 지출의 대상을 중심으로 예산을 편성하므로 세입과 세출의 유기적인 연계도 곤란하다는 단점이 있다.

선지분석
② 성과주의예산제도(PBS)은 사업별로 업무량과 단위 원가를 곱하여 세부사업별 예산을 편성한다.
③ 계획예산제도(PPBS)는 프로그램별로 비용편익분석을 활용하여 자원배분의 합리화를 추구한다.
④ 영기준예산제도(ZBB)는 의사결정단위 선정 → 의사결정 패키지 → 우선순위 선정 → 실행예산 편성 순으로 진행된다.

답 ①

47 ☐☐☐　　　　　　　　　　　　　2021년 군무원 9급

예산제도에 대한 설명으로 가장 옳은 것은?

① 성과주의예산제도는 업무단위 비용과 업무량의 파악을 통해 효과성을 높이고자 한다.
② 품목별예산제도의 분석의 초점은 지출대상이며 이를 통해 통제성을 높이고자 한다.
③ 새로운 성과주의예산제도는 산출물에 관심이 있으며 이를 통해 효율성을 높이고자 한다.
④ 계획예산제도는 목표와 예산의 연결을 통해 투명성과 대응성을 높이고자 한다.

| 47 | 예산제도 | 난이도 ●●● |

품목별예산제도는 예산액을 지출대상별로 한계를 명확히 정하여 배정함으로써 관료의 권한과 재량을 제한하는 통제지향적 예산제도이다.

선지분석
① 성과주의예산제도는 업무 단위의 비용과 업무량을 측정함으로써 정보의 계량화를 시도하여 관리의 능률성을 높이고자 한다.
③ 신성과주의예산제도는 산출이나 결과 중심의 예산이며, 국정 전반의 성과관리 체계를 강조하여 자율과 책임의 조화를 도모하고자 하는 예산제도이다.
④ 계획예산제도는 계획과 예산을 연계시키는 예산제도이다.

답 ②

CHAPTER 4 예산과정

KEYWORD 089 성과관리

01 □□□
2017년 서울시 7급

국가예산제도 개혁에 관한 설명으로 가장 옳지 않은 것은?

① 디지털예산회계시스템(BAR): 성과 중심형 예산시스템으로 발생주의·복식부기 회계제도를 기반으로 한 과학적 예산관리제도
② 조세지출예산제도: 예산지출을 절약하거나 조세를 통해 국고수입을 증대시킨 경우 그 성과의 일부를 기여자에게 인센티브로 지급하는 제도
③ 총액배분자율편성(top-down)예산제도: 각 부처가 국가재정운용계획에 의해 설정된 1년 예산 상한선 내에서 자율적으로 예산을 편성하는 제도
④ 주민참여예산제도: 예산편성권을 지역사회와 지역주민에게 분권화함으로써, 예산편성 과정에 해당 지역주민들이 직접 참여하는 제도

02 □□□
2017년 국가직 7급(8월 시행)

dBrain System에 대한 설명으로 옳지 않은 것은?

① UN 공공행정상을 수상하는 등 국제적으로 호평을 받고 있다.
② dBrain 구축이 완료됨에 따라 총액배분자율편성예산제도의 도입이 가능해졌다.
③ 예산편성, 집행, 결산, 사업관리 등 재정업무 전반을 종합적으로 연계 처리하도록 하는 통합재정정보시스템이다.
④ 노무현 정부 당시 재정개혁의 일환으로 구축이 추진되었다.

---

01 국가예산제도 개혁 난이도 ●●○

예산지출을 절약하거나 조세를 통해 국고수입을 증대시킨 경우, 그 성과의 일부를 기여자에게 인센티브로 지급하는 것은 조세지출예산제도가 아니라 예산성과금제도에 해당한다.

(선지분석)
① 디지털예산회계시스템(BAR)은 2007년부터 도입된 성과 중심의 범정부적인 예산회계정보시스템이다.
③ 총액배분자율편성예산제도는 1년간 지출한도를 정해주고 한도 내에서 각 부처가 자율적으로 예산을 편성하는 제도이다.
④ 주민참여예산제도는 예산편성 과정에 주민들이 직접 참여하는 제도이다.

답 ②

02 dBrain System 난이도 ●●●

dBrain이란 디지털예산회계정보시스템(dBAIS)으로, 2007년 노무현 정부 시절 성과 중심의 재정시스템을 구축하기 위하여 기획재정부가 수입의 발생부터 예산의 편성·집행, 자금 및 국유재산 관리, 결산 등 국가 재정업무 순기상의 전 과정을 포괄하는 통합재정정보시스템으로 구축한 것이다. 총액배분자율편성예산제도는 중앙예산기관이 지출한도를 정해주고 각 부처는 한도 내에서 예산을 편성·요구하는 제도로, dBrain 도입 이전인 2005년에 도입된 제도이다.

(선지분석)
① dBrain System은 2013년 UN 공공행정상 대상에 선정되었다.
③ dBrain System은 예산의 편성·집행, 자금 및 국유재산 관리, 결산 등 국가 재정업무 순기상의 전(全) 과정을 포괄하는 통합재정정보시스템으로 구축한 것이다.
④ 2007년 노무현 정부 시절 성과 중심의 재정개혁 일환으로 구축·가동되었다.

답 ②

03 2017년 국가직 9급(4월 시행)

재정성과관리와 재정건전성에 대한 설명으로 옳지 않은 것은?

① 중기지방재정계획은 「지방재정법」에 근거한 사후예산제도로 지방재정건전화를 추구한다.
② 통합재정수지는 재정건전성 분석, 재정의 실물경제 효과 분석, 재정운용의 통화부문에 대한 영향 분석 등에 활용될 수 있다.
③ 총사업비관리제도는 시작된 대형사업에 대한 총사업비를 관리해 재정지출의 생산성 제고를 도모한다.
④ 예비타당성조사는 대규모 신규사업에 대한 예산편성 및 기금운용계획을 수립하기 위하여 기획재정부장관 주관으로 실시하는 사전적인 타당성 검증·평가제도이다.

04 2016년 국가직 7급

우리나라 정부재정에 대한 설명으로 옳지 않은 것은?

① 일반회계예산의 세입은 원칙적으로 조세수입을 재원으로 하고 세출은 국가사업을 위한 기본적 경비지출로 구성된다.
② 실질적인 정부의 총예산 규모를 파악하는 데에는 예산순계 기준보다 예산총계 기준이 더 유용하다.
③ 중앙관서의 장은 특별회계를 신설하고자 하는 때에는 해당 법률안을 입법예고하기 전에 특별회계 신설에 관한 계획서를 기획재정부장관에게 제출하며 그 신설의 타당성에 관한 심사를 요청하여야 한다.
④ 중앙정부의 통합재정 규모는 일반회계, 특별회계, 기금, 세입세출 외 항목을 포함하지만 내부거래와 보전거래는 제외한다.

---

03 재정성과관리와 재정건전성 난이도 ●●○

중기지방재정계획은 「지방재정법」에 근거한 사전예산관리제도이다.

선지분석
② 통합재정의 활용 예시로 옳은 지문이다.
③ 총사업비관리제도의 의의로 옳은 지문이다.
④ 「국가재정법」에서는 일정 규모 이상의 대규모 사업에 대한 기획재정부장관의 예비타당성조사를 의무화하고 있다. 기획재정부에서 시행하는 예비타당성조사는 본격적인 타당성조사 이전에 국민경제적인 차원에서 사업의 추진 여부를 판단하게 된다.

답 ①

04 정부재정 난이도 ●●○

실질적인 정부의 총예산 규모 파악에 유리한 방식은 내부거래와 보전거래를 차감한 예산순계 방식이다.

선지분석
① 일반회계는 중앙정부의 내국세, 관세 등 조세수입(90% 이상)과 차관수입, 재화나 용역의 판매수입과 같은 세외수입 등을 통해 조성되고, 정부의 일반행정경비, 방위비, 사회개발비, 지방재정교부금 등에 지출된다.
③ 특별회계 신설 절차로서 옳은 지문이다.
④ 통합예산은 내부거래와 보전거래를 차감한 예산순계의 개념으로 작성한다.

답 ②

05　　　　　　　　　　　　　　　　2014년 경찰간부

정부가 국가재정의 효율적 운용을 위해 도입한 제도와 가장 거리가 먼 것은?

① 국가재정운용계획의 수립
② 재정활동에 대한 성과관리체계의 구축
③ 회계기금 간 여유재원의 전입과 전출
④ 성인지예산서의 작성

06　　　　　　　　　　　　　　　　2012년 국가직 9급

「국가재정법」, 「국가회계법」 등 관련법은 정부가 성과계획서와 성과보고서를 각각 예산안과 결산보고서에 포함시켜 국회에 제출하도록 규정하고 있다. 이처럼 재정운용과 관련하여 성과관리적 요소가 강화된 배경으로 옳지 않은 것은?

① 재정지출의 효율화 및 예산절감의 필요성 증대
② 재정운용의 투명성 및 책임성 제고 요구 증대
③ 국가재정운용계획, 총액배분자율편성예산제도의 시행에 따른 체계적 성과관리의 중요성 증대
④ 지출의 합법성 제고 및 오류 방지 요구 증대

| 05 | 국가재정의 효율적 운용을 위한 제도 | 난이도 ●○○ |

성인지예산제도는 재정운용에 있어서 남녀평등을 구현하자는 것이며, 재정운용의 효율성을 위한 제도가 아니다.

선지분석

그 외의 지문은 모두 국가재정의 효율적 운영을 위해 도입된 제도로 「국가재정법」에 규정되어 있다.
① 5개년 이상의 국가재정운용계획 수립·제출(「국가재정법」 제7조)
② 성과 중심의 재정운용(「국가재정법」 제8조)
③ 회계·기금 간 여유재원의 전입·전출(「국가재정법」 제13조)

답 ④

| 06 | 성과관리적 요소 강화 배경 | 난이도 ●○○ |

최근 성과 중심의 관리는 지출의 합법성 제고 및 오류 방지가 아니라, 재정운영의 효율화·투명성·책임성의 요구가 증대되면서 나타난 결과이다.

선지분석

① 정부실패 이후 대두된 성과관리제도는 지출의 효율화를 통한 예산절감의 필요성에 의해서 대두되었다.
③ 우리나라가 재정개혁의 일환으로 도입한 국가재정운용계획, 총액배분자율편성예산제도가 성과관리예산제도이다.

답 ④

07

2023년 국가직 9급

우리나라의 재정사업 성과관리에 대한 설명으로 옳지 않은 것은?

① 재정사업 성과관리의 내용은 성과목표관리와 성과평가로 구성된다.
② 재정사업 성과평가 결과는 지출 구조조정 등의 방법으로 재정운용에 반영될 수 있다.
③ 재정사업 심층평가 결과 기획재정부장관이 필요하다고 판단하면 재정사업 자율평가를 실시할 수 있다.
④ 재정사업 자율평가는 미국 관리예산처(OMB)의 PART(Program Assessment Rating Tool)를 우리나라 실정에 맞게 도입한 제도이다.

---

07 우리나라의 재정사업 성과관리   난이도 ●●○

재정사업자율평가결과 기획재정부 장관이 필요하다고 판단하면 재정사업심층평가를 실시할 수 있다.

> 「국가재정법 시행령」 제39조의3 【재정사업의 성과평가 등】 ① 기획재정부장관은 법 제85조의8 제1항에 따라 각 중앙관서의 장과 기금관리주체에게 기획재정부장관이 정하는 바에 따라 주요 재정사업을 스스로 평가(이하 "재정사업자율평가"라 한다)하도록 요구할 수 있으며, 다음 각 호의 어느 하나에 해당하는 사업에 대해서는 심층평가를 실시할 수 있다. 다만, 「과학기술기본법」 제11조에 따른 국가연구개발사업에 대한 평가는 「국가연구개발사업 등의 성과평가 및 성과관리에 관한 법률」에 따른 성과평가로 재정사업자율평가 또는 심층평가를 대체할 수 있다.
> 1. 재정사업자율평가 결과 추가적인 평가가 필요하다고 판단되는 사업
> 2. 부처간 유사·중복 사업이나 비효율적인 사업추진으로 예산낭비의 소지가 있는 사업
> 3. 향후 지속적 재정지출 급증이 예상되어 객관적 검증을 통해 지출효율화가 필요한 사업
> 4. 그 밖에 심층적인 분석·평가를 통해 사업추진 성과를 점검할 필요가 있는 사업

선지분석

① 「국가재정법」 제85조의2에 규정되어 있다.

> 제85조의2 【재정사업의 성과관리】 ① 정부는 성과중심의 재정운용을 위하여 다음 각 호의 성과목표관리 및 성과평가를 내용으로 하는 재정사업의 성과관리(이하 "재정사업 성과관리"라 한다)를 시행한다.

② 「국가재정법」 제85조의10에 규정되어 있다.

> 제85조의10 【재정사업 성과관리 결과의 반영 등】 ① 기획재정부장관은 매년 재정사업의 성과목표관리 결과를 종합하여 국무회의에 보고하여야 한다.
> ② 기획재정부장관은 재정사업의 성과평과 결과를 재정운용에 반영할 수 있다.
> ③ 중앙관서의 장은 재정사업 성과관리의 결과를 조직·예산·인사 및 보수체계에 연계·반영할 수 있다.
> ④ 정부는 재정사업 성과관리 결과 등이 우수한 중앙관서 또는 공무원에게 표창·포상 등을 할 수 있다.

④ 재정사업 자율평가제도는 미국의 PART 제도를 원용하여 도입하였다. 미국의 PART는 1993년 도입된 성과지표 중심의 정부성과관리법 체제로는 예산과의 연계에 한계가 있어 관리예산처(OMB) 주도로 2002년 도입한 바 있다.

답 ③

08
2022년 지방직 7급

재정준칙에 대한 설명으로 옳지 않은 것은?

① 국가채무준칙은 재정 건전성을 확보하기 위해 국가채무 규모에 상한선을 설정한다.
② 재정수지준칙은 경기변동과 무관하게 설정되므로 경제 안정화를 오히려 저해할 수 있다.
③ 재정지출준칙은 경제성장률이나 재정적자 규모의 예측에 의존하지 않는다.
④ 재정수입준칙은 조세지출을 우회적으로 활용함으로써 재정건전성이 훼손될 가능성이 있다.

08 재정준칙 | 난이도 ●●●

조세지출을 광범위하게 활용함으로써 표면적으로는 재정지출을 준수하지만 재정건전성이 훼손될 수 있는 가능성이 있는 것은 재정지출준칙이다.

선지분석
① 국가채무준칙은 국가채무의 규모에 상한선을 설정하는 준칙이다. 국가채무의 한도 설정은 GDP 대비 국가채무의 비율로 설정된다.
② 재정수지준칙은 매 회계연도마다 또는 일정 기간 재정수지를 균형이나 일정 수준으로 유지하도록 하는 준칙이다. 재정수지준칙은 경기변동과는 무관하게 설정되는 것이므로 실질적인 효과를 파악하기 어렵다는 문제점이 있다.
③ 재정지출준칙은 총지출 한도, 분야별 명목·실질지출한도, 명목·실질 지출 증가율 한도를 설정하는 준칙이다. 지출한도의 가장 큰 장점은 다른 변수에 영향을 받지 않고 독립적으로 통제가 가능하며, 경제성장률이나 재정적자규모의 예측에 의존하지 않는다는 점이다.

📄 **재정준칙**
재정수입, 재정지출, 재정수지, 국가채무 등 총량적 재정규율에 대한 법적 구속력을 부여함으로써 구체적인 재정운용목표로 재정 규율을 확보하기 위한 재정건전화 제도이다.

답 ④

KEYWORD 090 예산과정

09
2014년 사회복지직 9급

다음 중 우리나라 정부의 예산편성 절차를 올바르게 나열한 것은?

> ㄱ. 예산편성지침 통보
> ㄴ. 예산의 사정
> ㄷ. 국무회의 심의와 대통령 승인
> ㄹ. 중기사업계획서 제출
> ㅁ. 예산요구서 작성 및 제출

① ㄱ - ㄹ - ㅁ - ㄴ - ㄷ
② ㄹ - ㄱ - ㅁ - ㄴ - ㄷ
③ ㄱ - ㅁ - ㄹ - ㄷ - ㄴ
④ ㄹ - ㄴ - ㄱ - ㅁ - ㄷ

09 정부의 예산편성 절차 | 난이도 ●○○

우리나라 예산편성 절차는 중기사업계획서의 제출(ㄹ) → 예산지침 시달(ㄱ) → 예산요구서의 작성·제출(ㅁ) → 예산의 사정(ㄴ) → 국무회의 심의와 대통령 승인(ㄷ) 순으로 진행된다.

📄 **우리나라의 예산편성 절차**

주요 사업 계획서의 제출	• 각 중앙관서의 장은 매년 1월 말까지 다음 해에 시행하고자 하는 신규사업과 주요사업에 대한 중기사업계획서를 작성하여 기획재정부장관(중앙예산기관장)에게 제출함 • 제출된 중기사업계획서를 기획재정부장관이 국무회의에 보고함
예산편성 지침의 작성과 시달	기획재정부장관(중앙예산기관장)은 매년 3월 31일까지 예산안편성지침을 국무회의 심의와 대통령의 승인을 받아 각 중앙관서의 장에게 시달하여야 함
예산요구서 작성과 제출	각 중앙관서는 예산편성지침을 접수하면, 예산편성지침에 따라 그 소관에 속하는 다음 연도의 세입세출예산·계속비·명시이월비 및 국고채무부담행위 요구서를 작성하여 5월 31일까지 기획재정부장관에게 제출해야 함
예산사정 (review)	기획재정부(중앙예산기관)는 각 중앙관서로부터 예산요구서가 제출되면, 여러가지 분석·정보를 활용하여 예산요구서를 검토하는 예산사정을 통해 정부 전체의 예산규모 내에서 각 부처의 요구를 조정하고, 예산안을 작성함
정부예산안의 확정과 국회 제출	• 정부예산안은 국무회의의 심의를 거쳐 대통령 승인을 얻음으로써 정부예산안으로 확정됨 • 확정된 정부예산안은 회계연도 개시 120일 전까지 국회에 제출됨

답 ②

10

2025년 지방직 9급

우리나라 정부의 예산제도에 대한 설명으로 옳은 것은?

① 회계연도는 매년 3월 1일부터 다음 해 2월 28일까지이다.
② 예산안 국회 제출 기한은 헌법상 회계연도 개시 90일 전까지이나 「국가재정법」상 회계연도 개시 120일 전까지이다.
③ 각 중앙관서의 장은 한 회계연도가 끝나기 전에 해당 회계연도의 중앙관서결산보고서를 기획재정부장관에게 제출하여야 한다.
④ 회계연도 개시 전까지 예산안이 국회에서 의결되지 못한 경우 잠정예산을 편성해야 한다.

11

2021년 군무원 9급

우리나라 예산편성 절차에 대한 설명으로 가장 옳지 않은 것은?

① 우리나라 예산담당부처인 기획재정부는 예산안편성지침과 국가재정운용계획을 사전에 준비하고 범부처 예산사정을 담당한다.
② 각 중앙행정기관은 기획재정부의 지침에 따라 사업계획서와 예산요구서 작성을 준비한다.
③ 기획재정부는 총액배분자율편성제도에 따라 각 부처의 세부사업에 대한 심사보다 부처예산요구총액의 적정성을 집중적으로 심의한다.
④ 기획재정부는 조정된 정부예산안을 회계연도 개시 120일 전까지 국회에 제출한다.

---

10 예산제도 난이도 ●○○

우리나라의 예산안 국회제출시한은 「헌법」은 회계연도개시 90일 전, 「국가재정법」은 120일 전까지 제출하도록 하고 있다.

(선지분석)
① 우리나라 회계연도는 매년 1월 1일부터 12월 31일까지이다.
③ 각 중앙관서의 장은 중앙관서 결산보고서를 다음 연도 2월 말까지 기획재정부장관에게 제출하여야 한다.
④ 회계연도 개시 전까지 예산안이 국회에서 의결되지 못한 경우 준예산을 편성해야 한다.

답 ②

11 예산편성 절차 난이도 ●●○

기획재정부(중앙예산기관)는 각 중앙관서로부터 예산요구서가 제출되면, 여러 가지 분석과 정보를 활용하여 세부사업에 대한 예산요구서를 검토하는 예산사정을 실시한다.

답 ③

12
2022년 군무원 9급

국가재정운용계획에 대한 설명으로 가장 옳지 않은 것은?

① 중기재정계획은 정부가 매년 당해 회계연도부터 5회계연도 이상의 기간에 대해 수립하는 재정운용계획이다.
② 예산안과 함께 국회에 제출하는 국가재정운용계획은 5년 단위 계획이다.
③ 국가재정운용계획은 국회가 심의하여 확정한다.
④ 국가재정운용계획은 중·장기 국가비전과 정책우선순위를 고려한 중기적 시계를 반영하며, 단연도 예산편성의 기본 틀이 된다.

13
2009년 서울시 9급 변형

예산안 편성과정에 대한 다음 설명 중 옳지 않은 것은?

① 각 중앙관서의 장은 매년 1월 31일까지 당해 회계연도부터 5회계연도 이상의 기간 동안의 계속사업에 대한 중기사업계획서를 국무회의에 보고해야 한다.
② 기획재정부장관은 국무회의의 심의를 거쳐 대통령의 승인을 얻은 다음 연도의 예산안 편성지침을 3월 31일까지 각 중앙관서의 장에게 통보해야 한다.
③ 기획재정부장관은 각 중앙관서의 장에게 통보한 예산안 편성지침을 국회예산결산특별위원회에 보고해야 한다.
④ 정부는 대통령의 승인을 얻은 예산안을 회계연도 개시 120일 전까지 국회에 제출해야 한다.
⑤ 정부는 국회에 제출된 예산안의 일부를 부득이한 사유로 수정해야 하는 경우 국무회의의 심의를 거쳐 대통령의 승인을 얻은 수정예산안을 국회에 제출할 수 있다.

| 12 | 국가재정운용계획 | 난이도 ●●○ |

국가재정운용계획은 정부가 회계연도 개시 120일 전까지 제출하는 것이며, 국회가 심의하여 확정하는 것이 아니다.

> 「국가재정법」 제7조 【국가재정운용계획의 수립 등】 ① 정부는 재정운용의 효율화와 건전화를 위하여 매년 해당 회계연도부터 5회계연도 이상의 기간에 대한 재정운용계획(이하 "국가재정운용계획"이라 한다)을 수립하여 회계연도 개시 120일 전까지 국회에 제출하여야 한다.
> ② 국가재정운용계획에는 다음 각 호의 사항이 포함되어야 한다.
> 1. 재정운용의 기본방향과 목표
> 2. 중기 재정전망 및 근거
> 3. 분야별 재원배분계획 및 투자방향
> 4. 재정규모증가율 및 그 근거

답 ③

| 13 | 예산안 편성과정 | 난이도 ●○○ |

각 중앙관서의 장이 중기사업계획서를 기획재정부장관에게 제출하면, 기획재정부장관이 국가개정운용계획을 작성하여 국무회의에 보고하도록 되어 있다.

선지분석
②, ③ 기획재정부장관은 예산안 편성지침을 3월 31일까지 각 중앙관서의 장에게 통보하고, 국회예산결산특별위원회에도 보고해야 한다.
④ 예산편성서는 회계연도 120일 전까지 국회에 제출해야 한다.
⑤ 예산안을 변경하는 수정예산을 편성 시에도 국무회의 심의와 대통령의 승인을 받고 국회에 제출한다.

답 ①

14   2023년 지방직 7급

「국가재정법」상 (가)에 해당하는 기관만을 모두 고르면?

> 정부는 협의에도 불구하고 (가)의 세출예산요구액을 감액하고자 할 때에는 국무회의에서 해당 (가)의 장의 의견을 들어야 하며, 정부가 (가)의 세출예산요구액을 감액한 때에는 그 규모 및 이유, 감액에 대한 (가)의 장의 의견을 국회에 제출하여야 한다.

> ㄱ. 헌법재판소
> ㄴ. 중앙선거관리위원회
> ㄷ. 국민권익위원회
> ㄹ. 국가인권위원회

① ㄱ, ㄴ
② ㄱ, ㄹ
③ ㄴ, ㄷ
④ ㄷ, ㄹ

14 독립기관의 예산   난이도 ●●○

정부는 독립기관(국회·대법원·헌법재판소 및 중앙선거관리위원회)의 세출예산요구액을 감액하고자 할 때에는 국무회의에서 해당 독립기관의 장의 의견을 들어야 하며, 정부가 독립기관의 세출예산요구액을 감액한 때에는 그 규모 및 이유, 감액에 대한 독립기관의 장의 의견을 국회에 제출하여야 한다(「국가재정법」 제40조).

답 ①

15   2022년 국가직 7급

중앙정부의 지출 성격상 의무지출에 해당하는 것만을 모두 고르면?

> ㄱ. 지방교부세
> ㄴ. 유엔 평화유지활동(PKO) 예산 분담금
> ㄷ. 정부부처 운영비
> ㄹ. 지방교육재정교부금
> ㅁ. 국채에 대한 이자지출

① ㄱ, ㄴ, ㅁ
② ㄴ, ㄷ, ㄹ
③ ㄱ, ㄴ, ㄹ, ㅁ
④ ㄱ, ㄷ, ㄹ, ㅁ

15 의무지출   난이도 ●●●

우리나라는 2013년 예산안부터 재정지출 사업을 의무지출과 재량지출로 구분하여 국가재정 운용계획에 포함하여 국회에 제출하고 있다. 의무지출은 법령에 따라 지출의무와 지출규모가 명시되는 법정지출과 이자지출로 구분되며, 재량지출은 재정지출에서 의무지출을 제외한 지출을 말한다.
ㄱ. 지방교부세, ㄴ. 유엔 평화유지활동(PKO) 예산 분담금, ㄹ. 지방교육재정교부금, ㅁ. 국채에 대한 이자지출은 의무적으로 지출해야 하는 의무지출 항목이다.

선지분석
ㄷ. 정부부처 운영비는 재량지출에 해당한다. 공무원인건비와 국방비는 (경직성이 매우 큰) 재량지출에 해당한다.

> **국가재정법 시행령 제2조 【국가재정운용계획의 수립 등】** ③ 「국가재정법」 제7조 제2항 제4호의2에 따른 의무지출의 범위는 다음 각 호와 같다.
> 1. 「지방교부세법」에 따른 지방교부세, 「지방교육재정교부금법」에 따른 지방교육재정교부금 등 법률에 따라 지출의무가 정하여지고 법령에 따라 지출규모가 결정되는 지출
> 2. 외국 또는 국제기구와 체결한 국제조약 또는 일반적으로 승인된 국제법규에 따라 발생되는 지출
> 3. 국채 및 차입금 등에 대한 이자지출

답 ③

16　　　　　　　　　　　　　　　　2017년 서울시 7급

우리나라 예산심의의 특징으로 가장 옳지 않은 것은?

① 정치체제의 성격상 예산심의 과정이 의원내각제에 비해 상대적으로 엄격하지 않다.
② 일반적으로 예산의 심의에서 본회의는 형식적인 경우가 많다.
③ 국회는 정부의 동의 없이 금액 증가나 새로운 비목을 설치하지 못한다.
④ 예산심의 과정에서 국회 상임위원회가 소관 부처의 이해관계를 대변하기 쉽다.

17　　　　　　　　　　　　　　　　2016년 국가직 9급

국회의 예산심의에 대한 설명으로 옳지 않은 것은?

① 상임위원회의 예비심사를 거친 정부예산안은 예산결산특별위원회에 회부되고, 예산결산특별위원회에서 종합심사가 종결되면 본회의에 부의된다.
② 예산결산특별위원회는 소관 상임위원회의 동의 없이 상임위원회에서 삭감한 세출예산 각 항의 금액을 증액할 수 있다.
③ 국회는 정부의 동의 없이 정부가 제출한 지출예산 각 항의 금액을 증가하거나 새 비목을 설치할 수 없다.
④ 국회의장은 예산안을 소관 상임위원회에 회부할 때에는 심사기간을 정할 수 있으며, 상임위원회가 이유 없이 그 기간 내에 심사를 마치지 아니한 때에는 이를 바로 예산결산특별위원회에 회부할 수 있다.

16　예산심의의 특징　　　난이도 ●○○

정치체제의 성격상 의원내각제보다 우리나라의 대통령 중심제가 상대적으로 엄격한 편이다.

(선지분석)
② 우리나라 예산심의는 본회의보다 위원회 중심이다.
③ 국회는 정부 동의 없이 증액 또는 새로운 비목 설치가 불가능하다.
④ 상임위원회의 의원은 소관부처와 밀접한 관계인으로 구성되는 경우가 많으므로 이해관계를 대변하기 쉽다(예 국방위원회는 군 출신 의원이 많음 등).

답 ①

17　국회의 예산심의　　　난이도 ●○○

예산결산특별위원회는 소관 상임위원회의 동의 없이는 상임위원회에서 삭감한 세출예산 각 항의 금액을 증액할 수 없다.

(선지분석)
① 예산심의 및 의결순서는 ⓐ 국정감사 → ⓑ 시정연설(본회의) → ⓒ 상임위원회의 예비심사 → ⓓ 예산결산특별위원회의 종합심사 → ⓔ 본회의 의결 순으로 진행된다.
③ 국회는 정부의 동의 없이 정부가 제출한 예산안의 삭감·폐지는 가능하지만, 증액이나 새비목을 설치할 수는 없다.
④ 국회의장의 권한으로 옳은 지문이다.

답 ②

18

2013년 지방직 9급

다음 중 국회의 예산심의에 대한 설명으로 옳은 것만을 모두 고른 것은?

> ㄱ. 상임위원회의 예비심사를 거친 예산안은 예산결산특별위원회에 회부된다.
> ㄴ. 예산결산특별위원회의 심사를 거친 예산안은 본회의에 부의된다.
> ㄷ. 예산결산특별위원회를 구성할 때에는 그 활동기한을 정하여야 한다. 다만, 본회의 의결로 그 기간을 연장할 수 있다.
> ㄹ. 예산결산특별위원회는 소관 상임위원회의 동의 없이 새 비목을 설치할 수 있다.

① ㄱ, ㄴ
② ㄱ, ㄴ, ㄷ
③ ㄱ, ㄷ, ㄹ
④ ㄴ, ㄹ

19

2020년 지방직 7급

우리나라의 예산결산특별위원회에 대한 설명으로 옳지 않은 것은?

① 예산안 및 결산 심사는 제안설명과 전문위원의 검토보고를 듣고, 종합정책질의, 부별 심사 또는 분과위원회 심사 및 찬반토론을 거쳐 표결한다.
② 국회의장이 기간을 정하여 회부한 예산안과 결산에 대하여 상임위원회가 이유 없이 그 기간 내에 심사를 마치지 아니한 때에는 이를 바로 예산결산특별위원회에 회부할 수 있다.
③ 예산안과 결산뿐 아니라 관계 법령에 따라 제출·회부된 기금운용계획안도 심사한다.
④ 소관 상임위원회에서 삭감한 세출예산 각 항의 금액을 증가하게 할 경우에 소관 상임위원회의 동의를 받지 않아도 된다.

| 18 | 국회의 예산심의 | 난이도 ●○○ |

ㄱ, ㄴ. 국회의 예산심의에 대한 옳은 설명이다.

(선지분석)
ㄷ. 예산결산특별위원회는 상설화된 위원회이므로 활동기한이 정해져 있지 않다.
ㄹ. 「국회법」에 의하면 상임위원회에서 증액한 내용은 예산결산특별위원회에서 상임위원회의 동의 없이 삭감할 수 있으나, 예산결산특별위원회에서 새 비목 설치는 상임위원회의 동의를 얻어야 한다.

답 ①

| 19 | 예산결산특별위원회 | 난이도 ●○○ |

상임위원회가 삭제·삭감한 예산을 예산결산특별위원회가 설치·증액하고자 하는 경우에는 상임위원회의 동의를 받아야 한다.

(선지분석)
① 「국회법」 제84조 내용으로 옳은 지문이다.
② 국회의장은 예산안을 소관상임위원회에 회부할 때에도 심사기간을 정할 수 있으며, 상임위원회가 이유 없이 그 기간 내에 심사를 마치지 아니한 때에는 이를 바로 예산결산특별위원회에 회부할 수 있다.
③ 기금도 국회가 심의·의결한다.

답 ④

20

2021년 군무원 9급

예산과정 중에서 재정민주주의(fiscal democracy)와 가장 관련이 깊은 것은?

① 예산심의
② 예산집행
③ 회계검사
④ 예비타당성조사

21

2022년 군무원 9급

다음 중 우리나라의 예산심의에 대한 설명으로 가장 옳지 않은 것은?

① 정부의 시정연설 후에 국회에서 예비심사와 본회의 심의를 거쳐서 종합심사를 하고 의결을 한다.
② 예산심의는 행정부에 대한 관리통제기능이다.
③ 예산심의 과정에서 정당이 영향을 미친다.
④ 우리나라는 대통령 중심제로 인해 의원내각제인 나라에 비해 예산심의가 상대적으로 엄격하다.

20	재정민주주의	난이도 ●○○

예산심의란 입법부가 재정감독권을 행사하여 행정부가 작성한 예산을 심사하는 정치적 과정을 말한다. 국민의 대표가 예산을 심의하는 것이 재정민주주의 실현이다. ② 예산집행, ③ 회계검사, ④ 예비타당성조사에 비해서 상대적으로 재정민주주의가 가장 관련이 있는 것은 예산심의다.

답 ①

21	예산심의	난이도 ●○○

예산심의의 순서는 국정감사 → 시정연설 → 상임위원회의 예비심사 → 예산결산특별위원회의 종합심사 → 본회의 의결이다.

(선지분석)
② 예산심의는 행정부에 대한 입법부의 관리통제기능이다.
③ 예산심의 단계에서는 정당의 정강정책이나 당론 등이 예산심의에 많은 영향을 미친다.
④ 우리나라는 대통령 중심제이므로 의원내각제인 나라에 비해 예산심의가 상대적으로 엄격하다고 할 수 있다.

답 ①

22

2016년 지방직 7급

다음은 예산의 이용과 전용에 대한 설명이다. ㄱ과 ㄴ에 해당하는 것은?

> 이용은 국회에서 승인된 예산 중 (ㄱ) 간 울타리를 뛰어 넘어 자금을 이전하는 것을 말하며 이를 위해서는 국회의 승인을 받아야 한다. 반면, 전용은 (ㄴ) 간 울타리를 뛰어 넘어 자금을 이전하는 것을 말하며 이를 위해서는 국회의 승인을 받을 필요가 없다.

	ㄱ	ㄴ
①	장	관, 항, 세항, 목
②	장, 관	항, 세항, 목
③	장, 관, 항	세항, 목
④	장, 관, 항, 세항	목

23

2019년 서울시 7급(3월 추가)

「국가재정법」에 규정되어 있는 예산의 전용에 대한 설명으로 가장 옳은 것은?

① 각 중앙관서의 장이 예산을 전용한 경우에는 반기별로 그 전용내역을 감사원에 제출하여야 한다.
② 각 중앙관서의 장은 당초 예산에 계상되지 아니한 사업을 추진하는 경우에도 예산을 전용할 수 있다.
③ 각 중앙관서의 장은 회계연도마다 기획재정부장관이 위임하는 범위 안에서 각 세항 또는 목의 금액을 자체적으로 전용할 수 있다.
④ 각 중앙관서의 장은 예산의 목적범위 안에서 재원의 효율적 활용을 위하여 기획재정부장관의 승인을 얻어 각 관, 항, 세항의 금액을 전용할 수 있다.

| 22 | 예산의 이용과 전용 | 난이도 ●○○ |

ㄱ. 입법과목(장, 관, 항), ㄴ. 행정과목(세항, 목)에 각각 해당한다.

예산의 이용과 전용

이용	입법과목(장·관·항) 간 융통 사용	국회의결 요
전용	행정과목(세항·목) 간 융통 사용	국회의결 불요

답 ③

| 23 | 예산의 전용 | 난이도 ●●● |

전용이란 행정과목(세항·목) 간 상호융통을 의미하는 것으로, 기획재정부장관의 승인이 필요하지만 예외적으로 각 중앙관서의 장은 회계연도마다 기획재정부장관이 위임하는 범위 안에서 각 세항 또는 목의 금액을 자체적으로 전용할 수 있다.

선지분석
① 중앙관서의 장이 예산을 전용한 경우에는 그 전용내역을 기획재정부장관 및 감사원에 송부하여야 한다.
② 각 중앙관서의 장은 당초 예산에 계상되지 아니한 사업으로는 예산을 전용할 수 없다.
④ 각 중앙관서의 장은 예산의 목적범위 안에서 재원의 효율적 활용을 위하여 기획재정부장관의 승인을 얻어 각 세항 또는 목 간의 금액을 전용할 수 있다. 입법과목(장·관·항)은 전용이 아닌 이용의 대상이다.

답 ③

24

2021년 국가직 7급

예산의 이용과 전용에 대한 설명으로 옳은 것은?

① 이용은 입법과목 사이의 상호 융통으로 국회의 의결을 얻으면 기획재정부장관의 승인이나 위임 없이도 할 수 있다.
② 기관(機關) 간 이용도 가능하다.
③ 세출예산의 항(項) 간 전용은 국회 의결 없이 기획재정부장관의 승인을 얻어서 할 수 있다.
④ 이용과 전용은 예산 한정성 원칙의 예외로 볼 수 없다.

25

2019년 국가직 9급

예산집행에 대한 설명으로 옳지 않은 것은?

① 예산의 재배정은 행정부처의 장이 실무부서에게 지출을 할 수 있는 권한을 부여하는 것을 의미한다.
② 예산의 전용을 위해서 정부 부처는 미리 국회의 승인을 받아야 한다.
③ 예비비는 공무원 인건비 인상을 위한 인건비 충당을 목적으로 사용할 수 없다.
④ 사고이월은 집행과정에서 재해 등의 이유로 불가피하게 다음 연도로 이월된 경비를 말한다.

24	예산의 이용과 전용	난이도 ●●○

이용은 기관 간에도 가능한 경우가 있다.

> 「국가재정법」 제47조 【예산의 이용·이체】 각 중앙관서의 장은 예산이 정한 각 기관 간 또는 각 장·관·항 간에 상호 이용(移用)할 수 없다. 다만, 다음 각 호의 어느 하나에 해당하는 경우에 한정하여 미리 예산으로써 국회의 의결을 얻은 때에는 기획재정부장관의 승인을 얻어 이용하거나 기획재정부장관이 위임하는 범위 안에서 자체적으로 이용할 수 있다.

(선지분석)
① 이용은 국회의 의결을 얻은 후 기획재정부장관의 승인으로 할 수 있다.
③ 항 간의 융통 사용은 전용이 아니라 이용에 해당한다.
④ 이용과 전용은 한정성 원칙의 예외가 된다.

답 ②

25	예산집행	난이도 ●○○

전용(轉用)이 아니라 이용(移用)이다. 전용은 국회의 승인 없이 기획재정부장관의 승인을 얻어 할 수 있다.

(선지분석)
① 기획재정부장관은 각 중앙관서의 장에게 각각 집행되어야 할 세입·세출예산, 계속비와 국고채무부담행위 등에 대하여 배분하는데, 이를 예산의 배정이라 한다. 중앙관서의 장이 그 부속기관이나 하위 기관에 예산액을 배정하는 것을 재배정이라 한다.
③ 공무원의 보수 인상을 위한 인건비를 충당하고자 예비비의 사용 목적을 지정할 수 없다.
④ 사고이월은 지출원인행위를 하였으나 불가피한 사유로 연도 내에 지출을 하지 못한 경우와 지출원인행위를 하지 아니한 그 부대경비의 경우를 이월하는 것을 말한다.

답 ②

26 ☐☐☐
2016년 국회직 8급

예산에 대한 설명으로 옳지 않은 것은?

① 예산의 전용은 예산의 세항·목 간에 금액을 상호융통하는 것이다.
② 예산의 이체는 법령의 제정, 개정 또는 폐지로 인하여 그 직무와 권한에 변동이 있을 때 예산의 귀속을 변경시키는 것이다.
③ 계속비는 세출예산 중 미지출액을 당해 연도를 넘겨 다음 연도에 계속적으로 사용하는 것을 말한다.
④ 예비비는 예측할 수 없는 예산 외의 지출에 충당하기 위하여 예산에 계상되는 것을 말한다.
⑤ 추가경정예산은 예산 성립 후에 생긴 사유로 편성하는 것이다.

27 ☐☐☐
2016년 국회직 8급

회계연도 개시 전에 예산을 배정할 수 있는 경비에 해당하지 않는 것은?

① 수입대체경비
② 선박의 운영·수리 등에 소요되는 경비
③ 교통이나 통신이 불편한 지역에서 지급하는 경비
④ 범죄수사 등 특수활동에 소요되는 경비
⑤ 경제정책상 조기집행을 필요로 하는 공공사업비

| 26 | 예산 | 난이도 ●○○ |

세출예산 중 미지출액을 당해 연도를 넘겨 다음 연도에 계속적으로 사용하는 것은 계속비가 아니라 이월에 해당한다. 계속비는 완성에 수년도를 요하는 공사나 제조 및 연구개발사업의 경우, 그 경비의 총액과 연부액(年賦額)을 정하여 미리 국회의 의결을 얻은 범위 안에서 수년도에 걸쳐서 지출할 수 있는 경비를 말한다.

선지분석
① 세항·목 간의 상호 융통을 전용이라 한다.
② 이체는 「정부조직법」 등이 개정되었을 때 기획재정부장관이 예산의 귀속을 변경시키는 것이다.
④ 예비비는 예측할 수 없는 예산의 지출 또는 예산초과지출에 충당하기 위하여 예산에 계상되는 것을 말한다.
⑤ 추가경정예산은 성립된 예산을 변경시키는 것이다.

답 ③

| 27 | 긴급배정 대상 경비 | 난이도 ●●○ |

수입대체경비는 긴급배정 대상 경비에 포함되지 않는다.

긴급배정 대상 경비
㉠ 외국에서 지급하는 경비
㉡ 선박의 운영·수리 경비
㉢ 교통·통신이 불편한 지역에서의 경비
㉣ 부식물의 매입경비
㉤ 범죄수사 등 특수활동경비
㉥ 여비
㉦ 경제정책상 조기집행을 요하는 공공사업비
㉧ 재해복구비

답 ①

28　　　2016년 서울시 7급

예산집행상 지출특례와 가장 거리가 먼 것은?

① 선수금
② 과년도 지출
③ 수입대체경비
④ 개산급

29　　　2015년 서울시 9급

예산집행의 신축성을 유지하여 예산집행자로 하여금 보다 예산목적에 부합하는 집행성과를 올릴 수 있도록 하는 우리나라 예산집행의 장치로 보기 어려운 것은?

① 계속비
② 예산의 배정과 재배정
③ 예산의 이용(移用)과 전용(轉用)
④ 예산의 이체(移替)와 이월(移越)

| 28 | 예산집행상 지출특례 | 난이도 ●○○ |

선수금, 과년도 수입 등은 수입의 특례에 해당한다.

선지분석
② 과년도 지출, ③ 수입대체경비, ④ 개산급은 지출의 특례이다.
② 과년도 지출은 전년도에 채무를 부담하여 지출이 확정된 금액을 해당 연도 예산으로 지출하는 것이다.
③ 수입대체경비란 지출이 직접 수입을 수반하는 경비로, 중앙예산기관의 장이 지정하는 것을 말한다.
④ 개산급은 이행기 도래 전에 미리 지급(여비 등), 금액 미확정, 사후 정산이 필요한 것이다.

답 ①

| 29 | 예산집행의 신축성 수단 | 난이도 ●○○ |

예산의 배정과 재배정은 예산집행의 통제 수단이다.

예산집행의 신축성 유지방안

이용	입법과목(장·관·항) 간에 상호융통 (국회의 의결을 요함)
전용	행정과목(세항·목) 간에 상호융통
이체	예산의 책임소관 변경
이월	다음 연도로 넘겨서 예산을 사용 (명시이월·사고이월)
계속비	수년간 예산지출(5년 이내)
예비비	예산 외의 지출 및 초과지출에 충당하기 위한 경비
긴급배정	회계연도 개시 전 예산배정
추가경정예산	예산 성립 후 추가로 편성된 예산
준예산	예산 불성립 시 전년도에 준하여 지출
국고채무부담행위	법률, 세출예산, 계속비 외에 정부가 채무를 부담하는 행위
지출통제예산 (총액계상예산제도)	예산을 총액으로 편성하고 집행 과정에서 세부적으로 지출
장기계속계약제도	계속비 제도에 더 신축성을 부여한 제도 (당해년도 예산범위 내 계약)

답 ②

30

2018년 서울시 7급(3월 추가)

〈보기〉에서 예산집행의 시간적 제약을 완화하기 위해 도입한 제도를 모두 고른 것은?

〈보기〉
ㄱ. 총액계상제도
ㄴ. 이용
ㄷ. 전용
ㄹ. 이월제도
ㅁ. 계속비제도
ㅂ. 국고채무부담행위

① ㄱ, ㄴ, ㄷ
② ㄴ, ㄷ, ㄹ
③ ㄹ, ㅁ, ㅂ
④ ㄴ, ㄹ, ㅁ

31

2020년 국회직 8급

우리나라 예산과정에 대한 설명으로 옳지 않은 것은?

① 국회사무총장은 예산요구서를 매년 5월 31일까지 기획재정부장관에게 제출해야 한다.
② 국회는 정부의 동의 없이 정부가 제출한 지출예산 각 항의 금액을 증가하거나 새 비목을 설치할 수 없다.
③ 국회사무총장은 「국가회계법」에서 정하는 바에 따라 회계연도마다 작성한 결산보고서를 다음 연도 1월 31일까지 기획재정부장관에게 제출하여야 한다.
④ 정부가 국회에 제출하는 예산안에는 국고채무부담행위 설명서, 예산정원표와 예산안편성기준단가, 국유재산 특례지출예산서를 포함하여야 한다.
⑤ 정부의 세입·세출에 대한 출납사무는 다음 연도 2월 10일까지 완결해야 한다.

---

30 예산집행의 시간적 제약을 완화하기 위한 제도   난이도 ●●○

시간적 제약을 완화하기 위한 제도란 회계연도 독립의 원칙(기간적 한정성)에 대한 예외를 의미하므로 ㄹ. 이월제도, ㅁ. 계속비제도, ㅂ. 국고채무부담행위가 옳다.

ㄹ. 이월은 사용하지 못한 예산을 다음연도로 넘겨 사용하는 것으로, 기간적 한정성의 예외이다.
ㅁ. 계속비제도는 완성을 하는 데 수년을 요하는 공사, 제조, 연구개발사업을 회계연도를 초월하여 계속 지출할 수 있도록 하는 경비이다.
ㅂ. 국고채무부담행위의 경우 국회의 의결은 채무부담에 대해서는 수년에 걸쳐 효력이 지속된다.

답 ③

31 우리나라 예산과정   난이도 ●●○

국회사무총장을 포함한 중앙관서의 장은 「국가회계법」에서 정하는 바에 따라 회계연도마다 작성한 결산보고서를 다음 연도 2월 말일까지 기획재정부장관에게 제출하여야 한다.

(선지분석)
① 중앙관서의 장은 매년 5월 말일까지 예산요구서를 기획재정부장관에게 제출하여야 한다(「국가재정법」제31조).
② 국회는 정부의 동의 없이 정부가 제출한 지출예산 각항의 금액을 증가하거나 새 비목을 설치할 수 없다(헌법 제57조).
⑤ 한 회계연도에 속하는 세입세출의 출납에 관한 사무는 다음 연도 2월 10일까지 완결하여야 한다(「국고금 관리법」제4조의2).

답 ③

32 2019년 지방직 9급

예산과정에 대한 설명으로 옳은 것은?

① 예산과정은 예산편성 - 예산집행 - 예산심의 - 예산결산의 순으로 이루어진다.
② 예산집행의 신축성을 확보하기 위해 예비비, 총액계상제도 등을 활용하고 있다.
③ 예산제도 개선 등으로 절약된 예산 일부를 예산성과금으로 지급할 수 있지만 다른 사업에 사용할 수는 없다.
④ 각 중앙부처가 총액 한도를 지정한 후에 사업별 예산을 편성하고 있어 기획재정부의 사업별 예산통제 기능은 미약하다.

33 2018년 국회직 8급

다음 중 국회의 승인이나 의결을 얻지 않아도 되는 것은?

① 명시이월
② 예비비 사용
③ 예산의 이용
④ 계속비
⑤ 예산의 이체

---

32 예산과정 난이도 ●○○

예산집행의 신축성을 확보하기 위해 예비비(한정성과 사전의결원칙의 예외), 총액계상제도(명료성 원칙의 예외) 등을 활용하고 있다.

선지분석
① 예산과정은 예산편성 → 예산심의 → 예산집행 → 예산결산의 순으로 이루어진다.
③ 예산제도 개선 등으로 절약된 예산 일부를 예산성과금으로 지급할 수도 있지만 다른 사업에 사용할 수도 있다.
④ 총액배분자율편성예산제도하에서는 기획재정부가 지출한도를 정해준 후에 각 중앙관서에서 사업별 예산을 편성한다. 기획재정부의 사업별 예산통제 기능은 유지되고 있다.

답 ②

33 예산의 종류 난이도 ●●●

예산의 이체는 국회의 사전의결을 요구하지 않는다. 이체란 회계연도 중에 정부조직개편 등에 의해서 예산의 책임소관이 변경되는 것이며, 「정부조직법」 등의 개정에 수반되는 것이므로 국회의 별도 승인이나 의결이 필요가 없다. 국회의 사전의결을 요구하는 것은 세입세출예산, 계속비, 이용, 국고채무부담행위, 기금, 명시이월, 예비비의 설치 등이 있다.

선지분석
② 예비비 사용은 사후승인을 받는다.

답 ⑤

34　　2014년 서울시 7급

예산집행의 신축성을 유지하는 방법에 대한 설명으로 옳지 않은 것은?

① 계속비의 지출 기간은 5년 이내이며 필요한 경우 국회의 의결을 얻어 연장할 수 있는데, 매년 연부액은 국회의 의결을 받아야 한다.
② 사고이월은 지출원인행위를 하였으나 연도 내에 지출하지 못한 경비와 지출원인행위를 하지 않은 부대경비를 다음 연도에 지출하는 것을 말한다.
③ 예산의 전용(轉用)은 행정과목 간의 융통을 뜻하며, 이용(移用)은 입법과목 간의 융통을 뜻한다.
④ 이체(移替)는 정부조직 등에 관한 법령의 제정, 개정 또는 폐지로 인하여 그 직무와 권한의 변동이 있을 때, 중앙관서장의 요구에 의하여 기획재정부장관이 허용하는 제도이다.
⑤ 국고채무부담행위는 법률에 의한 것, 세출예산금액, 그리고 계속비 범위 이외의 것에 한하여 사전에 국회의 의결을 얻어 지출할 수 있는 권한이다.

35　　2024년 국가직 7급

예산집행과정의 신축성 유지 방안에 대한 설명으로 옳은 것만을 모두 고르면?

> ㄱ. 예산의 전용이란 각 기관·장·관·항 간에 상호 융통하는 것을 말한다.
> ㄴ. 예산의 명시이월이란 예산 성립 후 연도 내 지출원인행위를 하고 불가피한 사유로 지출하지 못한 경비와 지출원인행위를 하지 아니한 그 부대경비의 금액에 대한 이월을 말한다.
> ㄷ. 예비비란 예측할 수 없는 예산 외의 지출 또는 예산초과지출에 충당하기 위해 세입·세출예산에 계상한 금액을 말한다.
> ㄹ. 예산의 이체란 정부조직 등에 관한 법령의 제정, 개정 또는 폐지로 인해 그 직무와 권한에 변동이 있을 때에 예산도 이에 따라 변경하는 것을 말한다.

① ㄱ, ㄴ
② ㄱ, ㄷ
③ ㄴ, ㄹ
④ ㄷ, ㄹ

34　예산집행의 신축성 유지 방법

국고채무부담행위의 의결은 지출권한을 인정한 것이 아니고, 국가의 채무부담의무만 인정하거나 국고채무부담행위를 할 수 있는 권한만 인정한 것이다.

선지분석
① 계속비는 원칙이 5년이며, 국회의 의결이 있으면 연장이 가능하다. 매년 연부액에 대해서도 국회의 의결을 받는다.
② 사고이월이 인정되는 경우로 옳은 지문이다.
③ 전용은 행정과목 간의 융통이고, 이용은 입법과목 간의 융통이다.
④ 이체의 개념으로 옳은 지문이다.

답 ⑤

35　예산집행의 신축성 유지 방안

ㄷ. 예비비에 대한 옳은 설명이다.
ㄹ. 이체에 대한 옳은 설명이다.

선지분석
ㄱ. 입법과목인 기관·장·관·항 간에 상호 융통은 전용이 아니라 이용에 해당한다.
ㄴ. 정부조직 등에 관한 법령의 제정, 개정 또는 폐지로 인해 그 직무와 권한에 변동이 있을 때 그에 따라 변경하는 것은 사고이월에 해당한다.

답 ⑤

36　　　　　　　　　　　　　　　　　2021년 군무원 7급

예산 관련 법령의 내용으로 옳지 않은 것은?

① 정부는 예측할 수 없는 예산 외의 지출 또는 예산초과지출에 충당하기 위하여 일반회계 예산총액의 100분의 1 이내의 금액을 예비비로 세입세출예산에 계상할 수 있다. 다만 예산총칙 등에 따라 미리 사용목적을 지정해 놓은 예비비는 본문에도 불구하고 별도로 세입세출예산에 계상할 수 있다.

② 완성에 수년이 필요한 공사나 제조 및 연구개발사업은 그 경비의 총액과 연부액(年賦額)을 정하여 미리 국회의 의결을 얻은 범위 안에서 수년도에 걸쳐서 지출할 수 있다.

③ 세출예산 중 경비의 성질상 연도 내에 지출을 끝내지 못할 것이 예측되는 때에는 그 취지를 세입세출예산에 명시하여 미리 국회의 승인을 얻은 후 다음 연도에 이월하여 사용할 수 있다.

④ 국가는 법률에 따른 것과 세출예산금액 또는 계속비의 총액의 범위 안의 것 외에 채무를 부담하는 행위를 하는 때에는 사후에 국회의 승인을 얻어야 한다.

| 36 | 예산 관련 법령 | 난이도 ●●○ |

국고채무부담행위는 미리 예산으로써 사전에 국회의 의결(승인)을 얻어야 한다.

(선지분석)
① 예비비에 대한 설명으로 옳은 지문이다.
② 계속비에 대한 설명으로 옳은 지문이다.
③ 이월에 대한 설명으로 옳은 지문이다.

답 ④

37　　　　　　　　　　　　　　　　　2024년 국가직 9급

국고채무부담행위에 대한 설명으로 옳은 것만을 모두 고르면?

> ㄱ. 사항마다 필요한 이유를 명백히 하고 그 행위를 할 연도와 상환연도, 채무부담의 금액을 표시해야 한다.
> ㄴ. 국가가 금전 급부 의무를 부담하는 행위로서 그 채무 이행의 책임은 다음 연도 이후에 부담됨을 원칙으로 한다.
> ㄷ. 국가가 채무를 부담할 권한과 채무의 지출권한을 부여받은 것으로, 지출을 위한 국회 의결 대상에서 제외된다.
> ㄹ. 단년도 예산원칙의 예외라는 점에서 계속비와 동일하지만, 공사나 제조 및 연구개발 사업 등 대상이 한정되어 있다는 점에서는 대상이 한정되지 않는 계속비와 차이가 있다.

① ㄱ, ㄴ
② ㄱ, ㄹ
③ ㄴ, ㄷ
④ ㄷ, ㄹ

| 37 | 국고채무부담행위 | 난이도 ●●○ |

ㄱ. 국고채무부담행위는 사항마다 그 필요한 이유를 명백히 하고 그 행위를 할 연도 및 상환연도와 채무부담의 금액을 표시하여야 한다.
ㄴ. 국고채무부담행위의 국회로부터의 의결권의 범위는 채무부담 권한만을 미리 인정받은 것이며, 지출권한을 인정받은 것은 아니다. 실제 지출을 위해서는 미리 세출예산에 계상하여 국회의 의결을 얻어야 하며, 따라서 지출은 당해 연도가 아닌 차기 회계연도부터 이루어진다는 것으로 구성된다.

(선지분석)
ㄷ. 국고채무부담행위는 국가가 채무를 부담할 의무만 인정하는 것이지 지출권한을 부여받은 것은 아니다.
ㄹ. 계속비는 공사나 제조 및 연구개발사업 등 대상이 한정되어 있지만 국고채무부담행위는 그렇지 않다.

답 ①

38

2020년 국가직 9급

예산의 집행에 대한 설명으로 옳은 것은?

① 기획재정부장관은 각 중앙관서의 장에게 예산을 배정한 때에는 감사원에 통지하여야 한다.
② 기획재정부장관은 반기별 예산배정계획을 작성하여 국회의 심의를 받은 뒤에 예산을 배정한다.
③ 중앙관서의 장에게 자금을 사용할 수 있는 권한을 부여하는 것을 예산 재배정이라고 한다.
④ 기획재정부장관은 매년 2월 말까지 예산집행지침을 각 중앙관서의 장과 국회예산정책처에 통보하여야 한다.

KEYWORD 091 통제와 결산 및 회계검사

39

2013년 국가직 9급

재정민주주의에 대한 설명으로 옳지 않은 것은?

① 재정민주주의는 '대표 없이 과세 없다'라는 표현에서 나타나듯이 재정 주권이 납세자인 국민에게 있다는 의미를 내포하고 있다.
② 납세자인 시민이 국가 또는 지방자치단체의 재정지출과 관련된 부정과 낭비를 감시하는 납세자 소송제도는 재정민주주의의 본질을 잘 반영하고 있다.
③ 주민참여예산제도는 예산편성 과정에 주민참여를 확대함으로써 지방재정 운영의 투명성 및 공정성을 제고하여 재정민주주의에 기여한다.
④ 정부 예산집행의 신축성을 확대하기 위하여 만들어진 예산의 전용제도는 국회의 동의를 구해야 하므로 재정민주주의 확보에 기여하는 제도적 장치이다.

| 38 | 예산집행 | 난이도 ●●● |

기획재정부장관은 중앙관서 장에게 예산을 배정한 때에는 감사원에 통지하여야 한다.

선지분석
② 기획재정부장관은 예산배정요구서에 따라 분기별 예산배정계획을 작성하여 국무회의의 심의를 거친 후 대통령의 승인을 얻어야 한다. 반기별이 아니라 분기별이며, 국회의 심의가 아니다.
③ 중앙관서 장에게 기획재정부장관이 자금을 사용할 수 있는 권한을 부여하는 것은 예산의 재배정이 아니라 배정이다. 재배정이란 예산을 배정 받은 중앙관서의 장이 하급기관에 다시 자금을 사용할 수 있는 권한을 부여하는 것이다.
④ 기획재정부장관은 예산집행지침을 매년 1월 말까지 각 중앙관서의 장에게 통보하여야 한다(「국가재정법」 제44조).

답 ①

| 39 | 재정민주주의 | 난이도 ●○○ |

예산의 전용이란 행정과목 간의 융통으로, 사전의결 원칙의 예외로서 국회의 동의가 필요 없다.

선지분석
① 재정 주권이 납세자인 국민에게 있는 것은 재정민주주의 개념으로 옳은 지문이다.
② 세금을 낸 자의 권한으로서 재정에 관한 소송인 납세자 소송은 재정민주주의를 실현하기 위한 하나의 제도이다. 우리나라는 주민소송제도가 도입되어 있다.
③ 주민참여예산제도의 의의로 옳은 지문이며, 우리나라는 주민참여예산제도가 법적 의무화되어 있다.

답 ④

40

2018년 국가직 7급

참여예산제도에 대한 설명으로 옳지 않은 것은?

① 브라질의 포르투 알레그리(Porto Alegre)시는 참여예산제도를 도입한 대표적인 사례다.
② 예산과정에의 시민참여는 중앙정부와 지방정부 모두 가능하지만, 참여예산제는 주로 지방정부를 대상으로 시행된다.
③ 참여예산제는 과정적 측면보다는 결과적 측면의 이념을 지향한다.
④ 예산과정의 단계별로 볼 때 예산편성단계에서의 참여에 초점을 둔다.

41

2018년 교육행정직 9급

주민참여예산제도에 관한 설명으로 옳은 것을 <보기>에서 모두 고른 것은?

<보기>
ㄱ. 주민참여예산제도는 재정민주주의를 구현하는 제도이다.
ㄴ. 브라질의 포르투 알레그레(Porto Alegre)시는 주민참여예산제도를 가장 먼저 실시한 도시이다.
ㄷ. 우리나라의 주민참여예산제도는 「지방재정법」에 의하여 지방자치단체가 의무적으로 시행하고 있다.
ㄹ. 우리나라의 주민참여예산제도에 의하면 수렴된 주민의 의견서를 지방의회에 제출하는 예산안에 첨부하지 않도록 하고 있다.

① ㄱ, ㄴ
② ㄷ, ㄹ
③ ㄱ, ㄴ, ㄷ
④ ㄱ, ㄷ, ㄹ

---

40 참여예산제도 난이도 ●●○

참여예산제도는 예산편성 등 예산과정에 주민들이 참여하는 제도로, 결과보다는 과정지향적인 예산이다. 주민참여예산은 재정거버넌스(재정상 협치)의 산물로, 예산편성 과정의 민주화를 중시하는 예산이다.

선지분석
① 주민참여예산제도는 브라질의 포르투 알레그리(Porto Alegre)시에서 최초로 도입되었다.
② 현재의 주민참여예산제도는 중앙과 지방정부 모두 가능하지만, 주민참여예산제도는 전통적으로 지방정부를 대상으로 시행되고 있다. 지방정부에서는 2006년 시작되었지만 중앙정부의 경우 최근 2018년 1월부터 제도화되었다.
④ 주민참여예산은 예산과정 중 주로 예산편성 과정에서의 참여를 의미한다.

답 ③

41 주민참여예산제도 난이도 ●○○

ㄱ. 주민참여예산제도는 예산편성 등 예산과정에 주민들을 참여시킴으로써 재정에 대한 감시와 협치를 통해 재정협치(fiscal governance) 내지는 재정민주주의(fiscal democracy)를 구현하기 위한 제도이다.
ㄴ. 브라질의 포르투 알레그레(Porto Alegre)시에서 1989년 주민참여예산제도를 세계 최초로 실시하였다.
ㄷ. 우리나라의 주민참여예산제도는 2004년 광주시 북구에서 처음 시행한 이후 2007년 「지방재정법」에 법적 근거가 마련되고, 2011년 이후에는 「지방재정법」에 근거하여 모든 지방자치단체가 의무적으로 시행하고 있다.

선지분석
ㄹ. 우리나라의 주민참여예산제도에 의하면 수렴된 주민의 의견서를 지방의회에 제출하는 예산안에 첨부하여야 한다(「지방재정법」 제39조 제3항).

답 ③

42 □□□
2020년 국회직 8급

우리나라 참여예산제도에 대한 설명으로 옳은 것만을 〈보기〉에서 모두 고르면?

〈보기〉
ㄱ. 국민참여예산제도는 2019년도 예산편성부터 시행되었다.
ㄴ. 국민참여예산제도에서 각 부처는 소관 국민제안사업에 대한 적격성 점검을 실시하고 기획재정부, 국민참여예산지원협의회와 협의하여 최종적으로 사업예산편성 여부를 결정한다.
ㄷ. 지방자치단체는 주민참여예산제도의 운영에 대한 평가를 실시한다.
ㄹ. 주민참여예산제도의 구체적인 내용은 대통령령으로 정한다.

① ㄱ, ㄴ
② ㄱ, ㄷ
③ ㄴ, ㄷ
④ ㄴ, ㄹ
⑤ ㄷ, ㄹ

43 □□□
2021년 국가직 7급

우리나라 주민참여예산제도에 대한 설명으로 옳지 않은 것은?

① 주민이 참여할 수 있는 예산의 범위는 「지방재정법」에 규정되어 있다.
② 지방자치단체의 장은 주민참여예산제도를 마련하여 시행해야 할 법적 의무가 있다.
③ 지방자치단체 중 최초로 주민참여예산조례를 제정한 곳은 광주광역시 북구이다.
④ 지방의회 예산심의권 침해 논란이 있다.

| 42 | 참여예산제도 | 난이도 ●●○ |

지방자치단체의 주민참여예산제도에 이어 중앙정부도 국민참여예산제도가 도입·시행되고 있다.
ㄱ. 중앙정부 예산편성과정에 국민이 참여하는 국민참여예산제도가 「국가재정법」 개정으로 2019년 예산편성부터 시행되었다.
ㄴ. 국민참여예산제도의 운영절차에 대한 옳은 설명이다.

(선지분석)
ㄷ. 행정안전부장관은 지방자치단체의 재정적·지역적 여건 등을 고려하여 대통령령으로 정하는 바에 따라 지방자치단체별 주민참여예산제도의 운영에 대하여 평가를 실시할 수 있다. 지방자치단체가 아니라 행정안전부장관이다.
ㄹ. 주민참여예산기구의 구성·운영과 그 밖에 필요한 구체적인 사항은 대통령령이 아니라 해당 지방자치단체의 조례로 정한다.

답 ①

| 43 | 주민참여예산제도 | 난이도 ●●● |

주민이 참여할 수 있는 예산의 범위는 「지방재정법」에 규정되어 있지 않다. 「지방재정법」에는 '지방의회 의결사항은 제외한다.' 등의 내용만 규정되어 있으며, 주민이 참여할 수 있는 예산의 범위가 명시되어 있지는 않다. 일부 지방자치단체는 조례로 정하고 있는 경우가 있다.

(선지분석)
② 「지방재정법」상 2011년부터 의무화된 제도이다.
③ 우리나라에서는 광주광역시 북구에서 최초로 실시되었다.
④ 주민에 의한 직접 참여제도라는 점에서 지방의회의 예산심의권 침해라는 논란이 있다.

답 ①

44
2025년 국회직 8급

우리나라의 정부회계제도에 대한 설명으로 옳지 않은 것은?

① 중앙정부 국가회계와 지방자치단체 지방회계의 이원적 체계로 운영되고 있다.
② 중앙정부가 복식부기·발생주의를 먼저 도입한 이후 지방자치단체로 확산되었다.
③ 재무제표는 해당 회계연도분과 직전 회계연도분을 비교하는 형식으로 작성한다.
④ 중앙정부의 재무제표는 재정상태표, 재정운영표, 순자산변동표, 현금흐름표로 구성되며, 주석을 포함한다.
⑤ 재정상태표는 재정상태표 현재의 자산과 부채의 명세 및 상호관계 등 재정상태를 나타내는 재무제표로서 자산, 부채 및 순자산으로 구성된다.

45
2022년 지방직 9급

정부회계에 대한 설명으로 옳지 않은 것은?

① 국가회계는 디브레인(dBrain)시스템을 통해, 지방자치단체회계는 e-호조시스템을 통해 처리된다.
② 재무회계는 현금주의 단식부기 회계방식이, 예산회계는 발생주의 복식부기 방식이 적용된다.
③ 발생주의에서는 미수수익이나 미지급금을 자산과 부채로 표시할 수 있다.
④ 재무제표는 거래가 발생하면 차변과 대변 양쪽에 동일한 금액으로 이중기입하는 복식부기 방식을 채택하고 있다.

| 44 | 정부회계제도 | 난이도 ●●● |

우리나라는 지방정부에서 복식부기, 발생주의 회계가 2007년 도입되었고, 중앙정부는 2009년 시범운영, 2011년 공식 도입되었다.

(선지분석)
① 중앙정부는 「국가회계법」과 국가회계기준(기획재정부), 지방정부는 「지방회계법」과 지방회계기준(행정안전부)에 따라 이원적 회계기준 체계로 운영된다.
③ 재무제표는 해당 회계연도분과 직전 회계연도분을 비교하는 형식으로 작성한다.
④ 현재 우리나라 중앙정부의 재무제표는 재정상태표, 재정운영표, 순자산변동표, 현금흐름표로 구성되며, 주석을 포함한다.
⑤ 재정상태표는 자산, 부채, 순자산 항목으로 구성된다.

답 ②

| 45 | 정부회계 | 난이도 ●●○ |

반대이다. 예산회계는 현금주의·단식부기 회계방식이, 재무회계는 발생주의·복식부기 방식이 적용된다. 일반적인 회계는 재무회계를 말하며, 예산회계는 내부관리의 측면에서 현금흐름을 통제하는 것이다.

(선지분석)
① 국가회계는 기획재정부가 구축한 통합재정관리시스템인 디브레인(dBrain)시스템을 통해, 지방자치단체회계는 행정안전부가 2005년 구축한 통합지방재정관리시스템인 e-호조시스템을 통해 처리된다.
③ 발생주의에서는 미수수익이나 미지급금이 자산과 부채로 인식되지만, 현금주의에서는 인식되지 않는다.
④ 정부재무제표는 거래가 발생하면 발생의 사실에 따라 차변과 대변에 이중기입하는 복식부기 방식을 채택하고 있다.

답 ②

46 2021년 군무원 9급

발생주의 회계제도에 대한 설명으로 옳은 것은?

> ㄱ. 재화의 감가상각 가치를 회계에 반영할 수 있다.
> ㄴ. 부채규모와 총자산의 파악이 용이하지 않다.
> ㄷ. 현금이 거래되는 시점을 중심으로 기록한다.
> ㄹ. 복식부기 기장방식을 채택하는 것이 일반적이다.

① ㄱ, ㄹ
② ㄴ, ㄹ
③ ㄴ, ㄷ
④ ㄱ, ㄷ

47 2013년 국가직 7급

국회의 결산심사에 대한 설명으로 옳지 않은 것은?

① 예산집행 과정에서 위법 또는 부당한 지출이 있었는지의 여부를 확인하는 통제 기능과 예산운용에 대한 평가 결과를 다음 연도 예산심의에 반영하는 환류 기능을 수행한다.
② 예산결산특별위원회의 결산심사는 제안설명과 전문위원회의 검토보고를 듣고, 종합정책질의, 부별심사 또는 분과위원회심사 및 찬반토론을 거쳐 표결한다.
③ 결산의 심사결과 위법 또는 부당한 사항이 있는 때에 국회는 본회의 의결 후 정부 또는 해당 기관에 변상 및 징계조치 등 그 시정을 요구하고, 정부 또는 해당 기관은 시정요구를 받은 사항을 지체 없이 처리하여 그 결과를 국회에 보고하여야 한다.
④ 예산결산특별위원회 위원장은 결산을 소관상임위원회에 회부할 때에 심사기간을 정할 수 있으며, 상임위원회가 이유 없이 그 기간 내에 심사를 마치지 아니한 때에는 이를 바로 예산결산특별위원회에 회부할 수 있다.

---

46 발생주의 회계제도 | 난이도 ●●○

ㄱ. 발생주의는 현금주의와는 달리 자산의 감가상각을 반영할 수 있다.
ㄹ. 발생주의는 복식부기를 전제로 하고, 사업적 성격이 강한 회계부문에 적용된다.

선지분석
ㄴ. 발생주의는 비용과 편익, 부채규모 등 경영성과 파악이 용이하고, 부채규모 파악으로 재정 건전성의 확보가 가능하다.
ㄷ. 현금이 거래되는 시점을 중심으로 기록하는 것은 현금주의. 발생주의는 현금의 수불과는 관계없이 실질적 거래가 발생된 시점에서 거래를 인식하는 방식으로 기록한다.

답 ①

47 국회의 결산심사 | 난이도 ●●○

결산을 소관상임위원회에 회부할 때에 심사기간을 정할 수 있으며, 상임위원회가 이유 없이 그 기간 내에 심사를 마치지 아니한 때에 이를 바로 예산결산특별위원회에 회부할 수 있는 것은 예산결산특별위원회 위원장이 아니라 국회의장의 권한이다.

선지분석
① 결산은 평가의 성격이 강한 단계로, 위법·부당을 확인하고 예산심의에 반영하는 환류 과정이다. 우리나라의 결산은 정기 국회 개회 전에 승인을 끝내므로 환류적 성격이 강하다.
② 예산결산특별위원회의 결산심사 단계로 옳은 지문이다.
③ 주의할 점은 위법·부당한 지출이 발견되어도 무효나 취소할 수 없는 결산의 성격과 혼동하지 말아야 한다.

답 ④

48 □□□
2008년 국가직 7급

우리나라 세계잉여금에 관한 설명으로 옳지 않은 것은?

① 지방교부세 및 지방교육재정교부금의 정산에 사용할 수 있다.
② 추가경정예산안의 편성에 사용할 수 있다.
③ 사용하거나 출연한 금액을 공제한 잔액은 다음 연도의 세입에 이입하여야 한다.
④ 사용 또는 출연은 국회의 사전 동의를 받아야 한다.

49 □□□
2020년 국가직 9급

세계잉여금에 대한 설명으로 옳은 것만을 모두 고르면?

> ㄱ. 일반회계, 특별회계가 포함되고 기금은 제외된다.
> ㄴ. 적자 국채 발행 규모와 부(-)의 관계이며, 국가의 재정건전성을 파악하는데 효과적이다.
> ㄷ. 결산의 결과 발생한 세계잉여금은 전액 추가경정예산에 편성하여야 한다.

① ㄱ
② ㄷ
③ ㄱ, ㄴ
④ ㄴ, ㄷ

---

48 세계잉여금 | 난이도 ●●●

세계잉여금의 사용 시기는 대통령의 결산 승인 이후에 사용 가능하다.

(선지분석)
① 회계연도 세입세출의 결산상 잉여금은 교부금 정산에 사용할 수 있다.
② 세계잉여금은 추가경정예산의 편성에도 사용할 수 있다.
③ 사용하고 남은 금액은 다음연도의 세입에 이입하여야 한다.

답 ④

49 세계잉여금 | 난이도 ●●●

ㄱ. 세계잉여금은 기금을 제외한 세입·세출의 예산결산상 생긴 잉여금이다.

(선지분석)
ㄴ. 세계잉여금과 적자부채발행 규모가 언제나 부(-)의 관계라고 볼 수는 없다. 최근 우리나라도 세계잉여금이 있는데도 재정수요의 급증으로 정부가 적자성 국채 발행을 하고 있다(예 코로나 19 추경 등).
ㄷ. 세계잉여금은 국가재정법 규정에 따라 지방교부세 정산 ⇨ 공적자금 상환 ⇨ 국가채무 상환 이후에 추가경정예산 지원으로 활용할 수 있다.

답 ①

50 2021년 국가직 9급

예산주기에 비추어 볼 때 2021년도에 볼 수 없는 예산과정은?

① 국방부의 2022년도 예산에 대한 예산요구서 작성
② 기획재정부의 2021년도 예산에 대한 예산배정
③ 대통령의 2022년도 예산안에 대한 국회 시정연설
④ 감사원의 2021년도 예산에 대한 결산검사보고서 작성

| 50 | 예산과정 | 난이도 ●●○ |

감사원의 2021년도 결산검사보고서 작성은 회계연도가 끝난 2022년에 이루어지므로, 2021년도에는 볼 수 없다.

답 ④

---

51 2023년 국회직 8급

우리나라 예산제도에 대한 설명으로 옳지 않은 것은?

①「국회법」에 따르면 예산결산특별위원회는 소관 상임위원회의 예비심사 내용을 존중하여야 하며, 소관 상임위원회에서 삭감한 세출예산 각 항의 금액을 증가하게 하거나 새 비목을 설치할 경우에는 소관 상임위원회의 동의를 받아야 한다.
②「국가재정법」에 따르면 기획재정부장관은 예산배정요구서에 따라 분기별 예산배정계획을 작성하여 국무회의의 심의를 거친 후 대통령의 승인을 얻어야 한다.
③ 예산편성 – 예산심의·의결 – 예산집행 – 예산결산으로 이루어진 예산주기는 1년이다.
④ 국가재정운용계획은 다년간의 재정수요와 가용재원을 예측하여 거시적 관점에서 기획과 예산을 연계함으로써 합리적으로 자원을 배분하기 위한 제도로서 연동계획(rolling plan)으로 작성된다.
⑤ 예산이 효력을 갖는 일정기간을 회계연도(fiscal year)라 한다.

| 51 | 우리나라 예산제도 | 난이도 ●○○ |

회계연도는 1년이지만 '예산편성 – 예산심의·의결 – 예산집행 – 예산결산'으로 이루어진 예산주기는 3년이다.

선지분석

② 기획재정부장관은 예산배정요구서에 따라 분기별 예산배정계획을 작성하여 국무회의의 심의를 거친 후 대통령의 승인을 얻어야 하고 예산을 배정한 때에는 감사원에 통지하여야 한다(「국가재정법」제43조).

답 ③

KEYWORD 092 발생주의 복식부기

52 □□□   2017년 국회직 9급

정부회계제도에 대한 설명으로 옳지 않은 것은?

① 단식부기에서는 상당액의 부채가 존재해도 세입세출 결산서상 재정이 건전한 상태인 것처럼 보일 수 있다.
② 복식부기를 도입하면 성과주의예산, 성과감사 등 비용과 성과 개념에 입각한 성과 중심의 정부개혁이 가능하다.
③ 우리나라 중앙정부는 복식부기를 채택하고 있지만 지방정부의 복식부기는 법률에 규정되어 있지 않다.
④ 단식부기에서는 총괄적이고 체계적인 현황 파악이 곤란하다.
⑤ 발생주의에서 인정되는 계정 과목에는 감가상각충당금, 대손충당금이 포함된다.

52 정부회계제도   난이도 ●●○

우리나라 중앙정부와 지방정부의 복식부기 모두 법률에 규정되어 있다.
ⓐ 중앙정부의 복식부기 규정은 「국가회계법」 제11조(국가회계기준)에 명시되어 있다.
ⓑ 지방정부의 복식부기 규정은 「지방회계법」 제12조(지방회계기준)에 명시되어 있다.

> 「국가회계법」 제11조【국가회계기준】 ① 국가의 재정활동에서 발생하는 경제적 거래 등을 발생 사실에 따라 복식부기 방식으로 회계처리하는 데에 필요한 기준(이하 "국가회계기준"이라 한다)은 기획재정부령으로 정한다.
>
> 「지방회계법」 제12조【지방회계기준】 ① 지방재정활동에 따라 발생하는 경제적 거래 등을 발생사실에 따라 복식부기 방식으로 회계처리하는 데에 필요한 기준(이하 "지방회계기준"이라 한다)은 행정안전부장관이 기획재정부장관과 협의하여 행정안전부령으로 정한다.

답 ③

53 □□□   2018년 서울시 9급

정부회계제도의 기장방식에 대한 〈보기〉의 설명과 바르게 짝지어진 것은?

〈보기〉
ㄱ. 현금의 수불과는 관계 없이 경제적 자원에 변동을 주는 사건이 발생된 시점에 거래를 인식하는 방식이다.
ㄴ. 하나의 거래를 대차평균의 원리에 따라 차변과 대변에 이중 기록하는 방식이다.

	ㄱ	ㄴ
①	현금주의	복식부기
②	발생주의	복식부기
③	발생주의	단식부기
④	현금주의	단식부기

53 정부회계제도의 기장방식   난이도 ●●○

ㄱ은 발생주의, ㄴ은 복식부기에 해당하는 설명이다.

발생주의와 복식부기 비교

발생주의	복식부기
• 현금의 수불과는 상관없이 실질적 거래가 발생된 시점에서 거래를 인식하는 방식 • 실질적으로 수입이 획득되거나 지출 또는 비용이 발생한 시점을 기준으로 함 • 채권채무주의, 실질주의라고도 함	• 경제의 일반 현상인 거래의 이중성을 회계처리에 반영 • 차변(왼쪽)과 대변(오른쪽)으로 나누어 기록하는 방식

답 ②

54   2018년 국가직 9급

정부회계의 기장방식에 대한 설명으로 옳지 않은 것은?

① 단식부기는 발생주의 회계와, 복식부기는 현금주의 회계와 서로 밀접한 연계성을 갖는다.
② 단식부기는 현금의 수지와 같이 단일 항목의 증감을 중심으로 기록하는 방식이다.
③ 복식부기에서는 계정 과목 간에 유기적 관련성이 있기 때문에 상호 검증을 통한 부정이나 오류의 발견이 쉽다.
④ 복식부기는 하나의 거래를 대차 평균의 원리에 따라 차변과 대변에 동시에 기록하는 방식이다.

55   2014년 지방직 9급

다음 괄호 안에 들어갈 내용으로 바르게 짝지어진 것은?

> 정부회계의 '발생주의'는 정부의 수입을 (ㄱ) 시점으로, 정부의 지출을 (ㄴ) 시점으로 계산하는 방식을 의미한다.

	ㄱ	ㄴ
①	현금수취	현금지불
②	현금수취	지출원인행위
③	납세고지	현금지불
④	납세고지	지출원인행위

---

54 정부회계의 기장방식   난이도 ●●○

반대로 된 설명이다. 발생주의는 복식부기를 전제로 하고, 사업적 성격이 강한 회계부문에 적용된다. 반면, 단식부기는 거래의 영향을 단 한 가지 측면에서 수입과 지출로만 파악하여 기록하는 방식으로, 현금의 증감발생 시 회계처리를 하는 현금주의에서 주로 채택한다.

답 ①

55 발생주의   난이도 ●●○

발생주의는 수입과 지출의 실질적인 원인이 발생한 시점을 기준으로 회계계리를 하는 방식이다. 따라서 납세고지(징수결의) 시점을 수입으로, 채무부담의무의 발생(물건인도) 시점을 지출로 인식하여 계리하는 방식을 말한다. 사실 엄밀히 보면 지출원인행위(계약체결)와 채무부담의무의 발생(물건인도)이 동일한 시점은 아니지만, 지출원인행위도 넓게 보면 지출의 원인 및 채무부담의무를 발생시키는 실질적인 거래에 해당하므로 여기에 포함된다고 볼 수 있다.

답 ④

KEYWORD 093 구매

56 □□□ 2007년 울산 9급

집중조달(집중구매)의 장점으로 옳지 않은 것은?

① 신축성 있는 공급이 가능하다.
② 공급자에게 유리한 조달방법이다.
③ 공통품목과 저장품목의 구매가 용이하다.
④ 특수품목 구입과 구매 업무의 전문화를 가능하게 해준다.

| 56 | 집중조달(구매)의 장점 | 난이도 ●○○ |

집중구매는 구매업무의 전문화를 가능하게 해주지만, 특수품목의 구입은 불편하다.

집중구매와 분산구매의 비교

집중구매	분산구매
• 예산절감 • 구매행정의 전문화 • 물품의 표준화 • 구매정책 수립에 용이 • 구매업무 통제 용이(정실구매 방지) • 구매물품 관리의 신축성 유지(부처 간 상호융통) • 공급자에게 유리(대기업) • 공통품목, 저장품목 구입 용이	• 구매절차 간소화 • 특수품목 구입에 유리 • 적기공급 보장 • 중소공급자 보호 • 구매의 신축성 유지(적기구매 및 부처실정 반영)

답 ④

57 □□□ 2004년 서울시 9급

정부기관의 구매는 크게 분산구매와 집중구매로 나눌 수 있는데, 다음 중 분산구매의 장점이라고 할 수 없는 것은?

① 중소기업의 보호
② 특수품목 구입의 용이
③ 적기공급의 용이
④ 구매절차의 간소화
⑤ 공급자의 편의

| 57 | 분산구매의 장점 | 난이도 ●○○ |

공급업자에게 유리하다는 것은 분산구매가 아니라 집중구매의 장점이다.

(선지분석)

① 중소기업의 보호, ② 특수품목 구입의 용이, ③ 적기공급의 용이, ④ 구매절차의 간소화는 모두 분산구매의 장점이다. 여기서 특수품목이란 특정 부처에서만 사용하는 물품으로, 분산구매로 구입하는 것이 이롭다.

답 ⑤

PART 6

지식정보화 사회와 환류론

CHAPTER 1 / 지식정보화 사회
CHAPTER 2 / 행정통제 및 행정개혁

CHAPTER 1 지식정보화 사회

KEYWORD 094 지식관리

01 □□□   2015년 서울시 7급

지식행정관리의 기대효과로 가장 옳지 않은 것은?

① 조직 구성원의 전문적 자질 향상
② 지식공유를 통한 지식가치의 확대 재생산
③ 학습조직 기반 구축
④ 지식의 개인 사유화 촉진

| 01 | 지식행정관리의 기대효과 | 난이도 ●○○ |

지식행정관리에서는 지식의 개인 사유화가 아니라 공유화를 강조한다. 지식의 개인 사유화 촉진은 기존 행정관리의 지식소유방식이다.

📄 지식행정관리

지식 공유	공유를 통한 지식가치의 확대 재생산
지식 소유	지식의 조직 공동재산화
지식 활용	지식의 공동활용을 통한 조직의 업무능력 향상
조직 성격	학습조직 기반 구축
구성원 능력	개인의 전문적 자질 향상
의사소통	다양한 채널에 의한 의사소통의 활성화

답 ④

---

02 □□□   2014년 지방직 9급

전통적 행정관리와 비교한 새로운 지식행정관리의 특징으로 보기 어려운 것은?

① 공유를 통한 지식가치 향상 및 확대 재생산
② 지식의 조직 공동재산화
③ 계층제적 조직 기반
④ 구성원의 전문가적 자질 향상

| 02 | 지식행정관리의 특징 | 난이도 ●○○ |

전통적 행정관리의 조직 성격이 계층제였다면, 지식행정관리는 학습조직 등 탈계층제적 조직을 기반으로 한다.

선지분석
① 지식이 파편화되는 전통적 행정관리와 달리, 새로운 지식행정관리는 공유를 통해 지식가치가 향상 및 확대 재생산된다.
② 지식행정관리는 지식의 조직 공동재산화를 강조한 반면, 전통적 행정관리는 지식의 개인 사유화를 강조한다.
④ 구성원의 전문가적 자질 향상을 강조하는 지식행정관리와 달리, 전통적 행정관리는 조직 구성원의 기량 및 경험이 일과성으로 소모된다.

답 ③

03

2008년 수탁 7급

행정정보화가 행정조직에 미치는 영향을 잘못 설명하고 있는 것은?

① 정보의 기획 및 통제 기능이 중요해짐에 따라 조직의 집권화가 촉진되는 측면이 있다.
② 조직 중간층의 기능이 강화되어 중간관리층이 확대된다.
③ 조직은 전통적인 수직적 피라미드 형태에서 수평적 조직형태로 변화한다.
④ 종래의 계선과 참모의 구별이 모호해진다.

04

2013년 지방직 9급

지식을 암묵지(tacit knowledge)와 형식지(explicit knowledge)로 구분할 경우, 다음 중 암묵지에 해당하는 것만을 모두 고른 것은?

> ㄱ. 업무 매뉴얼
> ㄴ. 조직의 경험
> ㄷ. 숙련된 기능
> ㄹ. 개인적 노하우(know-how)
> ㅁ. 컴퓨터 프로그램
> ㅂ. 정부 보고서

① ㄱ, ㄴ, ㄷ
② ㄴ, ㄷ, ㄹ
③ ㄷ, ㄹ, ㅁ
④ ㄹ, ㅁ, ㅂ

---

03 행정정보화가 행정조직에 미치는 영향 난이도 ●●○

행정정보화가 조직구조에 어떠한 영향을 가져올 것인가에 대해서는 논란이 있다. 그러나 리비트와 휘슬러(Leavitt & Whisler)의 중간관리층의 감소를 가져올 것이라고 보는 견해가 지배적이다.

📄 **리비트와 휘슬러(Leavitt & Whisler)의 조직모형**

행정정보화가 적용됨에 따라 중간관리자층이 조직 내에서 차지하는 비중이 상대적으로 줄기 때문에 조직구조가 전통적인 피라미드 형태에서 '종(bell) 위에 럭비공을 올려놓은 것과 같은 형태'로 변화할 것으로 예측하고 있다.

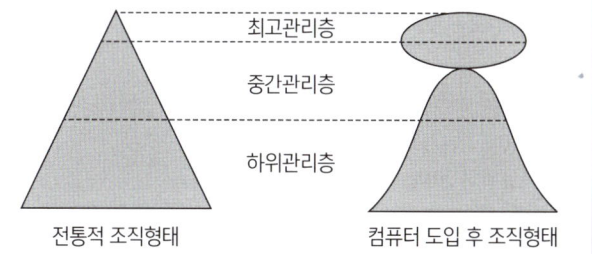

답 ②

04 암묵지와 형식지 난이도 ●○○

암묵지란 개인의 내면화되어 있는 지식으로 언어화·성문화되기 어려운 지식을 의미하며, ㄴ. 조직의 경험, ㄷ. 숙련된 기능, ㄹ. 개인적 노하우(know-how)가 암묵지의 예이다.

선지분석

ㄱ. 업무 매뉴얼, ㅁ. 컴퓨터 프로그램, ㅂ. 정부 보고서는 언어로 표현 가능한 객관적 지식, 즉 형식지의 예이다.

📄 **암묵지와 형식지 비교**

구분	암묵지	형식지
정의	언어로 표현하기 힘든 주관적 지식	언어로 표현 가능한 객관적 지식
획득	경험을 통해 몸에 밴 지식	언어를 통해 습득된 지식
축적	은유를 통한 전달	언어를 통한 전달
전달	다른 사람에게 전수하기가 어려움	다른 사람에게 전수하는 것이 상대적으로 용이함

답 ②

05　　　　　　　　　　　　　2011년 지방직 9급

지식행정의 특징과 가장 거리가 먼 것은?

① 연성조직의 강화
② 의사소통의 활성화
③ 인적자본의 강화
④ 암묵지의 축소화

KEYWORD 095　전자정부

06　　　　　　　　　　　　　2021년 지방직 7급

「전자정부법」상 전자정부 추진에 대한 설명으로 옳지 않은 것은?

① 「고등교육법」상 사립대학은 적용받지 않는다.
② 행정기관 등의 장은 해당기관의 전자정부의 구현·운영 및 발전을 위한 기본계획을 5년마다 수립하여야 한다.
③ 전자정부의 날이 지정되었다.
④ 필요한 경우 둘 이상의 지방자치단체가 공동으로 지역정보통합센터를 설립·운영할 수 있다.

| 05 | 지식행정의 특징 | 난이도 ●○○ |

지식행정관리의 성공을 위해서는 연성조직의 강화, 의사소통의 활성화, 인적자본의 강화와 더불어 암묵지 기능을 활성화하여야 한다.

> **노나카(Nonaka)의 지식변환과정**
> 노나카(Nonaka)는 지식변환의 과정을 4단계로 구분·제시하여 지식은 아래 과정을 통해 발전한다고 주장하였다.
> ㉠ 암묵지를 서로 공유하는 사회화(socialization) →
> ㉡ 암묵지를 획득·축적·전수하는 외부화(externalization) →
> ㉢ 형식지를 수집·결합하는 결합화(combination) →
> ㉣ 실무를 통해 새로운 지식을 체득해 가는 내면화(internalzation)

답 ④

| 06 | 전자정부 추진 | 난이도 ●●○ |

「전자정부법」상 전자정부의 대상 범위에는 행정기관뿐 아니라 공공기관도 포함되며, 공공기관의 범주에는 「초·중등교육법」, 「고등교육법」 및 그 밖의 다른 법률에 따라 설치된 각급 공·사립학교가 포함된다.

> 「전자정부법」 제2조【정의】이 법에서 사용하는 용어의 뜻은 다음과 같다.
> 3. "공공기관"이란 다음 각 목의 기관을 말한다.
> 　가.「공공기관의 운영에 관한 법률」제4조에 따른 법인·단체 또는 기관
> 　나.「지방공기업법」에 따른 지방공사 및 지방공단
> 　다. 특별법에 따라 설립된 특수법인
> 　라.「초·중등교육법」, 「고등교육법」 및 그 밖의 다른 법률에 따라 설치된 각급 학교
> 　마. 그 밖에 대통령령으로 정하는 법인·단체 또는 기관

(선지분석)
② 행정기관 등의 장은 해당기관의 전자정부의 구현·운영 및 발전을 위한 기본계획을 5년마다 수립하여야 한다.
③ 전자정부의 날이 지정되어 있다(6월 24일).
④ 필요한 경우 둘 이상의 지방자치단체가 공동으로 지역정보통합센터를 설립·운영할 수 있다.

답 ①

07
2018년 서울시 7급(6월 시행)

전자정부의 역기능에 해당하는 내용과 그 요인을 〈보기〉에서 모두 고른 것은?

〈보기〉
ㄱ. 인포데믹스(infordemics)
ㄴ. 집단극화(group polarization)
ㄷ. 선택적 정보접촉(selective exposure to information)
ㄹ. 정보격차(digital divide)

① ㄱ, ㄴ
② ㄷ, ㄹ
③ ㄱ, ㄴ, ㄹ
④ ㄱ, ㄴ, ㄷ, ㄹ

08
2022년 국가직 7급

전자정부 구현 사례에 대한 설명으로 옳지 않은 것은?

① 'G2B'의 대표적 사례는 '나라장터'이다.
② 'G2C'는 조달 관련 온라인 서비스를 통합적으로 제공하는 것이다.
③ 'G4C'는 단일창구를 통한 민원업무혁신사업으로 데이터베이스 공동활용시스템 구축을 내용으로 한다.
④ 'G2G'는 정부 내 업무처리의 전자화를 내용으로 하고 있으며 대표적 사례로는 '온-나라시스템'이 있다.

07	전자정부의 역기능	난이도 ●●○

ㄱ, ㄴ, ㄷ, ㄹ. 모두 전자전부의 역기능에 해당한다.

전자정부의 역기능

인포데믹스 (infordemics)	• 정보(information)와 전염병(epidemics)의 합성어 • 정보 확산으로 인한 부작용으로 추측이나 뜬소문이 덧붙여진 부정확한 정보가 인터넷이나 휴대전화를 통해 전염병처럼 빠르게 전파됨으로써 개인의 사생활 침해는 물론 경제, 정치, 안보 등에 치명적인 영향을 미치는 것을 의미
집단극화 (group polarization)	• 집단의 의사결정이 개인의 의사결정보다 더 극단적인 방향으로 이행하는 현상 • 인터넷 공간에서는 정치적·이기적 극단주의자들에 의하여 네티즌들이 쉽게 동원·조작됨으로써 집단극화의 가능성을 높이게 됨
선택적 정보접촉 (selective exposure to information)	정보의 범람 속에서 유리한 정보만을 선별적으로 취하는 행태
정보격차 (digital divide)	인터넷을 이용하는 사람과 그렇지 않은 사람들 간에 정보접근능력의 차이로 인하여 발생하는 혜택의 격차를 의미

답 ④

08	전자정부 구현 사례	난이도 ●●○

G2B(Government to Business)의 사례로, 나라장터와 전자통관시스템은 G2B의 사례이다.

(선지분석)
① 조달 관련 온라인 서비스인 나라장터는 G2B의 대표적 사례이다.
③ 민원업무혁신사업은 G2C(Government to Customer 또는 Citizen)와 관련이 있다.
④ 온-나라시스템은 G2G(Government to Government)의 사례이다.

답 ②

09 2016년 지방직 7급

기존 전자정부와 비교한 스마트 전자정부의 특징이 아닌 것은?

① 개인별 맞춤형 통합서비스 제공
② 스마트폰, 태블릿 PC, 스마트 TV 등 다매체 활용
③ 공급자 중심의 서비스 개발
④ 1회 신청으로 연관 민원 일괄처리

10 2015년 사회복지직 9급 변형

정보화 및 전자민주주의에 대한 설명으로 옳지 않은 것은?

① 전자민주주의의 부정적 측면으로 전자전제주의(telefascism)가 나타날 수 있다.
② 정보의 비대칭성이 발생하지 않도록 정보관리는 배제성의 원리가 적용되어야 한다.
③ 우리나라 정부는 「지능정보화 기본법」에 의해 3년마다 지능정보사회 종합계획을 수립하여야 한다.
④ 전자민주주의는 정치의 투명성 확보를 용이하게 한다.

| 09 | 스마트 전자정부의 특징 | 난이도 ●○○ |

공급자 중심의 획일적 서비스 개발은 기존의 1.0 전자정부의 특징이다. 스마트 전자정부는 2.0 일부와 3.0을 중심으로 한 전자정부를 의미하며, 개인별 맞춤형 통합서비스와 개방을 통해 국민이 직접 원하는 서비스를 개발 및 제공한다.

기존 전자정부와 스마트 정부의 비교

구분		기존 전자정부(~2010)	스마트 정부(2011~)
국민	접근방법	PC만 가능	스마트폰, 태블릿 PC, 스마트TV 등 다매체 활용
	서비스	공급자 중심의 획일적 서비스	• 개인별 맞춤형 통합 서비스 • 개방을 통해 국민이 직접 원하는 서비스 개발·제공
	민원신청	• 개별 신청 • 동일서류도 복수제출	1회 신청으로 연관 민원 일괄 처리
	수혜방식	국민이 직접 자격 증명 신청	정부가 자격 요건 확인·지원
공무원	근무위치	지정 사무실(PC)	시간·위치 무관 (스마트 워크센터 또는 모바일오피스)
	위기	사후 복구(재난)	사전 예방 및 예측

답 ③

| 10 | 정보화 및 전자민주주의 | 난이도 ●●○ |

정보의 비대칭성이 발생하지 않도록 하려면 정보를 사유화하기보다는 공유해야 하며, 그러기 위해서 정보관리는 보편성의 원리에 따라 정보접근능력이나 경제력에 불구하고, 누구나 정보를 이용할 수 있도록 비배제성의 원리가 적용되어야 한다.

선지분석
① 정부나 상급기관이 정보를 독점하면 오히려 빅브라더 현상에 의하여 집권화나 계층구조의 강화, 감시 강화, 프라이버시 침해 등의 폐해가 발생할 수도 있다.
③ 과학기술정보통신부장관은 「지능정보화 기본법」에 따라 3년마다 지능정보사회 종합계획을 수립하여야 한다.
④ 전자민주주의는 국민에게 열린 행정을 보장하여 투명성과 개방성을 증진시킬 수 있다.

답 ②

11 2019년 지방직 7급

전자정부의 효율적 구현을 목적으로 하는 「전자정부법」의 내용으로 옳지 않은 것은?

① 행정정보의 처리업무를 방해할 목적으로 행정정보를 위조·변경·훼손하거나 말소하는 행위를 한 사람은 10년 이하의 징역에 처한다.
② 전자정부의 발전과 촉진을 위해 「전자정부법」은 전자정부의 날을 규정하고 있다.
③ 행정기관의 장은 3년마다 해당 기관의 전자정부의 구현·운영 및 발전을 위한 기본계획을 수립하여야 한다.
④ 행정안전부장관은 전자적 대민서비스와 관련된 보안대책을 국가정보원장과 사전 협의를 거쳐 마련하여야 한다.

12 2022년 국가직 9급

「전자정부법」에서 정의하고 있는 다음의 개념은?

> 일정한 기준과 절차에 따라 업무, 응용, 데이터, 기술, 보안 등 조직 전체의 구성요소들을 통합적으로 분석한 뒤 이들 간의 관계를 구조적으로 정리한 체제 및 이를 바탕으로 정보화 등을 통하여 구성요소들을 최적화하기 위한 방법

① 전자문서
② 정보기술아키텍처
③ 정보시스템
④ 정보자원

---

11 전자정부 난이도 ●●○

ⓐ 「전자정부법」상 중앙사무관장기관의 장은 관계행정기관 등의 장과 협의하여 전자정부기본계획을 매 5년마다 수립하여야 한다. 이를 위하여 행정기관 등의 장은 5년마다 해당기관의 전자정부기본계획을 수립하여 중앙사무관장기관장에게 제출하여야 한다.
ⓑ 행정안전부장관은 정보기술아키텍쳐를 체계적으로 도입하고 확산시키기 위한 기본계획을 3년 단위로 수립하여야 한다.

(선지분석)
① 행정정보의 처리업무를 방해할 목적으로 행정정보를 위조·변경·훼손하거나 말소하는 행위 등을 한 사람은 10년 이하의 징역에 처한다(「전자정부법」 제35조 제1호).
② 전자정부의 발전과 촉진을 위해 매년 6월 24일을 전자정부의 날로 규정하고 있다(「전자정부법」 제5조의3 제1항).
④ 행정안전부장관은 전자적 대민서비스와 관련된 보안대책을 국가정보원장과 사전 협의를 거쳐 마련하여야 한다(「전자정부법」 제24조 제1항).

답 ③

12 정보기술아키텍처 난이도 ●●○

제시문은 정보자원을 파악하여 통합적·구조적으로 종합·정리한 정보기술아키텍처의 개념을 설명하고 있다. 정보기술아키텍처는 행정안전부장관이 3년마다 기본계획을 수립하여 구축하여야 한다.

답 ②

13   2014년 지방직 7급

「전자정부법」에서 규정하는 전자정부의 원칙에 해당되지 않는 것은?

① 개인정보 및 사생활의 보호
② 행정정보의 공개 및 공동이용의 확대
③ 중복투자의 방지 및 상호운용성 증진
④ 행정기관 및 국가공무원의 통제 효율성 확대

14   2014년 국가직 7급

전자정부(e-government) 구현 과정에서 예측되는 현상으로 옳지 않은 것은?

① 직무 간 경계와 기능 간 경계가 점점 명확해진다.
② 조직규모가 줄어들고 수평적 관계가 중요해진다.
③ 중간관리층 규모가 축소되고 행정농도가 낮아진다.
④ 분권화를 촉진시키지만 집권화를 위해서 사용될 수도 있다.

| 13 | 전자정부의 원칙 | 난이도 ●○○ |

행정기관 및 국가공무원의 통제 효율성 확대는 전자정부의 원칙에 해당하지 않는다.

📄 **전자정부의 원칙**
㉠ 대민서비스의 전자화 및 국민편익의 증진
㉡ 행정업무의 혁신 및 생산성·효율성의 향상
㉢ 행정정보의 공개 및 공동이용의 확대
㉣ 행정기관 확인의 원칙
㉤ 중복투자의 방지 및 상호운용성 증진
㉥ 개인정보 및 사생활의 보호
㉦ 정보시스템의 안전성·신뢰성 확보
㉧ 정보기술아키텍처를 기반으로 하는 전자정부 구현·운영의 원칙
㉨ 행정기관 보유 개인정보 당사자 의사에 반하여 사용 금지

답 ④

| 14 | 전자정부 구현 과정에서 예측되는 현상 | 난이도 ●●○ |

정보화 사회가 되면 직무 간, 기능 간 경계가 점점 불분명해지는 이음매(경계) 없는 조직(Linden)이 나타난다.

(선지분석)
② 수직적 대규모 조직보다 소규모 조직 간 수평적 연계를 중시한다.
③ 유기적 구조가 되면서 중간층이 줄고 행정농도(감독인력의 비중)도 낮아진다.
④ 대체로 분권화가 되지만 상층부의 정보독점 등으로 집권화나 계층제적 구조가 강화될 우려도 있다.

답 ①

15 □□□ 2014년 국가직 9급

전자정부 구현에 따른 기대효용으로 거리가 먼 것은?

① 정보의 공개와 상호작용을 통한 행정의 신뢰성 확보
② 정보의 집중화를 통한 신속하고 집권적인 정책결정
③ 정보통신기술을 활용한 업무 효율성 제고
④ 정부 정보에 대한 시민의 접근성 강화

16 □□□ 2013년 국가직 9급

유비쿼터스 정부(u-government)의 특성과 거리가 먼 것은?

① 중단 없는 정보 서비스 제공
② 맞춤 정보 제공
③ 고객 지향성, 실시간성, 형평성 등의 가치 추구
④ 일방향 정보 제공

| 15 | 전자정부 기대효과 | 난이도 ●○○ |

전자정부가 구현될 경우 정보는 분산·공유되며, 분권적인 정책결정시스템이 확립된다.

선지분석
① 정보의 공개와 상호작용을 통한 행정의 신뢰성 확보는 전자정부의 목적으로 옳은 지문이다.
③ 정보통신기술을 활용한 업무 효율성 제고는 전자정부의 대내적 가치이다.
④ 정부 정보에 대한 시민의 접근성 강화는 전자정부의 대외적 가치인 민주성을 제고에 해당하는 내용이다.

답 ②

| 16 | 유비쿼터스 정부의 특징 | 난이도 ●○○ |

유비쿼터스 정부(u-government)는 전자정부의 마지막 패러다임으로, 언제 어디서나 서비스가 가능한 쌍방적 정부이다. 일방향 정보 제공은 Government 1.0의 특징에 해당한다.

유비쿼터스 정부(u-Government)
㉠ 전자정부 기술 패러다임 변화(UN 기준): 인터넷 기반 → 모바일 기반 → 유비쿼터스 단계 순으로 변천
㉡ 유비쿼터스 전자정부의 의의: 인터넷 기반 온라인 서비스를 한 차원 뛰어 넘어 정보 서비스를 유선 인터넷에 의한 가상공간에만 국한시키지 않고 무선 또는 모바일 등에 의하여 물리적인 현실공간까지 확대적용하려는 미래형 전자정부

답 ④

17 유비쿼터스 전자정부

2020년 지방직 9급

유비쿼터스 전자정부에 대한 설명으로 옳은 것만을 모두 고르면?

> ㄱ. 기술적으로 브로드밴드와 무선, 모바일 네트워크, 센싱, 칩 등을 기반으로 한다.
> ㄴ. 서비스 전달 측면에서 지능적인 업무수행과 개개인의 수요에 맞는 맞춤형 서비스를 제공한다.
> ㄷ. Any-time, Any-where, Any-device, Any-network, Any-service 환경에서 실현되는 정부를 지향한다.

① ㄱ, ㄴ
② ㄱ, ㄷ
③ ㄴ, ㄷ
④ ㄱ, ㄴ, ㄷ

18 스마트 사회 및 스마트 정부

2013년 지방직 7급

스마트 사회 및 스마트 정부의 모습과 거리가 먼 것은?

① 유연성·창의성·인간 중심 가치가 중시되는 사회이다.
② 정부는 국민이 요구하기 전에 먼저 알아서 서비스를 제공한다.
③ 스마트 워크의 확산으로 현장에서 업무를 처리하고 실시간으로 입력하기 때문에 효율성과 생산성이 제고된다.
④ 재난 발생 후 최대한 빠른 시간 내에 복구하는 것을 정책 목표로 추구한다.

---

17 유비쿼터스 전자정부   난이도 ●●○

ㄱ. 유비쿼터스 기술기반을 옳게 설명하고 있다.
ㄴ. 유비쿼터스 정부는 지능적인 업무 수행과 개개인의 수요에 맞는 맞춤형 서비스를 특징으로 한다.
ㄷ. 유비쿼터스 정부는 언제나, 어디서나, 어떤 기술이나, 어떤 네트워크로도 서비스를 받을 수 있는 보편적 서비스 환경을 말한다.

답 ④

18 스마트 사회 및 스마트 정부   난이도 ●●○

스마트 정부란 IT 기술과 정부서비스의 복합으로 언제, 어디서나 매체에 관계없이 국민이 자유롭게 원하는 서비스를 맞춤형으로 이용하고, 참여·소통할 수 있는 전자정부를 의미한다. 이와 같은 스마트 정부는 스마트폰, 태블릿 PC, 스마트 TV 등 다양한 매체를 활용하여 접근할 수 있는 새로운 패러다임의 전자정부이며, 사후복구가 아닌 사전 예방 및 예측을 강조한다. 재난의 빠른 사후복구를 강조하는 것은 기존 전자정부의 특징이다.

답 ④

19 | 2023년 국회직 8급

다음 <보기> 중 우리나라 전자정부에 대한 설명으로 옳지 않은 것만을 모두 고르면?

〈보기〉
ㄱ. 전자정부란 정보기술을 활용하여 행정기관 상호간 행정업무 및 국민에 대한 행정업무를 효율적으로 수행하는 정부이다.
ㄴ. 전자정부는 행정이념 중에서 효율성과 민주성을 중요시한다.
ㄷ. 행정기관 등의 장은 전자정부의 구현·운영 및 발전을 위하여 5년마다 전자정부기본계획을 수립하여야 한다.
ㄹ. 디지털예산회계시스템(dBrain)과 전자조달시스템(나라장터)은 업무재설계(Business Process Reengineering)를 통해 프로세스 중심으로 업무를 재설계하고 정보시스템화한 것으로 평가할 수 있다.
ㅁ. 전자정부의 경계는 국가기관, 지방자치단체, 공공기관으로 한정된다.

① ㄱ, ㄷ
② ㄴ, ㄷ
③ ㄷ, ㅁ
④ ㄹ, ㅁ
⑤ ㄷ, ㄹ, ㅁ

19 우리나라 전자정부   난이도 ●●●

ㄷ. 전자정부의 구현·운영 및 발전을 위하여 5년마다 전자정부기본계획을 수립하는 주체는 행정기관 등의 장이 아니라 중앙사무관장기관의 장이다.

「전자정부법」 제5조 【전자정부기본계획의 수립】 ① 중앙사무관장기관의 장은 전자정부의 구현·운영 및 발전을 위하여 5년마다 제5조의2 제1항에 따른 행정기관등의 기관별 계획을 종합하여 전자정부기본계획을 수립하여야 한다.
제5조의2 【기관별 계획의 수립 및 점검】 ① 행정기관등의 장은 5년마다 해당 기관의 전자정부의 구현·운영 및 발전을 위한 기본계획(이하 "기관별 계획"이라 한다)을 수립하여 중앙사무관장기관의 장에게 제출하여야 한다.

ㅁ. 전자정부의 경계는 국가기관, 지방자치단체, 공공기관으로 한정되지 않으며 정부와 기업(G2B), 정부와 국민(G2C)과의 관계도 모두 포함된다.

(선지분석)
ㄱ. 「전자정부법」 제2조상 전자정부의 개념이다.
ㄴ. 전자정부는 정부 내(back office)에서의 효율성을, 정부 밖(front office)에서의 민주성을 행정이념으로 추구한다.
ㄹ. 디지털예산회계시스템(dBrain)과 전자조달시스템(나라장터)은 업무재설계(Business Process Reengineering)를 통해 업무를 축소·재설계하고 정보시스템화한 것으로 평가할 수 있다.

답 ③

20 | 2012년 지방직 9급

지식관리시스템을 성공적으로 구축하고 그 효과를 실현하기 위한 방안과 거리가 먼 것은?

① 지식관리를 위한 제도적인 지원과 문화의 형성
② 통합적이고 수직적인 조직구조의 형성
③ 전문적인 인적자원의 확보
④ 지식관리시스템을 가능하게 하는 통합적 정보기술의 확보

20 지식관리시스템   난이도 ●○○

통합적이고 수직적인 조직구조란 전통적인 계층제 조직을 의미하며, 이러한 조직구조하에서는 성공적 지식관리가 이루어지기 어렵다. 따라서 성공적인 지식관리를 위한 지식행정관리에서는 탈계층제적·탈관료제적·분권적·유기적 구조가 요구된다.

📄 기존 행정관리와 지식행정관리의 비교

구분	기존 행정관리	지식행정관리
지식 공유	지식의 파편화	공유를 통한 지식가치의 확대 재생산
지식 소유	지식의 개인 사유화	지식의 조직 공동재산화
지식 활용	중복 활용	지식의 공동활용을 통한 조직의 업무능력 향상
조직 성격	계층제	학습조직 기반 구축
구성원 능력	조직 구성원의 기량 및 경험이 일과성으로 소모	개인의 전문적 자질 향상
의사소통	계층제적 구조에 의한 의사소통의 공식화	다양한 채널에 의한 의사소통의 활성화

답 ②

21　　　　　　　　　　　　　　　2023년 국가직 9급

우리나라의 전자정부에 대한 설명으로 옳지 않은 것은?

① 정부는 '지능정보사회 종합계획'을 3년 단위로 수립하여야 한다.
② 과학기술정보통신부장관은 5년마다 행정기관 등의 기관별 계획을 종합하여 '전자정부기본계획'을 수립하여야 한다.
③ 「전자정부법」상 '전자화문서'는 종이문서와 그 밖에 전자적 형태로 작성되지 아니한 문서를 정보시스템이 처리할 수 있는 형태로 변환한 문서를 말한다.
④ 중앙행정기관의 장과 지방자치단체의 장은 해당기관의 지능정보사회 시책의 효율적 수립·시행과 대통령령이 정하는 업무를 총괄하는 '지능정보화책임관'을 임명하여야 한다.

22　　　　　　　　　　　　　2017년 국가직 7급 변형(8월 시행)

정보통신기술을 활용한 행정개선 사례로 옳지 않은 것은?

① 정부서울청사 등에 스마트 워크센터를 설치하여 운영하고 있다.
② 민원서비스를 통합적으로 제공하는 '정부24'를 도입하였다.
③ 정부에 대한 불편사항 제기, 국민제안, 부패 및 공익 신고 등을 위해 '국민신문고'를 도입하였다.
④ 공공기관의 공사, 용역, 물품 등의 발주 정보를 공개하고 조달 절차를 인터넷으로 처리하도록 '온나라시스템'을 도입하였다.

21　우리나라 전자정부　　　　　난이도 ●●○

「전자정부법」 제53조에 규정되어 있다.

> 「전자정부법」 제5조 【전자정부기본계획의 수립】 ① 중앙사무관장기관의 장은 5년마다 전자정부 기본계획을 수립한다. 행정부의 중앙사무관장기관의 장은 행정안전부장관이다.

(선지분석)
① 과학기술정보통신부장관이 지능정보사회종합계획을 3년 단위로 수집하여야 한다.
③ 「전자정부법」상 전자화문서의 개념에 대한 올바른 설명이다.
④ 각 부처별 지능정보화책임관(CIO)의 개념과 역할에 대한 올바른 설명이다.

답 ②

22　정보통신기술을 활용한 행정개선　　　난이도 ●●○

공공기관의 공사, 용역, 물품 등의 발주정보를 공개하고, 조달절차를 인터넷으로 처리하도록 하는 시스템은 조달청이 운영하고 있는 '나라장터'(전자조달시스템)이다. '온나라시스템'은 행정안전부가 운영하는 정부 내부 업무처리 과정과 과제관리, 문서관리 등 전반적인 행정프로세스를 전자문서 등을 이용하여 표준화한 행정업무처리 시스템이다.

(선지분석)
① 정부서울청사 등에서 운영하고 있는 스마트 워크센터란 원격근무 사무실에서 인터넷 망을 통해 사무를 처리하는 시스템이다.
② '정부24'란 국민 누구나 행정기관 방문 없이 집·사무실 등 어디에서나, 24시간 365일 인터넷으로 필요한 민원을 안내받고 신청하며, 발급·열람할 수 있는 서비스로, 2002년 서비스를 개시하였다.
③ '국민신문고'란 정부에 대한 모든 민원, 제안, 신고와 정책토론 등을 인터넷으로 간편하게 신청하고 처리하는 범정부 대표 온라인 소통 창구이다.

답 ④

23 ☐☐☐ 2016년 국가직 9급

정보화와 전자정부 등에 대한 설명으로 옳지 않은 것은?

① e-거버넌스는 모범적인 거버넌스를 실현하기 위하여 다양한 차원의 정부와 공공부문에서 정보통신기술의 잠재력을 활용하기 위한 과정과 구조의 실현을 추구한다.
② 웹접근성이란 장애인 등 정보 소외계층이 웹사이트에 있는 정보에 접근할 수 있도록 편의를 제공하는 것을 말한다.
③ 빅데이터의 3대 특징은 크기, 정형성, 임시성이다.
④ 지역정보화 정책의 기본목표는 지역경제의 활성화, 주민의 삶의 질 향상, 행정의 효율성 강화이다.

24 ☐☐☐ 2021년 국가직 7급

빅데이터에 대한 설명으로 옳지 않은 것은?

① 사진은 빅데이터에 포함되지 않는다.
② 정형 데이터도 포함하는 개념이다.
③ 각종 센서 장비의 발달로 데이터가 늘어나면서 나타났다.
④ 데이터를 실시간으로 처리하기도 한다.

---

23 정보화와 전자정부 · 난이도 ●●○

빅데이터(big data)의 3대 특징은 다양성(Variety), 속도(Velocity), 규모(Volume)로, 3V라고 한다.

빅데이터의 3대 특징

다양성	• Variety, 다양한 형태의 데이터 • 정형적 데이터뿐만 아니라 다양한 비정형적 데이터를 포함
속도	• Velocity, 빠른 생성 속도 • 시간 민감성이 큰 경우가 많으므로 빠른 생성 속도가 요구됨
규모	• Volume, 초대용량의 데이터 • 빅데이터는 크기 자체가 대형

답 ③

24 빅데이터 · 난이도 ●○○

사진은 정형적 데이터이며, 정형적 데이터도 빅데이터에 포함된다.

선지분석
② 빅데이터에는 정형 데이터와 비정형 데이터가 모두 포함된다.
③ 각종 센서 장비의 발달로 데이터가 늘어나면서 빅데이터의 구축이 가능하게 되었다.
④ 빅데이터의 특성 중 Velocity는 실시간 처리를 특징으로 한다.

답 ①

25
2017년 국가직 7급(10월 추가)

우리나라의 공공부문 빅데이터 정책에 대한 설명으로 옳지 않은 것은?

① 과거 국가정보화전략위원회에서는 공공부문의 빅데이터 활용 시나리오를 제시하였다.
② 빅데이터의 유통 활성화를 위해서는 데이터 보안, 암호화, 비식별화 등 개인정보보호를 위한 기술 개발이 중요하다.
③ 우리나라는 현재 빅데이터 활성화를 목표로 한 기본법이 시행되고 있지만, 아직 지방자치단체의 조례는 제정되지 않았다.
④ 반정형화된 데이터나 비정형 데이터에 이르기까지 활용하는 데이터의 수준이나 폭이 확대되고 있다.

26
2016년 경찰간부

전자정부의 역기능 중 하나인 정보격차를 해소하기 위한 정책이 아닌 것은?

① 시각장애인의 정보접근성 향상을 위한 인프라 구축
② 계층별 특성을 고려한 맞춤형 정보화 교육 실시
③ 온라인 정보화 교육시스템 운영
④ 공공 아이핀(i-PIN)의 보급 확대

---

25 공공부문 빅데이터 관련 정책   난이도 ●●○

대부분의 지방자치단체에서도 빅데이터의 활용에 관한 조례가 제정·시행되고 있다.

선지분석
① 우리나라 국가정보화전략위원회는 2011년 '빅데이터를 활용한 스마트 정부 구현(안)'을 보고했다.
② 개인정보보호는 빅데이터 정책의 선행조건이다.
④ 다양성(Variety, 다양한 형태의 데이터)은 정형적 데이터뿐만 아니라 다양한 비정형적 데이터를 포함한다.

답 ③

26 정보격차를 해소하기 위한 방안   난이도 ●●○

공공 아이핀(i-PIN)은 전자공간 내에서 본인식별을 위한 인증장치, 즉 인터넷 개인식별 번호로서 해킹방지 등 전자정부의 안전성을 보장하기 위한 장치로, 정보격차 해소와는 직접 관계가 없다. 정부는 정보격차 완화를 위해 '보편적 서비스'를 확립하고자 정책적으로 개입한다.

보편적 서비스

의의	정보격차를 완화하기 위한 보편적 서비스는 누구나, 언제나, 어디서나, 저렴하게 정보를 접속·이용 가능하도록 하는 것을 기본속성으로 함
정책 내용	• 접근성 • 활용가능성 • 훈련과 지원 • 유의미한 목적성 • 요금의 저렴성

답 ④

27　　　　　　　　　　　　　　　　2016년 국회직 8급

스마트 사회의 전자정부에서 강조되는 특징으로 옳지 않은 것은?

① 시민집단수요 중심의 맞춤형 전자정부 서비스 제공을 강조한다.
② 모바일 기술에 의해 현장근무, 재택근무 등의 유연근무가 촉진된다.
③ 국민들이 민원서비스를 신청하지 않더라도 정부가 국민의 요구들을 미리 파악해서 행정서비스를 선제적으로 제공한다.
④ 지능형 정보기술을 활용하여 재난사고 등에 대해 사전예방 위주의 위기관리를 강화한다.
⑤ 스마트 기술을 활용하여 국민이 시간과 장소에 상관없이 필요한 경우 원하는 방식으로 정부서비스에 접근할 수 있다.

28　　　　　　　　　　　　　　　　2022년 군무원 9급

기존 전자정부 대비 지능형 정부의 특징에 대한 설명으로 가장 옳지 않은 것은?

① 국민주도로 정책결정이 이루어진다.
② 현장 행정에서 복합문제의 해결이 가능하다.
③ 생애주기별 맞춤형 서비스를 제공한다.
④ 서비스 전달방식은 수요기반 온·오프라인 멀티채널이다.

27　전자정부의 특징　　난이도 ●●○

스마트 정부는 전자정부 2.0과 3.0을 포함한 용어로, 시민집단수요 중심의 서비스가 아니라 개인별 맞춤형 서비스 제공을 강조한다.

스마트 정부(2011~)

	구분	내용
국민	접근방법	스마트폰, 태블릿 PC, 스마트 TV 등 다매체 활용
	서비스	• 개인별 맞춤형 통합 서비스 • 개방을 통해 국민이 직접 원하는 서비스 개발 및 제공
	민원 신청	1회 신청으로 연관 민원 일괄 처리
	수혜 방식	정부가 자격 요건 확인 및 지원
공무원	근무위치	시간 및 위치 무관(스마트 워크센터 또는 모바일 오피스)
	위기	사전 예방 및 예측

답 ①

28　지능형 정부의 특징　　난이도 ●●●

생애주기별 맞춤형 서비스를 제공하는 것이 아니라 일상틈새 + 생애주기별 비서형을 추구한다.

기존 전자정부와 지능형 정부의 비교(새행정학 3.0)

구분	전자정부	지능형 정부
정책결정	정부 주도	국민 주도
행정업무	행정 현장: 단순업무 처리 중심	행정 현장: 복합문제 해결 가능
서비스 내용	생애주기별 맞춤형	일상틈새 + 생애주기별 비서형
서비스 전달 방식	온라인 + 모바일 채널	수요 기본 온오프라인 멀티채널

답 ③

29 2016년 국가직 7급

데이터 기반의 과학적 정책수립을 위하여 빅데이터의 중요성이 커지고 있다. 다음 중 빅데이터에 대한 설명으로 옳지 않은 것은?

① 빅데이터 부상의 이유로 페이스북(Facebook)·트위터(Twitter) 등의 소셜네트워크서비스(SNS)의 보급 확대를 들 수 있다.
② 인터넷 쇼핑업체인 아마존(Amazon)이 고객행동패턴 데이터를 분석하여 상품 추천 시스템을 도입한 것은 빅데이터를 활용한 사례이다.
③ 빅데이터는 비정형적 데이터가 아닌 정형적 데이터를 지칭한다.
④ 빅데이터를 활성화하기 위해서는 개인정보보호 장치가 제도적으로 선행될 필요가 있다.

| 29 | 빅데이터 | 난이도 ●○○ |

빅데이터는 정형 또는 비정형 데이터를 포함한 데이터들의 집합체를 의미하며, 빅데이터 기법에는 데이터 마이닝, 텍스트 마이닝, 오피니언 마이닝 등이 있다.

빅데이터 기법	
데이터 마이닝	국내 유가예보서비스의 경우처럼 각 주유소의 유류판매가격에 대한 객관적인 정보를 토대로 한 경우
텍스트 마이닝	웹문서에서 사용자들의 의견이나 평가를 분석해 해당 주제에 대한 평판을 도출해 내는 기술로 평판 마이닝기법
오피니언 마이닝	문서로부터 사용자가 게재한 의견과 감정을 나타내는 패턴을 이용해 특정 오브젝트에 대한 의견이 긍정, 중립, 부정인지를 찾아내는 기술

답 ③

30 2017년 지방직 9급(6월 시행)

기존 데이터와 비교할 때 빅데이터의 주요 특징이 아닌 것은?

① 속도(velocity)
② 다양성(variety)
③ 크기(volume)
④ 수동성(passivity)

| 30 | 빅데이터 | 난이도 ●○○ |

빅데이터의 3대 특징은 3V라고 하며, 이는 속도(Velocity), 다양성(Variety), 크기(Volume)를 의미한다.

빅데이터	
구성	• 데이터 마이닝: 인공지능기법 등의 활용을 통해 방대한 양의 데이터로부터 유용한 정보를 추출해내는 지식발견기법 • 텍스트 마이닝: 텍스트로부터 유용한 정보를 추출해내는 지식발견기법 • 오피니언 마이닝: 다양하고 방대한 의견으로부터 유용한 정보를 추출해내는 지식발견기법
특성 (3V)	• 방대한 규모(volume) • 빠른 속도(velocity) • 다양한 형태(variety): 수치화된 데이터, 문자 또는 영상 데이터 등 대규모 데이터
전제조건	개인정보보호제도가 선행되어야 함

답 ④

31 □□□
2019년 서울시 7급(3월 추가)

4차 산업혁명에 대한 설명으로 가장 옳지 않은 것은?

① 산업과 산업 간의 초연결성을 바탕으로 초지능성을 창출한다.
② 3차 산업혁명의 연장선상이며 근본적인 특성을 공유하고 있다.
③ 사이버 물리 시스템(cyber-physical system)혁명이라고 할 수 있다.
④ IoT, 인공지능, 빅데이터 등의 신기술을 기존 제조업과 융합해 생산능력과 효율을 극대화시킨다.

| 31 | 4차 산업혁명 | 난이도 ●●○ |

4차 산업혁명은 3차 산업혁명과는 근본적인 특성을 달리하며, 사물인터넷(IoT), 인공지능, 빅데이터 등의 신기술을 기존의 다른 사업과 융합하여 생산능력과 효율을 극대화시키는 패러다임을 의미한다. 4차 산업혁명의 핵심은 초연결성, 초지능성, 초융합성 등을 특성으로 한다.

📄 4차 산업혁명

의의	• 3차 산업혁명(지식·정보혁명)을 기반으로 물리적·가상적·생물학적 영역의 융합을 통해 사이버 물리시스템(Cyber-Physical System)을 구축하는 것 • 2016년 1월 다보스포럼에서 클라우스 슈밥(K. Schwab)에 의하여 처음 사용
특징	• 초연결성: 사람-사람, 사물-사물, 사람-사물 등 인간생활의 모든 영역을 연결(사물인터넷: IoT) • 초지능성: 방대한 빅데이터 분석으로 인간생활의 패턴 파악 • 초예측성: 초연결성·초지능성을 토대로 미래를 정확히 예측
3차 산업혁명과의 차이	3차 산업혁명의 연장선상에 있지만, 기술발전의 속도와 범위, 시스템적 충격이라는 측면에서 3차 산업혁명과는 비교할 수 없는 전반적인 문화혁명

답 ②

---

32 □□□
2021년 지방직 9급

4차 산업혁명에 관한 설명으로 옳지 않은 것은?

① 초연결성, 초지능성 등의 특징이 있다.
② 대량 생산 및 규모의 경제 확산이 핵심이다.
③ 사물인터넷은 스마트 도시 구현에 도움이 된다.
④ 빅데이터를 활용한 맞춤형 공공서비스 제공이 가능하다.

| 32 | 4차 산업혁명 | 난이도 ●●○ |

4차 산업혁명에서는 대량 생산 및 규모의 경제보다는 다품종 소량 생산이나 속도의 경제를 중시한다.

선지분석
① 4차 산업혁명은 초연결성, 초지능성, 초예측성을 핵심요소로 한다.
③ 초연결성에서 강조하는 사물인터넷(IOT)은 스마트시티 등의 구현에 도움이 된다.
④ 빅데이터를 활용한 맞춤형 공공서비스 제공이 가능하다.

답 ②

33
2023년 국가직 7급

정보기술의 활용을 통해 업무처리의 절차를 근본적으로 개선하는 데 초점을 맞추고, ICT 기반 행정혁신을 촉진하는 것은?

① 혼합현실(mixed reality)
② 업무재설계(business process reengineering)
③ 정보자원관리(information resource management)
④ 제3의 플랫폼(the 3rd platform)

34
2024년 국가직 9급

다음은 4차 산업혁명 시대의 주요 정보기술을 설명하고 있다. 이에 해당하는 것은?

> 거래정보의 기록을 중앙집중화된 서버나 관리 기능에 의존하지 않고, 분산원장(distributed ledger)을 기반으로 모든 참여자에게 분산된 형태로 배분함으로써, 데이터 관리의 탈집중화 된 환경을 제공하는 기술이다.

① 인공지능(AI)
② 블록체인(block chain)
③ 빅데이터(big data)
④ 사물인터넷(IoT)

| 33 | 업무재설계 | 난이도 ●●○ |

업무재설계(BPR)란 비용, 품질, 속도와 같은 현대조직의 핵심적인 성과를 획기적으로 향상시키기 위해 업무 프로세스를 근본적으로 재고하여 혁신적으로 재설계하는 것이다.

(선지분석)
① 혼합현실은 현실을 기반으로 가상 정보를 부가하는 증강 현실(AR; Augmented Reality)과 가상 환경에 현실 정보를 부가하는 증강 가상(AV; Augmented Virtuality)의 의미를 포함하는 개념이다.
③ 정보자원관리란 조직에 필요한 정보를 생산하는 데 사용되는 자원을 관리하는 것으로 정보자원(계획, 예산, 조직 등)에 대한 통합적 관리체제를 의미한다.
④ 빅데이터와 클라우드, 인공지능·머신러닝, 소셜, 모빌리티 등이 제3의 플랫폼 기술들이다.

답 ②

| 34 | 블록체인(block chain) | 난이도 ●●● |

제시문은 블록체인(block chain)의 개념에 해당한다. 블록체인이란 거래정보의 기록을 중앙의 서버에만 의존하지 않고 분산된 원장을 기반으로 모든 참여자에게 분산공유시킴으로써 집중화된 데이터 관리의 폐단을 해소하기 위한 탈집중적 데이터관리기술이다. 모든 예측과 연결이 안전하게 거래·교환되어야 하는데 블록체인은 이러한 안전성을 보장해주는 장치이다.

답 ②

CHAPTER 2 행정통제 및 행정개혁

KEYWORD 096 행정통제 및 행정개혁

01 □□□
2020년 지방직 9급

민원행정의 성격에 대한 설명으로 옳은 것만을 모두 고르면?

> ㄱ. 규정에 따라 서비스를 제공하는 전달적 행정이다.
> ㄴ. 행정기관도 민원을 제기하는 주체가 될 수 있다.
> ㄷ. 행정구제수단으로 볼 수 없다.

① ㄱ
② ㄷ
③ ㄱ, ㄴ
④ ㄴ, ㄷ

02 □□□
2017년 지방직 9급(12월 추가)

행정통제에 대한 설명으로 옳지 않은 것은?

① 감사원에 의한 통제는 회계검사, 직무감찰, 성과감사 등이 있다.
② 사법통제는 행정이 이미 이루어진 후의 소극적 사후조치라는 한계가 있다.
③ 입법통제는 행정명령·처분·규칙의 위법 여부를 심사하는 외부통제방법이다.
④ 언론은 행정부의 과오를 감시하고 비판하며 공개하는 역할을 수행함으로써 행정에 영향을 미친다.

---

01 민원행정 난이도 ●●○

민원행정이란 민원인이 행정기관에 대하여 처분 등 특정한 행위를 요구하는 행정으로, 고객접점에서 이루어지는 전달적 행정이자 시민들의 일상생활에 직결되는 민원 중심의 서비스이다.
ㄱ. 민원행정은 규정에 따라 고객에게 서비스 제공이 이루어지는 전달적 행정이다.
ㄴ. 행정기관은 원칙적으로 민원의 주체가 될 수 없으나, 사경제 주체로서는 민원을 제기할 수 있다.

(선지분석)
ㄷ. 민원행정은 가장 1차적인 행정구제 수단이자 행정통제 수단으로서의 기능을 수행한다.

답 ③

02 행정통제 난이도 ●○○

행정명령·처분·규칙의 위법 여부를 심사하는 기관은 의회(입법부)가 아니라 사법부이다.

(선지분석)
① 감사원의 기능은 회계검사, 직무감찰, 결산확인 등으로, 최근에는 발생주의 도입으로 회계검사는 성과감사에 중점을 두고 있다.
② 사법통제는 소극적 사후조치라는 점과 비용과 시간이 많이 소요되는 점에서 한계가 있다.
④ 언론에 의한 행정통제는 비공식적 통제 중 하나이다.

답 ③

03 2017년 지방직 9급(6월 시행)

우리나라 행정환경의 주요 행위자들 간의 관계에 대한 설명으로 옳지 않은 것은?

① 국회는 국민의 대표기관으로서 민주주의 원칙에 합당하게 행정이 이루어지고 있는지를 감시하고 통제하는 권한을 가진다.
② 정부는 국회에 법률안을 제출할 수 있고, 대통령은 법률에서 구체적으로 범위를 정하여 위임받은 사항과 법률을 집행하기 위하여 필요한 사항에 관하여 대통령령을 발할 수 있다.
③ 헌법재판소의 위헌 결정은 행정부의 활동에 지대한 영향을 미칠 수 있다.
④ 대통령은 국회가 확정한 본예산에 대하여 재의를 요구할 수 있다.

04 2018년 서울시 7급(3월 추가)

행정의 책임성에 대한 설명으로 가장 옳지 않은 것은?

① 행정의 책임성에는 결과에 대한 책임과 함께 과정에 대한 책임도 포함된다.
② 신공공관리론(NPM)에서 강조하고 있는 시장 책임성은 고객만족에 의한 행정책임을 포함한다.
③ 법적 책임의 확보 방법은 시대에 따라 변하고 있다.
④ 제도적 책임성은 공무원의 자율적이고 능동적인 행정책임을 의미한다.

---

03 행정환경의 주요 행위자들 간 관계

대통령은 국회에서 확정한 예산에 대하여 거부권을 행사할 수 없다.

선지분석
① 국회의 행정부에 대한 감시·통제권한으로, 공식적인 통제방법 중 하나이다.
② 행정부도 법률안을 제안할 수 있으며, 대통령은 법률이 위임한 범위 내에서 대통령령을 발할 수 있다.
③ 주요 정책은 법률로 구체화된다. 따라서 법률의 위헌 결정은 정책의 폐지를 의미하므로, 위헌 결정은 행정부의 활동에 큰 영향을 미친다.

답 ④

04 행정의 책임성

공무원의 자율적이고 능동적인 행정책임을 강조하는 것은 제도적 책임이 아니라 주관적 책임인 자율적 책임에 해당한다.

선지분석
① 결과에 대한 책임과 과정에 대한 책임도 포함된다.
② 시장 책임성은 시장의 고객을 만족시켰는지에 대한 책임을 말한다.
③ 고전행정학(과학적관리론) 때는 입법부가 제정한 법률에 충실해야 했으나, 신공공관리론이 강조하는 법적 책임은 성과에 의한 책임을 의미한다.

답 ④

05　　　　　　　　　　　　　　　2020년 지방직 7급

행정책임과 행정통제에 대한 설명으로 옳은 것은?

① 파이너(Finer)는 행정의 적극적 이미지를 전제로 전문가로서의 관료의 기능적 책임을 강조하는 책임론을 제시하였다.
② 프리드리히(Friedrich)는 개인적인 도덕적 의무감에 호소하는 책임보다 외재적·민주적 책임의 중요성을 강조하였다.
③ 행정통제를 내부통제와 외부통제로 구분할 경우, 윤리적 책임의식의 내재화를 통한 통제는 전자에 속한다.
④ 옴부즈만제도를 의회형과 행정부형으로 구분할 경우, 국민권익위원회의 고충민원처리제도는 전자에 속한다.

06　　　　　　　　　　　　　　　2016년 국가직 7급

다음 행정통제 중 내부통제에 해당하는 것만을 모두 고른 것은?

> ㄱ. 입법부에 의한 통제
> ㄴ. 사법부에 의한 통제
> ㄷ. 감사원에 의한 통제
> ㄹ. 시민에 의한 통제
> ㅁ. 공무원으로서 직업윤리

① ㄱ, ㄴ
② ㄴ, ㄷ
③ ㄷ, ㅁ
④ ㄹ, ㅁ

05	행정책임과 행정통제	난이도 ●●○

관료들이 국민에 대한 수임자·공복으로서 스스로 내면의 가치와 기준에 따라 자발적으로 내부적인 유도에 의해 책임감을 느끼고 행동하는 것이 내재적 책임이며, 내재적 책임을 확보하는 것이 내부통제이다.

(선지분석)
① 기능적 책임 등 내재적 책임을 강조한 학자는 프리드리히(Friedrich)이다.
② 파이너(Finer)는 외재적 책임의 중요성을 강조하였다.
④ 우리나라의 국민권익위원회의 고충민원처리제도는 행정부형 옴부즈만제도에 속한다. 국민권익위원회는 국무총리 소속이다.

답 ③

06	내부통제	난이도 ●○○

행정통제 중 내부통제는 행정조직 구성원에 의한 통제로, 행정의 전문성과 복잡성이 심화되는 현대행정국가 시대에 외부통제의 실효성이 약화되면서 점차 그 중요성이 강조되고 있다.
ㄷ. 감사원에 의한 통제는 내부·공식적 통제에 해당한다.
ㅁ. 공무원으로서 직업윤리는 내부·비공식적 통제에 해당한다.

(선지분석)
ㄱ. 입법부에 의한 통제는 외부·공식적 통제에 해당한다.
ㄴ. 사법부에 의한 통제는 외부·공식적 통제에 해당한다.
ㄹ. 시민에 의한 통제는 외부·비공식적 통제에 해당한다.

행정통제의 분류

분류		공식적	비공식적
내부		· 감사기관 통제 · 교차행정조직에 의한 통제 · 운영통제	· 공직윤리(행정윤리) · 대표관료제
외부		· 입법통제 · 사법통제 · 옴브즈만	민중통제

답 ③

07
2024년 국가직 7급

우리나라 행정통제 방법 중 내부통제에 해당하는 것은?

① 감사원의 회계검사
② 헌법재판소의 위헌법률심판
③ 국회의 국무위원에 대한 탄핵소추
④ 지방자치단체의 주민참여예산제도

08
2019년 서울시 9급

행정통제에 대한 설명으로 가장 옳지 않은 것은?

① 행정 권한의 강화 및 행정재량권의 확대가 두드러지면서 행정책임 확보의 수단으로서 행정통제의 중요성이 커지고 있다.
② 의회는 국가의 예산을 심의하고 승인하거나 혹은 지출을 금지하거나 제한하는 등의 조치를 통하여 행정부를 통제한다.
③ 행정이 전문성과 복잡성을 띠게 된 현대 행정국가 시대에는 내부통제보다 외부통제가 점차 강조되고 있다.
④ 일반 국민은 선거권이나 국민투표권의 행사를 통하여 행정을 간접적으로 통제한다.

| 07 | 내부통제 | 난이도 ●○○ |

우리나라 감사원은 대통령 소속 헌법상 기관이므로 감사원의 회계검사는 내부통제에 해당한다.

(선지분석)
②, ③, ④ 외부통제수단에 해당한다.

답 ①

| 08 | 행정통제 | 난이도 ●●○ |

행정이 전문성과 복잡성을 띠게 된 현대 행정국가 시대에는 외부통제의 실효성이 약화됨에 따라 내부통제가 점차 강조되고 있다. 외부통제는 비교적 행정이 단순했던 입법국가 시대에 중시되었다.

(선지분석)
① 행정통제는 기본적으로 관료들의 자발적인 행정책임을 기대하기 어렵기 때문에 보다 분명한 행정책임의 확보를 위해 요구되며, 내부·외부, 공식적·비공식적에 따라 네 가지 유형으로 분류할 수 있다.
② 의회에 의한 통제는 대표적인 외부에 의한 공식적 통제이다.
④ 또한 일반 국민은 시민단체를 통해 비공식적 통제에 참여할 수도 있다.

답 ③

09 2016년 지방직 7급

고충민원 처리 및 부패방지와 관련된 설명으로 옳지 않은 것은?

① 내부 고발자를 보호하기 위한 제도가 시행되고 있다.
② 공공기관의 부패행위에 대해 국민권익위원회에 감사를 청구할 수 있는 국민감사청구제도가 시행되고 있다.
③ 국민권익위원회 위원장과 위원의 임기는 각각 3년으로 하되, 1차에 한하여 연임할 수 있다.
④ 지방자치단체는 고충민원을 처리하기 위해 시민고충처리위원회를 둘 수 있다.

10 2016년 경찰간부

다음 행정통제에 관한 설명 중 옳은 것을 모두 고른 것은?

> ㄱ. 사법부에 의한 행정통제는 주로 사후적이다.
> ㄴ. 감사원에 의한 통제는 내부통제이다.
> ㄷ. 옴부즈만제도는 기존의 행정결정을 무효·취소시킬 수 없다.
> ㄹ. 전통적인 행정통제방법으로 가장 중요시되는 것은 입법부에 의한 내부통제이다.

① ㄱ, ㄴ, ㄷ
② ㄱ, ㄹ
③ ㄴ, ㄷ
④ ㄱ, ㄴ, ㄹ

---

09 고충민원 처리 및 부패방지

현재 공공기관의 부패행위에 대하여 국민이 감사원에 감사를 청구할 수 있는 국민감사청구제도가 시행되고 있다.

(선지분석)
① 「부패방지 및 국민권익위원회 설치와 운영에 관한 법률」에 근거하여 내부 고발자를 보호하기 위한 제도가 시행되고 있다.
③ 국민권익위원회는 위원장 1명을 포함한 15명의 위원(부위원장 3명과 상임위원 3명을 포함한다)으로 구성한다. 위원장과 위원의 임기는 각각 3년으로 하되, 1차에 한하여 연임할 수 있다.
④ 지방자치단체 및 그 소속기관에 관한 고충민원의 처리와 행정제도의 개선 등을 위하여 각 지방자치단체에 시민고충처리위원회를 둘 수 있다.

답 ②

10 행정통제

ㄱ. 사법부에 의한 통제는 행정소송에 대한 판결 등에 의해 이루어지는 공식적 통제방법이다. 이는 주로 사후적 조치라는 점 외에도 비용과 시간이 많이 소요된다는 한계가 있다.
ㄴ. 감사원에 의한 통제는 내부·공식적 통제로, 이 외에도 계층제 및 행정수반에 의한 통제가 있다.
ㄷ. 옴부즈만제도는 시정·개선 조치 및 징계의 권고나 요구만 가능할 뿐, 직접 취소·무효·철회할 수는 없다.

(선지분석)
ㄹ. 전통적인 행정통제방법으로 가장 중요시되는 것은 입법부에 의한 외부통제이다.

답 ①

11

2021년 지방직 9급

행정통제와 행정책임에 대한 설명으로 옳은 것만을 모두 고르면?

> ㄱ. 파이너(Finer)는 법적·제도적 외부통제를 강조한다.
> ㄴ. 감사원의 직무감찰과 회계감사는 외부통제에 해당한다.
> ㄷ. 프리드리히(Friedrich)는 내재적 통제보다 객관적·외재적 책임을 강조한다.

① ㄱ
② ㄴ
③ ㄱ, ㄷ
④ ㄴ, ㄷ

12

2017년 지방직 9급(6월 시행)

행정통제에 대한 설명으로 옳지 않은 것은?

① 국무총리 소속 국민권익위원회는 옴부즈만적 성격을 가지며, 국민권익위원회의 위원장과 부위원장은 국무총리의 제청으로 대통령이 임명한다.
② 교차기능조직(criss-cross organizations)은 행정체제 전반에 걸쳐 관리작용을 분담하여 수행하는 참모적 조직단위들로서 내부적 통제체제로부터 완전히 독립되어 있다.
③ 헌법재판제도는 헌법을 수호하고 부당한 국가권력으로부터 국민의 권리와 자유를 보호하는 과정에서 행정에 대한 통제 기능을 수행한다.
④ 독립통제기관(separate monitoring agency)은 일반행정기관과 대통령 그리고 외부적 통제중추들의 중간 정도에 위치하며, 상당한 수준의 독자성과 자율성을 누린다.

| 11 | 행정통제와 행정책임 | 난이도 ●○○ |

ㄱ만 옳다. 파이너(H. Finer)는 외부에 의한 통제를 통한 외재적 책임을 중시하였다.

선지분석
ㄴ. 감사원은 내부통제에 해당한다.
ㄷ. 프리드리히(Friedrich)는 내부통제를 중시하였다.

답 ①

| 12 | 행정통제 | 난이도 ●●○ |

교차기능(행정)조직에 의한 통제는 인사혁신처(인사권), 기획재정부(예산권), 국무총리실(심사평가) 등으로 내부통제에 해당한다. 따라서 내부적 통제체제로부터 독립되었다는 설명은 옳지 않다.

선지분석
① 국민권익위원회는 국무총리 소속이며 위원장, 부위원장 모두 국무총리의 제청으로 대통령이 임명한다.
③ 헌법재판소는 권한쟁의심판, 헌법소원심판, 탄핵심판, 위헌법률심판 등으로 행정에 대한 통제 기능을 수행한다.
④ 감사원은 대표적인 독립통제기관으로, 직무상 독립성과 자율성을 가진다.

답 ②

13
2016년 지방직 9급

행정윤리에 대한 설명으로 옳지 않은 것은?

① 제도적 책임성이란 공무원이 전문가로서의 직업윤리와 책임감에 기초해서 자발적인 재량을 발휘해 확보되는 행정책임을 의미한다.
② 행정윤리는 사익보다는 공익과 밀접한 관계가 있다.
③ 결과주의에 근거한 윤리평가는 사후적인 것이며 문제의 해결보다는 행위 혹은 그 결과에 대한 처벌에 중점을 둔다.
④ 공무원 부패의 원인을 사회문화적 접근으로 보는 관점에서는 특정한 지배적 관습이나 경험적 습성이 부패를 조장한다는 입장이다.

14
2019년 지방직 9급

옴부즈만(Ombudsman)제도에 대한 설명으로 옳지 않은 것은?

① 행정에 대한 통제 기능을 수행한다.
② 스웨덴에서는 19세기에 채택되었다.
③ 옴부즈만을 임명하는 주체는 입법기관, 행정수반 등 국가별로 상이하다.
④ 우리나라의 국민권익위원회는 헌법상 독립성을 보장하기 위해 대통령 소속으로 설치되었다.

| 13 | 행정윤리 | 난이도 ●●○ |

공무원이 전문가로서의 직업윤리와 책임감에 기초해서 자발적인 재량을 발휘해 확보되는 책임성은 제도적 책임성이 아니라 자율적 책임성에 해당한다. 제도적 책임성이란 대의제 원리하에서 법률로 나타나는 의회의 의사나 계층제상의 최고관리자의 지시와 같이 관료가 외부의 요구에 대해 지는 '공식적 책임 및 법적 책임'을 의미한다. 반면, 자율적 책임이란 공무원들의 자율적인 직업윤리와 책임감·양심 등에 기초하여 확보되는 내재적 책임을 의미한다.

(선지분석)
② 행정윤리는 공무원이 특정 집단이나 개인이 아닌 국민 전체에 대한 봉사자로서 공익을 추구하여야 한다는 것을 의미한다.
③ 절대주의(의무주의)는 옳고 그름을 판단하는 보편적 기준의 존재를 인정하는 것이고, 결과주의(상대주의)는 보편적 기준의 존재를 인정하지 않고 결과를 중심으로 판단하는 것이다.
④ 사회·문화적 접근은 특정한 지배적 관습이나 문화가 공무원의 부패를 조장한다고 보는 입장이다(예 선물관행이나 인사문화 등).

답 ①

| 14 | 옴부즈만제도 | 난이도 ●○○ |

우리나라 옴부즈만에 해당하는 국민권익위원회는 법률상 기구(「부패방지 및 국민권익위원회 설치·운영에 관한 법률」)로, 국무총리 소속 기관이다.

> 「부패방지 및 국민권익위원회 설치·운영에 관한 법률」 제11조 【국민권익위원회의 설치】 고충민원의 처리와 이에 관련된 불합리한 행정제도를 개선하고, 부패의 발생을 예방하며 부패행위를 효율적으로 규제하도록 하기 위하여 국무총리 소속으로 국민권익위원회를 둔다.

답 ④

15

2016년 지방직 9급

다음 중 옴부즈만(Ombudsman)제도에 대한 설명으로 옳은 것만을 모두 고른 것은?

> ㄱ. 옴부즈만제도는 설치 주체에 따라 크게 의회소속형과 행정기관소속형으로 구분된다.
> ㄴ. 옴부즈만제도는 정부 행정활동의 비약적인 증대에 따른 시민의 권리침해 가능성에 대해 충분한 구제제도를 두기 위하여 핀란드에서 최초로 도입되었다.
> ㄷ. 옴부즈만은 행정행위의 합법성뿐만 아니라 합목적성 여부도 다룰 수 있다.
> ㄹ. 우리나라의 경우 대통령 직속의 국민권익위원회가 옴부즈만에 해당한다.

① ㄱ, ㄴ
② ㄱ, ㄷ
③ ㄷ, ㄹ
④ ㄴ, ㄹ

16

2021년 국가직 7급

옴부즈만제도에 대한 설명으로 옳은 것은?

① 시민의 요구가 없다면 직권으로 조사활동을 할 수 없다.
② 부족한 인력과 예산으로 국민의 권익을 구제하는 데 한계가 있다.
③ 사법부가 임명한다.
④ 시정조치를 법적으로 강제할 수 있는 권한이 있다.

| 15 | 옴부즈만제도 | 난이도 ●○○ |

ㄱ. 스웨덴의 옴부즈만제도는 의회소속인 반면, 우리나라의 옴부즈만제도격인 국민권익위원회는 행정부(국무총리)소속이다.
ㄷ. 옴부즈만제도는 위법한 사항(합법성 심사)뿐만 아니라 부당한 사항(합목적성 사항)도 다룰 수 있으며, 공식적 통제에 해당한다.

(선지분석)
ㄴ. 옴부즈만제도가 최초로 도입된 나라는 핀란드가 아니라 스웨덴이다.
ㄹ. 우리나라의 경우 대통령 직속이 아닌 국무총리 직속의 국민권익위원회가 옴부즈만적 성격을 가지고 있다.

답 ②

| 16 | 옴부즈만제도 | 난이도 ●●○ |

옴부즈만제도는 법적으로 확립된 공식 기구·제도이지만 실제에 있어서는 옴부즈만의 개인적 신망에 의존하는 제도로, 인력과 예산 부족으로 국민의 권익을 실질적으로 구제하는 데에는 한계가 있다는 지적이 있다.

(선지분석)
① 원칙인 신청에 의한 조사도 가능하고 예외적 직권조사도 가능하다.
③ 입법부가 임명하는 입법부 소속이다.
④ 취소·무효로 할 수 있는 법적 권한이 없다. 권고나 요구만 가능하다.

답 ②

17

2015년 지방직 9급

우리나라의 행정통제에 대한 설명으로 옳은 것은?

① 행정기관 및 공무원의 직무에 관한 감찰을 하기 위하여 대통령 소속하에 감사원을 두고 있다.
② 권위주의적 정치·행정문화 속에서 행정의 내·외부통제가 보다 효과적으로 이루어졌다.
③ 헌법재판소는 행정에 대한 통제 기능은 수행하지 못한다.
④ 입법부의 구성이 여당 우위일 경우 효과적인 행정통제 기능을 수행할 수 있다.

17	행정통제		난이도 ●○○

감사원은 조직상 대통령 소속이므로, 내부통제로 본다.

(선지분석)
② 권위주의적 정치·행정문화 속에서 행정의 내·외부통제가 효과적으로 이루어지지 못하였다.
③ 헌법재판소도 권한쟁의심판, 헌법소원심판, 탄핵심판, 위헌법률심판 등을 통해 행정에 대한 강력한 통제 기능을 수행한다.
④ 입법부의 구성이 여당보다는 야당 우위일 경우, 효과적인 행정통제 기능을 수행할 수 있다. 왜냐하면 여당이 우위일 경우, 국회는 행정부의 거수기 역할에 그칠 수 있기 때문이다.

답 ①

18

2023년 국가직 9급

롬젝(Romzeck)의 행정책임유형에 대한 설명으로 옳지 않은 것은?

① 계층적 책임 – 조직 내 상명하복의 원칙에 따라 통제된다.
② 법적 책임 – 표준운영절차(SOP)나 내부 규칙(규정)에 따라 통제된다.
③ 전문가적 책임 – 전문직업적 규범과 전문가집단의 관행을 중시한다.
④ 정치적 책임 – 민간 고객, 이익집단 등 외부 이해관계자의 기대에 부응하는가를 중시한다.

18	롬젝(Romzeck)의 행정책임유형		난이도 ●●●

롬젝(Romzeck)은 행정책임의 원천과 통제의 강조에 따라 책임의 유형을 4가지로 나누었다. 법적책임은 통제의 원천이 외부에 있는 책임으로 입법부·사법부 등과의 관계에서 나타나는 책임유형이다.

(선지분석)
① 계층적 책임은 관료는 상급자의 감독·명령·지시 또는 내부규율을 준수해야 할 비자율적 책임이다.
③ 전문가적 책임은 관료는 전문가로서의 윤리·신념·경험 등의 내재화된 규범에 따라야 할 자율적 책임이다.
④ 정치적 책임이란 정치인·고객·일반대중의 필요에 대응해야 할 자율적 책임이다.

행정책임 유형 - 듀브닉(Dubnick)과 롬젝(Romzek)

강도 \ 원천		통제의 원천	
		내부	외부
통제의 강도	높음	관료적 책임 (위계적 책임)	법률적 책임
	낮음	전문적 책임 (정책적 책임)	정치적 책임

답 ②

19   2015년 국가직 9급

행정개혁의 접근방법에 대한 설명으로 옳지 않은 것은?

① 사업(산출) 중심적 접근방법은 행정활동의 목표를 개선하고 서비스의 양과 질을 개선하려는 접근방법으로, 분권화의 확대, 권한 재조정, 명령계통 수정 등에 관심을 갖는다.
② 과정적 접근방법은 행정체제의 과정 또는 일의 흐름을 개선하려는 접근방법이다.
③ 행태적 접근방법의 하나인 조직발전(OD: Organizational Development)은 의식적인 개입을 통해서 조직 전체의 임무수행을 효율화하려는 계획적이고 지속적인 개혁활동이다.
④ 문화론적 접근방법은 행정문화를 개혁함으로써 행정체제의 보다 근본적이고 장기적인 개혁을 성취하려는 접근방법이다.

20   2015년 국가직 7급

행정에 대한 시민단체의 역할로 옳지 않은 것은?

① 국민에게 교육을 실시하는 등 사회에 필요한 재화와 서비스의 제공자 역할을 한다.
② 정당과 함께 행정에 대한 공식적 통제자 역할을 한다.
③ 소수 약자의 인권이나 재산권 침해 등에 대한 대변자 역할을 한다.
④ 이익집단 간 갈등이나 지역이기주의로 나타나는 지역 간 갈등 등에 대한 조정자 역할을 한다.

| 19 | 행정개혁의 접근방법 | 난이도 ●○○ |

행정활동의 목표를 개선하고 서비스의 양과 질을 개선하려는 접근방법으로서 분권화의 확대, 권한 재조정, 명령계통 수정 등에 관심을 갖는 것은 사업이나 산출이 아니라 구조 중심의 접근방법에 해당한다. 기능 중복의 해소, 권한과 책임의 재조정, 명령계통 수정 등의 원리전략과 분권화의 확대는 고전적인 구조 중심의 접근방법의 관심대상이다.

행정개혁의 접근방법

구조적 접근	원리전략	기능 중복의 제거, 책임의 재규정, 조정 및 통제 절차의 개선, 표준적 절차의 간소화, 의사소통체제 및 통솔범위의 수정
	분권화 전략	분권화만 되면 공식조직, 행태, 의사결정까지도 변화된다는 전략
관리기술적 접근		운영과정이나 일의 흐름을 개선(OR, EDPS, MIS, RE, BPR, TQM, BSC, CBA, 문서양식, 절차, OA 등)
행태적 접근		감수성훈련 등 OD(조직발전) 전략

답 ①

| 20 | 시민단체의 역할 | 난이도 ●○○ |

정당과 시민단체는 비공식적 통제자의 역할을 한다. 공식적 통제는 외부통제 중에서는 입법부·사법부·옴부즈만에 의한 통제가 있고, 내부통제 중에는 계층제·감사원·행정수반에 의한 통제가 있다.

비공식적 통제

외부통제	• 민중통제
	  - 선거, 주민투표, 주민감사청구권의 행사
	  - 반상회나 공청회 등 각종 주민참여제도
	  - 시민단체(NGO) 참여 등
	• 이익집단에 의한 통제
	• 여론과 매스컴에 의한 통제

내부통제	• 행정윤리의 확립을 통한 통제 • 공무원 단체를 통한 통제 • 대표관료제 확립을 통한 통제

답 ②

21

2014년 경찰간부

행정개혁의 접근방법에 대한 설명 중 가장 적절하지 않은 것은?

① 인간관계적 접근방법은 가치관과 신념의 변화를 통하여 행정체제 전체를 개혁하려는 방법이다.
② 기관형성전략은 바람직한 국가목표를 달성하기 위해 새로운 기관이나 제도를 형성함으로써 지속적으로 활동의 지지를 받을 수 있도록 하는 것이다.
③ 구조기술적 접근방법은 OD(조직발전)나 TQM(총체적 품질관리) 등의 기법을 활용한다.
④ 체계적이고 종합적 접근은 구조와 인간, 환경의 문제를 체제로 파악하고 상호관련성을 고려하는 접근방법이다.

22

2021년 국가직 7급

행정개혁에 대한 저항을 극복하는 전략 및 방법에 관한 설명으로 옳은 것은?

① 경제적 손실 보상, 임용상 불이익 방지는 규범적·사회적 전략이다.
② 개혁지도자의 신망 개선, 의사전달과 참여의 원활화, 사명감 고취는 공리적·기술적 전략이다.
③ 교육훈련과 자기계발 기회 제공은 규범적·사회적 전략이다.
④ 개혁 시기 조정은 강제적 전략이다.

---

21 행정개혁의 접근방법 난이도 ●●○

OD(조직발전)는 행태적 접근방법, TQM(총체적 품질관리) 등의 기법은 관리기술적 접근방법에 해당한다. 구조기술적 접근방법은 원칙적으로 행정체제의 구조적 설계를 개선함으로써 행정개혁의 목표를 달성하려는 접근방법으로, 가장 오래된 접근방법이다.

(선지분석)
① OD(조직발전) 등 행태개혁을 통하여 조직 전체를 개혁하려는 접근방법으로 옳은 지문이다.
② 기관형성(IB)은 1960년대 발전행정의 전략이다.
④ 체계적·종합적 접근방법은 구조·인간·기술 등에 대한 포괄적 개혁을 중시한다.

답 ③

22 행정개혁에 대한 저항을 극복하는 방법 난이도 ●●●

교육훈련, 자기계발 기회 제공은 규범적·사회적 전략에 해당한다.

(선지분석)
① 공리적·기술적 전략이다.
② 규범적·사회적 전략이다.
④ 공리적·기술적 전략이다.

답 ③

23　　2022년 군무원 9급

행정개혁에 대한 저항이 나타나는 원인이나 요인으로 가장 옳지 않은 것은?

① 행정개혁을 담당하는 조직의 중복성 혹은 가외성(redundancy)의 존재
② 행정개혁의 내용이나 그 실행계획의 모호성
③ 행정개혁에 요구되는 지식이나 기술의 부족
④ 행정개혁에 필요한 관련 법규의 제·개정의 어려움

| 23 | 행정개혁에 대한 저항이 나타나는 원인 | 난이도 ●○○ |

행정개혁을 담당하는 조직의 중복성 혹은 가외성(redundancy)은 저항의 원인이 아니라, 조직적 관점에서 저항에 대한 대책에 포함된다.

답 ①

24　　2013년 서울시 7급

행정에 대한 정치적 통제와 관료제의 자율성에 대한 설명으로 가장 적절한 것은?

① 직업공무원이 선출직 공무원에게 책임을 지도록 조직화된 이유는 정부의 대응성을 제고하기 위함이다.
② 행정에 대한 정치적 통제의 강화는 행정의 안정성과 능률성을 제고할 수 있다.
③ 사회문제가 복잡해짐에 따라 직업공무원들의 행정적 재량행위에 대한 더욱 엄격한 통제가 요구된다.
④ 정부의 대응성과 능률성은 상호 보완적 관계를 가진다.
⑤ 행정의 능률성 제고를 위해서는 관료제에 대한 적절한 통제가 필요하다.

| 24 | 행정에 대한 정치적 통제와 관료제의 자율성 | 난이도 ●●● |

정부의 대응성이란 관료가 국민의 요구에 부응하고 책임을 지는 것이다.

선지분석
② 정치적 통제의 강화는 능률성보다는 행정의 민주성을 제고할 수 있다.
③ 사회문제가 복잡해짐에 따라 엄격한 통제보다는 행정적 재량을 확대시킬 필요가 있다.
④ 정부의 대응성과 능률성은 상충관계에 놓여있다.
⑤ 행정의 민주성 제고를 위해서는 관료제에 대한 적절한 통제가 필요하다.

답 ①

25 ☐☐☐   2013년 지방직 7급

행정윤리 및 행정통제제도에 대한 설명으로 옳지 않은 것은?

① 「행정절차법」 – 국민의 권익을 제한하는 처분을 할 경우에는 당사자에게 사전 통지해야 한다.
② 내부고발자 보호제도 – 조직의 불법행위를 언론이나 국회 등 외부에 알린 조직 구성원을 보호한다.
③ 옴부즈만(ombudsman) – 행정이 잘못된 경우 해당 공무원에게 설명을 요구하고 필요한 사항을 조사하여 그 결과를 민원인에게 알려 준다.
④ 백지신탁 – 4급 이상 공무원은 이해의 충돌을 막기 위해 보유한 부동산을 수탁기관에 신탁해야 한다.

26 ☐☐☐   2011년 국가직 7급

옴부즈만(Ombudsman)제도에 대한 설명으로 옳지 않은 것은?

① 옴부즈만의 개인적 신망과 영향력에 의존하는 바가 크다.
② 비용이 적게 들고, 간편하게 문제해결이 가능하다.
③ 다른 통제기관들이 간과한 통제의 사각지대를 감시하는 데 유용하다.
④ 옴부즈만은 직권으로 조사활동을 개시하는 것이 일반적이지만, 예외적으로 국민의 요구나 신청에 의해 활동을 개시하기도 한다.

| 25 | 행정윤리 및 행정통제제도 | 난이도 ●○○ |

「공직자윤리법」제14조의4(주식의 매각 또는 신탁)에 규정되어 있는 우리나라 백지신탁제도는 1급 이상 공무원과 기획재정부 및 금융위원회 공무원들이 보유한 주식을 수탁기관에 신탁해야 하는 제도이다. 재산공개대상자와 기획재정부 및 금융위원회 소속공무원 중 대통령령으로 정하는 사람 본인 및 그 이해관계자 모두가 보유한 주식의 총 가액이 대통령령으로 정하는 금액을 초과할 때에는 당해 주식을 매각하거나 주식백지신탁에 관한 계약을 체결해야 한다. 「공직자윤리법」에는 주식백지신탁제도 외에도 고위공직자의 재산 등록 및 공개, 외국인의 선물 신고 및 등록 의무, 퇴직공무원의 취업 제한, 이해충돌방지 의무 등이 규정되어 있다.

답 ④

| 26 | 옴부즈만제도 | 난이도 ●●○ |

옴부즈만 조사의 원칙과 예외적인 사항을 정확하게 알고 있어야 한다. 옴부즈만은 신청에 의하여 조사를 개시하는 것이 일반적이지만, 예외적으로 직권으로 조사를 개시하는 경우도 있다. 그러나 우리나라에서 옴부즈만제도적 성격을 갖는 국민권익위원회는 예외적인 직권 조사를 인정하지 않는다. 또한 옴부즈만과 국민권익위원회 모두 시정·개선 조치 및 징계의 권고나 요구만 가능할 뿐, 직접 시정·개선 조치는 하지 못한다는 한계가 있다. 즉, 직접적 통제권은 없고 강제적 통제권만 지니므로 이빨 없는 감시견(watchdog without teeth; teethless watchdog)이라고도 불리운다.

답 ④

27

1980년대 이후 미국, 영국, 일본 등 주요 국가의 정부개혁에 관한 설명으로 옳지 않은 것은?

① 미국에서는 이보다 앞서 1970년대 후반 조세에 대한 저항운동이 일어났다.
② 영국에서는 종전의 Executive Agency를 폐지하고 중앙행정기관의 통합성을 지향했다.
③ 일본에서는 정부개혁의 일환으로 독립행정법인을 창설했다.
④ 정책집행의 자율성을 제고하고 그 결과에 대한 평가를 강화했다.

| 27 | 정부개혁 | 난이도 ●●○ |

영국에서는 1988년 Next Steps Program에서 Executive Agency (책임집행기관)를 설치하고, 중앙행정기관으로부터 집행성격의 사무를 분리하였다.

선지분석
① 미국에서 1970년대 후반에 일어난 조세저항운동은 정부의 건전한 재정운용, 작은 정부와 세금 인하 등을 기치로 한다.
③ 일본에서는 1997년 정부개혁의 일환으로 책임운영기관의 일종인 독립행정법인을 준정부조직으로 창설했다.
④ 정책집행에 자율성을 제고하고 성과에 대한 평가를 강화하는 성과 중심의 행정을 강조했다.

답 ②

MEMO

PART 7

지방행정론

CHAPTER 1 / 지방행정 및 지방자치단체
CHAPTER 2 / 정부 간 관계 및 지방재정

CHAPTER 1 지방행정 및 지방자치단체

KEYWORD 097 지방행정의 개념 및 구조와 구역

01 □□□ 　　　　　　　　　　　　　　　2016년 지방직 9급

「지방자치법」상 우리나라 지방자치단체에 대한 설명으로 옳지 않은 것은?

① 지방자치단체인 구는 특별시와 광역시의 관할 구역 안의 구만을 말한다.
② 자치구가 아닌 구의 명칭과 구역의 변경은 그 지방자치단체의 조례로 정한다.
③ 주민은 지방자치단체와 그 장의 권한에 속하는 사무의 처리가 법령에 위반되거나 공익을 현저히 해친다고 인정되면 감사를 청구할 수 있다.
④ 주민은 그 지방자치단체의 장뿐만 아니라 지방에 속한 모든 의회의원까지도 소환할 권리를 가진다.

| 01 | 지방자치단체 | 난이도 ●○○ |

지방의회의원 중 비례대표의원은 주민소환의 대상이 아니다. 지방의회의원 외에도 특별시장·광역시장·도지사, 시장·군수·자치구의 구청장 또한 주민소환의 대상이다.

선지분석
① 「지방자치법」 제2조(지방자치단체의 종류)에 의하면 지방자치단체인 구는 특별시와 광역시의 관할 구역 안의 구만을 규정하고 있다.
② 행정구, 읍·면·동의 명칭과 구역 변경은 당해 자치단체 조례로 정한다.
③ 당해 자치단체와 그 장의 권한에 속하는 사무의 처리가 법령에 위반되거나 공익을 현저히 해하는 경우 주민감사를 청구할 수 있다. 이 경우 청구 수리일로부터 60일 이내에 감사청구된 사항의 감사를 종료하고, 감사 결과를 청구인의 대표자와 당해 지방자치단체장에게 통지하고 공표하여야 한다.

답 ④

02 □□□ 　　　　　　　　　　　　　　　2022년 군무원 7급

다음 중 아래의 주민감사청구에 대한 「지방자치법」에 들어갈 내용이 모두 맞는 것은?

> 제21조 【주민의 감사청구】 ① 지방자치단체의 (　　) 이상의 주민으로서 다음 각 호의 어느 하나에 해당하는 사람은 시·도는 (　　), 제198조에 따른 인구 50만 이상 대도시는 (　　), 그 밖의 시·군 및 자치구는 (　　) 이내에서 그 지방자치단체의 조례로 정하는 수 이상의 (　　) 이상의 주민이 연대 서명하여 그 지방자치단체와 그 장의 권한에 속하는 사무의 처리가 법령에 위반되거나 공익을 현저히 해친다고 인정되면 시·도의 경우에는 주무부장관에게, 시·군 및 자치구의 경우에는 시·도지사에게 감사를 청구할 수 있다.

① 19세 - 300명 - 200명 - 150명 - 19세
② 18세 - 200명 - 150명 - 100명 - 18세
③ 19세 - 500명 - 300명 - 200명 - 19세
④ 18세 - 300명 - 200명 - 150명 - 18세

| 02 | 주민감사청구 | 난이도 ●●○ |

「지방자치법」 제21조에 규정되어 있다.

> 「지방자치법」 제21조 【주민의 감사청구】 ① 지방자치단체의 18세 이상의 주민으로서 다음 각 호의 어느 하나에 해당하는 사람은 시·도는 300명, 제198조에 따른 인구 50만 이상 대도시는 200명, 그 밖의 시·군 및 자치구는 150명 이내에서 그 지방자치단체의 조례로 정하는 수 이상의 18세 이상의 주민이 연대 서명하여 그 지방자치단체와 그 장의 권한에 속하는 사무의 처리가 법령에 위반되거나 공익을 현저히 해친다고 인정되면 시·도의 경우에는 주무부장관에게, 시·군 및 자치구의 경우에는 시·도지사에게 감사를 청구할 수 있다.

답 ④

03 ☐☐☐ 2018년 서울시 7급(3월 추가) 변형

「지방자치법」에서는 지방자치단체의 구역 안에 주소를 가진 자를 '주민'의 자격이 있는 것으로 정의하고 있다. 주민이 갖는 권리에 해당하지 않는 것은?

① 법령으로 정하는 바에 따라 그 지방자치단체에서 실시하는 지방의회의원과 지방자치단체의 장의 선거에 참여할 권리를 가진다.
② 주민은 조례를 제정하거나 개정하거나 폐지할 것을 청구할 수 있다.
③ 주민에게 과도한 부담을 주거나 중대한 영향을 미치는 지방자치단체의 주요 결정사항 등에 대하여 주민투표를 발의할 수 있다.
④ 지방자치단체의 장 및 지방의회의원(비례대표 지방의회의원은 제외)을 소환할 권리를 가진다.

04 ☐☐☐ 2016년 지방직 7급 변형

주민참여제도에 대한 설명으로 옳지 않은 것은?

① 주민투표제도, 주민발안제도, 주민소환제도가 모두 시행되고 있다.
② 「지방자치법」은 주민감사청구 요건으로 시·군·자치구의 경우 18세 이상 주민 300명 이상의 연서를 받아 감사를 청구할 수 있도록 규정하고 있다.
③ 지방자치단체장에 대한 주민소환투표가 실시된 적이 있다.
④ 「지방재정법」은 지방자치단체의 장이 주민참여예산제도를 의무적으로 시행하도록 규정하고 있다.

| 03 | 주민의 권리 | 난이도 ●●○ |

주민은 주민투표를 청구할 수는 있으나 발의할 수는 없다. 주민투표는 오로지 자치단체장만이 발의할 수 있다.

선지분석
① 국민인 주민은 법령으로 정하는 바에 따라 그 지방자치단체에서 실시하는 지방의회의원과 지방자치단체의 장의 선거에 참여할 권리를 가진다(「지방자치법」 제17조).
② 주민조례개폐청구제도를 인정하고 있다.
④ 주민은 그 지방자치단체의 장 및 지방의회의원(비례대표 지방의회의원은 제외)을 소환할 권리를 가진다(「지방자치법」 제25조).

답 ③

| 04 | 주민참여제도 | 난이도 ●●○ |

「지방자치법」에서는 주민감사청구 요건으로 기초자치단체의 경우 150명을 넘지 않는 범위 내에서 조례로 정한 주민 수 이상의 연서를 받아 감사를 청구할 수 있도록 규정하고 있다. 이때 요건으로 규정되어 있는 수는 인구 50만 이상의 시는 200명, 광역자치단체는 300명이다.

선지분석
③ 우리나라는 2009년 제주지사에 대해 주민소환투표가 실시된 적이 있으나, 투표율 미달로 부결되었다.
④ 「지방재정법」 제39조(지방예산편성 과정의 주민참여)에 의하여 주민참여예산제도가 법적 의무로 규정되어 있다. 지방자치단체의 장은 예산편성 과정에 참여한 주민의 의견을 수렴하여 그 의견서를 지방의회에 제출하는 예산안에 첨부하여야 한다.

답 ②

05

2018년 서울시 7급(3월 추가)

주민참여제도 중 지방자치 실시 이후 가장 먼저 도입된 것은?

① 주민소환제
② 조례제정개폐청구제
③ 주민투표제
④ 주민소송제

06

2015년 서울시 9급 변형

우리나라의 주민직접참여제도에 대한 설명 중 가장 옳지 않은 것은?

① 주민은 조례를 제정·개정하거나 폐지할 것을 청구할 수 있다.
② 지방자치단체의 장은 주민에게 과도한 부담을 주거나 중대한 영향을 미치는 지방자치단체의 주요 결정사항 등에 대하여 주민투표에 부칠 수 있다.
③ 주민은 해당 지방자치단체와 그 장의 권한에 속하는 사무의 처리가 법령에 위반되거나 공익을 현저히 해친다고 인정되면 감사를 청구할 수 있다.
④ 주민은 그 지방자치단체의 장 및 비례대표 지방의회의원을 포함한 지방의회의원을 소환할 권리를 가진다.

---

05 주민참여제도의 도입 순서   난이도 ●●○

주민조례개폐청구제도는 주민감사청구제도와 함께 1999년 가장 먼저 도입되었다.

(선지분석)
① 주민소환제는 2007년에 도입되었다.
③ 주민투표제는 2004년에 도입되었다.
④ 주민소송제는 2006년에 도입되었다.

답 ②

06 주민직접참여제도   난이도 ●○○

지역선거구 시·도의회의원 및 지역선거구 자치구·시·군의회의원은 주민소환 대상자이나, 이들 중 비례대표 지방의회의원은 주민소환 대상이 아니다.

주민소환제도의 특징

소환대상	선출직 지방공직자(비례대표 지방의회의원 제외)
소환결정방식	우리나라의 경우 지방정부가 임의로 방식을 정하는 것이 아니라 주민소환투표로 결정
확정	주민소환투표권자 3분의 1 이상 투표, 유효투표 총수 과반수 찬성

답 ④

07　　　　　　　　　　　　　　　　　　2021년 국가직 9급

우리나라의 주민소환제도에 대한 설명으로 옳지 않은 것은?

① 가장 유력한 직접민주주의 제도이다.
② 비례대표 지방의회의원은 주민소환 대상이 아니다.
③ 심리적 통제 효과가 크다.
④ 군수를 소환하려고 할 경우에는 해당 군의 주민소환투표 청구권자 총수의 100분의 10 이상의 서명을 받아 청구해야 한다.

08　　　　　　　　　　　　　　　　　　2023년 국가직 9급

2021년 1월 전부개정된 「지방자치법」에서 처음으로 도입된 주민참여 제도는?

① 주민소환
② 주민의 감사청구
③ 조례의 제정과 개정·폐지 청구
④ 규칙의 제정과 개정·폐지 관련 의견 제출

07　주민소환제도　　　　　　　　　　난이도 ●●○

군수 등 기초자치단체의 장을 소환하고자 할 경우에는 해당 군의 투표청구권자 총수의 100분의 15 이상의 서명을 받아 청구해야 한다.

선지분석
① 주민이 선출직 지방공직자에 대한 해임을 주민들이 직접 결정하는 제도로 가장 강력한 직접민주주의 제도이다.
② 비례대표의원은 주민소환의 대상이 아니다.
③ 주민소환제도는 선출 이후에도 주민에 의하여 감시받는다는 심리적 통제효과가 크다.

📄 주민소환제도

구분	요건
특별시장·광역시장·도지사·교육감	당해 지방자치단체의 주민소환투표청구권자 총수의 100분의 10 이상
시장·군수·자치구의 구청장	당해 지방자치단체의 주민소환투표청구권자 총수의 100분의 15 이상
지역선거구 시·도의회의원 및 지역선거구자치구·시·군의회의원	당해 지방의회의원의 선거구 안의 주민소환투표청구권자 총수의 100분의 20 이상(비례대표의원은 제외)

답 ④

08　주민참여제도　　　　　　　　　　난이도 ●●●

2022.1.13. 개정된 「지방자치법」에 의해서 주민들이 자치단체장에 대해서 규칙개폐 의견을 제출할 수 있는 주민규칙의견제출제도가 처음 도입되었다.

선지분석
①, ②, ③ 기존의 「지방자치법」에도 규정되었던 제도들이다.

답 ④

09   2021년 군무원 7급 변형

「주민투표법」상 주민투표에 관한 규정으로 옳지 않은 것은?

① 18세 이상의 주민 중 투표인명부 작성기준일 현재 그 지방자치단체의 관할 구역에 주민등록이 되어 있는 사람은 주민투표권이 있다.
② 「공직선거법」상 선거권이 없는 사람도 주민투표권이 있다.
③ 주민투표권자의 연령은 투표일 현재를 기준으로 산정한다.
④ 출입국관리 관계 법령에 따라 대한민국에 계속 거주할 수 있는 자격을 갖춘 외국인으로서 지방자치단체의 조례로 정한 사람은 투표권이 있다.

10   2023년 지방직 7급

주민참여제도에 대한 설명으로 옳은 것은?

① 주민투표의 대상·발의자·발의요건, 그 밖에 투표절차 등에 관한 사항은 따로 「주민투표법」으로 정하고 있다.
② 주민은 지방자치단체의 권한에 속하는 사무의 처리가 법령에 위반되거나 공익을 현저히 해친다고 판단될 때 해당 지방자치단체장에게 감사를 청구할 수 있다.
③ 주민은 지방자치단체의 공금지출에 관한 위법한 행위에 대하여 해당 지방자치단체의 장을 상대방으로 주민소송이 가능하며, 이 제도는 2021년 「지방자치법」 전부개정을 통해 처음 도입되었다.
④ 주민은 지방의회의원과 지방자치단체장에 대해 소환할 권리를 가지며 비례대표 지방의회의원도 소환 대상에 포함된다.

09	주민투표	난이도 ●●○

「공직선거법」상 선거권이 없는 사람은 주민투표권이 없다.

선지분석
① 18세 이상의 주민 중 투표인명부 작성기준일 현재 그 지방자치단체의 관할 구역에 주민등록이 되어 있는 사람은 주민투표권이 있다.
③ 주민투표권자의 연령은 투표일 현재를 기준으로 산정한다.
④ 지문에 해당하는 외국인도 주민투표권이 있다.

답 ②

10	주민참여제도	난이도 ●●●

「지방자치법」은 주민투표의 근거만 규정하고 있으며(제18조), 주민투표절차, 발의요건 등 구체적인 사항은 따로 「주민투표법」에 규정되어 있다.

선지분석
② 해당자치단체장이 아닌 상급자치단체장이나 주무부장관에게 감사를 청구할 수 있다(「지방자치법」 제21조).
③ 주민소송은 「지방자치법」 개정으로 2005년 도입되어 2006년부터 시행되었다.
④ 비례대표 지방의회의원은 소환 대상에 포함되지 않는다(「지방자치법」 제25조).

답 ①

11

2025년 지방직 9급

다음 설명에 해당하는 제도는?

> 주민이 지방자치단체의 조례를 제정하거나 개정하거나 폐지할 것을 청구할 수 있는 제도로 주민의 직접참여를 보장하고 지방자치행정의 민주성과 책임성을 높이는 것을 목적으로 한다.

① 주민소환제도
② 주민감사청구제도
③ 주민발안제도
④ 주민소송제도

11	주민발안제도	난이도 ●○○

제시문의 내용은 주민조례개폐청구제도인 주민발안제도에 대한 설명이다.

답 ③

12

2022년 군무원 9급

주민자치위원회와 주민자치회에 대한 설명으로 가장 옳지 않은 것은?

① 주민자치위원회위원은 시·군·구청장이 위촉하고, 주민자치회위원은 읍·면·동장이 위촉한다.
② 주민자치회가 주민자치위원회보다 더 주민대표성이 강하다.
③ 주민자치위원회는 읍·면·동의 자문기구이고, 주민자치회는 주민자치의 협의·실행기구이다.
④ 지방자치단체와의 관계는 주민자치회가 주민자치위원회보다 더 대등한 협력적 관계이다.

12	주민자치위원회와 주민자치회	난이도 ●●●

주민자치위원회위원은 읍·면·동장이 위촉하고, 주민자치회위원은 시·군·구청장이 위촉한다.

> 「지방자치분권 및 지방행정체제개편에 관한 특별법」 제29조 【주민자치회의 구성 등】 ① 주민자치회의 위원은 조례로 정하는 바에 따라 지방자치단체의 장이 위촉한다.
> ② 제1항에 따라 위촉된 위원은 그 직무를 수행할 때에는 지역사회에 대한 봉사자로서 정치적 중립을 지켜야 하며 권한을 남용하여서는 아니 된다.
> ③ 주민자치회의 설치 시기, 구성, 재정 등 주민자치회의 설치 및 운영에 필요한 사항은 따로 법률로 정한다.
> ④ 행정안전부장관은 주민자치회의 설치 및 운영에 참고하기 위하여 주민자치회를 시범적으로 설치·운영할 수 있으며, 이를 위한 행정적·재정적 지원을 할 수 있다.

답 ①

13 □□□
2017년 지방직 9급(12월 추가)

특별지방행정기관에 대한 설명으로 옳지 않은 것은?

① 고유의 법인격은 물론 자치권도 가지고 있지 않다.
② 관할 범위가 넓을수록 이용자인 고객의 편리성이 향상된다.
③ 주민들의 직접통제와 참여가 용이하지 않은 문제가 있다.
④ 특별지방행정기관의 예로 교도소, 세관, 우체국 등을 들 수 있다.

14 □□□
2019년 국가직 7급

특별지방행정기관에 대한 설명으로 옳은 것은?

① 국가의 사무를 집행하기 위해 설치한 일선집행기관으로 고유의 법인격을 가지고 있다.
② 전문분야의 행정을 보다 효율적으로 수행하기 위해 설치하나 행정기관 간의 중복을 야기하기도 한다.
③ 특별지방행정기관의 예로는 자치구가 아닌 일반행정구가 있다.
④ 특별지방행정기관은 지방행정의 전문성을 제고하여 지방분권 강화에 긍정적인 영향을 미친다.

13	특별지방행정기관	난이도 ●○○

특별지방행정기관은 관할 범위가 자치단체보다 넓어 광역행정에는 유리하지만 고객의 편리성, 즉, 주민접근성이 떨어지는 단점이 있다.

(선지분석)
① 특별지방행정기관은 지방자치단체가 아니므로 법인도 아니고 자치권도 없다.
③ 국가의 하부행정기관이기 때문에 지방자치단체에 비해 주민의 직접통제와 주민참여 등을 저해한다.
④ 특별지방행정기관의 예로 옳은 지문이다.

답 ②

14	특별지방행정기관	난이도 ●○○

특별지방행정기관은 국가업무의 효율적이고 광역적인 추진을 위해 설치된다. 그러나 지방자치단체와 특별지방행정기관 간 업무의 중복 추진으로 인하여 이중행정의 폐단을 초래한다.

(선지분석)
① 특별지방행정기관은 국가의 지역 일선기관으로, 법인격 및 자치권이 없다.
③ 자치구가 아닌 일반행정구는 지방자치단체의 하부기관에 해당한다.
④ 특별지방행정기관은 해당 업무의 전문성을 확보할 수 있으나, 중앙정부의 통제를 강화시키는 경향이 있기 때문에 자치행정을 저해한다는 비판을 받는다.

답 ②

15 ☐☐☐ 2015년 국가직 9급

특별지방행정기관에 대한 설명으로 옳지 않은 것은?

① 관할지역 주민들의 직접적인 통제와 참여가 용이하기 때문에 책임행정을 실현할 수 있다.
② 출입국관리, 공정거래, 근로조건 등 국가적 통일성이 요구되는 업무를 수행한다.
③ 현장의 정보를 중앙정부에 전달하거나 중앙정부와 지방자치단체 사이의 매개 역할을 수행하기도 한다.
④ 국가의 사무를 집행하기 위해 중앙정부에서 설치한 일선 행정기관으로 자치권을 가지고 있지 않다.

16 ☐☐☐ 2014년 서울시 9급

특별지방행정기관에 대한 설명으로 옳은 것은?

① 국가적 통일성보다는 지역의 특수성을 중요시하여 설치한다.
② 지방자치의 발전에 기여한다.
③ 지방자치단체와 명확한 역할배분이 이루어져 행정의 효율성을 높일 수 있다.
④ 지역별 책임행정을 강화할 수 있다.
⑤ 주민들의 직접 통제와 참여가 용이하지 않다.

| 15 | 특별지방행정기관 | 난이도 ●○○ |

특별지방행정기관은 국가가 국가사무를 처리하게 하기 위하여 지역별로 설치한 일선기관으로, 국가의 특정한 중앙행정기관에 소속되어 당해 관할구역 내에서 시행되는 소속중앙행정기관의 권한에 속하는 행정사무를 관장하는 국가의 지방행정기관이다. 즉, 자치단체가 아니기 때문에 주민참여가 불가능하고 자치행정이나 책임행정을 저해한다. 또한, 유사하고 중복된 업무 처리로 인한 비효율성, 이원적 업무 수행으로 인한 주민들의 혼란 초래, 일선기관을 설치 및 운영함에 따른 경비 소모 등 많은 문제점이 지적되고 있다.

답 ①

| 16 | 특별지방행정기관 | 난이도 ●○○ |

일선기관이라고도 불리우는 특별지방행정기관은 주민참여가 곤란해지고 자치의식을 저해할 수 있어 민주적 통제가 곤란해진다는 단점이 있다.

선지분석
① 일선기관은 전국적 통일행정에 기여한다. 그 외에도 행정의 전문성을 제고하고 국가의 관리와 감독이 용이하며, 공공서비스 제공의 형평성을 제고할 수 있다는 장점이 있다.
② 일선기관에 의한 행정은 관치행정으로 지방자치를 저해한다.
③ 자치단체와의 기능·역할 중복 등으로 지방행정의 비효율을 초래한다.
④ 일선기관은 자치단체가 아니므로 지방의회나 주민의 통제를 받지 아니하고 책임행정이 결여되어 있다.

답 ⑤

17 ☐☐☐ 2023년 군무원 9급

지역에서의 행정서비스 전달주체에 대한 설명으로 가장 적절하지 않은 것은?

① 지역에서의 행정서비스 전달주체는 크게 특별지방행정기관과 지방자치단체로 구분된다.
② 특별지방행정기관은 지역에 위치한 세무서 등인데 소속 중앙행정기관의 지시 및 감독을 받는다.
③ 지방자치단체는 독자적인 법인격은 없지만 국가의 위임사무나 자치사무를 수행한다.
④ 지역에서의 행정서비스는 주민복지 등 지역주민의 생활공간 안에서의 생활행정이자 근접행정이다.

18 ☐☐☐ 2013년 국가직 9급

기초지방자치단체 구역 설정 시 일반적 기준으로 고려되지 않는 것은?

① 재원조달 능력
② 주민 편의성
③ 노령화 지수
④ 공동체와 생활권

| 17 | 행정서비스 전달주체 | 난이도 ●○○ |

지방자치단체는 법인격(공법인)이 있지만, 특별지방행정기관은 특정한 중앙행정기관에 소속되어 당해 관할구역 내에서 시행되는 소속중앙행정기관의 권한에 속하는 행정사무를 관장하는 국가의 지방행정기관이다.

선지분석
① 지역에서의 행정서비스 전달주체는 크게 중앙 행정기관에 소속되어 있는 특별지방행정기관과 지방자치단체로 구분된다.
② 특별지방행정기관은 중앙행정기관소속이므로 중앙행정기관의 지시 및 감독을 받는다.
④ 지역에서의 행정서비스는 지방행정은 주로 ⓐ 주민들의 일상생활에 직결되는 사무와 ⓑ 지방주민들의 복지증진에 관한 사무를 처리하는 생활행정으로서의 특징을 가진다.

답 ③

| 18 | 기초지방자치단체 구역 설정 시 일반적 기준 | 난이도 ●○○ |

노령화 지수는 기초지방자치단체 구역 설정 기준에 해당하지 않는다. 지방자치단체 구역 설정 기준은 ⓐ 주민의 공동생활권과 일치(공동체와 생활권), ⓑ 능률적인 자치행정의 요구, ⓒ 자주적 재원조달 단위(재원조달 능력), ⓓ 행정적 편의성(주민편의성)이 있다.

📖 적정 구역의 설정 기준

광역자치단체	능률성	• 기초자치단체의 행정기능을 가장 효과적으로 조정할 수 있는 지역범위일 것 • 가장 효과적으로 지역 및 경제 개발을 추진할 수 있는 지역적 범위일 것 • 도시 행정기능과 농촌 행정기능을 동시에 가장 효율적으로 수행할 수 있는 범위일 것 • 기초자치단체의 행정기능을 지원·보완하는 데 가장 적절한 규모일 것
기초자치단체	민주성	• 지역공동체 의식의 형성과 공동생활권을 기준으로 할 것 • 민주성과 능률성이 조화롭게 고려될 것, 즉 주민참여와 주민통제가 효과적으로 보장되고, 주민의 생활행정이 효율적으로 수행될 수 있을 것 • 재정수요와 재원조달 능력이 고려될 것 • 주민의 편의와 행정의 편의가 조화롭게 고려될 것 • 공동체 개발의 단위일 것

답 ③

19   2017년 국가직 9급(4월 시행)

우리나라의 지방자치계층에 대한 설명으로 옳지 않은 것은?

① 자치계층으로 군을 두고 있는 광역시가 있다.
② 세종특별자치시의 관할구역으로 자치구를 둘 수 있다.
③ 자치계층은 주민공동체의 정책결정 및 집행의 단위로서 정치적 민주성 가치가 중요시된다.
④ 제주특별자치도는 자치계층 측면에서 단층제로 운영되고 있다.

20   2024년 군무원 9급

다음 중 우리나라 지방자치단체 간의 연결구조에 대한 설명으로 가장 적절하지 않은 것은?

① 하나의 자치단체가 다른 자치단체를 구역 안에 포괄하는 중층제를 원칙으로 하며, 광역단체(시·도)와 기초단체(시·군·구)의 연결구조가 그 예이다.
② 한 구역에 하나의 자치단체만이 존재하는 단층제를 예외적으로 채택하고 있으며, 강원특별자치도·전북특별자치도·제주특별자치도·세종특별자치시가 여기에 해당한다.
③ 자치계층이 자치권을 바탕으로 하는 계층 간 독립적 관계구조라면, 행정계층은 계층 간 지휘·감독적 관계구조라고 할 수 있다.
④ 자치계층이 정치적 민주성을 중심으로 한다면, 행정계층은 행정의 효율성을 중심으로 하는 개념이라고 할 수 있다.

19	지방자치계층	난이도 ●○○

서울특별시와 광역시에만 자치구를 둘 수 있다. 자치구란 특별시와 광역시에 설치된 구(區)를 의미하며, 인구 50만 명 이상의 시에 설치된 구(일반구)는 자치구가 아닌 행정구이다.

선지분석
① 군을 두고 있는 광역시가 있다. 그 실례로 인천광역시 강화군, 울산광역시 울주군, 부산광역시 기장군 등을 들 수 있다.
③ 자치계층의 의의로 옳은 지문이다. 우리나라의 지방행정 계층구조는 자치계층과 행정계층의 이원적 구조로 되어 있으며, 자치계층은 광역과 기초로 2계층이다.
④ 제주특별자치도의 자치계층은 단층제이다.

답 ②

20	우리나라 지방자치단체	난이도 ●●○

제주특별자치도와 세종특별자치시는 기초단체를 둘 수 없으므로 단층제이지만, 강원특별자치도나 전북특별자치도는 기초단체를 기존처럼 두는 중층제이다.

선지분석
① 우리나라는 광역 - 기초를 두는 중층제를 원칙적으로 채택하고 있다.
③ 자치계층과 행정계층에 대한 옳은 설명이다.
④ 자치계층이 민주성을 중심으로 하고, 행정계층이 효율성을 중심으로 한다.

답 ②

21 | 2013년 국가직 9급

우리나라 지방행정체제와 관련된 내용으로 옳지 않은 것은?

① 자치구의 자치권 범위는 시·군의 경우와 같다.
② 특별시·광역시·도는 같은 수준의 자치행정계층이다.
③ 광역시가 아닌 시라도 인구 50만 이상의 경우에는 자치구가 아닌 구를 둘 수 있다.
④ 군은 광역시나 도의 관할 구역 안에 둔다.

---

21 지방행정체제 난이도 ●●●

「지방자치법」 제2조 제2항에 따르면, 자치구의 자치권의 범위는 법령으로 정하는 바에 따라 시·군과 다르게 할 수 있다.

선지분석
③ 「지방자치법」 제3조 제3항에 따르면, 특별시·광역시 또는 특별자치시가 아닌 인구 50만 이상의 시에는 자치구가 아닌 구를 둘 수 있다.
④ 「지방자치법」 제3조 제2항에 따르면, 군은 광역시나 도의 관할 구역 안에 둔다.

> 「지방자치법」 제2조 【지방자치단체의 종류】② 지방자치단체인구(이하 "자치구"라 한다)는 특별시와 광역시의 관할 구역 안의 구만을 말하며, 자치구의 자치권의 범위는 법령으로 정하는 바에 따라 시·군과 다르게 할 수 있다.
> 제3조 【지방자치단체의 법인격과 관할】② 특별시, 광역시, 특별자치시, 도, 특별자치도(이하 "시·도"라 한다)는 정부의 직할(直轄)로 두고, 시는 도의 관할 구역 안에, 군은 광역시나 도의 관할 구역 안에 두며, 자치구는 특별시와 광역시의 관할 구역 안에 둔다.
> ③ 특별시·광역시 또는 특별자치시가 아닌 인구 50만 이상의 시에는 자치구가 아닌 구를 둘 수 있고, 군에는 읍·면을 두며, 시와 구(자치구를 포함한다)에는 동을, 읍·면에는 리를 둔다.

답 ①

---

22 | 2013년 지방직 9급

우리나라 지방자치단체의 권한에 대한 설명으로 옳지 않은 것은?

① 지방자치단체는 법령이나 상급 지방자치단체의 조례를 위반하여 그 사무를 처리할 수 없다.
② 지방자치단체는 그 사무를 분장하기 위하여 필요한 행정기구와 지방공무원을 둔다.
③ 지방자치단체는 조례와 규칙으로 정하는 바에 따라 지방세를 부과·징수할 수 있다.
④ 지방자치단체는 관할 구역의 자치사무와 법령에 따라 지방자치단체에 속하는 사무를 처리한다.

---

22 지방자치단체의 권한 난이도 ●●○

우리나라는 조세법정주의에 의하여 조세의 종목과 세율은 법률로 정하도록 규정하고, 지방자치단체 또한 법률로 정하는 바에 의해 지방세를 부과·징수할 수 있다. 즉, 지방자치단체는 법률로 정하는 바에 따라 지방세를 부과·징수할 수 있다.

선지분석
① 지방자치단체는 상급자치단체의 조례에 위반하여 조례를 제정할 수 없다는 '광역자치단체 우위의 원칙'에 대한 내용이다.
② 지방자치단체는 행정사무를 분장하기 위하여 소속 행정기관과 하부 행정기관 등 필요한 행정기구를 둘 수 있다.
④ 지방자치단체의 사무란, 지방자치단체가 그 목적을 수행하기 위하여 당연히 처리해야 할 공공행정사무이다. 우리나라의 「지방자치법」은 '그 관할구역의 자치사무와 법령에 의하여 지방자치단체에 속하는 사무'로 규정하여 자치사무와 단체위임사무로 한정하고 있다.

지방자치단체장의 보조기관

보조기관	부단체장, 행정기구, 소속공무원
소속행정기관	• 직속기관(교육소방기관, 교육훈련기관, 보건진료기관, 시험연구기관, 중소기업지도기관 등) • 사업소(특정업무를 수행하는 특별행정기관) • 출장소(자치단체장의 권한을 지역적으로 분담하는 일반행정기관) • 합의제 행정기관(선거관리위원회, 인사위원회), 소청심사위원회
하부행정기관	행정구청장, 읍장, 면장, 동장(일반직 지방공무원 신분, 당해 자치단체장이 임명)

답 ③

23 □□□ 2013년 지방직 9급

특별지방행정기관에 해당하지 않는 것은?

① 농촌진흥청
② 유역환경청
③ 국립검역소
④ 지방국토관리청

24 □□□ 2016년 서울시 9급

주민의 직접적 지방행정참여제도와 가장 거리가 먼 것은?

① 주민소환제도
② 주민감사청구제도
③ 주민협의회제도
④ 주민참여예산제도

| 23 | 특별지방행정기관 | 난이도 ●●○ |

농촌진흥청은 농림축산식품부에 소속된 청으로 중앙행정기관에 해당한다. 반면, 특별지방행정기관은 일선기관이라고도 하며, 국가의 특정한 중앙행정기관에 소속되어 당해 관할구역 내에서 시행되는 소속중앙행정기관의 권한에 속하는 행정사무를 관장하는 국가의 지방행정기관을 의미한다.

(선지분석)
② 유역환경청, ③ 국립검역소, ④ 지방국토관리청 모두 특별지방행정기관의 한 종류이다.

답 ①

| 24 | 주민의 직접적 지방행정참여제도 | 난이도 ●●○ |

각종 위원회, 주민협의회제도 등은 간접적 참여방식에 해당한다. 반면, 주민소환제도, 주민감사청구제도, 주민참여예산제도 등은 주민의 직접적 참여방식에 해당한다.

(선지분석)
① 주민소환제도는 지방자치에 관한 주민의 직접참여를 확대하고, 지방행정의 민주성과 책임성을 제고함을 목적으로 한다.
② 주민감사청구제도는 조례 제정 및 개폐청구제도, 주민투표제도, 주민소송제도 등과 함께 직접참정제도에 속한다.
④ 주민참여예산제도는 「지방재정법」 제39조(지방예산편성 과정과 주민참여)에 따라 제도 운용이 법제화되어 있다.

답 ③

25

2013년 지방직 7급

「지방자치법」에서 정한 주민참여의 방식으로 옳지 않은 것은?

① 주민의 조례제정청구
② 주민의 감사청구
③ 주민총회
④ 주민소송

| 25 | 주민참여의 방식 | 난이도 ●○○ |

우리나라 「지방자치법」에는 주민총회가 규정되어 있지 않다. 그러나 조례개폐청구제도, 주민감사청구제도, 주민투표제도, 주민소송제도, 주민소환제도는 규정되어 있다. 주민투표제의 경우, 단독법률 「주민투표법」으로 규정되어 있다.

답 ③

26

2022년 군무원 9급

우리나라의 주민참여제도에 대한 설명으로 가장 옳지 않은 것은?

① 주민은 지방자치단체의 장을 상대로 소송을 제기할 수 있다.
② 주민은 지방자치단체의 장 및 지방의회의원(비례대표 지방의회의원은 제외)을 소환할 수 있다.
③ 주민은 지방자치단체의 장에게 조례의 제정과 개폐를 청구할 수 있다.
④ 주민은 지방예산 편성 등 예산과정에 참여할 수 있다.

| 26 | 주민참여제도 | 난이도 ●●○ |

주민은 지방의회에 조례의 제정과 개폐를 청구할 수 있다.

답 ③

27 ☐☐☐ 2011년 국가직 9급

지방자치단체의 계층구조에 대한 설명으로 옳지 않은 것은?

① 계층구조는 각 국가의 정치 형태, 면적, 인구 등에 따라 다양한 형태를 갖는다.
② 중층제에서는 단층제에서보다 기초자치단체와 중앙정부의 의사소통이 원활하지 못할 수 있다.
③ 단층제는 중층제보다 중복행정으로 인한 행정지연의 낭비를 줄일 수 있다.
④ 중층제는 단층제보다 행정책임을 보다 명확하게 할 수 있다.

28 ☐☐☐ 2012년 서울시 9급

지방자치에 있어서 주민들의 참여제도에 관한 설명 중 옳지 않은 것은?

① 오늘날에는 자문위원회, 도시계획위원회, 환경연합회, 협의회 등을 통한 직접적인 참여제도가 주류를 이루고 있다.
② 오늘날에는 사회적 소외계층에 대한 참여 기회의 확대가 강조된다.
③ 오늘날에는 적극적인 참여 방식으로서의 공동생산과 파트너십이 강조된다.
④ 오늘날에는 개별 자치단체 내 커뮤니티를 활용한 참여가 강조된다.
⑤ 오늘날에는 첨단정보통신수단에 의한 텔레참여(tele-participation)가 강조된다.

---

27 지방자치단체의 계층구조 난이도 ●●○

중층제는 단층제에 비해 계층이 많아 행정책임이 모호해질 수 있다.

단층제와 중층제의 장단점

구분	단층제	중층제
장점	• 이중행정(감독)의 폐단을 방지 • 신속한 행정을 도모 • 낭비 제거 및 능률 증진 • 행정책임의 명확화 • 자치단체의 자치권이나 지역의 특수성·개별성을 존중 • 중앙정부와 주민 간의 의사소통이 원활	• 기초와 광역자치단체 간에 행정 기능 분담 • 광역자치단체가 기초자치단체에 대한 보완·조정·지원 기능을 수행 • 광역자치단체를 통하여 기초자치단체에 대한 국가의 감독 기능을 유지 • 중앙정부의 강력한 직접적 통제로부터 기초자치단체를 보호 • 기초자치단체 간에 분쟁·갈등 조정
단점	• 국토가 넓고 인구가 많으면 적용 곤란 • 중앙정부의 직접적인 지시와 감독 등으로 인해 중앙집권화의 우려 • 행정 기능의 전문화와 서비스 공급의 효율성 제고 곤란 • 중앙정부 통솔 범위가 너무 넓게 되는 문제 • 광역행정이나 대규모 개발사업의 수행에 부적합	• 행정 기능의 중복현상, 이중행정의 폐단이 노정 • 기능배분 불명확·상하 자치단체 간 책임모호 • 행정의 지체와 낭비를 초래 • 각 지역의 특수성·개별성 무시 • 중간자치단체 경유에 따른 중앙행정의 침투가 느리고 왜곡되는 문제

답 ④

28 지방자치에서의 주민참여제도 난이도 ●●○

주민이 행정에 참여하는 방법에는 간접참여방식과 직접참여방식이 있다. 간접참여방식이란 주민이 대표를 선출하여 자치업무를 수행하는 방식이며, 직접참여방식이란 주민 자신이 직접 정치행정 과정에 참여하여 의사를 표현하고 그러한 자주적 의사에 따라서 자치업무를 수행하는 방식이다. 과거에는 자문위원회, 도시계획위원회, 환경연합회, 협의회 등을 통한 간접적인 참여제도가 주류를 이루어 왔으나, 최근에는 주민감사청구제도, 주민투표제도, 주민소환제도, 주민참여예산제도, 납세자소송제도 등 다양하고 실질적·직접적인 참여가 마련되고 있다.

답 ①

29　　2023년 국회직 8급

우리나라 주민참여예산제도에 대한 설명으로 옳지 않은 것은?

① 주민참여예산은 재정민주주의를 강화하는 방안 중 하나이다.
② 「지방재정법」은 예산과정의 주민참여 범위를 예산편성으로 제한하고 있다.
③ 주민참여예산제도의 구체적인 내용은 각 지방자치단체의 조례로 정하도록 하고 있다.
④ 예산의 심의, 결산의 승인 등 지방의회의 의결사항은 주민참여예산의 관여 범위가 아니다.
⑤ 주민참여예산제도의 운영을 위하여 지방자치단체장의 소속으로 주민참여예산기구를 둘 수 있다.

30　　2025년 국가직 9급

주민참여제도에 대한 설명으로 옳은 것만을 모두 고르면?

ㄱ. 주민감사청구는 사무처리가 있었던 날이나 끝난 날부터 3년이 지나면 제기할 수 없다.
ㄴ. 주민은 비례대표 지방의회의원을 포함한 모든 지방의회의원을 소환할 수 있다.
ㄷ. 지방자치단체의 사무 중 예산 편성·의결 및 집행에 관한 사항을 주민투표에 부칠 수 있다.
ㄹ. 주민참여예산기구의 구성·운영에 관한 사항은 해당 지방자치단체의 조례로 정한다.

① ㄱ, ㄴ
② ㄱ, ㄹ
③ ㄴ, ㄷ
④ ㄷ, ㄹ

29　주민참여예산제도　　난이도 ●●●

「지방재정법」 제39조에 규정되어 있다.

> 「지방재정법」 제39조 【지방예산 편성 등 예산과정의 주민 참여】
> ① 지방자치단체의 장은 대통령령으로 정하는 바에 따라 지방예산 편성 등 예산과정(「지방자치법」 제47조에 따른 지방의회의 의결사항은 제외한다)에 주민이 참여할 수 있는 제도를 마련하여 시행하여야 한다.

(선지분석)

① 주민참여예산은 주민들이 예산편성과정 등에 직접 참여함으로써 재정민주주의를 구현하기 위한 방안이다.
③ 주민참여예산기구의 구성·운영과 그 밖에 필요한 사항은 해당 지방자치단체의 조례로 정한다.
④ 예산의 심의, 결산의 승인 등 지방의회의 의결사항은 주민참여예산의 관여 범위가 아니다.
⑤ 지방예산 편성 등 예산과정의 주민 참여와 관련되는 사항을 심의하기 위하여 지방자치단체의 장 소속으로 주민참여예산위원회 등 주민참여예산기구를 둘 수 있다.

답 ②

30　주민참여제도　　난이도 ●●●

ㄱ, ㄹ은 맞고 ㄴ, ㄷ은 틀리다.
ㄱ. 주민감사청구는 사무처리가 있었던 날부터 3년이 지나면 할 수 없다.
ㄹ. 주민참여예산기구의 구성 등 구체적인 사항은 자치단체조례로 정한다.

(선지분석)

ㄴ. 비례대표 지방의회의원은 주민소환 대상이 아니다.
ㄷ. 예산 편성·의결 및 집행은 주민투표에 부칠 수 없다.

답 ②

31　　　　　　　　　　　　　　2014년 서울시 7급

주민소환제에 대한 설명으로 옳은 것은?

① 주민은 그 지방자치단체의 장 및 비례대표를 포함한 지방의회의원을 소환할 권리를 가진다.
② 선출직 지방공직자의 임기만료일로부터 1년 미만일 때에는 주민소환투표의 실시를 청구할 수 없다.
③ 주민소환은 주민소환투표권자 총수의 2분의 1 이상의 투표자와 유효투표 총수 과반수의 찬성으로 확정된다.
④ 지방행정의 민주성과 책임성을 제고할 목적으로 도입한 주민간접참여방식의 제도이다.
⑤ 주민소환투표의 효력에 이의가 있는 경우 투표결과가 공표된 날부터 10일 이내에 소청할 수 있다.

32　　　　　　　　　　　　　　2016년 국회직 8급

아른슈타인(Arnstein)이 제시한 주민참여의 8단계론 중 명목적(형식적) 참여의 범주에 해당하는 것은?

① 조작(manipulation)
② 치료(therapy)
③ 협력(partnership)
④ 정보제공(informing)
⑤ 주민통제(citizen control)

31　주민소환제　　　　　　　　　난이도 ●●○

주민소환투표의 실시를 청구할 수 없는 경우는 다음과 같다.
ⓐ 선출직 지방공직자의 임기개시일부터 1년이 경과하지 아니한 때
ⓑ 선출직 지방공직자의 임기만료일부터 1년 미만일 때
ⓒ 해당 선출직 지방공직자에 대한 주민소환투표를 실시한 날부터 1년 이내인 때

(선지분석)
① 비례대표의원은 주민소환투표의 대상이 아니다.
③ 주민소환은 주민소환투표권자 총수의 3분의 1 이상의 투표자와 유효투표 과반의 찬성으로 확정된다.
④ 주민소환투표는 직접참여방식이다. 간접참여방식은 위원회, 연합회, 협의회 등을 통한 것으로, 과거에 주류를 이루었다.
⑤ 주민소환투표의 효력에 이의가 있는 경우 14일 이내에 소청심사청구를, 소청결정서를 받을 날로부터 10일 이내에 소송을 제기할 수 있다.

답 ②

32　주민참여의 8단계론　　　　　　난이도 ●●●

아른슈타인(Arnstein)은 주민참여의 발달단계를 크게 3단계, 세부적으로 8단계로 구분하였다. 정보제공 등은 상징적(형식적) 참여단계에 해당하는 참여전략이다.

아른슈타인(Arnstein)의 행정참여단계

단계	세부단계	구분
1단계 (하위단계)	조작(일방설득)	실질적 비참여
	치유(욕구분출)	
2단계 (중간단계)	정보제공(일방 홍보)	상징적 참여 (명목적 참여)
	상담(공청)	
	회유(토론)	
3단계 (상위단계)	동업자 관계(민관협력)	실질적 참여 (주민권력)
	주민 권력위임(주민우위)	
	시민통제(주민자치)	

답 ④

33
2016년 국가직 9급

티부(Tiebout)모형의 가정(assumptions)으로 옳지 않은 것은?

① 충분히 많은 수의 지방정부가 존재한다.
② 공급되는 공공서비스는 지방정부 간에 파급효과 및 외부효과를 발생시킨다.
③ 주민들은 언제나 자유롭게 이동할 수 있다.
④ 주민들은 지방정부들의 세입과 지출 패턴에 관하여 완전히 알고 있다.

34
2022년 지방직 9급

티부(Tiebout)모형의 전제조건으로 옳지 않은 것은?

① 시민의 이동성
② 외부효과의 배제
③ 고정적 생산요소의 부존재
④ 지방정부 재정패키지에 대한 완전한 정보

| 33 | 티부(Tiebout)모형의 가정 | 난이도 ●○○ |

티부(Tiebout)모형에 따르면 지방정부의 공공서비스에는 지방정부 간 파급효과 및 외부효과를 발생시키지 않는다고 전제한다.

선지분석
① 다수의 지방정부를 전제한다.
③ 이사비용이 없어서 자유로운 이동이 가능하다는 것을 전제한다.
④ 지방정부들의 세입과 지출 패턴에 관하여 완전히 알고 있다는 완전한 정보를 전제한다.

티부(Tiebout)모형의 전제조건

다수의 지방정부	주민들이 선택할 수 있는 지방정부의 수가 많아야 함
주민의 완전한 이동가능성	주민은 자신의 선호에 맞는 지방정부로 자유롭게 이동할 수 있도록 이동비용이 없어야 함
완전한 정보	모든 지방정부의 공공재와 조세에 대한 정보가 공개되어 주민이 그 내용을 알 수 있어야 함
외부효과의 부존재	• 공공서비스로 인한 외부경제나 불경제가 없어야 함 • 외부효과가 존재하면 지역 간 이동이 불필요해질 수 있기 때문임
배당수입에 의한 소득	• 모든 시민은 지역 내 소득과 재산에 의한 배당수입(dividend)에 의존하여 생계를 유지함 • 즉, 비슷한 재산과 소득을 가진 사람들이 모여 살게 됨
규모의 경제 없음	• 공공재 생산을 위한 단위당 평균비용이 동일해야 함 (동일한 단위당 평균 비용) • 이는 규모의 경제가 작용하지 않아야 한다는 '규모수익 불변의 원리'를 의미함

답 ②

| 34 | 티부모형 | 난이도 ●●● |

티부모형은 자치단체별로 고정적 생산요소가 존재해야 한다고 가정한다.

선지분석
①, ②, ④ 모두 티부모형의 전제조건으로 옳은 지문이다.

답 ③

35
2019년 국가직 7급

티부가설(Tiebout Hypothesis)의 가정이 아닌 것은?

① 다수의 이질적인 지방정부가 존재한다.
② 주민들은 지방정부가 제공하는 서비스의 정보를 완전히 알고 있다.
③ 지방공공재는 외부효과가 존재한다.
④ 개인들은 자유롭게 다른 지역으로 이주할 수 있다.

| 35 | 티부가설의 가정 | 난이도 ●○○ |

티부가설은 지방공공재는 외부효과가 존재하지 않는다고 가정한다. 즉, 당해 지역의 프로그램의 이익은 당해 지역 주민들에게만 돌아가며, 이웃지역의 주민들에게 이익이나 불이익을 주지 말아야 한다. 외부효과가 존재하면 지역 간 이동이 불필요해질 수 있기 때문이다.

답 ③

36
2021년 국가직 7급

오츠(Oates)의 분권화정리가 성립하기 위한 조건에 대한 설명으로 옳은 것만을 모두 고르면?

> ㄱ. 중앙정부의 공공재 공급 비용이 지방정부의 공공재 공급 비용보다 더 적게 든다.
> ㄴ. 공공재의 지역 간 외부효과가 없다.
> ㄷ. 지방정부가 해당 지역에서 파레토 효율적 수준으로 공공재를 공급한다.

① ㄱ
② ㄷ
③ ㄱ, ㄴ
④ ㄴ, ㄷ

| 36 | 분권화정리 | 난이도 ●●● |

ㄴ. 외부효과는 없는 것으로 전제한다.
ㄷ. 지역 간에 다른 선호를 가진 경우, 분권화를 통하여 지역이 각자의 선호에 맞는 공공서비스의 수준을 선택할 수 있도록 함으로써 자원배분의 효율을 기할 수 있다는 이론이다.

(선지분석)
ㄱ. 주민의 선호를 더욱 잘 반영할 수 있는 지방정부가 지방의 사정을 감안하여 공급하는 것이 더 효율적이라는 주장이다.

> **오츠의 분권화정리(Decentralization Theorem)**
>
> 지역 간에 다른 선호를 가진 경우, 분권화를 통하여 지역이 각자의 선호에 맞는 공공서비스의 수준을 선택할 수 있도록 함으로써 자원배분의 효율을 기할 수 있다는 이론이다. 동일한 비용이 든다면 중앙정부가 모든 지역을 획일적으로 공급하는 것보다는 주민의 선호를 더욱 잘 반영할 수 있는 지방정부가 지방의 사정을 감안하여 공급하는 것이 더 효율적이라는 주장이다.

답 ④

37 □□□
2019년 서울시 7급(3월 추가)

분권화된 지방정부에서 발에 의한 투표(vote by feet)가 가능해지기 위한 전제조건들에 대한 설명으로 가장 옳지 않은 것은?

① 지방정부의 시민들은 그들의 선호체계에 가장 적합한 지역으로 이동하는 것이 가능하다.
② 시민들이 지방정부들의 세입 세출 형태에 관해 완전한 정보를 가지고 있어야 한다.
③ 시민들이 배당수입에 의존하여 생활해야 한다.
④ 공급되는 공공재도 외부비용과 외부효과 문제를 가지고 있을 수 있다.

37	티부가설의 전제조건	난이도 ●○○

티부가설은 외부효과는 존재하지 않는다고 가정한다.

(선지분석)
① 주민의 완전한 이동가능성에 대한 설명이다.
② 모든 지방정부의 공공재와 조세에 대한 정보가 공개되어 주민이 그 내용을 알 수 있어야 한다는 '완전한 정보'에 대한 설명이다.
③ 비슷한 재산과 소득을 가진 사람들이 모여 살게 된다는 '배당수입에 의한 소득' 가정에 대한 설명이다.

답 ④

---

38 □□□
2022년 지방직 7급

지방자치에 관한 이론에 대한 설명으로 옳은 것은?

① 피터슨(Peterson)의 저서 도시한계(City Limits)에 따르면, 개방체제로서의 지방정부는 재분배정책보다 개발정책을 추구하는 경향이 있다.
② 라이트(Wright)는 정부 간 관계를 분쟁형, 창조형, 교환형으로 분류하고, 연방정부와 주정부 간 사회적·문화적 측면의 동태적 관계를 기술하였다.
③ 로즈(Rhodes)의 정부 간 관계론은 지방정부가 조직자원과 재정자원 측면에서 중앙정부보다 우월한 지위에 있다고 본다.
④ 티부(Tiebout)의 발에 의한 투표(voting with feet)가 가능하기 위해서는 주민의 자유로운 이동성, 공공서비스 제공에서 외부효과 존재 등의 전제조건이 충족되어야 한다.

38	지방자치이론	난이도 ●●●

피터슨(Peterson)이 도시한계론에서 주장했던 복지의 자석효과에 따르면 복지서비스가 좋은 지역에 저소득자가 많이 유입되고, 편익보다 부담이 커지는 고소득자는 다른 지역으로 이동하게 되면서 지방정부가 복지서비스를 제대로 공급할 수 없게 된다.

(선지분석)
② 라이트(Wright)의 정부 간 관계모형은 분리형, 내포형, 중첩형으로 나누어 설명하고 있다.
③ 로즈(Rhodes)의 전략적 협상 관계모형에서 중앙정부는 재정적 자원과 법적 자원을 가지고 있고, 지방정부는 정보와 조직자원을 가지고 있다고 본다.
④ 티부모형의 전제는 외부효과의 부존재이다.

답 ①

39

2025년 국가직 9급

지방자치 이론에 대한 설명으로 옳지 않은 것은?

① 피터슨(Peterson)의 도시한계론은 엘리트론과 다원론의 정치적 자율주의 관점과 달리 시장경제의 구조적 요인을 강조하였다.
② 티부(Tiebout)는 주민들의 자유로운 이동을 통해 지방정부가 제공하는 공공서비스를 선택함으로써 효율적인 자원배분이 가능하다고 보았다.
③ 로즈(Rhodes)의 권력의존모형은 정부 간 관계에서 지방의 중앙에 대한 의존을 강조하여 상호 의존적 관계를 부정하였다.
④ 엘코크(Elcock)의 정부 간 관계 모형 중 대리인 모형은 중앙정부가 지방정부를 권력적으로 통제한다고 본다.

40

2021년 군무원 9급

지방분권의 장점으로 가장 옳지 않은 것은?

① 행정의 민주화 진작
② 지역 간 격차 완화
③ 행정의 대응성 강화
④ 지방공무원의 사기진작

---

39 지방자치이론 난이도 ●●●

로즈(Rhodes)의 권력의존모형은 중앙정부는 재정적 자원과 법적 자원을 가지고 있고, 지방정부는 정보와 조직자원을 가지고 있다고 본다. 지방이 중앙정부에 전적으로 의존하는 것이 아니라 자원의 비교우위를 고려하여 중앙정부와 지방정부가 상호의존적으로 협력하는 모형이다.

선지분석
① 피터슨(Peterson)의 도시한계론은 시장경제의 구조적 요인 등 외부경제상황이 지방정부의 정책에 중요한 영향을 미친다고 보았다.
② 티부모형에 대한 옳은 설명이다.
④ 엘코크(Elcock)의 대리인모형은 중앙정부가 지방정부를 권력적으로 통제한다고 본다.

답 ③

40 지방분권의 장점 난이도 ●●○

지역 간 행정·재정력의 격차 조정은 중앙집권의 장점이다. 발생한 지역 간 격차는 중앙정부의 개입에 의하여 완화할 수 있다.

중앙집권과 지방분권

중앙집권의 장점	지방분권의 장점
• 행정의 통일성·일관성·안정성 확보	• 지역실정과 특수성에 적합한 행정 수행
• 행정관리의 전문화	• 다양한 정책 경험
• 비상사태나 위기발생 시 신속한 대처	• 행정에 대한 주민통제의 강화
• 경제적 능률성 제고	• 행정의 책임성 제고
• 전국적·광역적인 대규모 사업의 추진	• 지역경제 및 문화의 활성화
• 지역 간 행정·재정력의 격차 조정 및 균형적인 지역발전 도모	• 신속한 행정처리
• 인적·물적 자원의 최적 활용과 예산의 절약	• 주민 참여의 확대와 행정의 민주화 구현
• 공공서비스 공급의 형평성과 균질성 확보	• 사회적 능률성 제고
	• 지방공무원의 능력배양 및 사기진작

답 ②

41

2023년 군무원 9급

다음 중 지방자치의 정치적·행정적인 기능과 가장 거리가 먼 것은?

① 민주정치에 대한 훈련
② 지역 간 행정의 통일성 확보
③ 행정의 대응성 제고
④ 정책의 지역별 실험 검증

| 41 | 지방자치의 정치적·행정적 기능 | 난이도 ●●○ |

지역 간 행정의 통일성 확보는 중앙집권의 장점이다.

지방자치의 기능

정치적 가치	• 민주주의의 실천 원리: 주민들의 참여와 토론을 통해 지역문제를 해결 • 민주주의의 훈련장 • 쿠데타, 혁명의 방지: 행정권의 강화에 따른 국정의 독재화 및 관료화의 위험에 대한 방파제의 역할을 함 • 평화적 사회개혁: 권력의 지방분산에 따른 점진적·평화적 사회 개혁이 가능 • 정국 혼란의 방지: 일시적인 정치·사회 혼란과 마비를 극복하고 지방행정의 안정성과 일관성을 도모할 수 있음
행정적 가치	• 지역 특성에 적합한 행정의 실현: 다양한 지방적 특성에 부합하고 주민들의 개별적·집단적 요구에 부응할 수 있는 행정구현이 가능 • 지역적인 종합행정을 구현 • 행정의 기능적 분화를 통한 효율행정의 촉진: 중앙정부는 국가적·전국적 사항에만 전념함으로써 중앙정부의 과중한 업무부담 완화 및 행정능률 향상을 도모 • 주민참여를 통한 행정통제와 민주화를 구현 • 지역적 실험을 통한 다양한 정책 경험이 가능 • 지방공무원의 사기진작과 능력 발전이 가능
사회·경제적 가치	• 지역 주민의 주체의식을 함양시킴 • 사회계층 간의 갈등을 해소 • 실질적인 사회·경제 개발의 촉진: 지역 주민의 이익도모와 그 지역의 개발에 중점을 둠 • 지역문화의 육성: 지방의 고유한 생활양식을 발전시키고 문화생활의 질을 고양시킴 • 인적·물적 자원의 집중화를 방지

답 ②

42

2022년 군무원 7급

다음 중 신중앙집권화와 관련된 특징에 대한 설명으로 가장 옳지 않은 것은?

① 행정구역의 광역화가 나타날 수 있다.
② 중앙 – 지방 간의 관계는 기능적·협력적 관계이다.
③ 지방정부의 자율성을 상대적으로 제한할 수 있다.
④ 세계화와 신자유주의가 신중앙집권화를 촉진하였다.

| 42 | 신중앙집권화 | 난이도 ●●● |

신중앙집권화는 행정국가의 등장과 냉전 등 국제정세의 불안정을 배경으로 촉진되었으며, 세계화와 신자유주의의 등장은 신지방분권화를 촉진시켰다.

선지분석

① 광역행정은 신중앙집권화를 촉진시킨다.
② 중앙과 지방의 관계는 독립적 관계가 아니라 기능적 협력관계가 된다.
③ 국가의 재정지원 확대로 지방정부에 대한 행정상·재정상 통제가 강화되어 지방정부의 자율성이 상대적으로 제한될 수 있다.

답 ④

43

2024년 군무원 7급

다음 중 신중앙집권화와 신지방분권화에 대한 설명으로 가장 적절하지 않은 것은?

① 신중앙집권화는 분권의 비능률성과 중앙집권의 비민주성 문제를 해결하기 위한 새로운 형태의 집권이다.
② 국민적 최저수준 유지에 대한 요청이 확대되면서 경제 및 사회적 불평등 해소를 위해 신지방분권화가 촉진되었다.
③ 신지방분권은 중앙정부에 의한 지도의 필요성을 인정하고 국가발전에 적극적으로 동참하는 상대적 분권이다.
④ 신중앙집권은 비권력적 지도의 폭이 넓어진 수평적이고 협동적 집권을 의미한다.

| 43 | 신중앙집권화와 신지방분권화 | 난이도 ●●○ |

국민적 최저수준을 유지하기 위해 중앙정부의 적극적인 관여가 필요해진 것은 신중앙집권의 촉진요인이다.

[선지분석]
① 신중앙집권화는 새로운 집권화에 의한 능률성과 지방자치에 의한 민주성의 조화를 추구한다.
③ 종래의 지방분권은 시민의 자유를 억압하던 중앙집권적 권력을 극복하는 데 그 의의가 있었으나, 신지방분권은 중앙정부와 지방자치단체가 모두 국가통치기구의 일환으로 국민복지의 증진이라는 공동목표를 위해 기능을 분담하면서 상호 협력하는 데 그 의의가 있다.
④ 신중앙집권은 협력적, 지식적, 지도적인 것을 특징으로 한다.

답 ②

KEYWORD 098 지방자치단체의 권능과 사무 및 기관

44

2017년 국가직 7급(인사조직론)

「지방자치법」상 지방자치단체의 인사 관련 규정에 대한 설명으로 옳지 않은 것은?

① 자치구가 아닌 구의 구청장은 일반직 지방공무원으로 보하되, 시장이 임명한다.
② 지방의회의원은 「지방공기업법」에 규정된 지방공사와 지방공단의 임직원을 겸할 수 없다.
③ 인구 500만 이상의 광역시나 도는 3명을 초과하지 아니하는 범위에서 부시장 및 부지사를 둘 수 있다.
④ 자치구의 부구청장은 일반직 지방공무원으로 보하되, 그 직급은 대통령령으로 정하며 구청장이 임명한다.

| 44 | 지방자치단체의 인사 관련 규정 | 난이도 ●○○ |

인구 800만 이상의 광역시나 도는 3명을 초과하지 아니하는 범위에서 대통령령으로 부시장 및 부지사를 둘 수 있다.

[선지분석]
① 자치구가 아닌 구의 구청장은 일반직 지방공무원으로 보하되, 시장이 임명한다.
② 지방의회의원은 「지방공기업법」에 규정된 지방공사와 지방공단의 임직원을 겸할 수 없다.
④ 자치구의 부구청장은 일반직 지방공무원으로 보하되, 그 직급은 대통령령으로 정하며 구청장이 임명한다.

답 ③

45
2016년 서울시 7급

지방의회가 지방자치단체에 대하여 행사할 수 있는 권한으로 옳지 않은 것은?

① 예산불성립 시 예산집행
② 선결처분의 사후승인
③ 행정사무의 감사·조사
④ 청원서의 이송·보고요구

46
2020년 국가직 9급

우리나라 지방자치에 대한 설명으로 옳은 것은?

① 자치사법권은 인정되고 있다.
② 지방자치단체의 예산안 편성권은 지방자치단체장에 속한다.
③ 자치입법권은 지방의회만이 행사할 수 있는 전속적 권한이다.
④ '세종특별자치시'와 제주특별자치도의 '제주시'는 기초자치단체로서 자치권을 가지고 있다.

---

45 지방의회의 권한   난이도 ●○○

지방의회의 권한과 지방자치단체장의 권한을 명확하게 구분하여 이해하고 있어야 한다. 예산불성립 시 준예산 집행은 지방자치단체장의 권한이다.

(선지분석)
② 선결처분은 지방자치단체장의 권한이지만, 선결처분의 사후승인은 지방의회의 권한이다.
③ 행정감시권으로써 행정사무감사권, 행정사무조사권은 지방의회의 권한이다.
④ 청원수리처리권, 청원의 이송과 처리보고 등은 지방의회의 권한이다.

답 ①

46 지방자치   난이도 ●○○

지방자치단체의 예산편성권은 자치단체장의 권한이며, 예산심의권은 지방의회의 권한에 속한다.

(선지분석)
① 자치사법권은 인정되지 않고 있다.
③ 자치입법권은 조례와 규칙을 제정할 수 있는 권한으로 조례제정은 지방의회의 전속 권한이지만 규칙제정은 지방단체장과 교육감의 권한이다.
④ 세종특별자치시와 제주특별자치도는 기초자치단체를 둘 수 없다.

답 ②

47

2016년 국회직 8급

조례와 규칙에 대한 설명으로 옳지 않은 것은?

① 지방자치단체의 장은 법령의 범위 안에서 그 사무에 관하여 조례를 정할 수 있다.
② 조례를 정할 때, 주민의 권리 제한에 관한 사항은 법률의 위임이 있어야 한다.
③ 시·군 및 자치구의 조례나 규칙은 시·도의 조례나 규칙을 위반하여서는 안 된다.
④ 지방자치단체 조례를 위반한 행위에 대하여 조례로써 과태료를 정할 수 있다.
⑤ 과태료는 해당 지방자치단체의 장이 부과·징수한다.

48

2022년 군무원 9급

우리나라의 자치입법권에 관한 설명으로 가장 옳지 않은 것은?

① 법령의 범위 안에서 자치법규를 제정할 수 있다.
② 주민에 대하여 형벌의 성격을 지닌 벌칙은 정할 수 없다.
③ 자치입법권에 근거한 자치법규로는 조례, 규칙 및 교육규칙 등이 있다.
④ 조례는 지방의회의 의결을 필요로 하지만, 규칙은 지방의회의 의결을 필요로 하지 않는다.

---

47 조례와 규칙 난이도 ●○○

지방자치단체장이 아니라 지방의회가 옳다. 지방의회는 법령의 범위 안에서 그 사무에 관하여 조례를 정할 수 있다. 반면, 지방자치단체장은 법령과 조례의 범위 안에서 필요한 규칙을 제정할 수 있다.

조례와 규칙

구분	조례	규칙
의의	지방의회가 헌법과 법률의 범위 내에서 제정한 자치법규	지방자치단체장 기타 집행기관이 법령 또는 조례의 범위에서 그 권한에 속하는 사무에 관하여 제정하는 자치법규
제정권자	지방의회	지방자치단체장 기타 집행기관, 교육감(교육·학예 분야)

답 ①

48 자치입법권 난이도 ●●●

조례로써 과태료를 부과할 수 있다. 형벌의 성격에는 행정형벌과 행정질서벌이 있으며, 과태료는 행정질서벌이다.

(선지분석)
① 지방자치단체는 법령의 범위에서 그 사무에 관하여 조례를 제정할 수 있고, 지방자치단체의 장은 법령 또는 조례의 범위에서 그 권한에 속하는 사무에 관하여 규칙을 제정할 수 있다.
③ 자치입법권에 근거한 자치법규로는 지방의회가 제정하는 조례, 자치단체장이 제정하는 규칙 및 시·도 교육감이 제정하는 교육규칙이 있다.
④ 조례는 지방의회가, 규칙은 자치단체장이 제정하므로 옳은 지문이다.

답 ②

49

2021년 국가직 9급

우리나라 지방자치단체의 권한(자치권)으로 옳지 않은 것은?

① 지방자치단체는 법률의 위임이 있어야 주민의 권리를 제한하는 조례를 제정할 수 있다.
② 지방자치단체는 주민의 복지증진과 사업의 효율적 수행을 위하여 지방공기업을 설치·운영할 수 있다.
③ 지방자치단체는 조례를 위반한 행위에 대하여 조례로써 1,500만 원 이하의 과태료를 정할 수 있다.
④ 지방자치단체조합도 따로 법률로 정하는 바에 따라 지방채를 발행할 수 있다.

50

2021년 지방직 9급

지방정부의 기관구성 형태에 대한 설명으로 옳지 않은 것은?

① 강시장 - 의회(strong mayor-council) 형태에서는 시장이 강력한 정치적 리더십을 행사한다.
② 위원회(commission) 형태에서는 주민 직선으로 선출된 의원들이 집행부서의 장을 맡는다.
③ 약시장 - 의회(weak mayor-council) 형태에서는 일반적으로 의회가 예산을 편성한다.
④ 의회 - 시지배인(council-manager) 형태에서는 시지배인이 의례적이고 명목적인 기능을 수행한다.

---

49 지방자치단체의 권한(자치권) 　난이도 ●○○

지방자치단체는 조례를 위반한 행위에 대하여 조례로써 1,000만 원 이하의 과태료를 정할 수 있다.

[선지분석]
① 주민의 권리 제한 또는 의무 부과에 관한 사항이나 벌칙을 조례로 정할 때에는 법률의 위임이 있어야 한다.
② 자치단체는 주민의 복지 증진과 사업의 효율적인 수행을 위하여 지방공기업을 설치·운영할 수 있다.
④ 특별지방자치단체인 자치단체의 조합은 법률로 정하는 바에 따라 지방채를 발행할 수 있다. 이 경우 행정안전부장관의 사전 승인을 얻어야 한다.

답 ③

50 지방정부의 기관구성 형태 　난이도 ●●●

의회 - 시지배인(council-manager)형태에서는 시지배인이 실질적인 행정을 총괄한다. 의회가 임명한 전문행정관 즉, 시지배인 또는 시정관리관(city manager)이 집행기능을 총괄한다.

[선지분석]
① 강시장 - 의회형은 기관대립형에 가까우며 시장이 강력한 리더십을 발휘한다.
② 위원회형에서는 주민들 직선으로 선출된 지방의회의 의원들이 집행부서의 장을 겸한다.
③ 약시장 - 의회형에서는 집행기관의 권한이 약하기 때문에 의회가 예산을 편성한다.

답 ④

51

2018년 서울시 7급(6월 시행)

우리나라의 지방선거에 대한 설명으로 가장 옳은 것은?

① 현재 광역 - 기초자치단체장 및 광역 - 기초의회의원 선거 모두에 정당공천제가 허용되고 있다.
② 광역의회의 지역구 선거는 기본적으로 중선거구제를 채택하고 있다.
③ 기초의회 지역구 선거는 기본적으로 소선거구제를 채택하고 있다.
④ 소선거구제의 경우에 풀뿌리 민주주의의 기반이 되는 주민과 의원과의 관계가 멀어질 수 있다는 단점이 있다.

52

2019년 국가직 9급

지방선거에 대한 설명으로 옳은 것은?

① 이승만 정부에서 처음으로 시·읍·면 의회의원을 뽑는 지방선거가 실시되었다.
② 박정희 정부부터 노태우 정부 시기까지는 지방선거가 실시되지 않았다.
③ 지방자치단체장과 지방의회의원을 동시에 뽑는 선거는 김대중 정부에서 처음으로 실시되었다.
④ 2010년 지방선거부터 정당공천제가 기초지방의원까지 확대되었지만 많은 문제점이 지적되면서 현재는 실시되지 않고 있다.

---

51 지방선거 | 난이도 ●●○

현재 광역 - 기초자치단체장 및 광역 - 기초의회의원 선거 모두에 정당공천제가 허용되고 있다. 교육감 선거에는 정당공천이 허용되지 않으므로, 현재 지방선거에서는 교육감 선거를 제외하고 정당공천이 실시되고 있다.

(선지분석)
② 광역의회의 지역구 선거는 소선거구제를 채택하고, 비례대표제를 가미하고 있다.
③ 기초의회 지역구 선거는 중선거구제를 채택하고, 비례대표제를 가미하고 있다.
④ 소선거구제는 관할구역이 작아 풀뿌리 민주주의에 입각하여 주민과 의원과의 관계가 긴밀해질 수 있다는 장점이 있다.

답 ①

52 지방선거 | 난이도 ●●●

1948년 대한민국 정부 수립 이후, 이승만 정부에 의해서 1949년 근대적 의미의 「지방자치법」이 처음 제정되었다. 그러나 1950년 한국전쟁으로 인하여 시행하지 못하다가 1952년에 가서야 처음으로 시·읍·면 의회 의원을 뽑는 지방선거가 실시되었다.

(선지분석)
② 박정희 정부 때부터 전두환 정부까지는 지방선거가 없었지만, 1991년 6월 노태우 정부에 의하여 지방의원에 대한 선거가 다시 시작되면서 지방의회가 구성되었다.
③ 지방자치단체장과 지방의회의원을 동시에 뽑는 선거는 김대중 정부가 아닌 김영삼 정부(1995년)에서 처음으로 실시되었다.
④ 2010년 지방선거부터 정당공천제가 기초지방의원까지 확대되었으며, 일부 문제점이 있음에도 불구하고 현재도 정당공천이 실시되고 있다.

답 ①

53　　2022년 국가직 7급

우리나라 지방자치의 역사에 대한 설명으로 옳은 것은?

① 제헌의회가 성립하면서 1949년 전국에서 도의회의원 선거가 실시되었다.
② 1991년 지방선거에서 지방의회의원을 선출하였으나, 지방자치단체장 선거는 실시되지 않았다.
③ 1995년부터 주민직선제에 의한 시·도교육감 선거가 실시되면서 실질적 의미의 교육자치가 시작되었다.
④ 1960년 지방선거에서는 서울특별시장·도지사 선거는 실시되었으나, 시·읍·면장 선거는 실시되지 않았다.

| 53 | 지방자치의 역사 | 난이도 ●●● |

기초의원은 1991년 3월, 광역의원 선거는 1991년 6월에 실시되었으나, 지방자치단체장 선거는 실시되지 못하였다.

(선지분석)
① 「지방자치법」이 제정(1949년)되었으나, 1952년 일부 지역의 시·읍·면의회의원 선거 실시하였고, 동년 4월 10일 일부지역을 제외하고 도의회의원 선거를 실시하였다.
③ 2007년부터 주민직선제로 변경되었고, 2007년부터 2009년까지는 교육감의 잔여 임기가 1년 이상 남은 지역에서 부분적으로 주민직선제가 실시되었다. 2010년 6월 2일부터 전국적으로 동시에 시·도 교육감을 선출하는 주민직선제가 역사상 처음으로 실시되었다.
④ 1960년 「지방자치법」 개정으로 서울특별시장 및 도지사, 시·읍·면장과 지방의원 모두 주민에 의한 주민직선으로 선출하였다.

지방자치의 역사

1공화국	• 1949년: 「지방자치법」 제정·공포 • 2계층: 특별시·도 – 시·읍·면 • 1952년: 최초의 지방선거인 시·읍·면 의원선거(4월 25일), 도의원선거(5월 10일) • 1956년: 시·읍·면장에 대한 최초의 주민직선(서울시장과 도지사는 임명직)
2공화국 (1960.8.~ 1961.5.16.)	• 1960년: 서울시장, 도지사, 시·읍·면장과 지방의원 모두를 주민의 직접선출 • 서울시장을 주민직선: 1960년 3차 지방선거
3공화국	• 1961년: 지방자치에 관한 임시조치법에 의해 읍·면 자치제 대신 군 자치제가 채택 • 지방의회 해산과 자치단체장 임명제
6공화국	• 1991년: 지방의회의원선거 • 1995년: 지방의회의원 및 단체장 주민직선(6월 27일)

답 ②

54　　2016년 지방직 9급

지방자치단체의 기관구성에 대한 설명으로 옳지 않은 것은?

① 기관대립형(기관분리형)은 견제와 균형을 통해 민주적이고 합리적인 지방자치를 실시하는 방식이다.
② 기관통합형은 주민 직선으로 지방의회를 구성하고 의회 의장이 단체장을 겸하는 방식이다.
③ 기관대립형(기관분리형)은 집행부와 의회의 기구가 병존함에 따라 비효율성을 줄일 수 있다는 장점이 있다.
④ 기관통합형은 의결 기능과 집행 기능이 통합되어 있기 때문에 지방자치행정을 기관 간 마찰 없이 안정적으로 수행할 수 있다는 장점이 있다.

| 54 | 지방자치단체의 기관구성 | 난이도 ●●● |

기관대립형은 집행기관인 자치단체장과 의결기관인 의회가 견제와 균형을 유지할 수 있는 장점은 있으나, 집행기관과 의결기관 간 갈등과 대립으로 지방행정에 비효율을 초래할 수 있다는 단점이 있다.

(선지분석)
① 기관대립형(기관분리형)은 견제와 균형의 원리에 입각하여 운영되기 때문에 권력의 전횡이나 부패를 방지하고, 비판과 감시가 용이하여 민주적이고 합리적인 지방자치를 실시할 수 있다는 장점이 있다.
② 일반적인 기관통합형 방식으로 옳은 지문이다.
④ 기관통합형은 의결기관과 집행기관이 대립의 소지가 없어 지방행정의 안정성과 능률성 확보가 용이하다.

기관통합형(기관단일형)의 장점과 단점

장점	• 권한과 책임이 의회에 집중되어 민주정치와 책임행정 구현 용이 • 대립의 소지가 없어 지방행정의 안정성과 능률성 확보 • 다수 의원의 참여에 따른 신중하고 공정한 자치행정 수행 • 소규모의 기초자치단체에 적합 • 미국 위원회의 경우 소수의 위원으로 운영되므로 예산절감 및 신속하고 탄력적인 행정집행 도모
단점	• 단일기관에 의한 권력행사로 견제와 균형이 상실되어 권력 남용 용이 • 의원이 행정을 하게 되므로 행정의 전문화를 저해할 가능성 • 의원들 간의 행정 분담으로 행정의 통일성과 종합성 저해 • 위원회형의 경우 다양한 이익을 대표하기에는 부적합 • 지방행정에 정치적 요인이 개입될 우려

답 ③

55　　　　　　　　　　　　　2019년 지방직 7급 변형

지방자치단체의 기관구성에 대한 설명으로 옳은 것은?

① 우리나라의 기관대립형은 시장의 권한이 지방의회의 권한에 비해 상대적으로 약한 기관대립형이다.
② 영국의 의회형에서는 집행기관의 장을 주민이 직선으로 선출한다.
③ 미국의 위원회형은 기관대립형의 특수한 형태로 볼 수 있다.
④ 기관통합형의 집행기관은 기관대립형에 비해 행정의 전문성이 높지 않을 가능성이 크다.

55	지방자치단체의 기관구성	난이도 ●●●

기관통합형 집행기관은 전문적이고 체계적인 집행기구 없이 의원이 행정을 하게 되므로, 행정의 전문화를 저해할 가능성이 크다.

선지분석
① 우리나라의 기관대립형은 단체장의 권한이 의회보다 강한 집행기관 우위의 기관대립형에 해당한다.
② 집행기관의 장을 주민이 직선으로 선출하는 것은 기관대립형의 일반적 특징이다. 영국의 의회형은 기관통합형으로, 지방의회가 의결기관인 동시에 그 밑에 분과별 집행위원회나 국·과 등 보조기관을 두고 집행기능까지 수행한다.
③ 미국의 위원회형(commission plan)은 기관통합형의 전형적 형태로, 주민에 의하여 직접 선출된 3~7명의 위원들이 위원회를 구성하여 의결기능과 집행기능을 함께 수행하는 방식이다.

답 ④

56　　　　　　　　　　　　　2022년 국가직 7급

지방자치단체의 기관구성 형태에 대한 설명으로 옳지 않은 것은?

① 기관통합형은 행정에 주민들의 의사를 보다 정확하게 반영할 수 있다는 장점이 있다.
② 기관통합형은 지방의회에서 의결기능과 집행기능을 모두 수행하는 형태로, 영국의 의회형이 대표적이다.
③ 기관대립형 중 약시장-의회형은 시장의 고위직 지방공무원 인사에 대해서 의회의 동의를 요하는 반면, 시장은 지방의회 의결에 대한 거부권을 가진다.
④ 기관대립형은 견제와 균형을 통해 권력남용을 방지하는 장점이 있지만, 의결기관과 집행기관 간의 대립 및 마찰 가능성이 있다는 단점이 있다.

56	지방자치단체의 기관구성 형태	난이도 ●●●

일반적으로 약시장-의회형(Weak Mayor-Council type)은 시장에게 거부권이 부여되지 않는다. 약시장-의회형은 시장보다 의회에 우월한 권능을 인정하는 것으로, 의회가 인사권과 행정운영에 대한 감독권을 보유하여 시의 일반행정에 관여하는 형태이다.

선지분석
① 기관통합형은 권한과 책임이 의회에 집중되어 민주정치와 책임행정 구현이 용이하다.
② 기관통합형은 권력집중주의에 입각하여 자치단체의 의결기능과 집행기능을 단일기관인 지방의회에 귀속시키는 형태로, 영국의 의회형이 대표적이다.
④ 기관대립형은 견제와 균형의 원리에 입각하여 운영되기 때문에 권력의 전횡이나 부패를 방지하고, 비판과 감시가 용이하다는 장점이 있는 반면, 의결기관과 집행기관 사이에 갈등이나 알력이 발생할 경우, 자칫 지방행정의 마비를 초래할 우려도 있다.

답 ③

57　　　2014년 서울시 7급

다음 지방의원의 권한과 의무에 관한 설명 중 옳은 것끼리 연결된 것은?

> ㄱ. 지방의원은 직무수행과 관련해 면책특권이 인정되지 않고 있다.
> ㄴ. 집행기관의 행정사무 처리사항을 조사 및 감사할 권한을 가진다.
> ㄷ. 임시회의 소집요구권이 없다.
> ㄹ. 광역의회의원은 정당공천을 받을 수 없다.
> ㅁ. 이해관계가 있는 안건에는 참여가 금지되어 있다.

① ㄴ, ㄷ, ㅁ
② ㄴ, ㄹ
③ ㄴ, ㄷ, ㄹ
④ ㄱ, ㄹ
⑤ ㄱ, ㄴ, ㅁ

| 57 | 지방의원의 권한과 의무 | 난이도 ●●○ |

ㄱ. 지방의원은 국회의원과 달리 면책특권이나 불체포특권이 인정되지 않는다.
ㄴ. 행정사무감사권과 조사권은 인정된다.
ㅁ. 현재 지방의회의원 본인이나 친인척과 이해관계가 있는 의안심사나 예산심의 등에 대한 안건심의 활동이 금지되어 있다(의원행동강령조례).

선지분석
ㄷ. 지방의원들은 임시회의 소집요구권을 가진다. 지방의회의장은 지방자치단체의 장이나 조례로 정하는 수 이상의 지방의회의원이 요구하면 15일 이내에 임시회를 소집하여야 한다.
ㄹ. 광역과 기초를 막론하고 모든 자치단체장과 지방의원들은 정당공천이 가능하다.

답 ⑤

58　　　2023년 국가직 7급

「지방자치법」상 지방의회에 대한 설명으로 옳지 않은 것은?

① 지방의회의원의 의정활동을 지원하기 위하여 정책지원 전문인력을 둘 수 있다.
② 지방의회의 의장은 지방의회의 사무직원을 지휘·감독한다.
③ 지방의회는 매년 4회 정례회를 개최한다.
④ 지방의회의원은 각급 선거관리위원회 위원을 겸직할 수 없다.

| 58 | 지방의회 | 난이도 ●●○ |

지방의회는 매년 2회 정례회를 개최한다.

선지분석
① 정책지원 전문인력은 「지방자치법」 제41조에 규정되어 있다.
② 사무직원에 대한 지휘·감독은 「지방자치법」 제103조에 규정되어 있다.
④ 선거관리위원회 위원은 「지방자치법」 제109조에 규정되어 있다.

> 「지방자치법」 제41조【의원의 정책지원 전문인력】① 지방의회의원의 의정활동을 지원하기 위하여 지방의회의원 정수의 2분의 1 범위에서 해당 지방자치단체의 조례로 정하는 바에 따라 지방의회에 정책지원 전문인력을 둘 수 있다.
> 제53조【정례회】① 지방의회는 매년 2회 정례회를 개최한다.
> 제103조【사무직원의 정원과 임면 등】② 지방의회의 의장은 지방의회 사무직원을 지휘·감독하고 법령과 조례·의회규칙으로 정하는 바에 따라 그 임면·교육·훈련·복무·징계 등에 관한 사항을 처리한다.
> 제109조【겸임 등의 제한】① 지방자치단체의 장은 다음 각 호의 어느 하나에 해당하는 직을 겸임할 수 없다.
> 　1. 대통령, 국회의원, 헌법재판소 재판관, 각급 선거관리위원회 위원, 지방의회의원

답 ③

59 ☐☐☐ 2020년 국가직 7급

「지방자치법」상 지방의회 의원이 받을 수 있는 징계의 사례가 아닌 것은?

① A 의원은 45일간 출석정지를 내용으로 하는 징계를 받았다.
② B 의원은 공개회의에서 사과를 하는 징계를 받았다.
③ C 의원은 재적의원 3분의 2 이상 찬성에 따라 제명되는 징계를 받았다.
④ D 의원은 공개회의에서 경고를 받는 징계를 받았다.

| 59 | 지방의회 의원의 징계 | 난이도 ●●● |

지방의회의원에 징계 중 출석정지는 30일 이내다. 징계의 유형에는 공개 경고, 공개 사과, 30일 이내의 출석정지, 제명 등이 있다.

> 「지방자치법」 제100조 【징계의 종류와 의결】 ① 징계의 종류는 다음과 같다.
> 1. 공개회의에서의 경고
> 2. 공개회의에서의 사과
> 3. 30일 이내의 출석정지
> 4. 제명
> ② 제명 의결에는 재적의원 3분의 2 이상의 찬성이 있어야 한다.

답 ①

60 ☐☐☐ 2024년 국가직 9급

지방행정제도에 대한 설명으로 옳지 않은 것은?

① 일정 조건을 충족한 주민은 해당 지방의회에 조례를 제정하거나 개정 또는 폐지할 것을 청구할 수 있다.
② 지방자치단체 간 관할 구역의 경계변경 조정 시 일정기간 이내에 경계변경자율협의체를 구성하지 못한 경우 행정안전부장관은 지방자치단체 중앙분쟁조정위원회의 심의·의결을 거쳐 조정할 수 있다.
③ 정책지원 전문인력인 정책지원관제도는 지방자치단체장의 정책기능을 강화하기 위해 도입되었다.
④ 자치경찰사무는 합의제 행정기관인 시·도지사 소속 시·도 자치경찰위원회가 관장하며 업무는 독립적으로 수행한다.

| 60 | 지방행정제도 | 난이도 ●●○ |

정책지원 전문인력인 정책지원관제도는 자치단체의 장이 아닌 지방의회의원들의 정책기능을 강화하기 위하여 「지방자치법」 개정으로 도입되었다.

(선지분석)
① 주민은 일정 수 이상의 연대서명으로 해당 지방의회의 조례의 제정, 개정 또는 폐지를 청구할 수 있다.
② 자치단체 간 경계변경 조정 시 행정안전부장관의 조정권을 설명한 내용으로 옳은 설명이다.
④ 합의제 행정기관인 시·도 자치경찰위원회에 대한 설명으로 옳은 설명이다.

답 ③

61

2024년 지방직 7급

「지방자치법」상 지방자치단체의 관할구역에 대한 설명으로 옳은 것은?

① 지방자치단체의 명칭과 구역을 바꾸거나 지방자치단체를 폐지하거나 설치하거나 나누거나 합칠 때에는 조례로 정한다.
② 지방자치단체를 폐지하거나 설치하거나 나누거나 합칠 때는 반드시 관계 지방의회의 의견을 들어야 한다.
③ 지방자치단체의 장은 지방의회 재적의원 과반수 출석과 출석의원 과반수의 동의를 받아, 행정안전부장관에게 지방자치단체의 관할구역 경계변경에 대한 조정을 신청할 수 있다.
④ 지방자치단체의 구역을 변경하거나 지방자치단체를 폐지하거나 설치하거나 나누거나 합칠 때에는 새로 그 지역을 관할하게 된 지방자치단체가 그 사무와 재산을 승계한다.

62

2014년 지방직 9급 변형

다음 중 지방자치단체의 조례에 관한 설명으로 옳은 것을 모두 고른 것은?

> ㄱ. 지방자치단체의 장은 법령이나 조례의 범위에서 그 권한에 속하는 사무에 관하여 규칙을 제정할 수 있다.
> ㄴ. 지방의회에서 의결된 조례안은 10일 이내에 지방자치단체의 장에게 이송되어야 한다.
> ㄷ. 재의요구를 받은 조례안은 재적의원 과반수의 출석과 출석의원 과반수의 찬성으로 재의요구를 받기 전과 같이 의결되면, 조례로 확정된다.
> ㄹ. 지방자치단체의 장은 재의결된 조례가 법령에 위반된다고 판단되면 재의결된 날부터 20일 이내에 대법원에 제소할 수 있다.

① ㄱ, ㄴ
② ㄴ, ㄹ
③ ㄱ, ㄹ
④ ㄷ, ㄹ

---

61 지방자치단체의 관할구역

지방자치단체의 구역을 변경하거나 지방자치단체를 폐지하거나 설치하거나 나누거나 합칠 때에는 새로 그 지역을 관할하게 된 지방자치단체가 그 사무와 재산을 승계한다.

선지분석
① 지방자치단체의 명칭과 구역을 바꾸거나 지방자치단체를 폐지하거나 설치하거나 나누거나 합칠 때에는 법률에 의한다(조례가 아님).
② 지방자치단체를 폐지하거나 설치하거나 나누거나 합칠 때는 관계 지방의회의 의견을 들어야 한다. 주민투표를 거친 경우에는 그러하지 아니하다(반드시 들어야 한다가 아님).
③ 재적의원 과반수의 출석과 출석의원 3분의 2 이상의 동의를 받아야 한다(지방의회 재적의원 과반수 출석과 출석의원 과반수가 아니다).

답 ④

62 조례

ㄱ. 규칙은 하위 자치법규로, 법령이나 조례의 범위 안에서 제정된다.
ㄹ. 「지방자치법」 제192조(지방의회 의결의 재의와 제소) 제4항에 따르면, 지방자치단체의 장은 재의결된 사항이 법령에 위반된다고 판단되면 재의결된 날부터 20일 이내에 대법원에 소를 제기할 수 있다. 이 경우 필요하다고 인정되면 그 의결의 집행을 정지하게 하는 집행정지결정을 신청할 수 있다.

선지분석
ㄴ. 지방의회에서 의결된 조례안은 10일이 아니라 5일 이내에 지방자치단체의 장에게 이송되어야 한다.
ㄷ. 재의요구를 받은 조례안은 재적의원 과반수의 출석과 출석의원 3분의 2 이상의 찬성이 필요하다.

답 ③

63

2014년 사회복지직 9급

「지방자치법」상 광역자치단체의 사무에 대한 설명으로 옳지 않은 것은?

① 시·도와 시·군 및 자치구의 사무가 서로 경합하면 시·도에서 처리한다.
② 국가와 시·군 및 자치구 사이의 연락·조정 등의 사무는 시·도에서 처리한다.
③ 지역적 특성을 살리면서 시·도 단위로 통일성을 유지할 필요가 있는 사무는 시·도에서 처리한다.
④ 행정처리 결과가 2개 이상의 시·군 및 자치구에 미치는 광역적 사무는 시·도에서 처리한다.

63 광역자치단체의 사무 난이도 ●○○

광역과 기초단체 간 경합 시에는 보충성의 원칙(기초단체 우선의 원칙)이 적용된다. 보충성의 원칙(기초단체 우선의 원칙)은 하급단위에서 잘 처리할 수 있는 업무를 상급단위에서 직접 처리해서는 안 된다는 원칙으로, 이 원칙에 따라 시·도와 시·군 및 자치구의 사무가 경합할 경우 기초단체에서 우선 처리한다.

📄 **보충성의 원리**

소극적 의미	기초공동체 또는 기초정부가 할 수 있는 일을 상급정부나 상급공동체가 관여해서는 안 된다는 것을 의미
적극적 의미	상급정부 또는 상급공동체가 기초정부 또는 기초공동체가 일차적으로 활동할 수 있는 조건을 갖출 수 있도록 지원해 주어야 한다는 주장

답 ①

64

2020년 지방직 9급

지방분권 추진 원칙 중 다음 설명에 해당하는 것은?

- 기능 배분에 있어 가까운 정부에게 우선적 관할권을 부여한다.
- 민간이 처리할 수 있다면 정부가 관여해서는 안 된다.
- 가까운 지방정부가 처리할 수 있는 업무에 상급 지방정부나 중앙정부가 관여해서는 안 된다.

① 보충성의 원칙
② 포괄성의 원칙
③ 형평성의 원칙
④ 경제성의 원칙

64 지방분권 추진 원칙 난이도 ●○○

제시문의 내용들은 모두 지방분권 추진 원칙 중 보충성의 원리에 해당한다. 보충성의 원리란 지방행정 사무가 가급적 주민이나 민간과 가까운 하급자치단체에 우선적으로 배분하고, 지방정부가 처리할 수 있는 업무는 상급정부나 중앙정부가 관여해서는 안 된다는 원칙을 말한다.

선지분석

② 포괄성의 원칙이란 관련 기능이 총체적으로 배분되어 권한과 책임이 일치하도록 해야한다는 원칙이다.
③ 형평성의 원칙이란 지방자치단체 간에 차등을 두지 말고 가급적 균등하게 배분해야 한다는 원칙이다.
④ 경제성의 원칙은 지방자치단체의 그 규모·재정적 능력에 비추어 가장 능률적으로 수행할 수 있는 수준의 행정단위에 사무를 배분한다는 원칙이다.

답 ①

65 — 2021년 국가직 7급

중앙정부의 지방자치단체 사무배분 원칙에 대한 설명으로 옳은 것만을 모두 고르면?

> ㄱ. 지역주민생활과 밀접한 관련이 있는 사무는 원칙적으로 시·군 및 자치구의 사무로 배분하여야 한다.
> ㄴ. 서로 관련된 사무들을 배분할 때는 포괄적으로 배분하여야 한다.
> ㄷ. 시·군 및 자치구가 처리하기 어려운 사무는 국가보다는 시·도에 우선적으로 배분하여야 한다.
> ㄹ. 시·군 및 자치구가 해당 사무를 원활히 처리할 수 있도록 행정적·재정적 지원을 병행하여야 한다.
> ㅁ. 주민의 편익증진과 집행의 효과 등을 고려하여 지방자치단체 상호 간 중복되지 않도록 해야 한다.

① ㄱ, ㄷ, ㅁ
② ㄴ, ㄷ, ㄹ
③ ㄱ, ㄴ, ㄹ, ㅁ
④ ㄱ, ㄴ, ㄷ, ㄹ, ㅁ

66 — 2023년 국회직 8급

다음 <보기> 중 「지방자치법」에서 규정하는 지방자치단체의 사무에 해당하는 것만을 모두 고르면?

<보기>
ㄱ. 국제교류 및 협력에 관한 사무
ㄴ. 교육·체육·문화·예술의 진흥에 관한 사무
ㄷ. 농산물·임산물·축산물·수산물 및 양곡의 수급조절에 관한 사무
ㄹ. 지역개발과 자연환경보전 및 생활환경시설의 설치·관리에 관한 사무
ㅁ. 지역민방위 및 지방소방에 관한 사무

① ㅁ
② ㄹ, ㅁ
③ ㄱ, ㄴ, ㄷ
④ ㄱ, ㄷ, ㄹ
⑤ ㄱ, ㄴ, ㄹ, ㅁ

---

65 | 중앙정부의 지방자치단체 사무배분 원칙 | 난이도 ●●○

중앙정부와 지방정부 간 상호배분의 원칙으로 모두 옳은 설명이다.
ㄱ. 기초자치단체 우선의 원칙이다.
ㄴ. 포괄적 배분의 원칙이다.
ㄷ. 보충성의 원칙이다.
ㄹ. 적극적 보충성의 원칙(행정적·재정적 지원 병행)이다.
ㅁ. 중복금지의 원칙(불경합의 원칙)이다.

답 ④

66 | 지방자치단체의 사무 | 난이도 ●●○

ㄱ, ㄴ, ㄹ, ㅁ은 「지방재정법」에서 규정하는 지방자치단체의 사무이다.

선지분석
ㄷ. 농산물·임산물·축산물·수산물 및 양곡의 수급조절에 관한 사무만 자치단체가 처리할 수 없는 국가사무이다.

> 「지방자치법」 제15조 【국가사무의 처리 제한】 지방자치단체는 다음 각 호의 국가사무를 처리할 수 없다. 다만, 법률에 이와 다른 규정이 있는 경우에는 국가사무를 처리할 수 있다.
> 1. 외교, 국방, 사법(司法), 국세 등 국가의 존립에 필요한 사무
> 2. 물가정책, 금융정책, 수출입정책 등 전국적으로 통일적 처리를 할 필요가 있는 사무
> 3. 농산물·임산물·축산물·수산물 및 양곡의 수급조절과 수출입 등 전국적 규모의 사무
> 4. 국가종합경제개발계획, 국가하천, 국유림, 국토종합개발계획, 지정항만, 고속국도·일반국도, 국립공원 등 전국적 규모나 이와 비슷한 규모의 사무
> 5. 근로기준, 측량단위 등 전국적으로 기준을 통일하고 조정하여야 할 필요가 있는 사무
> 6. 우편, 철도 등 전국적 규모나 이와 비슷한 규모의 사무
> 7. 고도의 기술이 필요한 검사·시험·연구, 항공관리, 기상행정, 원자력개발 등 지방자치단체의 기술과 재정능력으로 감당하기 어려운 사무

답 ⑤

67 ☐☐☐
2014년 국가직 9급

우리나라의 중앙정부와 지방자치단체 간의 관계에 대한 설명으로 옳지 않은 것은?

① 보충성의 원칙에 따라 중앙정부가 처리하기 곤란한 사무는 지방자치단체가 보충적으로 처리해야 한다.
② 자치권은 법적 실체 간의 권한배분 관계에서 배태된 개념으로 중앙정부가 분권화시킨 결과이다.
③ 적절한 재원 조치 없는 사무의 지방이양은 자치권을 오히려 제약하는 문제를 야기한다.
④ 사무처리에 필요한 법규를 자율적으로 제정할 수 있는 자치입법권에 대해 제약적인 규정을 두고 있다.

68 ☐☐☐
2022년 군무원 7급

다음 중 도시 공공서비스의 공급 체계에 대한 설명으로 가장 옳지 않은 것은?

① 중앙 또는 지방정부가 직접 공급하는 서비스는 중앙정부가 해야 할 사무는 「정부조직법」에서 지방정부의 사무는 「지방자치법」에서 규정하고 있으며, 각 정부 간의 업무가 명확히 확정되어 있다.
② 행정사무를 민간에게 완전히 이양하지 않고 행정기관이 그에 관한 권한을 보유하고 있으면서 해당 민간업체로 하여금 자신의 명의와 책임하에 그 행정사무를 처리하게 하는 민간부분과의 계약을 통해 도시 공공서비스를 공급하기도 한다.
③ 도시의 경제개발 과정에서 지방자치단체와 민간기업이 서로 합의하여 공통의 목적을 설정하고 협력하는 관민파트너십을 통해 공공서비스를 공급하기도 한다.
④ 도시행정에서 시민들에 대한 공공서비스의 공급은 전통적으로 중앙정부나 지방정부에 의해 직접 공급되는 것이 일반적이다.

---

67 중앙정부와 지방자치단체 간의 관계   난이도 ●○○

보충성의 원리란 지방자치단체가 일차적으로 사무를 처리하고, 지방정부가 처리하기 곤란한 사무는 중앙정부가 처리하는 원칙을 말한다. 우리나라는 이 원칙을 「지방자치분권 및 지방행정체제 개편에 관한 특별법」 제9조(사무배분의 원칙)에 천명하고 있다.

선지분석
나머지 지문은 대륙계 단체자치의 특성과 연관된 지문들로, 우리나라 지방자치의 특성이나 문제점에 해당한다.
② 자치권은 고유권으로 보지 않고 중앙정부가 법적으로 분권화시킨 결과물로 본다(전래권설).
③ 적절한 재원조치 없는 사무의 지방이양은 기능분담과 재원배분이 일치하지 않아 자치권을 오히려 제약하는 문제를 야기하고 있다.
④ 조례나 규칙 제정 시 상위법령의 제약이 많다.

답 ①

68 도시 공공서비스의 공급 체계   난이도 ●●●

「정부조직법」에는 중앙정부의 사무를 규정하고 있지 않다. 중앙정부와 지방정부의 사무 구분은 「지방자치법」에 규정되어 있다. 지방자치단체의 사무 범위는 「지방자치법」 제13조에, 국가사무는 제15조에 각각 규정되어 있으나, '법률에 이와 다른 규정이 있으면 그러하지 아니하다'는 단서규정이 있어 사무구분이 명확하지 않다.

선지분석
② 계약에 의한 민간위탁방식을 옳게 설명하고 있다.
③ 민관합동공급방식을 옳게 설명하고 있다.
④ 직접공급방식에 대한 설명으로 옳은 지문이다.

답 ①

69　　　2017년 사회복지직 9급

지방자치단체의 사무에 관한 설명 중 가장 옳지 않은 것은?

① 기관위임사무에 소요되는 비용은 원칙적으로 자치단체와 위임기관이 공동으로 부담한다.
② 지방의회는 단체위임사무에 대해 조사·감사를 시행한다.
③ 예방접종에 관한 사무는 통상 자치단체에 위임된 사무로 본다.
④ 자치사무에 대한 국가의 감독에서 적극적 감독, 즉 예방적 감독과 합목적성의 감독은 배제되는 것이 원칙이다.

70　　　2020년 국가직 9급

단체위임사무와 기관위임사무에 대한 설명으로 옳지 않은 것은?

① 지방의회는 기관위임사무에 대해 조례제정권을 행사할 수 없다.
② 보건소의 운영업무와 병역자원의 관리업무는 대표적인 기관위임사무이다.
③ 중앙정부는 단체위임사무에 대해 사전적 통제보다 사후적 통제를 주로 한다.
④ 기관위임사무의 처리를 위한 비용은 국가가 부담한다.

69　지방자치단체의 사무　　난이도 ●○○

기관위임사무에 소요되는 비용은 원칙적으로 위임기관이 부담한다. 위임기관과 지방자치단체가 공동부담하는 것은 단체위임사무이다.

선지분석
② 의결기관인 지방의회는 자치사무와 단체위임사무에 관여할 수 있고, 기관위임사무에는 관여할 수 없다.
③ 지방자치단체에 위임된 단체위임사무에는 보건과 재해업무가 대표적이다. 예방접종은 보건업무이다.
④ 중앙정부는 지방정부의 자치사무에 대해서는 사후적으로 법령을 위반한 것만 통제할 수 있다.

지방자치단체 사무의 유형

구분	자치사무 (고유사무)	단체위임사무	기관위임사무
의의	주민의 복리증진과 자치단체 존립과 관련된 본래적 사무	국가나 타지방자치단체가 지방자치단체에게 개별 법령에 의해 위임한 사무	국가나 상급지방정부가 지방자치단체장 또는 집행기관에게 위임한 사무
사무 성질	지방적 이해를 갖는 사무	지방+국가적 이해관계(개별적인 법적 근거 필요)	국가적 이해관계 (상급기관에서 하급기관으로)
경비 부담	• 지방자치단체가 부담 • 국가보조 가능 (장려적 보조금)	일부 국가가 부담(부담금)	전액 국가가 보조(교부금)
배상 책임	지방책임	국가와 지방 공동책임	국가책임
지방의회의 관여	가능	가능	원칙적으로 불가능

답 ①

70　단체위임사무와 기관위임사무　　난이도 ●●○

병역자원의 관리 업무는 대표적인 기관위임사무이고, 감염병 예방 등 보건업무는 대표적인 단체위임사무이다.

선지분석
① 기관위임사무는 집행기관에 위임한 사무이므로 의결기관인 지방의회가 원칙적으로 관여할 수 없으며, 조례로도 제정할 수 없다.
③ 단체위임사무는 중앙정부가 사후통제(합법적 감독, 합목적적 감독)를 주로 한다.
④ 기관위임사무는 국가적 이해관계가 크므로 처리를 위한 비용은 원칙적으로 국가가 부담한다.

답 ②

71

2022년 군무원 7급

다음 중 기관위임사무에 대한 설명으로 가장 옳지 않은 것은?

① 원칙적으로 국가가 경비를 전액 부담한다.
② 지방자치단체의 장은 국가기관적 지위를 갖는다.
③ 지방의회는 사업수행에 필요한 경비부담에 한해 관여한다.
④ 원칙적으로 중앙정부의 소송이 허용된다.

72

2023년 지방직 9급

지방정부의 사무에 대한 설명으로 옳지 않은 것은?

① 기관위임사무의 처리에 드는 경비는 중앙정부와 지방정부가 공동 부담하는 것이 원칙이다.
② 단체위임사무는 집행기관장이 아닌 지방정부 그 자체에 위임된 사무이다.
③ 지방의회는 단체위임사무의 처리 과정에 관한 조례를 제정할 수 있다.
④ 중앙정부는 자치사무에 대해 합법성 위주의 통제를 주로 한다.

---

71 기관위임사무   난이도 ●●●

기관위임사무는 국가가 자치단체의 장에게 위임한 사무로 주로 국가적 이해관계가 있는 사무이지만, 중앙정부가 자치단체의 장을 상대로 소송을 제기할 수는 없다고 보는 것이 일반적이다.

(선지분석)
① 원칙적으로 국가가 전액경비를 부담한다.
② 기관위임사무를 위임받은 자치단체의 장은 국가의 일선기관의 지위를 갖는다.
③ 지방의회는 기관위임사무에 대하여 관여할 수 없는 것이 원칙이다. 다만 사업수행에 필요한 경비를 부담하였다면, 그 부분에 한하여 의견청취나 감사 등 제한적으로 관여할 수 있다고 보는 것이 일반적인 의견이다.

답 ④

72 지방정부의 사무   난이도 ●●○

기관위임사무는 국가의 사무를 자치단체의 집행기관장에게 위임한 사무이므로 중앙정부가 경비를 단독으로 부담하는 것이 원칙이다.

(선지분석)
② 단체위임사무는 지방정부인 지방자치단체에 위임된 사무이다.
③ 단체위임사무는 지방의회가 관여할 수 있고 조례로도 정할 수 있다.
④ 중앙정부는 지방정부의 자치사무에 대해서는 사후적으로 합법성 통제를 한다.

답 ①

73 2023년 국가직 7급

정부 간 관계와 지방자치권에 대한 설명으로 옳지 않은 것은?

① 라이트(Wright)는 미국의 연방정부, 주정부, 지방정부 간 관계에 주목하면서 중앙·지방정부 간 관계를 3가지 형태로 구분하였다.
② 엘코크(Elcock)가 제시한 대리인모형은 지방정부의 자율성이 제약되는 상황을 특징으로 한다.
③ 우리나라 지방자치단체의 자치조직권은 「지방자치법」의 위임에 따라 제정된 대통령령의 제약을 받는다.
④ 우리나라 지방자치단체의 단체위임사무는 의결기관인 지방의회가 그 사무의 처리에 관여할 수 없다.

74 2024년 군무원 7급

다음 중 우리나라 지방자치단체의 사무에 대한 설명으로 가장 적절하지 않은 것은?

① 지방자치단체의 사무는 자치사무와 위임사무로 구분된다.
② 지방의회는 지방자치단체의 자치사무에 대해 행정사무 감사 및 조사를 실시할 수 있다.
③ 지방자치단체나 그 장이 위임받아 처리하는 국가사무에 대하여 주무부장관의 지도·감독을 받는다.
④ 지방자치단체의 자치사무에 대하여는 행정안전부장관이 그 회계를 감사할 수 없다.

---

73 정부 간 관계와 지방자치권 난이도 ●●○

단체위임사무는 국가적 이해관계와 지방적 이해관계가 있는 사무이므로 지방의회가 그 사무의 처리에 관여할 수 있다.

선지분석
② 엘코크(Elcock)의 대리인모형은 지방정부는 중앙정부의 단순한 대리자에 불과하다고 인식하는 모형이다.
③ 지방자치단체의 자치조직권은 「지방자치법」 제125조에 규정되어 있다.

> **제125조 【행정기구와 공무원】** ① 지방자치단체는 그 사무를 분장하기 위하여 필요한 행정기구와 지방공무원을 둔다.
> ② 제1항에 따른 행정기구의 설치와 지방공무원의 정원은 인건비 등 대통령령으로 정하는 기준에 따라 그 지방자치단체의 조례로 정한다.

답 ④

74 지방자치단체의 사무 난이도 ●●○

행정안전부장관이나 시·도지사는 지방자치단체의 자치사무에 관하여 보고를 받거나 서류·장부 또는 회계를 감사할 수 있다. 이 경우 감사는 법령 위반사항에 대해서만 한다.

선지분석
① 지방자치단체의 사무는 자치사무와 위임사무로 구분된다.
② 지방의회는 매년 1회 그 지방자치단체의 사무에 대하여 시·도에서는 14일의 범위에서, 시·군 및 자치구에서는 9일의 범위에서 감사를 실시하고, 지방자치단체의 사무 중 특정 사안에 관하여 본회의 의결로 본회의나 위원회에서 조사하게 할 수 있다.
③ 지방자치단체나 그 장이 위임받아 처리하는 국가사무에 관하여 시·도에서는 주무부장관, 시·군 및 자치구에서는 1차로 시·도지사, 2차로 주무부장관의 지도·감독을 받는다.

답 ④

75 ⬜⬜⬜
2022년 군무원 7급

우리나라 현행 「지방자치법」 제11조에서 정하고 있는 사무배분의 원칙에 대한 설명으로 가장 옳지 않은 것은?

① 국가는 지방자치단체가 사무를 종합적·자율적으로 수행할 수 있도록 국가와 지방자치단체 간 또는 지방자치단체 상호 간의 사무를 주민의 편익증진, 집행의 효과 등을 고려하여 서로 중복되지 아니하도록 배분하여야 한다.

② 국가는 지역주민생활과 밀접한 관련이 있는 사무는 원칙적으로 시·군 및 자치구의 사무로, 시·군 및 자치구가 처리하기 어려운 사무는 시·도의 사무로, 시·도가 처리하기 어려운 사무는 국가의 사무로 각각 배분하여야 한다.

③ 국가가 지방자치단체는 지방자치단체가 그 사무를 자기의 책임하에 종합적으로 처리할 수 있도록 관련 사무를 포괄적으로 배분하여야 한다.

④ 국가 및 지방자치단체는 민간부문의 자율성을 존중하여 국가 또는 지방자치단체의 관여를 최소화하여야 하며, 민간의 행정참여기회를 확대하여야 한다.

76 ⬜⬜⬜
2021년 지방직 9급

자치경찰제도에 대한 설명으로 옳지 않은 것은?

① 지역 실정에 맞는 치안 행정을 펼칠 수 있다.
② 경찰업무의 통일성과 효율성을 높일 수 있다.
③ 제주자치경찰단은 주민의 생활안전 활동에 관한 사무를 수행한다.
④ 자치경찰 사무를 관장하기 위하여 광역자치단체에 시·도자치경찰위원회를 둔다.

---

75 사무배분의 원칙   난이도 ●●●

민간참여 확대의 원칙으로, 「지방자치법」이 아니라 「지방자치분권 및 지방행정체제 개편에 관한 특별법」 제9조에 규정된 사무배분의 원칙이다.

> 「지방자치법」 제11조 【사무배분의 기본원칙】 ① 국가는 지방자치단체가 사무를 종합적·자율적으로 수행할 수 있도록 국가와 지방자치단체 간 또는 지방자치단체 상호 간의 사무를 주민의 편익증진, 집행의 효과 등을 고려하여 서로 중복되지 아니하도록 배분하여야 한다.
> ② 국가는 제1항에 따라 사무를 배분하는 경우 지역주민생활과 밀접한 관련이 있는 사무는 원칙적으로 시·군 및 자치구의 사무로, 시·군 및 자치구가 처리하기 어려운 사무는 시·도의 사무로, 시·도가 처리하기 어려운 사무는 국가의 사무로 각각 배분하여야 한다.
> ③ 국가가 지방자치단체에 사무를 배분하거나 지방자치단체가 사무를 다른 지방자치단체에 재배분할 때에는 사무를 배분받거나 재배분받는 지방자치단체가 그 사무를 자기의 책임하에 종합적으로 처리할 수 있도록 관련 사무를 포괄적으로 배분하여야 한다.

답 ④

---

76 자치경찰제도   난이도 ●○○

자치경찰제도는 국가경찰과 비교할 때 경찰행정의 통일성이나 효율성이 저하된다.

선지분석
① 자치경찰은 지역 중심으로 운영되므로 지역 실정에 맞는 경찰행정을 펼칠 수 있다.
③ 제주자치경찰단은 주민의 생활안전 등 민생치안 업무를 담당한다.
④ 자치경찰사무를 관장하기 위하여 광역자치단체별로 시·도 자치경찰위원회를 설치하였다.

답 ②

77　　2014년 국가직 9급

우리나라 지방자치단체의 사무 구분에 대한 설명으로 옳은 것은?

① 자치사무와 단체위임사무는 자치단체가 전액 경비를 부담하며, 기관위임사무는 원칙적으로 자치단체와 위임기관이 공동으로 부담한다.
② 단체위임사무는 법령에 의해 하급 자치단체장에게 위임된 사무이며, 기관위임사무는 법령에 의해 국가 또는 다른 자치단체로부터 위임된 사무이다.
③ 자치사무와 단체위임사무의 처리를 위해 자치단체는 조례를 제정하는 것이 가능한데, 기관위임사무는 원칙적으로 조례제정 대상이 아니다.
④ 자치사무는 지방의회의 관여(의결, 사무감사 및 사무조사) 대상이지만, 단체위임사무와 기관위임사무는 관여 대상이 아니다.

78　　2018년 국가직 9급

「지방자치법」상 지방의회에 대한 내용으로 옳지 않은 것은?

① 지방의회는 조례로 정하는 바에 따라 위원회를 둘 수 있으며, 위원회의 종류는 상임위원회와 특별위원회로 한다.
② 지방의회는 그 의결로 소속의원의 사직을 허가할 수 있다. 다만, 폐회 중에는 의장이 허가할 수 있다.
③ 의장은 의결에서 표결권을 가지지 못하며, 찬성과 반대가 같으면 부결된 것으로 본다.
④ 지방의회에서 부결된 의안은 같은 회기 중에 다시 발의하거나 제출할 수 없다.

| 77 | 지방자치단체의 사무 구분 | 난이도 ●●○ |

기관위임사무는 집행기관에게 위임된 사무이므로, 의결기관인 지방의회는 관여할 수 없는 것이 원칙이다.

(선지분석)
① 기관위임사무는 국가가 전액 경비를 부담하지만, 자치사무는 자치단체가 전액, 단체위임사무는 자치단체와 국가가 공동으로 부담하는 것이 원칙이다.
② 기관위임사무는 직권으로 하급자치단체의 장에게 위임된 사무이며, 단체위임사무는 법령에 의하여 국가 또는 다른 자치단체로부터 위임된 사무이다.
④ 자치사무와 단체위임사무는 지방의회의 관여 대상이지만 기관위임사무는 국가사무이므로 관여 대상이 아니다.

답 ③

| 78 | 지방의회 | 난이도 ●●○ |

지방의회 의장은 의결에서 표결권을 가지며, 가부동수의 경우에는 부결된 것으로 본다.

> 「지방자치법」제64조 【위원회의 설치】 ① 지방의회는 조례로 정하는 바에 따라 위원회를 둘 수 있다.
> ② 위원회의 종류는 다음 각 호와 같다.
> 1. 소관 의안(議案)과 청원 등을 심사·처리하는 상임위원회
> 2. 특정한 안건을 심사·처리하는 특별위원회
> ③ 위원회의 위원은 본회의에서 선임한다.
> 제89조 【의원의 사직】 지방의회는 그 의결로 소속 지방의회의원의 사직을 허가할 수 있다. 다만, 폐회 중에는 지방의회의 의장이 허가할 수 있다.
> 제80조 【일사부재의의 원칙】 지방의회에서 부결된 의안은 같은 회기 중에 다시 발의하거나 제출할 수 없다.

답 ③

79

2013년 지방직 9급

다음 중 「지방자치법」상 지방의회의 의결사항으로 옳은 것만을 모두 고른 것은?

> ㄱ. 예산의 심의·확정
> ㄴ. 법령에 규정된 수수료의 부과 및 징수
> ㄷ. 외국 지방자치단체와의 교류협력에 관한 사항

① ㄱ, ㄴ
② ㄱ, ㄷ
③ ㄱ, ㄴ, ㄷ
④ ㄴ, ㄷ

80

2018년 국회직 8급

다음 중 「지방자치법」상 지방의회의 의결사항에 해당하지 않는 것은?

① 조례의 제정·개정 및 폐지
② 재의요구권
③ 기금의 설치·운용
④ 대통령령으로 정하는 중요 재산의 취득·처분
⑤ 청원의 수리와 처리

79	지방의회의 의결사항	난이도 ●●○

ㄱ, ㄷ. 「지방자치법」상 의결사항에 해당한다.

선지분석

ㄴ. 법령에 규정된 것은 법령에 의하여 부과 및 징수가 이루어지며, 법령에 규정된 것을 제외한 것은 지방의회의 의결에 의한다.

📄 지방의회의 권한(기능) - 의결권

「지방자치법」 제47조는 '지방의회는 다음 사항을 의결한다'고 규정하여, 이에 열거된 사항은 반드시 의결하여야 하는 제한적 열거주의를 채택하고 있다.
㉠ 조례의 제정 및 개폐
㉡ 예산의 심의·확정(시·도는 회계연도 개시 15일 전까지, 시·군 및 자치구에서는 10일 전까지 예산을 확정한다. 반면, 국회는 회계연도 개시 30일 전까지이다), 결산의 승인
㉢ 법령에 규정된 것을 제외한 사용료·수수료·분담금·지방세 또는 가입금의 부과와 징수
㉣ 기금의 설치·운용
㉤ 대통령령으로 정하는 중요 재산의 취득·처분 및 공공시설의 설치·처분
㉥ 법령과 조례에 규정된 것을 제외한 예산 외 의무 부담이나 권리의 포기
㉦ 청원의 수리와 처리
㉧ 외국 지방자치단체와의 교류협력에 관한 사항
㉨ 기타 법령에 의하여 그 권한에 속하는 사항 등

답 ②

80	지방의회의 의결사항	난이도 ●●○

「지방자치법」상 재의요구권은 지방의회의 의결사항에 해당하지 않는다. 재의요구권은 자치단체장의 권한에 속하는 사항으로, 단체장이 위법·부당한 지방의회의 의결사항에 재의를 요구하는 것이다.

답 ②

81

2015년 국가직 9급

기관위임사무에 대한 설명으로 옳지 않은 것은?

① 법령에 의하여 국가 또는 상급지방자치단체로부터 지방자치단체의 장에게 위임된 사무를 말한다.
② 국가와 지방자치단체 사이의 행정적 책임의 소재를 명확하게 해준다.
③ 지방자치단체를 국가의 하급기관으로 전락시키는 요인으로 작용할 수 있다.
④ 전국적으로 획일적인 행정을 강조함으로써 지방적 특수성이 희생되기도 한다.

82

2016년 국가직 7급

우리나라 지방자치제도에 대한 설명으로 옳지 않은 것은?

① 자치사무(고유사무)와 달리 법령에 의하여 지방자치단체에 속하는 사무(단체위임사무)에 관해서는 조례로 규정할 수 없다.
② 합의제 행정기관의 설치·운영에 관하여 필요한 사항은 대통령령 또는 조례로 정한다.
③ 지방자치단체는 공공시설을 부정 사용한 자에 대하여 과태료를 부과하는 규정을 조례로 정할 수 있다.
④ 지방자치단체는 공공시설을 관계 지방자치단체의 동의를 얻어 그 지방자치단체의 구역 밖에 설치할 수 있다.

81　기관위임사무　　난이도 ●●○

기관위임사무는 국가사무로서, 지방자치단체와는 아무 관계가 없으면서(지방적 이해관계가 없) 국가를 대신하여 처리하는 국가사무이므로, 책임 소재를 불명확하게 한다는 단점이 있다.

📄 기관위임사무

의의	국가나 상급지방정부가 지방자치단체장 또는 집행기관에게 위임한 사무
예	직업면허, 근로기준 설정
사무성질	국가적 이해관계(상급기관에서 하급기관으로)
경비부담	전액 국가가 보조(교부금)
배상책임	국가 책임
지방의회의 관여	원칙적으로 불가능
중앙정부의 감독과 통제의 범위	사전(예방), 사후(교정) 통제 모두 가능

답 ②

82　지방자치제도　　난이도 ●○○

단체위임사무는 위임된 사무이지만, 해당 자치단체 자체에 위임된 사무이기 때문에 해당 자치의회가 그 사무의 처리에 참여하며, 조례제정권을 가진다.

> 「지방자치법」 제129조 【합의제 행정기관】 ① 지방자치단체는 그 소관 사무의 일부를 독립하여 수행할 필요가 있으면 법령이나 그 지방자치단체의 조례로 정하는 바에 따라 합의제 행정기관을 설치할 수 있다.
> ② 제1항의 합의제 행정기관의 설치·운영에 관하여 필요한 사항은 대통령령이나 그 지방자치단체의 조례로 정한다.
> 제156조 【사용료의 징수 조례 등】 ② 사기나 그 밖의 부정한 방법으로 사용료·수수료 또는 분담금의 징수를 면한 자에게는 그 징수를 면한 금액의 5배 이내의 과태료를, 공공시설을 부정 사용한 자에게는 50만 원 이하의 과태료를 부과하는 규정을 조례로 정할 수 있다.
> 제161조 【공공시설】 ③ 제1항의 공공시설은 관계 지방자치단체의 동의를 받아 그 지방자치단체의 구역 밖에 설치할 수 있다.

답 ①

83　□□□
2022년 국가직 7급

「지방자치법」상 지방자치단체 종류별 사무배분의 기준에 대한 설명으로 옳지 않은 것은?

① 인구 30만 이상의 시에 대해서는 도가 처리하는 사무의 일부를 직접 처리하게 할 수 있다.
② 시·군 및 자치구가 독자적으로 처리하기 어려운 사무는 시·도의 사무이다.
③ 지방자치단체의 구역, 조직, 행정관리 등은 시·도와 시·군 및 자치구에 공통된 사무이다.
④ 국가와 시·군 및 자치구 사이의 연락·조정 등의 사무는 시·도의 사무이다.

| 83 | 사무배분의 기준 | 난이도 ●●○ |

인구 30만이 아닌 50만 이상이다(「지방자치법」 제14조 제1항).

(선지분석)
②, ④ 「지방자치법」 제14조 제1항에 규정되어 있다.
③ 지방자치단체의 구역, 조직, 행정관리 등은 지방자치단체의 사무범위에 속한다(「지방자치법」 제13조 제2항 및 제14조).

답 ①

CHAPTER 2 정부 간 관계 및 지방재정

KEYWORD 099 정부 간 관계와 광역행정

01 □□□
2016년 서울시 9급

자치단체 상호 간의 적극적 협력을 제고하기 위한 제도적, 비제도적 방식에 해당하지 않는 것은?

① 자치단체조합
② 전략적 협력
③ 분쟁조정위원회
④ 사무위탁

---

01 자치단체 상호 간의 협력 난이도 ●●○

분쟁조정위원회는 적극적으로 협력을 제고하는 것이 아니라, 소극적으로 지방과 지방 간의 분쟁이 발생하였을 때 이를 조정하기 위한 기구이다.

선지분석
①, ④ 자치단체조합, 사무위탁을 비롯한 행정협의회, 협의체는「지방자치법」에 제도적으로 규정되어 있는 적극적 협력방식이다.
② 전략적 협력은 비제도적 방식의 적극적 협력방식이다.

「지방자치법」상 4가지 광역행정방식

행정협의회	지방자치단체는 2개 이상의 지방자치단체에 관련된 사무의 일부를 공동으로 처리하기 위하여 관계 지방자치단체 간의 행정협의회를 구성할 수 있음
지방자치단체조합	2개 이상의 지방자치단체가 사무의 일부나 둘 이상의 사무를 공동으로 처리하기 위해 합의에 의해 규약을 정하고 설치하는 법인체, 즉 법인격을 지닌 공공기관을 말함
자치단체장 등의 협의체	자치단체장 또는 지방의회 의장은 상호 간의 교류와 협력을 증진하고 공동의 문제를 협의하기 위하여 시·도지사, 시·도의회의 의장, 시장·군수·자치구의 구청장, 시·군·자치구의회의 의장으로 각각 전국적 협의체를 설립할 수 있으며, 전국적 협의체가 모두 참가하는 지방자치단체 연합체를 설립할 수 있음
사무위탁	지방자치단체나 그 장은 소관사무의 일부를 다른 지방자치단체나 그 장에게 위탁하여 처리하게 할 수 있음

답 ③

02 □□□
2020년 국회직 8급

우리나라 지방자치단체 상호 간의 관계에 대한 설명으로 옳지 않은 것은?

① 지방자치단체나 그 장은 소관 사무의 일부를 다른 지방자치단체나 그 장에게 위임하여 처리하게 할 수 있다.
② 2개 이상의 지방자치단체에 관련된 사무의 일부를 공동으로 처리하기 위하여 행정협의회를 구성할 수 있다.
③ 지방자치단체장 상호 간의 교류와 협력을 위하여 전국적 협의체를 설립할 수 있다.
④ 중앙행정기관장과 지방자치단체장이 사무를 처리함에 있어서 의견을 달리하는 경우 이를 협의·조정하기 위하여 국무총리 소속으로 행정협의조정위원회를 둔다.
⑤ 지방자치단체 조합의 사무 처리의 효과는 지방자치단체가 아닌 지방자치단체 조합에 귀속된다.

---

02 지방자치단체 상호 간의 관계 난이도 ●●●

위임은 하급기관이나 소속기관에 하향적으로 일의 책임을 맡기는 것이고, 위탁은 동일수준의 행정기관, 자치단체 또는 민간단체에 수평적으로 위임하는 것이다. 그러므로 지방자치단체나 그 장은 소관 사무의 일부를 다른 지방자치단체나 그 장에게 위탁하여 처리하게 할 수 있다.

선지분석
② 공동처리방식인 행정협의회의 구성에 대한 옳은 설명이다.
③ 전국적 협의체 설립에 대한 옳은 설명이다.
④ 중앙과 지방 간 분쟁조정절차와 기구에 대한 옳은 설명이다.
⑤ 지방자치단체조합은 법인격을 가지므로, 조합의 사무처리효과는 당해 조합에 귀속된다.

답 ①

03　　　　　　　　　　　　　　　　　2020년 지방직 7급

「지방자치법」상 지방자치단체조합에 대한 설명으로 옳지 않은 것은?

① 2개 이상의 지방자치단체가 하나 또는 둘 이상의 사무를 공동으로 처리할 필요가 있을 때에 소정의 절차를 거쳐 설립할 수 있는 법인이다.
② 설립뿐 아니라 규약변경이나 해산의 경우에도 지방의회의 의결을 거쳐야 한다.
③ 해산한 경우에 그 재산의 처분은 행정안전부장관의 승인을 받아야 한다.
④ 구성원인 시·군 및 자치구가 2개 이상의 시·도에 걸치는 지방자치단체조합은 행정안전부장관의 지도·감독을 받는다.

04　　　　　　　　　　　　　　　　　2015년 서울시 7급

중앙정부와 지방정부 간 갈등관계에 대한 설명으로 가장 옳지 않은 것은?

① 중앙정부와 지방정부 간 공식적인 갈등조정기구는 대통령 소속의 행정협의조정위원회이다.
② 중앙정부와 지방정부 간 국책사업 갈등에는 지역주민이 갈등의 당사자로 참여하는 경우가 있다.
③ 중앙정부와 지방정부는 사무권한과 관련한 갈등의 경우 헌법재판소에 권한쟁의심판을 청구할 수 있다.
④ 취득세 감면조치는 중앙정부와 지방정부의 갈등요인으로 작용할 수 있다.

03　지방자치단체조합　　　　　　　　　난이도 ●●●

「지방자치법」 제181조에 규정되어 있다.

> **「지방자치법」 제181조** ① 지방자치단체조합의 규약을 변경하거나 지방자치단체조합을 해산하려는 경우에는 지방의회의결과 행정안전부장관의 승인을 받아야 한다.
> ② 지방자치단체조합을 해산한 경우에 그 재산의 처분은 관계 지방자치단체의 협의에 따른다.

선지분석
① 지방자치단체조합은 '2개 이상의 지방자치단체가 사무의 일부나 둘 이상의 사무를 공동으로 처리하기 위해 합의에 의해 규약을 정하고 설치하는 법인체, 즉 법인격을 지닌 공공기관'을 말한다.
④ 조합의 구성원인 시·군 및 자치구가 2개 이상의 시·도에 걸치는 조합은 행정안전부장관의 승인을 얻어야 한다.

답 ③

04　중앙과 지방 간 갈등관계　　　　　　난이도 ●●○

「지방자치법」 제187조(중앙행정기관과 지방자치단체 간 협의조정) 제1항에 따라, 중앙정부와 지방정부 간 공식적인 갈등조정기구인 행정협의조정위원회는 대통령 소속이 아니라 국무총리 소속이다. 행정협의조정위원회는 위원장 1명을 포함하여 13명 이내의 위원으로 구성되며, 위원장은 위촉위원 중에서 국무총리가 위촉한다.

📄 분쟁조정제도

지방정부 간	동일 광역 내 기초단체 간 분쟁	지방분쟁조정위 의결에 따라 시·도지사가 조정·결정
	기타	중앙분쟁조정위 의결에 따라 행정안전부장관이 조정
중앙·지방 간		국무총리실 행정협의조정위가 조정·결정

답 ①

05

2015년 지방직 9급

우리나라의 중앙정부와 지방정부 간 관계에 대한 설명으로 옳지 않은 것은?

① 중앙정부와 지방정부 간의 인사교류 활성화는 소모적 갈등의 완화에 기여할 수 있다.
② 특별지방행정기관과 지방정부 간 기능이 유사·중복되어 갈등이 발생하기도 한다.
③ 중앙정부와 지방정부 간 재원 및 재정부담을 둘러싼 갈등이 심화되고 있다.
④ 중앙정부와 지방정부 간 갈등을 해결하기 위하여 설치된 행정협의조정위원회의 결정은 강제력을 지닌다.

06

2014년 서울시 9급

중앙행정기관의 장과 지방자치단체의 장이 사무를 처리할 때 의견을 달리하는 경우 이를 협의·조정하기 위하여 설치하는 기구는?

① 행정협의조정위원회
② 중앙분쟁조정위원회
③ 지방분쟁조정위원회
④ 행정협의회
⑤ 갈등조정협의회

---

05 중앙과 지방 간 관계   난이도 ●●○

지방정부 간 갈등을 해결하기 위하여 분쟁조정위원회의 의결을 거쳐 시·도지사나 행정안전부장관이 조정 결정을 하는 것은 강제력을 지닌다. 하지만 중앙정부와 지방정부 간 갈등을 해결하기 위하여 설치된 국무총리실의 행정협의조정위원회의 결정은 관계 중앙행정기관의 장과 지방자치단체의 장이 그 협의·조정 결정사항을 이행하여야 하나 강제력을 지니지 않는다. 왜냐하면 직무이행명령권이나 대집행권이 없어 실질적인 구속력은 없다고 평가되기 때문이다.

📋 **행정협의조정위원회의 구성**
㉠ 행정협의조정위원회는 위원장 1명을 포함하여 13명 이내의 위원으로 구성한다.
㉡ 행정협의조정위원회는 재적위원 과반수의 출석으로 개의하고, 출석위원 3분의 2 이상의 찬성으로 의결한다.

답 ④

06 중앙과 지방 간의 갈등조정기구   난이도 ●○○

중앙과 지방 간 협의·조정은 국무총리 소속의 행정협의조정위원회가 담당한다.

선지분석
② 중앙분쟁조정위원회는 광역단체 간, 광역단체와 기초단체 간 또는 시·도를 달리 하는 기초단체 간 분쟁조정을 위해 행정안전부장관하에 설치된 기구이다.
③ 지방분쟁조정위원회는 동일 시·도 내의 기초단체 간 분쟁조정을 위해 시·도지사하에 설치된 기구이다.
④ 행정협의회는 분쟁조정기구가 아니라 둘 이상의 자치단체에 관련된 사무의 일부를 공동으로 처리하기 위해 설치되는 광역행정기구이다.

답 ①

07
2023년 지방직 7급

「지방자치법」상 지방자치단체 상호 간 분쟁 발생 시 조정에 대한 설명으로 옳지 않은 것은?

① 지방자치단체 상호 간 사무를 처리할 때 의견이 달라 생긴 분쟁이 공익을 현저히 해쳐 조속한 조정이 필요하다고 인정되면 당사자의 신청이 없어도 행정안전부장관이나 시·도지사가 직권으로 조정할 수 있다.
② 행정안전부장관이나 시·도지사는 조정 결정 사항이 성실히 이행되지 아니할 경우 그 지방자치단체에 대하여 직무이행명령을 통해 이행하게 할 수 있다.
③ 지방분쟁조정위원회는 시·도에 설치하며 시·도와 시·군 및 자치구 간 또는 그 장 간의 분쟁을 심의·의결한다.
④ 중앙분쟁조정위원회는 행정안전부에 설치하며 시·도 간 또는 그 장 간의 분쟁을 심의·의결한다.

08
2013년 국회직 8급

광역행정의 방식에 대한 설명으로 옳지 않은 것은?

① 공동처리방식은 둘 이상의 지방자치단체가 상호 협력관계를 형성하여 광역적 행정사무를 공동으로 처리하는 방식이다.
② 연합방식은 둘 이상의 지방자치단체가 독립적인 법인격을 그대로 유지하면서 연합단체를 새로 창설하여 광역행정에 관한 사무를 그 연합단체가 처리하게 하는 방식이다.
③ 연합방식은 새로 창설된 연합단체가 기존 자치단체의 독립성을 존중하면서 스스로 사업의 주체가 된다는 점에서 공동처리방식과 구별된다.
④ 통합방식은 일정한 광역권 안에 여러 자치단체를 포괄하는 단일의 정부를 설립하여 그 정부의 주도로 광역사무를 처리하는 방식이다.
⑤ 통합방식은 각 자치단체의 개별적 특수성을 반영함으로써 지방분권화를 촉진하고 주민참여를 용이하게 하는 장점이 있어 발전도상국보다 선진 민주국가에서 많이 채택하고 있다.

---

07 지방자치단체 간 분쟁 발생 시 조정 난이도 ●●●

시·도와 시·군 및 자치구 간 또는 그 장 간의 분쟁은 중앙분쟁조정위원회에서 심의·의결한다. 동일 광역 내 기초 간의 분쟁만 지방분쟁조정위원회가 담당한다.

선지분석
① 지방자치단체 상호 간 분쟁이 발생하면 당사자 쌍방 또는 일방의 신청에 의하여 조정이 가능하지만, 분쟁이 공익을 현저히 저해하여 조속한 조정이 필요한 경우, 직권 조정도 가능하다.
② 조정결정사항이 성실히 이행되지 아니한 때에는 당해 지방자치단체에 대하여 직무상 이행명령과 대집행을 행할 수 있으며 실질적 구속력이 있다.
④ 중앙분쟁조정위원회는 행정안전부 소속으로서 시·도를 달리하는 기초단체 간, 광역과 기초단체 간, 광역과 광역단체 간 분쟁을 조정한다.

답 ③

08 광역행정의 방식 난이도 ●●○

통합방식은 기존의 자치단체가 독립된 법인격을 상실하는 것이므로, 자치단체의 개별적 특수성이 무시된 채 주민참여를 저해한다는 점에서 선진국보다 발전도상국에서 많이 사용한다.

선지분석
① 공동처리방식에서 '공동처리한다는 것'은 인접한 복수의 자치단체가 공동의 이익을 증진하기 위하여 서로 제휴·협력하여 공통의 사무나 사업을 수행함을 의미한다.
②, ③ 연합방식은 협의회형 공동처리방식의 약점을 보완하여, 새로운 단체(연합체)가 사업 주체가 되어 스스로 의결권·과세권·명령권·집행권 등을 가지고 사무를 처리한다는 데 그 특징이 있다.
④ 통합방식은 '일정한 광역권 내의 여러 자치단체를 통합하여 단일의 정부를 설립하는 방식'이다.

답 ⑤

09 2019년 지방직 9급

광역행정에 대한 설명으로 옳지 않은 것은?

① 기존의 행정구역을 초월해 더 넓은 지역을 대상으로 행정을 수행한다.
② 행정권과 주민의 생활권을 일치시켜 효율성을 촉진시킬 수 있다.
③ 규모의 경제를 확보하기 어렵다.
④ 지방자치단체 간에 균질한 행정서비스를 제공하는 계기로 작용해 왔다.

10 2013년 국가직 7급

「지방자치법」상 지방자치단체에 대한 국가의 지도·감독의 내용으로 옳지 않은 것은?

① 중앙행정기관의 장과 지방자치단체의 장이 사무를 처리할 때 의견을 달리하는 경우 이를 협의·조정하기 위하여 국무총리 소속으로 행정협의조정위원회를 둔다.
② 지방자치단체나 그 장이 위임받아 처리하는 국가사무에 관하여 시·도에서는 주무부장관의, 시·군 및 자치구에서는 1차로 시·도지사의, 2차로 주무부장관의 지도·감독을 받는다.
③ 행정안전부장관이나 시·도지사는 지방자치단체의 자치사무가 공익을 현저히 해친다고 판단되면 지방자치단체의 서류·장부 또는 회계를 감사할 수 있다.
④ 지방의회의 의결이 공익을 현저히 해친다고 판단되면 시·도에 대하여는 주무부장관이, 시·군 및 자치구에 대하여는 시·도지사가 재의를 요구하게 할 수 있다.

09	광역행정	난이도 ●○○

광역행정은 규모의 경제에 의한 비용절감효과가 있다.

선지분석
① 광역행정(regional administration)은 상호 인접한 몇 개의 지방자치단체가 기존의 행정구역을 넘어서 발생하는 공동의 행정수요에 대응하는 행정을 말한다.
② 광역행정은 교통·통신의 발달로 사회·경제권역이 확대되고 있으므로, 국민의 생활권역과 일치시킴으로써 행정의 효율성과 주민의 편의를 높일 필요성 때문에 등장하였다.
④ 지방자치단체 간의 행정·재정적 격차로 인하여 주민의 부담과 편익의 향유 사이에 불균형이 발생한다. 따라서 지역 간 균질화와 주민복지의 국민적 평준화를 위해 광역행정이 필요하다.

답 ③

10	지방자치단체에 대한 국가의 지도·감독	난이도 ●●○

자치사무에 대한 감사는 법령 위반사항에 대하여만 실시한다. 즉, 자치사무는 중앙정부의 감독과 통제의 범위가 사후적 위법성을 통제하는 데 그친다. 반면, 단체위임사무는 사후적으로 위법·부당도 통제하며, 기관위임사무는 사전(예방)·사후(교정) 통제 모두 가능하다.

선지분석
① 관계 중앙행정기관의 장과 지방자치단체의 장은 행정협의조정위원회의 협의·조정 결정사항을 이행하여야 한다. 하지만 대집행권 등이 규정되지 않아서 실질적인 구속력은 없다고 평가되고 있다.
④ 지방의회의 의결이 공익을 현저히 해친다고 판단되는 경우뿐만 아니라 법령에 위반되는 때에도 시·도에 대하여는 주무부장관이, 시·군 및 자치구에 대하여는 시·도지사가 재의를 요구하게 할 수 있다.

답 ③

11

2013년 국가직 7급

다음은 지방자치단체 상호 간 관계에 대한 설명이다. ㄱ~ㄹ에 들어갈 말을 순서대로 옳게 나열한 것은?

- 2개 이상의 지방자치단체가 하나 또는 둘 이상의 사무를 공동으로 처리할 필요가 있을 때에는 규약을 정하여 그 지방의회의 의결을 거쳐 시·도는 행정안전부장관의, 시·군 및 자치구는 시·도지사의 승인을 받아 (ㄱ)을/를 설립할 수 있다.
- 지방자치단체의 장이나 지방의회의 의장은 상호 간의 교류와 협력을 증진하고, 공동의 문제를 협의하기 위하여 전국적 (ㄴ)을/를 설립할 수 있다.
- 지방자치단체 상호 간이나 지방자치단체의 장 상호 간 사무를 처리할 때 의견이 달라 생긴 분쟁의 조정과 행정협의회에서 합의가 이루어지지 아니한 사항의 조정에 필요한 사항을 심의·의결하기 위하여 행정안전부에 (ㄷ)을/를 둔다.
- 지방자치단체는 2개 이상의 지방자치단체에 관련된 사무의 일부를 공동으로 처리하기 위하여 관계 지방자치단체 간의 (ㄹ)을/를 구성할 수 있다.

	ㄱ	ㄴ	ㄷ	ㄹ
①	행정협의회	지방자치단체장협의회	지방자치단체지방분쟁조정위원회	협의체
②	지방자치단체조합	행정협의회	지방자치단체지방분쟁조정위원회	협의체
③	행정협의회	협의체	지방자치단체중앙분쟁조정위원회	지방자치단체장협의회
④	지방자치단체조합	협의체	지방자치단체중앙분쟁조정위원회	행정협의회

| 11 | 지방자치단체 상호 간 관계 | 난이도 ●●○ |

ㄱ. 지방자치단체조합, ㄴ. 협의체, ㄷ. 지방자치단체 중앙분쟁조정위원회, ㄹ. 행정협의회에 대한 설명이다.

답 ④

12

2025년 국가직 7급

「지방자치법」상 행정협의회에 대한 설명으로 옳지 않은 것은?

① 2개 이상의 지방자치단체에 관련된 사무의 일부를 공동으로 처리하기 위하여 구성된다.
② 협의회의 규약에는 운영과 사무처리에 필요한 경비의 부담이나 지출방법이 포함되어야 한다.
③ 사무와 관계된 중앙행정기관의 장은 공익상 필요하면 관계 지방자치단체장에 대하여 협의회를 구성하도록 권고할 수 있다.
④ 협의회에서 합의가 이루어지지 아니한 사항에 대하여 관계 지방자치단체의 장이 조정을 요청하면 시·도 간의 협의사항에 대해서는 행정안전부장관이 조정할 수 있다.

| 12 | 「지방자치법」상 행정협의회 | 난이도 ●●● |

공익상 필요하면 관계 지방자치단체장에 대하여 협의회를 구성하도록 권고할 수 있는 사람은 행정안전부장관이나 시·도지사이다(「지방자치법」 제169조).

선지분석

① 행정협의회는 2개 이상의 지방자치단체에 관련된 사무의 일부를 공동으로 처리하기 위하여 구성한다.
② 협의회의 규약에는 명칭, 사무, 운영과 사무처리에 필요한 경비의 부담이나 지출방법이 포함되어야 한다.
④ 협의회에서 합의가 이루어지지 아니한 사항에 대하여 관계 지방자치단체의 장이 조정을 요청하면 시·도 간의 협의사항에 대해서는 행정안전부장관이 중앙분쟁조정위원회의 의결을 거쳐 조정할 수 있다.

답 ③

13　　　　　　　　　　　　　　　　　2019년 서울시 9급

지방자치의 이념과 사상적 계보에 대한 설명으로 가장 옳은 것은?

① 자치권의 인식에서 주민자치는 전래권으로, 단체자치는 고유권으로 본다.
② 주민자치는 지방분권의 이념을, 단체자치는 민주주의 이념을 강조한다.
③ 주민자치는 의결기관과 집행기관을 분리하여 대립시키는 기관분리형을 채택하는 반면, 단체자치는 의결기관이 집행기관도 되는 기관통합형을 채택한다.
④ 사무구분에서 주민자치는 자치사무와 위임사무를 구분하지 않지만, 단체자치는 이를 구분한다.

13	지방자치의 이념과 사상적 계보	난이도 ●●○

주민자치에서는 지방자치단체에 국가의 위임사무가 존재하지 않기 때문에 위임사무와 자치사무를 구분하지 않는다. 반면, 단체자치에서는 국가의 위임사무와 자치사무를 구분하여 처리한다.

선지분석
① 주민자치는 고유권, 단체자치는 전래권으로 자치권을 인식한다.
② 주민자치는 민주주의를, 단체자치는 지방분권을 강조한다.
③ 주민자치는 일반적으로 의결기관이 집행기관도 되는 기관통합형을 채택하고, 단체자치는 의결기관과 집행기관을 분리하여 대립시키는 기관분리형을 채택한다.

주민자치와 단체자치의 비교

구분	주민자치	단체자치
자치의 의미	정치적 의미(민주주의 사상)	법률적 의미(지방분권 사상)
자치권의 인식	자연법상의 천부권 권리 (고유권설 = 지방권설)	실정법상 국가에 의해 주어진 권리(전래설 = 국권설)
자치의 중점	지방자치단체와 주민과의 관계	지방자치단체와 국가와의 관계
자치의 범위	광범위	협소
권한배분 방식	개별적 지정주의	포괄적 위임주의
중앙통제 방식	입법적·사법적 통제	행정적 통제
지방정부의 형태	기관통합형 (의결기관 우월주의)	기관대립형 (집행기관 우월주의)
사무구분	자치사무와 국가위임사무 비구분(위임사무 부존재)	자치사무와 국가위임사무 구분
조세제도	독립세주의	부가세주의
중앙·지방 간 관계	기능적 협력관계	권력적 감독관계
위법행위 통제	사법재판소	행정재판소
자치단체 성격	단일적 성격(지방정부)	이중적 성격(자치단체인 동시에 국가의 하급기관)
주요 국가	영국, 미국 등	독일, 프랑스 등 대륙계 국가

답 ④

14　　　　　　　　　　　　　　　　　2013년 서울시 7급

라이트(D. S. Wright)의 정부 간 관계 모형에 대한 설명으로 옳은 것은?

① 대립형은 정책을 둘러싸고 정부 간 경쟁 관계를 유지한다.
② 포함형은 정부 간 관계의 이상적 모형으로 간주된다.
③ 포함형은 정치적 타협과 협상에 의한 정부 간 상호의존관계이다.
④ 중첩형은 지방정부가 중앙정부에 종속된 경우이다.
⑤ 분리형은 재정과 인사 등의 독립적 기능이 있다.

14	라이트(D. S. Wright)의 정부 간 관계모형	난이도 ●●○

라이트(D. S. Wright)는 정부 간 관계모형을 분리형, 포함형, 중첩형으로 분류하였다. 분리형은 재정과 인사 등의 독립적 기능을 가진다.

선지분석
① 라이트(Wright)의 분류에 대립형은 없다.
② 이상적 모형은 중첩형이다.
③ 상호의존은 중첩형이다.
④ 중앙정부에 종속된 경우는 포함형이다.

라이트(D. S. Wright)의 정부 간 관계모형

라이트(D. S. Wright)는 미국 연방제하의 정부 간 관계를 선임, 관계, 권위라는 세 가지 기준에 의해 정부 간 관계를 분리형, 포함형, 중첩형으로 분류하였다.

협조 권위형 (분리형)	• 연방정부와 주정부는 명확한 분리하에 상호독립적·완전자치적으로 운영되고, 지방정부는 주정부에 종속된 이원적 관계 • 연방정부와 주정부는 상호경쟁적 관계
포괄 권위형 (포함형)	• 연방정부가 주정부와 지방정부를 완전히 포괄하는 종속관계 • 강력한 계층제적 통제 • 게임이론
중첩 권위형 (중첩형)	• 연방정부와 주 및 지방정부가 각자 고유한 영역을 가지면서 동시에 동일한 관심과 책임 영역을 지니는 상호의존적 관계 • 정부 기능의 연방·주·지방정부에 의해 동시적 작용 • 자치권과 재량권의 제한적 분산 • 협상·교환관계(재정적 상호협조와 경쟁관계)

답 ⑤

15 ☐☐☐ 2023년 지방직 9급

라이트(Wright)의 정부간관계(Inter-Governmental Relations: IGR)모형에 대한 설명으로 옳지 않은 것은?

① 정부 간 상호권력관계와 기능적 상호의존관계를 기준으로 정부간관계(IGR)를 3가지 모델로 구분한다.
② 대등권위모형(조정권위모형, coordinate-authority model)은 연방정부, 주정부, 지방정부가 모두 동등한 권한을 가지고 있다고 설명한다.
③ 내포권위모형(inclusive-authority model)은 연방정부, 주정부, 지방정부를 수직적 포함관계로 본다.
④ 중첩권위모형(overlapping-authority model)은 연방정부, 주정부, 지방정부가 상호 독립적인 실체로 존재하며 협력적 관계라고 본다.

16 ☐☐☐ 2018년 국가직 7급

정부 간 관계에 대한 설명으로 옳은 것은?

① 미국 건국 초기에는 연방의 권한이 상대적으로 강했으며, 연방과 주의 권한을 명확히 구분하지 않았다.
② 딜런의 규칙(Dillon's rule)에 의하면 지방정부는 '주정부의 피조물'로서 명시적으로 위임된 사항 외에도 포괄적인 권한을 지닌다.
③ 영국의 경우 개별적으로 수권받은 사무에 대해서는 지방자치단체가 자치권을 보유하지만, 그 범위를 벗어나는 행위는 금지된다.
④ 일본의 경우 메이지유신 이래 강력한 중앙집권적 체제를 유지해 왔으며, 국가의 관여를 폐지하거나 축소시키는 등의 분권개혁은 이루어지지 못했다.

15	라이트(Wright)의 정부간관계모형	난이도 ●●●

대등권위모형(분리형)은 연방정부와 주정부는 명확한 분리하에 상호독립적·완전자치적으로 운영되고 지방정부는 주정부에 종속된 이원적 관계이다.

답 ②

16	정부 간 관계	난이도 ●●●

주민자치인 영국의 경우 중앙과 지방 간의 사무배분에 있어서 개별적 지정주의를 취하므로, 각 자치단체가 개별적으로 수권받은 사무에 대해서는 지방자치단체가 자치권을 보유하지만, 그 범위를 벗어나는 행위는 금지되며 중앙정부도 개별법으로 수권하지 아니한 사무는 위임할 수 없다.

선지분석
① 미국 건국 초기에는 연방정부의 규모도 작았고 권한도 상대적으로 제한되어 있었으며, 연방정부와 주정부는 각자의 기능을 독자적으로 수행하고 있었다.
② 딜런의 규칙(Dillon's rule)이 아니라 홈룰(Home-rule)의 법칙에 대한 설명이다.
④ 일본의 경우 메이지유신 이래 강력한 중앙집권적 체제를 유지해 왔으나, 1980년대 중반 호소카와 내각 이후 국가의 관여를 폐지하거나 축소시키는 등의 분권개혁을 추진해왔다.

답 ③

17　　　　　　　　　　　　　　　　2022년 군무원 9급

정부 간 관계모형에 대한 설명으로 가장 옳지 않은 것은?

① 라이트(D. S. Wright)는 미국의 연방, 주, 지방정부 간 관계에 주목하여 분리형, 중첩형, 포함형으로 구분했다.
② 그린피스(J. A. Griffith)는 영국의 중앙·지방 관계는 중세 귀족사회에서 지주와 그 지주의 명을 받아 토지와 소작권을 관리하는 마름(steward)의 관계에 가깝다고 하여 지주-마름모형을 제시했다.
③ 로데스(R. A. W Rhodes)는 집권화된 영국의 수직적인 중앙·지방 관계하에서도 상호의존현상이 나타남을 권력의 존모형으로 설명했다.
④ 무라마쓰(村松岐夫)는 일본의 중앙·지방 관계의 변화에 주목하여 수직적 행정통제모형과 수평적 정치경쟁모형을 제시했다.

18　　　　　　　　　　　　　　　　2011년 서울시 9급

광역행정의 방식으로서 일정한 광역권 안에 여러 자치단체를 포괄하는 단일의 정부를 설립하여 그 정부의 주도로 잡다한 광역사무를 처리하는 방식은 무엇인가?

① 연합방식
② 통합방식
③ 공동처리방식
④ 참여방식
⑤ 효용방식

17　　정부 간 관계모형　　　　　　난이도 ●●●

그린피스(J. A. Griffith)는 영국의 지방정부는 중앙정부와 대체로 대등하다고 주장한 학자이다. 지주-마름모형은 챈들러(Chandler)라는 학자의 모형이다.

📑 정부 간 관계모형

학자	모형		
라이트(D.Wright)	분리권위형	포괄권위형	중첩권위형
엘콕(Elcock)	동반자모형	대리자모형	교환모형
로즈(Rhodes)	동반자모형	대리인모형	전략적협상형
던사이어(Dunsire)	지방자치모델	하향식모델	정치체제모델
윌다브스키(Wildavsky)	갈등-합의모형	협조-강제모형	

답 ②

18　　통합방식　　　　　　　　　난이도 ●○○

광역행정의 방식으로서 일정한 광역권 안에 여러 자치단체를 포괄하는 단일의 정부를 설립하여, 그 정부의 주도로 잡다한 광역사무를 처리하는 방식은 통합방식에 해당한다. 통합방식은 개발도상국에서 많이 사용되는 방식으로, 각 지방정부의 개별적 특수성이 무시된 채 중앙집권화가 촉진되고 주민참여가 어려워질 수 있다. 유형으로는 크게 합병방식(Coalition), 흡수통합(권한 또는 지위의 흡수 방식), 전부사무조합이 있다.

(선지분석)

① 연합방식은 '둘 이상의 지방자치단체가 독립적인 법인격을 그대로 유지하면서 특별자치단체인 별도의 연합단체(광역행정기관)를 설치하여 일체의 광역행정 사무처리를 처리하도록 하는 방식'을 말한다.
③ 공동처리방식은 '둘 이상의 지방자치단체 또는 지방행정기관이 상호협력관계를 형성하여 광역적 행정사무를 공동으로 처리하는 방식'을 말한다.

답 ②

19 □□□ 2022년 국가직 9급

특별지방자치단체에 대한 설명으로 옳지 않은 것은?

① 2개 이상의 지방자치단체가 공동으로 특정한 목적을 위하여 광역적으로 사무를 처리할 필요가 있을 때에는 특별지방자치단체를 설치할 수 있다.
② 보통의 지방자치단체와 같이 법인격을 갖는다.
③ 특별지방자치단체의 의회는 규약으로 정하는 바에 따라 구성 지방자치단체의 의회의원으로 구성한다.
④ 구성 지방자치단체의 장은 「지방자치법」상 겸임 제한 규정에 의해 특별지방자치단체의 장을 겸할 수 없다.

20 □□□ 2025년 지방직 9급

「지방자치법」상 특별지방자치단체에 대한 설명으로 옳지 않은 것은?

① 특별지방자치단체는 법인으로 한다.
② 특별지방자치단체는 2개 이상의 지방자치단체가 공동으로 특정한 목적을 위하여 광역적으로 사무를 처리할 필요가 있을 때 설치할 수 있다.
③ 구성 지방자치단체의 지방의회의원은 특별지방자치단체의 의회 의원을 겸할 수 있다.
④ 특별지방자치단체를 구성하는 지방자치단체는 상호 협의에 따른 규약을 정하여 구성 지방자치단체의 지방의회 의결을 거쳐 기획재정부장관의 승인을 받아야 한다.

19	특별지방자치단체	난이도 ●●○

「지방자치법」제204조에 규정되어 있다.

> 「지방자치법」 제199조 【설치】 ① 2개 이상의 지방자치단체가 공동으로 특정한 목적을 위하여 광역적으로 사무를 처리할 필요가 있을 때에는 특별지방자치단체를 설치할 수 있다. 이 경우 특별지방자치단체를 구성하는 지방자치단체(이하 "구성 지방자치단체"라 한다)는 상호 협의에 따른 규약을 정하여 구성 지방자치단체의 지방의회 의결을 거쳐 행정안전부장관의 승인을 받아야 한다.
> 제204조 【의회의 조직 등】 ① 특별지방자치단체의 의회는 규약으로 정하는 바에 따라 구성 지방자치단체의 의회 의원으로 구성한다.
> ② 제1항의 지방의회의원은 제43조제1항에도 불구하고 특별지방자치단체의 의회 의원을 겸할 수 있다.
> ③ 특별지방자치단체의 의회가 의결하여야 할 안건 중 대통령령으로 정하는 중요한 사항에 대해서는 특별지방자치단체의 장에게 미리 통지하고, 특별지방자치단체의 장은 그 내용을 구성 지방자치단체의 장에게 통지하여야 한다. 그 의결의 결과에 대해서도 또한 같다.
> 「지방자치법 시행령」 126조 【특별지방자치단체 의회의 중요 의결사항】 법 제204조 제3항 전단에서 "대통령령으로 정하는 중요한 사항"이란 다음 각 호의 사항을 말한다.
> 1. 조례의 제정과 개정·폐지
> 2. 예산의 심의·확정
> 3. 결산의 승인
> 4. 그 밖에 특별지방자치단체의 운영에 관한 사항으로서 규약으로 정하는 중요한 사항
>   • 특별지방자치단체의회
>   • 특별지방자치단체장(집행기관)
>   * 특별자치단체장: 의회에서 선출(구성 단체장이 겸직가능)

답 ④

20	특별지방자치단체	난이도 ●●○

특별지방자치단체는 상호 협의에 따른 규약을 정하여 구성 지방자치단체의 지방의회 의결을 거쳐 행정안전부장관의 승인을 얻어 설립된다

(선지분석)
①, ② 「지방자치법」 제199조
③ 「지방자치법」 제204조 제2항

> 「지방자치법」 제204조 【의회의 조직 등】 ② 제1항의 지방의회의원은 제43조 제1항에도 불구하고 특별지방자치단체의 의회 의원을 겸할 수 있다.

답 ④

KEYWORD 100 지방재정

21
2015년 서울시 7급

재정수입의 측면에서 '지방세의 세원이 특정 지역에 편재되어 있지 않고 고루 분포되어 있어야 한다'라는 내용과 관련된 지방세의 원칙은?

① 세수안정의 원칙
② 책임분담의 원칙
③ 응익성의 원칙
④ 보편성의 원칙

22
2018년 국회직 9급

우리나라의 지방재정에 대한 설명으로 옳지 않은 것은?

① 지방자치단체의 세입재원 중 자주재원에는 지방세와 세외수입이 있고, 의존재원에는 국고보조금과 지방교부세 등이 있다.
② 지방자치단체 간의 재정적 불균형을 조정하는 지방교부세의 종류로는 보통교부세, 특별교부세, 부동산교부세 등이 있다.
③ 지방세 중 목적세로는 지방교육세와 지방소비세가 있다.
④ 지방재정조정제도의 종류에는 조정교부금과 국고보조금 등이 있다.
⑤ 중앙정부와 지방정부 사이의 수직적 재정조정 기능이 있다.

| 21 | 지방세의 원칙 | 난이도 ●○○ |

재정수입 측면에서 지방세의 세원이 특정 지역에 편재되어 있지 않고 고루 분포되어 있어야 한다는 것은 보편성의 원칙에 해당한다.

📄 지방세의 원칙

재정 수입 측면	• 충분성의 원칙: 지방자치를 위하여 충분한 금액이어야 함 • 보편성의 원칙: 세원이 지역 간에 균형적(보편적)으로 분포되어 있어야 함 • 안정성의 원칙: 경기변동에 관계 없이 세수가 안정적으로 확보되어야 함(재산세 등) • 신장성의 원칙: 늘어나는 행정수요에 대응하여 매년 지속적으로 세수가 확대되어야 함 • 신축성(탄력성)의 원칙: 자치단체의 특성에 따라 탄력적으로 운영되어야 함(탄력세율제도 등)
주민 부담 측면	• 부담분임의 원칙: 가급적 모든(많은) 주민이 경비를 나누어 분담해야 함(주민세 균등분 등) • 응익성(편익성)의 원칙: 주민이 향유한 이익(편익)의 크기에 비례하여 부담되어야 함 • 효율성의 원칙: 자원배분의 효율화에 기여해야 함 • 부담보편(평등성, 형평성)의 원칙: 주민에게 공평(동등)하게 부담되어야 함(조세감면의 최소화)
징세 행정 측면	• 자주성의 원칙: 중앙정부로부터 독자적인 과세주권이 확립되어야 함 • 편의 및 최소비용의 원칙: 징세가 용이하고 징세비가 절감되어야 함 • 국지성의 원칙: 과세 객체가 관할 구역 내에 국한되어 있어야 하며, 조세부담을 회피하기 위한 지역 간 이동이 없어야 함

답 ④

| 22 | 지방재정 | 난이도 ●●○ |

지방소비세는 보통세에 해당한다. 지방세 중 목적세는 지방교육세와 지역자원시설세이다.

선지분석
① 의존재원에는 국고보조금과 지방교부세, 조정교부금 등이 있다.
② 지방교부세의 종류로는 보통교부세, 특별교부세, 소방안전교부세, 부동산교부세 등이 있다.
④ 조정교부금은 상급자치단체에 의한 재정조정제도인 반면, 국고보조금은 국가에 의한 재정조정제도이다.

답 ③

23

2015년 서울시 9급

서울특별시가 자치구에 교부하는 조정교부금의 재원이 될 수 없는 것은?

① 지방소득세
② 담배소비세
③ 취득세
④ 지방교육세

24

2016년 지방직 7급

지방재정에 대한 설명으로 옳은 것은?

① 지방교부세의 기본 목적은 지방자치단체 간 재정격차를 줄임으로써 기초적인 행정서비스가 제공될 수 있도록 하는 데 있다.
② 세외수입은 연도별 신장률이 안정적이며, 그 종류와 형태가 다양하다.
③ 보통교부세, 특별교부세, 분권교부세, 부동산교부세 등의 지방교부세가 운영되고 있다.
④ 대부분의 국고보조사업에는 차등 보조율이 적용되고 있다.

---

23 조정교부금의 재원   난이도 ●●○

자치구 조정교부금은 광역시나 특별시가 관내 자치구에 대해서는 시세 수입 중의 일정액을 확보하여 관내 자치구 상호 간의 재원을 조정하는 제도이다. 따라서 지방교육세, 지역자원시설세 등 목적세는 재원이 되지 않는다. 그 외에 기초자치단체에 대한 광역자치단체의 재정조정제도(기초의 일반재원)로는 자치구 조정교부금 외에 징수교부금, 시·군 조정교부금이 있다.

답 ④

24 지방재정   난이도 ●●○

지방교부세는 지방자치단체 간의 재정적 불균형을 시정(수평적 재정조정제도에 해당)하고, 전국적인 최저생활을 확보하기 위하여 지방자치단체의 재정수요에 필요한 부족재원을 보전할 목적으로 국가가 지방자치단체에 교부하는 재원이다. 이는 지방자치단체의 일반재원 성격(보통교부세, 부동산교부세)으로 지방자치단체의 재정 자율성을 제고하는 기능을 한다.

선지분석
② 세외수입은 종류와 형태가 다양하지만, 연도별 신장률이 안정적이지 않고 불규칙성이 강하다.
③ 지방교부세의 종류에는 보통교부세, 특별교부세, 소방안전교육세, 부동산교부세 4가지 종류가 있다. 분권교부세는 2015년 1월 폐지되었다.
④ 국고보조사업에는 일부 차등 보조율이 적용되고 있지만, 우리나라는 아직 획일보조의 성격이 강한 편이다. 다만, 지문에 '대부분'이라는 단어가 있기 때문에 해당 지문은 옳지 않은 내용이다.

답 ①

25

2022년 국가직 9급

지방교부세에 대한 설명으로 옳지 않은 것은?

① 지역 간 재정력 격차를 완화시키는 재정 균등화 기능을 수행한다.
② 보통교부세, 특별교부세, 부동산교부세, 소방안전교부세로 구분한다.
③ 신청주의를 원칙으로 하며 각 중앙관서의 예산에 반영되어야 한다.
④ 부동산교부세는 종합부동산세를 재원으로 하며 전액을 지방자치단체에 교부한다.

26

2018년 국가직 7급

지방재정의 구성요소 중 의존재원의 기능으로 적절하지 않은 것은?

① 지방자치단체에 대한 유도·조성을 통한 국가 차원의 통합성 유지
② 지방재정의 안정성 확보
③ 지방재정의 지역 간 불균형 시정
④ 지방자치단체의 다양성과 지방분권화 촉진

25	지방교부세	난이도 ●●○

지방교부세는 법정교부세율에 따라 확보된 재원으로 교부하는 조정재원이다. 신청주의를 원칙으로 각 중앙관서의 예산에 반영하는 것은 국고보조금이다.

(선지분석)
① 지방교부세는 지방자치단체 간의 재정적 불균형을 시정(수평적 재정조정제도에 해당)하고, 전국적인 최저생활을 확보하기 위하여 지방자치단체의 재정수요에 필요한 부족재원을 보전할 목적으로 국가가 지방자치단체에 교부하는 재원이다.
② 지방교부세의 종류에 해당하는 설명으로 옳은 지문이다.
④ 부동산교부세는 종합부동산세 전액을 재원으로 한다.

답 ③

26	의존재원의 기능	난이도 ●●○

의존재원은 자치단체가 상급단체나 중앙정부로부터 지원을 받는 조정재원으로, 국가의 통제가 수반되므로 지방자치단체의 다양성과 지방분권화를 저해한다.

(선지분석)
① 의존재원은 자치단체 간 재정격차를 해소하고 국가 차원의 통합성 유지를 가능하게 한다.
② 지방자치단체의 의존재원은 지방자치단체의 안정적인 재원확보를 가능하게 한다.
③ 의존재원 중 특히 지방교부세는 지방재정의 지역 간 불균형을 시정한다.

답 ④

27 부담금 (2020년 국가직 7급)

부담금에 대한 설명으로 옳지 않은 것은?

① 특정의 공공서비스를 창출하거나 바람직한 행위를 유도하기 위해 사용된다.
② 수익자 부담의 원칙이 적용된다.
③ 「지방세법」상 지방세 수입의 재원 중 하나이다.
④ 부담금에 관한 주요 정책과 그 운용방향 등을 심의하기 위하여 기획재정부장관 소속으로 부담금심의위원회를 둔다.

28 지방교부세 (2017년 지방직 9급(6월 시행))

「지방교부세법」상 지방교부세에 대한 설명으로 옳지 않은 것은?

① 지방교부세의 재원에는 종합부동산세 총액, 담배에 부과하는 개별소비세 총액의 일부 등이 포함된다.
② 보통교부세의 산정기일 후에 발생한 재난을 복구하거나 재난 및 안전관리를 위한 특별한 재정수요가 생기거나 재정수입이 감소한 경우 특별교부세를 교부할 수 있다.
③ 지방교부세의 종류는 보통교부세, 특별교부세, 부동산교부세 및 교통안전교부세로 구분한다.
④ 지방행정 및 재정운용 실적이 우수한 지방자치단체의 재정지원 등 특별한 재정수요가 있을 경우 특별교부세를 교부할 수 있다.

---

27 부담금 | 난이도 ●●○

부담금은 대표적인 세외수입으로, 지방세와는 다르다.

> 「부담금관리 기본법」 제2조 【정의】 부담금이란 중앙행정기관의 장, 지방자치단체의 장, 행정권한을 위탁받은 공공단체 또는 법인의 장 등 법률에 따라 금전적 부담의 부과 권한을 부여받은 자가 분담금, 부과금, 기여금, 그 밖의 명칭에 불구하고 재화 또는 용역의 제공과 관계 없이 특정 공익사업과 관련하여 법률에서 정하는 바에 따라 부과하는 조세 외의 금전지급의무(예치금이나 보증금은 제외)를 말한다.
>
> 제9조 【부담금운용심의위원회】 부담금에 관한 주요정책과 그 운용방향 등을 심의하기 위하여 기획재정부장관 소속으로 부담금운용심의위원회를 둔다.

답 ③

28 지방교부세 | 난이도 ●○○

지방교부세는 지방자치단체 간의 재정적 불균형을 시정(수평적 재정조정제도에 해당)하고, 전국적인 최저생활을 확보하기 위하여 지방자치단체의 재정수요에 필요한 부족재원을 보전할 목적으로 국가가 지방자치단체에 교부하는 재원이다. 지방교부세의 종류는 보통교부세, 특별교부세, 부동산교부세 및 소방안전교부세로 구분한다.

선지분석
① 지방교부세의 재원은 종합부동산세 총액, 담배에 부과하는 개별소비세 총액의 100분의 45, 내국세 총액의 19.24%이다.
②, ④ 특별교부세는 기준재정수요액으로는 산정할 수 없는 특별한 재정수요 발생 시 교부한다(예 재해대책, 재정보전, 지역개발 수요 등). 연중 수시로 교부할 수 있으며, 그 교부에 있어서는 조건을 붙이거나 용도를 제한하게 된다.

답 ③

29 □□□   2018년 지방직 9급

지방재정조정제도 중 「지방교부세법」에서 규정하고 있지 않은 것은?

① 소방안전교부세
② 보통교부세
③ 조정교부금
④ 부동산교부세

30 □□□   2023년 군무원 7급

현행 지방교부세에 대한 설명으로 가장 거리가 먼 것은?

① 지방교부세의 종류는 보통교부세·특별교부세·부동산교부세 및 소방안전교부세로 구분한다.
② 보통교부세는 해마다 기준재정수입액이 기준재정수요액에 못 미치는 지방자치단체에 그 미달액을 기초로 교부한다. 다만, 자치구의 경우에는 기준재정수요액과 기준재정수입액을 각각 해당 특별시 또는 광역시의 기준재정수요액 및 기준재정수입액과 합산하여 산정한 후, 그 특별시 또는 광역시에 교부한다.
③ 행정안전부장관은 법령에 따른 특별교부세의 사용에 관하여 조건을 붙이거나 용도를 제한하여서는 아니 된다.
④ 행정안전부장관은 지방자치단체의 장이 법령에 따른 특별교부세의 교부를 신청하는 경우에는 이를 심사하여 특별교부세를 교부한다. 다만, 행정안전부장관이 필요하다고 인정하는 경우에는 신청이 없는 경우에도 일정한 기준을 정하여 특별교부세를 교부할 수 있다.

| 29 | 지방재정조정제도 | 난이도 ●●○ |

「지방교부세법」에 규정되어 있는 지방재정조정제도는 보통교부세, 특별교부세, 소방안전교부세, 부동산교부세 4가지가 있다. 광역이 기초에게 교부하는 일반재원인 조정교부금은 「지방재정법」에 규정된 제도이다.

> 「지방교부세법」 제3조 【교부세의 종류】 지방교부세(이하 "교부세"라 한다)의 종류는 보통교부세·특별교부세·부동산교부세 및 소방안전교부세로 구분한다.
>
> 「지방재정법」 제29조 【시·군 조정교부금】 ① 시·도지사(특별시장은 제외한다. 이하 이 조에서 같다)는 다음 각 호(생략)의 금액의 27퍼센트(인구 50만 이상의 시와 자치구가 아닌 구가 설치되어 있는 시의 경우에는 47퍼센트)에 해당하는 금액을 관할 시·군 간의 재정력 격차를 조정하기 위한 조정교부금의 재원으로 확보하여야 한다.

답 ③

| 30 | 지방교부세 | 난이도 ●●○ |

행정안전부장관은 특별교부세의 사용에 관하여 조건을 붙이거나 용도를 제한할 수 있다.

(선지분석)
① 「지방교부세법」 제3조에 규정되어 있다.
② 「지방교부세법」 제6조에 규정되어 있다.
④ 「지방교부세법」 제9조에 규정되어 있다.

답 ③

31 □□□ 2017년 국가직 7급(8월 시행)

국고보조금에 대한 설명으로 옳은 것은?

① 내국세 총액의 일정비율과「종합부동산세법」에 따른 종합부동산세 총액을 재원으로 한다.
② 사업별 보조율은 50%로 사업비의 절반은 지방자치단체가 부담해야 한다.
③ 국고보조사업의 수행에서 중앙정부의 감독을 받으므로 지방자치단체의 자율성이 약화될 우려가 있다.
④ 중앙관서의 장은 보조사업을 수행하려는 자로부터 신청받은 보조금의 명세 및 금액을 조정하여 행정안전부장관에게 보조금 예산을 요구하여야 한다.

32 □□□ 2020년 지방직 7급

다음 사례에 대한 설명으로 옳은 것은?

> 2013년 환경부는 상수도 낙후지역에 사는 국민이 안심하고 마실 수 있는 수돗물을 공급하기 위해 총사업비 8,833억 원(국비 30%, 지방비 70%)을 들여 '상수관망 최적관리시스템 구축사업'을 추진한다고 발표하였다. 그러나 A시는 상수도 사업을 자체관리하기로 결정하고, 당초 요청하기로 계획했던 국고보조금 56억 원을 신청하지 않았다.

① 만약 A시가 이 사업에 참여하여 당초 요청하기로 계획했던 보조금이 그대로 배정된다면, A시가 부담해야 하는 비용은 총 56억 원이다.
② 상수관망을 통해 공급되는 수돗물과 민간재인 생수가 모두 정상재(normal goods)라고 가정하면, 환경부의 사업 보조금은 수돗물과 생수의 공급수준을 모두 증가시키는 소득효과만을 유발시킨다.
③ 이 사례에서와 같은 보조금은 지역 간에 발생하는 외부효과를 시정하거나 중앙정부의 특정 목적을 달성하기 위해 운영된다.
④ A시가 신청하지 않은 보조금은 일반정액보조금에 해당한다.

| 31 | 국고보조금 | 난이도 ●●○ |

국고보조금은 특정재원으로서 보조사업의 수행 과정에서 중앙정부의 재정상 감독과 통제를 받으므로 지방자치단체의 자율성이 약화될 우려가 있다.

선지분석

① 내국세 총액의 일정비율(19.24%)과「종합부동산세법」에 따른 종합부동산세 총액, 담배에 부과되는 개별소비세의 45%는 지방교부세의 재원이다.
② 사업별 보조율은 일률적으로 50%가 아니라 매년 예산으로 정해진다.
④ 중앙관서의 장은 보조사업을 수행하려는 자로부터 신청받은 보조금의 명세 및 금액을 조정하여 기획재정부장관에게 보조금 예산을 요구하여야 한다(「보조금 관리에 관한 법률」제6조).

📄 국고보조금의 특징
㉠ 특정재원(용도 지정)
㉡ 의존재원(국가로부터의 교부에 의존)
㉢ 경상재원(매년 경상적으로 수입되는 경상수입)
㉣ 무상재원(보조금에 해당하는 반대급부를 수반하지 않음)

답 ③

| 32 | 국고보조금 | 난이도 ●●● |

제시문은 자치단체에 대한 국고보조금을 설명한 사례이며, 국고보조금은 지역 간에 발생할 수 있는 외부효과를 시정하거나 중앙정부의 특정 목적이나 시책을 달성하기 위하여 지급된다.

선지분석

① 국고보조금은 일정비율을 지방정부가 부담해야 하는 정률보조금이므로, 국고보조금이 30%(56억) 배정되었다면 A시가 이에 대응하여 부담해야 하는 비용은 70%로 130억여 원을 부담해야 한다.
② 대체효과와 소득효과 모두 유발시킨다.
④ 국고보조금은 일정비율을 지급하는 정률보조금 방식을 사용한다.

답 ③

33 　　　　　　　　　　　　　　　　2016년 지방직 9급

「지방세기본법」상 특별시·광역시의 세원이 아닌 것은?

① 취득세
② 자동차세
③ 등록면허세
④ 레저세

| 33 | 특별시 및 광역시의 세원 | 난이도 ●○○ |

등록면허세는 특별시·광역시세가 아니라 자치구세에 해당한다.

선지분석
① 취득세, ② 자동차세, ④ 레저세는 특별시·광역시의 세원 중 보통세에 해당한다.

특별시·광역시의 세원

보통세	취득세, 주민세, 자동차세, 담배소비세, 레저세, 지방소비세, 지방소득세
목적세	지방교육세, 지역자원시설세

답 ③

34 　　　　　　　　　　　　　　　　2016년 서울시 7급

다음 중에서 특별(광역)시세로만 짝지어진 것은?

> ㄱ. 레저세
> ㄴ. 담배소비세
> ㄷ. 지방소비세
> ㄹ. 주민세
> ㅁ. 자동차세
> ㅂ. 재산세
> ㅅ. 지방교육세
> ㅇ. 등록면허세
> ㅈ. 지역자원시설세

① ㄱ, ㄴ, ㄷ
② ㄹ, ㅁ, ㅂ
③ ㄹ, ㅁ, ㅇ
④ ㅅ, ㅇ, ㅈ

| 34 | 특별(광역)시세 | 난이도 ●○○ |

특별(광역)시세에는 취득세, 주민세, 자동차세, 레저세(ㄱ), 담배소비세(ㄴ), 지방소비세(ㄷ), 지방소득세, 지방교육세, 지역자원시설세 등이 있다. 이 중 보통세는 취득세, 주민세, 자동차세, 레저세, 담배소비세, 지방소비세, 지방소득세이며, 그 외에 지방교육세와 지역자원시설세는 목적세에 해당한다.

선지분석
ㅂ. 재산세는 시·군세의 세원 중 보통세이다.
ㅇ. 등록면허세는 도세의 세원 중 보통세이다.

답 ①

35 □□□   2014년 서울시 9급

서울특별시에서 확보할 수 있는 자주재원으로 볼 수 없는 것은?

① 주민세
② 담배소비세
③ 상속세
④ 취득세
⑤ 자동차세

36 □□□   2022년 지방직 9급

특별시·광역시의 보통세와 도의 보통세에 공통적으로 속하는 세목만을 모두 고르면?

> ㄱ. 지방소득세
> ㄴ. 지방소비세
> ㄷ. 주민세
> ㄹ. 레저세
> ㅁ. 재산세
> ㅂ. 취득세

① ㄱ, ㄴ, ㄹ
② ㄱ, ㄷ, ㅁ
③ ㄴ, ㄹ, ㅂ
④ ㄷ, ㅁ, ㅂ

| 35 | 자주재원 | 난이도 ●○○ |

상속세는 국세(내국세)이다.

선지분석

① 주민세, ② 담배소비세, ④ 취득세, ⑤ 자동차세는 모두 특별(광역)시의 세원 중 보통세에 해당한다.

📄 세목체계

구분		도세	시·군세	특별시·광역시세	자치구세
지방세	보통세	취득세, 등록면허세, 레저세, 지방소비세	주민세, 재산세, 자동차세, 담배소비세, 지방소득세	취득세, 주민세, 자동차세, 레저세, 담배소비세, 지방소비세, 지방소득세	등록면허세, 재산세
	목적세	지역자원 시설세, 지방교육세	–	지역자원 시설세, 지방교육세	–
국세	내국세 (직접세)		소득세, 법인세, 상속증여세, 종합부동산세		
	내국세 (간접세)		부가가치세, 개별소비세, 주세, 인지세, 증권거래세		
	목적세		교통·에너지·환경세, 교육세, 농어촌특별세		
	관세		–		

답 ③

| 36 | 특별시·광역시의 보통세와 도의 보통세 | 난이도 ●●○ |

ㄴ, ㄹ, ㅂ만 옳다. ㄴ. 지방소비세, ㄹ. 레저세, ㅂ. 취득세는 특별시·광역시의 보통세이면서 도의 보통세에 해당한다.

선지분석

ㄱ, ㄷ. 주민세, 지방소득세는 특별시·광역시의 보통세이지만, 도세가 아니라 시·군세에 해당한다.

ㅁ. 재산세는 자치구세, 시·군세에 해당한다.

답 ③

37 2018년 국가직 7급

국세에 해당하는 것으로만 묶은 것은?

> ㄱ. 취득세
> ㄴ. 자동차세
> ㄷ. 종합부동산세
> ㄹ. 인지세
> ㅁ. 등록면허세
> ㅂ. 주세

① ㄱ, ㄹ
② ㄴ, ㄷ
③ ㄷ, ㅁ
④ ㄹ, ㅂ

38 2015년 지방직 9급

지방세제에 대한 설명으로 옳지 않은 것은?

① 지방소비세는 국세인 부가가치세의 일부를 일정한 기준에 따라 광역지방자치단체에 이전하는 일종의 세원공유 방식의 지방세이다.
② 지역자원시설세와 지방교육세는 목적세이다.
③ 레저세는 국세인 개별소비세와 지방세인 경주·마권세의 일부가 전환된 세목이다.
④ 지방세는 재산과세의 비중이 높으며, 중앙정부의 부동산 정책과 지역경제 상황에 따라 영향을 받는다.

| 37 | 국세 | 난이도 ●○○ |

국세에 해당하는 것은 ㄷ. 종합부동산세, ㄹ. 인지세, ㅂ. 주세이다.

선지분석
ㄱ. 취득세, ㄴ. 자동차세, ㅁ. 등록면허세는 지방세이다.

답 ④

| 38 | 지방세제 | 난이도 ●●● |

레저세는 종전의 '경주·마권세'가 2002년에 '레저세'로 명칭이 변경된 것이다. 국세인 개별소비세는 종전의 특별소비세의 명칭이 변경된 것으로, 현재도 그대로 존재하고 있다.

지방세	
개념	지방자치단체가 그 기능을 수행하는 데 필요한 일반적 경비를 조달하기 위해 당해 구역 내의 주민으로부터 반대 급부 없이 강제적으로 부과·징수하는 조세
우리나라 지방세 체계	• 현행 지방세는 보통세 9개와 목적세 2개로 총 11세목으로 구성되어 있음 • 과세 주체에 따라 특별시세·광역시세, 도세 및 시·군·자치구세로 구분

답 ③

39　　　　　　　　　　　　　　2013년 서울시 9급

지방세에 해당하지 않는 것은?

① 자동차세
② 재산세
③ 등록면허세
④ 취득세
⑤ 교육세

40　　　　　　　　　　　　　　2025년 국회직 8급

중앙정부와 지방자치단체 간 재정조정제도에 활용되는 세목으로 옳은 것만을 <보기>에서 모두 고르면?

> ㄱ. 재산세
> ㄴ. 개별소비세
> ㄷ. 종합부동산세
> ㄹ. 담배소비세

① ㄱ, ㄴ
② ㄱ, ㄷ
③ ㄴ, ㄷ
④ ㄴ, ㄹ
⑤ ㄷ, ㄹ

| 39 | 지방세 | 난이도 ●○○ |

지방교육세는 지역자원시설세와 함께 목적세로서 지방세이지만, 교육세는 지방세가 아니라 국세인 목적세이다.

선지분석
① 자동차세는 보통세로서 시·군세이자 특별시·광역시세이다.
② 재산세는 보통세로서 시·군세이자 자치구세이다.
③ 등록면허세는 보통세로서 도세이자 자치구세이다.
④ 취득세는 보통세로서 도세이자 특별시·광역시세이다.

답 ⑤

| 40 | 국세, 지방세 | 난이도 ●●● |

ㄴ, ㄷ만 옳다.
ㄴ. 개별소비세: 담배에 부과되는 개별소비세의 45%는 지방재정조정 재원(소방안전교부세의 재원)으로 활용된다.
ㄷ. 종합부동산세는 그 전액이 지방교부세(부동산교부세) 재원으로 이전되어 지방재정조정에 활용된다.

선지분석
ㄱ. 재산세: 지방세이다.
ㄹ. 담배소비세: 지방세이다.

답 ③

41
2013년 서울시 9급 변형

지방재정과 관련된 지표 중에서 재정자주도에 대한 설명으로 옳은 것은?

① 지방정부의 전체 재원에 대한 자주재원의 비율
② 통합재정수지상 자주재원의 비율
③ 기준재정수요액 대비 기준재정수입액의 비율
④ 지방정부 일반회계 세입에서 자주재원과 지방교부세를 합한 일반재원의 비중

42
2011년 지방직 7급

우리나라 현행 지방세제에 대한 설명으로 옳은 것은?

① 지방소비세는 특별시·광역시·도세이며, 지방소득세는 시·군·구세이다.
② 최근 유사·중복 세목이 통폐합되어 현재 보통세 8개와 목적세 3개의 세목으로 간소화되었다.
③ 기초자치단체는 목적세를 부과할 수 없다.
④ 재산과세 중 거래과세로 분류되는 취득세는 특별시·광역시·도세이며, 등록면허세는 시·군·구세이다.

---

41 재정자주도 난이도 ●○○

재정자주도란 지방정부 일반회계 세입에서 자주재원과 지방교부세를 합한 일반재원의 비중을 의미한다. 즉, 지방세·세외수입·지방교부세 등 지방자치단체 재정수입 중 특정 목적이 정해지지 않는 일반재원의 비중을 뜻한다.

지방재정 평가기준

㉠ 지방재정자립도(%) = $\dfrac{\text{자주재원(지방세 수입 + 세외수입)}}{\text{일반회계세입총액(지방채 포함)}} \times 100$

㉡ 재정자주도(%) = $\dfrac{\text{지방세 수입 + 세외수입 + 지방교부세}}{\text{일반회계예산(지방채 포함)}} \times 100$

㉢ 재정력지수(%) = $\dfrac{\text{기준재정수입액}}{\text{기준재정수요액}} \times 100$

답 ④

42 지방세제 난이도 ●●○

기초자치단체는 목적세를 부과할 수 없다. 목적세인 지방교육세와 지역자원시설세는 모두 특별시·광역시·도세이다.

선지분석
① 지방소비세는 특별시·광역시·도세이며, 지방소득세의 경우 농촌 지역에서는 시·군세이지만 도시 지역에서는 자치구세가 아니고 특별시·광역시세이다.
② 보통세 9개(취득세, 등록면허세, 레저세, 지방소비세, 주민세, 재산세, 자동차세, 담배소비세, 지방소득세)와 목적세 2개(지방교육세, 지역자원시설세)의 세목으로 통폐합·간소화되었다.
④ 취득세는 특별시·광역시·도세이며, 등록면허세의 경우 도시 지역에서는 자치구세이지만 농촌 지역에서는 시·군세가 아니고 도세이다.

답 ③

43 ☐☐☐
2011년 서울시 7급

지방교부세제도에 규정되어 있는 '기준재정수요액' 대비 '기준재정수입액'의 비율로 측정되는 것은?

① 재정자립도
② 재정자주도
③ 재정력지수
④ 자치재정력
⑤ 지방재정도

44 ☐☐☐
2021년 군무원 9급

지방재정 지표 중 총세입(總歲入)에서 자율적으로 사용가능한 재원의 비율을 나타내는 것은?

① 재정자립도
② 재정탄력도
③ 재정자주도
④ 재정력지수

| 43 | 재정력지수 | 난이도 ●○○ |

기준재정수요액 대비 기준재정수입액의 비율로 측정되는 것은 재정력지수에 해당하는 개념이다. 이는 보통교부세의 교부 여부를 판단하는 기준으로, 지수가 클수록 재정력이 좋다.

(선지분석)
① 재정자립도란 [자주재원(지방세 수입+세외수입) / 일반회계세입총액(지방채 포함)]×100(%)을 의미한다.
② 재정자주도란 [지방세 수입+세외수입+지방교부세 / 일반회계예산(지방채 포함)]×100(%)을 의미한다.

답 ③

| 44 | 재정자주도 | 난이도 ●●○ |

재정자주도란 총세입 중 특정 목적이 정해지지 않는 일반재원의 비중을 말한다. 특정 목적이 정해져있지 않기 때문에 지방자치단체가 자율적으로 사용가능한 재원의 비율이다.

(선지분석)
① 지방재정자립도란 지방자치단체의 일반회계예산(=총세입)에서 자주재원이 차지하는 비율이다.
④ 재정력지수란 '기준재정수입액/기준재정수요액'으로, 지수가 클수록 재정력이 좋다.

답 ③

45   2012년 국가직 9급

지방세 세원확보 원칙과 우리나라 지방자치단체의 현실적인 문제점을 연결한 것으로 옳지 않은 것은?

① 충분성 - 지방세 수입이 지방사무의 양에 비교하여 충분하지 못하다.
② 안정성 - 소득과세 중심으로 세원 확보가 매우 불안정하다.
③ 보편성 - 수도권과 비수도권의 세원이 심각하게 불균형적이다.
④ 자율성 - 지방세의 세목설정 권한이 인정되지 않기 때문에 자율성이 상대적으로 떨어진다.

46   2012년 지방직 9급

우리나라 자치재정권에 대한 설명으로 옳지 않은 것은?

① 지방자치단체는 법률로 정하는 바에 따라 지방세를 부과·징수할 수 있다.
② 지방자치단체는 공공시설의 이용 또는 재산의 사용에 대하여 사용료를 징수할 수 있다.
③ 지방자치단체는 행정 목적을 달성하기 위하여 특정한 자금을 운용하기 위한 기금을 설치할 경우 행정안전부장관의 승인을 얻어야 한다.
④ 지방자치단체의 장이나 지방자치단체조합은 따로 법률이 정하는 바에 따라 지방채를 발행할 수 있다.

45	지방세 원칙과 문제점	난이도 ●●○

(세수)안정성의 원칙이란 경기 변동에 관계없이 세수가 안정적으로 확보되어야 한다는 것으로, 재산세가 그 예 중 하나이다. 그러나 우리나라 지방세는 소득과세가 아닌 재산과세 중심으로 되어 있어 세원 확보의 신장성이 부족하다. 여기서 신장성의 원칙이란, 자치단체의 발전에 따라 자치단체의 수입도 증가될 것을 의미한다.

(선지분석)
① 충분성의 원칙이란 지방재정 수요를 충족시키는 데 충분한 수입을 가져올 것을 뜻한다. 이는 재정수입의 측면이다.
③ 보편성의 원칙이란 각 자치단체의 수입이 보편적으로 존재할 것을 의미한다. 이는 충분성·안정성·신장성의 원칙과 마찬가지로 재정수입 측면이다.
④ 자율성(자주성)의 원칙은 과세행정의 측면에 해당한다.

답 ②

46	자치재정권	난이도 ●●○

자치단체의 기금은 「지방자치법」 제47조(지방의회의 의결사항) 제1항에 따라 지방의회 의결로 설치하도록 되어있으며, 행정안전부장관의 승인은 필요없다.

(선지분석)
① 조세법률주의상 법률에 의해 지방세를 부과·징수할 수 있다.
② 세외수입으로 사용료를 징수할 수 있다.
④ 현행법에는 지방채 발행 시 지방의회의 의결을 거쳐 발행하도록 하고 있다. 단, 예외적으로 일정범위를 초과하는 지방채발행과 외채발행, 지방자치단체조합이 발행하고자 할 때에는 행정안전부장관의 사전승인을 받게 되어 있다.

답 ③

47 □□□ 2024년 지방직 7급

지방채에 대한 설명으로 옳지 않은 것은?

① 「지방재정법 시행령」상 지방채의 종류는 지방채증권과 차입금으로 구분된다.
② 「지방재정법」상 외채를 발행하려면 지방의회의 의결을 거친 이후 행정안전부장관의 승인을 받아야 한다.
③ 「지방재정법」상 지방채의 차환을 위해 자금조달이 필요할 때 발행할 수 있다.
④ 「지방재정법」상 지방채의 발행, 원금의 상환, 이자의 지급, 증권에 관한 사무절차 및 사무 취급기관은 대통령령으로 정한다.

48 □□□ 2017년 지방직 9급(6월 시행)

우리나라 지방자치단체의 자치재정권에 대한 설명으로 옳지 않은 것은?

① 지방세 탄력세율제도는 지방자치단체 재정의 신축성과 자율성을 제고하기 위한 제도이다.
② 지방자치단체는 법령의 위임이 없더라도 조례의 제정을 통하여 지방세목을 설치할 수 있다.
③ 지방자치단체의 장은 재정투자사업에 관한 예산안을 편성할 경우 대통령령이 정하는 바에 따라 사전에 그 필요성과 타당성에 대한 심사를 하여야 한다.
④ 지방자치단체의 장은 재해예방 및 복구사업을 위한 자금조달에 필요할 때에는 지방채를 발행할 수 있다.

| 47 | 지방채 | 난이도 ●●● |

「지방재정법」상 외채를 발행하려면 지방의회의 의결을 거치기 전에 행정안전부장관의 승인을 받아야 한다(「지방재정법」 제11조).

선지분석
① 「지방재정법 시행령」 제7조상 지방채의 종류는 지방채증권과 차입금으로 구분된다.
③ 지방채의 차환을 위해 지방채를 발행할 수 있다.
④ 「지방재정법」 제12조상 지방채의 발행, 원금의 상환, 이자의 지급, 증권에 관한 사무절차 및 사무 취급기관은 대통령령으로 정한다.

답 ②

| 48 | 자치재정권 | 난이도 ●●○ |

우리나라는 조세법률주의에 의하여 종목과 세율을 조례가 아닌 법률로 정하도록 되어 있다.

선지분석
① 탄력세율제도는 법률의 위임에 따라 세율을 조례 등에 의하여 다르게 정할 수 있는 제도로, 지방재정의 신축성과 자율성을 제고하기 위한 제도이다.
③ 「지방재정법」 제37조 내용으로 옳은 지문이다.

> 「지방재정법」 제37조 【투자심사】 ① 지방자치단체의 장은 다음 각 호(일부 생략)의 사항에 대해서는 대통령령으로 정하는 바에 따라 사전에 그 필요성과 타당성에 대한 심사(이하 "투자심사"라 한다)를 하여야 한다.
> 1. 재정투자사업에 관한 예산안 편성

④ 지방자치단체장은 항구적 이익이 되거나 재해예방 및 복구사업을 위해 지방의회의 의결을 거쳐 지방채를 발행할 수 있다.

답 ②

49 | 2022년 지방직 7급

현행 지방세의 탄력세율 제도에 대한 설명으로 옳은 것만을 모두 고르면?

> ㄱ. 지방세 일부 세목의 세율에 대해 일정 범위 내에서 지방자치단체가 자율적으로 결정할 수 있다.
> ㄴ. 레저세, 지방소비세는 탄력세율이 적용되지 않는다.
> ㄷ. 조례로 담배소비세, 주행분 자동차세에 대해 표준세율의 50%를 가감하는 방식과 같이 일정 비율을 가감하는 방식이 주로 활용된다.

① ㄱ
② ㄱ, ㄴ
③ ㄴ, ㄷ
④ ㄱ, ㄴ, ㄷ

50 | 2012년 국가직 7급

지방자치단체 재정자립도 개념의 한계에 대한 설명으로 옳지 않은 것은?

① 지방자치단체의 일반회계만을 고려하고 특별회계와 기금 등을 종합적으로 고려하지 못하므로 지방자치단체의 실제 재정력이 과소평가된다.
② 일반회계에서 차지하는 자체재원의 비율이 높을수록 재정자립도가 높게 산정되기 때문에 지방교부세를 받은 지방자치단체는 재정력이 커짐에도 불구하고 재정자립도는 반대로 낮아지게 된다.
③ 지방자치단체의 세출을 중심으로 산정되기 때문에 지방자치단체의 재정력을 효과적으로 파악하기 곤란하다.
④ 지방자치단체 간의 상대적 재정 규모를 평가하지 못하는 문제가 있다.

---

49 | 지방세의 탄력세율 제도 | 난이도 ●●●

지방세의 탄력세율 제도에 대한 설명으로 옳은 것은 ㄱ, ㄴ이다.
ㄱ. 탄력세율에 대한 설명이다.
ㄴ. 레저세, 지방소비세는 탄력세율이 적용되지 않는다.

(선지분석)
ㄷ. 조례가 아닌 대통령령으로 담배소비세, 주행분 자동차세에 대해 가감하여 조정할 수 있다.

> 「지방세법」 제52조 【세율】 ① 담배소비세의 세율은 다음 각 호와 같다.
> ② 제1항에 따른 세율은 그 세율의 100분의 30의 범위에서 대통령령으로 가감할 수 있다.
>
> 제136조 【세율】 ① 자동차세의 세율은 과세물품에 대한 교통·에너지·환경세액의 1천분의 360으로 한다.
> ② 제1항에 따른 세율은 교통·에너지·환경세율의 변동 등으로 조정이 필요하면 그 세율의 100분의 30의 범위에서 대통령령으로 정하는 바에 따라 가감하여 조정할 수 있다.
>
> 1. 대통령령: 담배소비세, 자동차세(주행분)
> 2. 조례: 취득세, 등록면허세(등록분), 재산세, 자동차세(소유분), 주민세, 지방소득세, 지방교육세, 지역자원시설세
> 3. 비적용: 레저세, 지방소비세, 등록면허세(면허분)

답 ②

50 | 재정자립 | 난이도 ●●○

재정자립도는 일반회계 총세입(지방채 포함) 중 자주재원이 차지하는 비율이므로 세입구조만을 고려하고 있어 세출 측면은 알려주지 못한다. 따라서 세출구조의 투자적 경비비율 등에서 결정되는 실질적인 재정력을 나타내는 데에 한계가 있다.

	재정자립도의 개념 및 문제점
개념	• 자치단체 예산규모에서 자주재원(지방세와 세외수입)이 차지하는 비율 • 자치단체 예산규모: 자주재원, 의존재원, 지방채
문제점	• 재정 규모와는 무관 • 세출 구조의 불고려 • 지방교부세 효과의 미고려 • 특별회계를 제외함 • 기능 및 재원배분의 측면을 고려하지 않음

답 ③

51 2019년 서울시 7급(3월 추가)

지방재정에 대한 설명으로 가장 옳지 않은 것은?

① 지방수입에 있어서 자주재원의 핵심은 지방세와 세외수입으로 지방세는 법률이 정하는 바에 따라 강제적으로 징수하고, 세외수입은 지방세 외의 모든 수입을 포함하는 개념이다.
② 의존재원은 지방교부세, 국고보조금, 조정교부금, 지방채로 구성되며, 지방자치단체에서 필요로 하거나, 부족한 재원을 외부에서 조달한다는 특징이 있다.
③ 지방자치단체 지방수입의 구조에서 가장 두드러진 특징 중 하나는 자주재원에 비해 의존재원이 매우 많다는 점으로, 지방자치단체의 국가재정에 대한 의존도가 상당히 크다 할 수 있다.
④ 재정자립도는 지방자치단체 총 예산규모 중 자주재원이 차지하는 비율로 그 산식에 있어서 분모와 분자에 모두 자주재원이 존재함으로 인해 재정자립도를 결정하는 데에 중요한 요인은 의존재원이 된다.

| 51 | 지방재정 | 난이도 ●●○ |

의존재원(지방재정조정제도)은 국가나 상급자치단체로부터 제공받는 수입으로, 지방교부세와 국고보조금으로 구성된다. 이는 재정력 편차의 시정, 지방재원의 보장, 수직적 재정조정, 외부효과 시정의 기능을 한다. 지문에 제시된 내용 중 지방채는 자주재원도 아니고 의존재원도 아닌 제3의 독립된 재원으로 간주한다.

답 ②

52 2020년 지방직 9급

지방재정의 세입항목 중 자주재원에 해당하는 것은?

① 지방교부세
② 재산임대수입
③ 조정교부금
④ 국고보조금

| 52 | 자주재원 | 난이도 ●○○ |

재산임대수입만 자주재원에 해당한다. 자주재원이란 자치단체가 중앙정부의 도움 없이 자체적으로 조달 가능한 재원으로, 지방세와 세외수입이 이에 해당한다. 재산임대수입은 세외수입 경상적 세외수입에 해당한다.

(선지분석)
①, ③, ④ 모두 의존재원에 해당한다.

📄 **자주재원과 자치단체 예산규모**

  ㉠ 자주재원: 지방세 + 세외수입
  ㉡ 자치단체 예산규모: 자주재원 + 의존재원(지방교부세, 조정교부금, 보조금) + 지방채

답 ②

53

2019년 서울시 9급

지방자치단체의 재정자립도에 대한 설명으로 가장 옳지 않은 것은?

① 재정자립도는 세입총액에서 지방세수입과 세외수입이 차지하는 비율을 나타낸다.
② 자주재원이 적더라도 중앙정부가 지방교부세를 증액하면 재정자립도는 올라간다.
③ 재정자립도가 높다고 지방정부의 실질적 재정이 반드시 좋다고 볼 수는 없다.
④ 국세의 지방세 이전은 재정자립도 증대에 도움이 된다.

54

2023년 지방직 7급

지방재정에 대한 설명으로 옳지 않은 것은?

① 재정자립도는 일반회계 예산규모에서 지방세와 세외수입 합계액의 비(比)를 의미하며 지방자치단체의 실제 재정력과 차이가 있다는 비판이 있다.
② 재정자주도는 일반회계 예산규모에서 자체수입과 자주재원 합계액의 비를 의미하며 보통교부세 교부 여부의 적용기준으로 활용된다.
③ 재정력지수는 기준재정수요액에서 기준재정수입액의 비를 의미하며 기본적 행정 수행을 위한 재정수요의 실질적 확보 능력을 판단하는 기준이 된다.
④ 주민 1인당 지방세 부담액은 지방세액을 해당 지방자치단체 주민 수로 나눈 것으로 세입구조 안정성을 판단하는 기준이 된다.

53	재정자립도	난이도 ●●○

재정자립도란 자치단체 예산규모에서 자주재원(지방세+세외수입)이 차지하는 비중을 의미하는 것으로, 자주재원의 비중이 클수록, 의존재원(지방교부세 및 국고보조금)이 작을수록 재정자립도는 높아진다.

(선지분석)
① 재정자립도의 개념에 관한 설명으로, 우리나라는 일반회계를 산정기준으로 하고 있다.
③ 재정자립도는 지출구조, 의존재원의 내역 등 실질적인 재정상태를 알려주지 못하므로, 재정자립도가 높다 하여 지방재정이 반드시 건전하다고 할 수 없다.
④ 지방세는 자주재원이므로 국세의 지방세 이전은 재정자립도를 증대시키는 데 도움이 된다.

답 ②

54	지방재정	난이도 ●●○

재정자주도는 일반회계 예산규모에서 자주재원과 의존재원 중 용도제한이 없는 재원(보통교부세 등)의 합계액의 비를 의미하며, 보통교부세 교부 여부의 적용기준은 재정력지수이다.

(선지분석)
① 재정자립도는 일반회계 총예산규모에서 자주재원(지방세와 세외수입)의 비율을 의미한다. 하지만 재정규모와의 무관하게 산출되며, 특별회계 등을 고려하지 않으므로 실제 재정력과 차이가 있다는 비판이 있다.
③ 재정력지수는 기준재정수요액에서 기준재정수입액이 차지하는 비율을 의미하며 재정력지수가 1이하이면 보통교부세가 교부된다.
④ 주민 1인당 지방세 부담액은 지방세액을 해당 지방자치단체 주민 수로 나눈 것으로 세입구조의 안정성을 판단하는 중요한 기준이 된다.

답 ②

55

2021년 지방직 9급

지방재정에 대한 설명으로 옳지 않은 것은?

① 재정자립도는 일반회계 세입 중 지방세와 세외수입이 차지하는 비중을 말한다.
② 국고보조금은 지방재정운영의 자율성을 제고한다.
③ 지방교부세는 지역 간의 재정 불균형을 시정하기 위한 제도이다.
④ 지방자치단체는 재해예방 및 복구사업에 경비를 조달하기 위해서 지방채를 발행할 수 있다.

| 55 | 지방재정 | 난이도 ●●○ |

국고보조금은 특정재원이므로 지방재정 운영의 자율성을 약화시킨다.

선지분석

① 재정자립도는 일반회계 총세입 중 자주재원(시방세 + 세외수입)이 차지하는 비율이다.
③ 지방교부세는 지방정부의 재정력 격차를 시정해주는 수평적 조정재원이다.
④ 「지방재정법」 제11조에 따르면 재해예방 및 복구사업에 경비를 조달하기 위해서 지방채를 발행할 수 있다.

답 ②

56

2023년 국가직 7급

지방재정에 대한 설명으로 옳지 않은 것은?

① 부동산교부세는 일반재원이다.
② 내국세 및 교육세의 일부는 지방교육재정교부금의 재원이다.
③ 지역균형발전특별회계는 노무현 정부의 국가균형발전특별회계의 신설에서 비롯되었다.
④ 지역상생발전기금은 지방소비세 도입 과정에서의 광역지자체와 기초지자체 간 세수입 배분의 불균형을 해소하기 위한 것이다.

| 56 | 지방재정 | 난이도 ●●● |

국세의 일부를 지방에 이전하는 지방소비세를 도입과정에서 수도권의 지방정부는 재정확충을 도모할 수 있으나, 비수도권의 지방정부 재정확충은 상대적으로 미흡하다. 이러한 수도권과 비수도권 간의 재정력격차를 해소하기 위히어 서울특별시, 인천광역시, 경기도 등 수도권 지방정부가 일정부분 출연하는 지역상생발전 기금을 도입하여 비수도권 지방정부와 재원을 공유하는 제도를 도입하였는바 이를 지역상생발전기금이라 한다.

선지분석

① 부동산교부세는 일반재원이다.
② 교부금의 재원에 대한 내용은 「지방교육재정교부금법」 제3조에 규정되어 있다.

> 「지방교육재정교부금법」 제3조 【교부금의 종류와 재원】 ② 교부금 재원은 다음 각 호의 금액을 합산한 금액으로 한다.
> 1. 해당 연도 내국세[목적세 및 종합부동산세, 담배에 부과하는 개별소비세 총액의 100분의 45 및 다른 법률에 따라 특별회계의 재원으로 사용되는 세목(稅目)의 해당 금액은 제외한다. 이하 같다] 총액의 1만분의 2,079
> 2. 해당 연도 「교육세법」에 따른 교육세 세입액 중 「유아교육지원특별회계법」 제5조 제1항에서 정하는 금액 및 「고등·평생교육지원특별계법」 제6조 제1항에서 정하는 금액을 제외한 금액

③ 국가균형발전특별회계는 여러 부처에서 분산 추진되던 균형발전 관련 사업들을 하나의 특별회계로 통합하여 체계적으로 추진하기 위해 2005년에 신설되었다. 윤석열 정부에서는 「지방자치분권 및 지역균형발전에 관한 특별법」을 제정하면서 국가균형발전특별회계는 지역균형발전특별회계가 되었다.

답 ④

57　　2024년 군무원 9급

다음 중 지방자치단체의 재정자립도에 대한 설명으로 가장 적절하지 않은 것은?

① 특별회계와 기금을 제외하고 일반회계만을 고려하기 때문에 실제 재정 능력이 과소평가된다.
② 자체재원만을 반영하고 세출 구조를 고려하지 않아 세출의 질을 알 수 없다.
③ 중앙정부의 재정지원을 의존재원으로 처리함으로써 그 재정지원의 형태나 성격을 제대로 파악할 수 없다.
④ 지방자치단체가 중앙정부 등 외부의 간섭이나 통제 없이 자주적으로 편성·집행할 수 있는 재원의 비율을 말한다.

58　　2021년 지방직 9급

지방자치단체의 예비비에 대한 설명으로 옳지 않은 것은?

① 예측할 수 없는 예산 외의 지출에 충당하기 위하여 예산에 계상한다.
② 일반회계의 경우 예산총액의 100분의 1 이내의 금액을 예비비로 계상하여야 한다.
③ 지방의회의 예산안 심의 결과 감액된 지출항목에 대해 예비비를 사용할 수 있다.
④ 재해·재난 관련 목적 예비비는 별도로 예산에 계상할 수 있다.

57　지방자치단체의 재정자립도　　난이도 ●●●

자주재원은 지방자치단체가 직접 징수하는 수입이며, 일반재원은 자금 용도가 정해져 있지 않고 지방자치단체가 그 예산과정을 통하여 용도를 결정할 수 있는 재량의 범위가 넓은 재원이다. 위 지문은 일반재원을 말하며 일반재원의 비율은 재정자주도이다.

(선지분석)
① 재정자립도는 특별회계와 기금을 제외하고 일반회계만을 고려하는 게 한계이다.
② 재정자립도는 자치단체의 세입 구조만을 고려하고 있어 세출 구조에서의 투자적 경비비율 등에 의해서 결정되는 실질적인 재정력을 나타내는 데 한계가 있다.
③ 의존재원 중 지방교부세 수입은 상환을 요하지 않는 수입으로 자치단체의 재정력을 향상시키는 데 크게 기여하나, 재정자립도는 지방교부세를 의존재원으로 분류한다.

답 ④

58　예비비　　난이도 ●●○

지방의회의 예산심의과정에서 감액된 지출항목에 대해서는 예비비를 사용할 수 없다.

(선지분석)
①, ②, ④ 「지방재정법」상 모두 옳은 지문이다.

답 ③

59 □□□
2024년 지방직 7급

「지방재정법」상 지방재정에 대한 설명으로 옳지 않은 것은?

① 특정한 재정수요에 충당하기 위한 특별조정교부금은 민간에 지원하는 보조사업의 재원으로 사용할 수 있다.
② 지방자치단체나 그 기관이 법령에 따라 처리하여야 할 사무로서 국가와 지방자치단체 간에 이해관계가 있는 경우에는 원활한 사무처리를 위하여 국가에서 부담하지 아니하면 아니 되는 경비는 국가가 그 전부 또는 일부를 부담한다.
③ 국가가 스스로 하여야 할 사무를 지방자치단체나 그 기관에 위임하여 수행하는 경우 그 경비는 국가가 전부를 그 지방자치단체에 교부하여야 한다.
④ 국가는 정책상 필요하다고 인정할 때 또는 지방자치단체의 재정사정상 특히 필요하다고 인정할 때에는 예산의 범위에서 지방자치단체에 보조금을 교부할 수 있다.

60 □□□
2013년 국가직 9급

다음은 각종 지역사업을 나열한 것이다. 이 중 현행 「지방공기업법」에 규정된 지방공기업 대상사업(당연적용사업)이 아닌 것만을 모두 고르면?

> ㄱ. 수도사업(마을상수도사업은 제외)
> ㄴ. 주민복지사업
> ㄷ. 공업용 수도사업
> ㄹ. 공원묘지사업
> ㅁ. 주택사업
> ㅂ. 토지개발사업

① ㄱ, ㄷ
② ㄴ, ㄹ
③ ㄷ, ㅁ
④ ㄹ, ㅂ

---

59 지방재정 | 난이도 ●●●

조정교부금 중 특정한 재정수요에 충당하기 위한 특별조정교부금은 민간에 지원하는 보조사업의 재원으로 사용할 수 없다.

선지분석
② 지문은 단체위임사무에 대한 설명이며, 단체위임사무의 경비부담에 대한 설명으로 옳은 지문이다.
③ 지문은 기관위임사무에 대한 설명이며, 기관위임사무의 경비부담에 대한 설명으로 옳은 지문이다.
④ 국고 보조금에 대한 설명으로 옳은 지문이다.

답 ①

60 지방공기업 대상사업(당연적용사업) | 난이도 ●●○

「지방공기업법」에 규정된 지방공기업이란 지방자치단체가 직접 설치·경영하거나 법인을 설립하여 경영하는 기업을 말한다. 상하수도, 주택, 토지개발사업 등은 자치단체의 대표적인 공기업 대상으로, 상하수도사업본부, 택지개발사업단, 공영개발사업단 또한 그 대상에 포함된다. 단, ㄴ. 주민복지사업과 ㄹ. 공원묘지사업은 대상사업이 아니다.

지방공기업 대상사업
㉠ 수도사업(마을상수도사업 제외)
㉡ 공업용 수도사업
㉢ 궤도사업(도시철도사업 포함)
㉣ 자동차운송사업
㉤ 지방도로사업(유료도로사업만 해당)
㉥ 하수도사업
㉦ 주택사업
㉧ 토지개발사업

답 ②

61   2017년 서울시 7급

지방공기업의 유형 중 지방직영기업에 대한 설명으로 가장 옳지 않은 것은?

① 지방자치단체가 일반회계와 구분되는 공기업특별회계를 설치해 독립적으로 회계를 운영하는 형태의 기업이다.
② 지방직영기업의 직원은 대부분 민간인 신분이다.
③ 지방자치단체가 직접 사업 수행을 위해 소속 행정기관의 형태로 설립하여 경영한다.
④ 일반적으로 상수도사업, 하수도사업, 공영개발, 지역개발 기금 등이 지방직영기업에 속한다.

61 지방직영기업   난이도 ●○○

지방직영기업이란 지방자치단체가 직접 사업 주체가 되어 소속행정기관형태(사업소 등)로 설립하여 경영하는 것으로, 직원의 신분은 공무원이다.

선지분석
① 「지방공기업법」 제13조(특별회계)에 따르면, 지방자치단체는 적용범위에 해당하는 사업마다 특별회계를 설치하여야 한다.
③ 지방직영기업은 지방자치단체가 직접 설치·경영하는 사업으로서 대통령령으로 정하는 기준 이상의 사업이다.
④ 상수도사업, 하수도사업, 공영개발, 지역개발 기금 등으로 일반적으로 지방직영기업에 속한다.

답 ②

62   2017년 서울시 9급

지방공기업 유형 중 지방직영기업에 대한 설명으로 가장 옳지 않은 것은?

① 지방자치단체가 행정조직 형태로 직접 운영하는 사업을 말한다.
② 지방자치단체의 장이 지방직영기업의 관리자를 임명한다.
③ 소속된 직원은 공무원 신분이 아니다.
④ 「지방공기업법 시행령」에 따라 경영평가가 매년 실시되어야 하나 행정안전부장관이 이에 대해 따로 정할 수 있다.

62 지방직영기업   난이도 ●○○

직접경영방식(= 지방직영기업)은 지방정부가 그 소속의 행정기관으로 설치하여 직접 운영하므로 직원은 공무원이고, 예산도 지방정부의 특별회계예산으로 운영한다.

선지분석
① 지방직영기업이란 지방자치단체가 직접 설치·경영하는 사업으로서 대통령령으로 정하는 기준 이상의 사업을 의미한다. 이는 그 경영을 합리화함으로써 지방자치의 발전과 주민복리의 증진에 이바지함을 목적으로 한다.
② 지방직영기업은 지방정부 소속의 행정기관이므로, 관리자는 지방자치단체장이 임명한다.
④ 「지방공기업법 시행령」 제68조 제1항에 따라 옳은 지문이다.

> 「지방공기업법 시행령」 제68조 【경영평가】 ① 지방공기업에 대한 경영평가는 매년 실시하여야 한다. 다만, 지방직영기업의 경영평가에 관하여는 행정안전부장관이 따로 정할 수 있다.

답 ③

63
2019년 서울시 7급(3월 추가)

「지방공기업법」에 근거한 지방공기업에 대한 설명으로 가장 옳지 않은 것은?

① 지방공기업은 수도사업(마을상수도사업은 제외한다), 공업용수도사업, 주택사업, 토지개발사업, 하수도사업, 자동차운송사업, 궤도사업(도시철도사업을 포함한다)을 할 수 있다.
② 지방공기업에 관한 경영평가는 원칙적으로 행정안전부장관의 주관으로 이루어진다.
③ 공사의 운영을 위하여 필요한 경우에는 자본금의 2분의 1을 넘지 아니하는 범위에서 지방자치단체 외의 자로 하여금 공사에 출자하게 할 수 있다. 단, 외국인 및 외국법인은 제외한다.
④ 지방공기업에 대한 경영평가, 관련정책의 연구, 임직원에 대한 교육 등을 전문적으로 지원하기 위하여 지방공기업평가원을 설립한다.

64
2024년 지방직 9급

「지방공기업법」상 지방공기업에 대한 설명으로 옳지 않은 것은?

① 지방직영기업의 관리자는 해당 지방자치단체의 공무원으로서 지방직영기업의 경영에 관하여 지식과 경험이 풍부한 사람 중에서 지방자치단체의 장이 임명한다.
② 지방공사를 설립하고자 하는 시장·군수·구청장은 설립 전에 행정안전부장관과 협의하여야 한다.
③ 지방자치단체는 상호 규약을 정하여 다른 지방자치단체와 공동으로 지방공사를 설립할 수 있다.
④ 지방자치단체는 지방직영기업을 설치·경영하려는 경우에는 그 설치·운영의 기본사항을 조례로 정하여야 한다.

---

63 지방공기업 난이도 ●●○

외국인 및 외국법인도 포함하여 출자하게 할 수 있다.

선지분석
① 「지방공기업법」상 직영공기업 대상사업들이다.
② 지방공기업에 대한 경영평가는 원칙적으로 행정안전부장관이 실시하되, 필요시 자치단체의 장으로 하여금 평가하게 할 수 있다.
④ 「지방공기업법」 제78조의4에 규정된 내용으로 옳은 지문이다.

답 ③

64 지방공기업 난이도 ●●●

지방자치단체는 필요한 경우에 지방공사를 설립할 수 있다. 이 경우 공사를 설립하기 전에 특별시장, 광역시장, 특별자치시장, 도지사 및 특별자치도지사는 행정안전부장관과, 시장·군수·구청장은 관할 특별시장·광역시장 및 도지사와 협의하여야 한다(「지방공기업법」 제49조).

선지분석
① 지방직영기업의 직원은 공무원이고 관리자도 지방공무원이므로 지방자치단체장이 임명한다.
③ 지방자치단체는 상호 규약을 정하여 다른 지방자치단체와 공동으로 공사를 설립할 수 있다(「지방공기업법」 제50조).
④ 지방직영기업 설치·운영에 관한 기본사항은 조례로 정한다.

답 ②

65

2019년 서울시 7급(10월 시행)

지방재정의 사전관리제도에 해당하는 것을 <보기>에서 모두 고른 것은?

<보기>
ㄱ. 중기지방재정계획
ㄴ. 지방재정투자심사
ㄷ. 행정사무감사
ㄹ. 성인지예산제도
ㅁ. 재정공시

① ㄱ, ㄴ
② ㄴ, ㄷ
③ ㄱ, ㄴ, ㄹ
④ ㄷ, ㄹ, ㅁ

| 65 | 지방재정의 사전관리제도 | 난이도 ●●● |

ㄱ. 중기지방재정계획, ㄴ. 지방재정투자심사, ㄹ. 성인지예산제도만 지방재정의 사전관리제도에 해당하며, ㄷ. 행정사무감사와 ㅁ. 재정공시는 모두 사후적 관리제도에 해당한다.

ㄱ. 「지방재정법」 제33조(중기지방재정계획의 수립 등)에 의하여 지방자치단체의 장이 지방재정을 계획성 있게 운용하기 위해 매년 다음 회계연도부터 5회계연도 이상의 기간에 대한 중기지방재정계획을 수립하여 예산안과 함께 지방의회에 제출하고, 회계연도 개시 30일 전까지 행정안전부장관에게 제출하여야 하는 제도이다.

ㄴ. 「지방재정법」 제37조(투자심사)에 의하여 지방자치단체의 장은 예산안을 편성할 때 일정한 사업에 대해서는 사전에 그 필요성과 타당성에 대한 심사를 하도록 되어 있다.

ㄹ. 「지방재정법」 제36조의2(성인지예산서의 작성·제출)에 의하여 지방자치단체의 장이 예산이 여성과 남성에게 미칠 영향을 미리 분석한 보고서를 작성하도록 하는 제도를 말한다.

(선지분석)

ㄷ. 「지방자치법」 제49조(행정사무 감사권 및 조사권)에 따라 지방의회는 매년 1회 그 지방자치단체의 사무에 대하여 시·도에서는 14일의 범위에서, 시·군 및 자치구에서는 9일의 범위에서 감사를 실시한다.

ㅁ. 「지방재정법」 제60조(지방재정 운용상황의 공시 등)에 의하여 지방자치단체의 장이 예산 또는 결산의 확정 또는 승인 후 2개월 이내에 예산서와 결산서를 기준으로 각 호의 사항을 주민에게 공시하여야 하는 제도를 말한다.

답 ③

66

2025년 국가직 9급

「지방재정법」상 지방재정진단제도의 내용에 해당하는 것은?

① 재정위험 수준 점검결과 재정위험 수준이 대통령령으로 정하는 기준을 초과하는 지방자치단체에 대하여 실시할 수 있다.
② 대규모의 재정적 부담을 수반하는 사업의 유치를 신청할 때 미리 지방자치단체의 재정에 미칠 영향을 평가한다.
③ 지방재정을 계획성 있게 운용하기 위하여 매년 중기지방재정계획을 수립한다.
④ 소속 공무원의 인건비를 30일 이상 지급하지 못하여 자력으로 재정위기상황을 극복하기 어렵다고 판단되는 경우 실시한다.

| 66 | 지방재정진단제도 | 난이도 ●●● |

「지방재정법」 제55조 제3항

> 「지방재정법」 제55조 【재정분석 및 재정진단 등】 ③ 행정안전부장관은 다음 각 호의 어느 하나에 해당하는 지방자치단체에 대하여 위원회의 심의를 거쳐 대통령령으로 정하는 바에 따라 재정진단을 실시할 수 있다.
> 1. 제1항에 따른 재정분석 결과 재정의 건전성과 효율성 등이 현저히 떨어지는 지방자치단체
> 2. 제2항에 따른 점검 결과 재정위험 수준이 대통령령으로 정하는 기준을 초과하는 지방자치단체

(선지분석)
② 「지방재정법」 제37조에 규정된 지방재정영향 평가제도이다.
③ 중기지방재정계획에 대한 설명이다.
④ 긴급재정관리단체에 대한 설명이다.

답 ①

67 ☐☐☐ 2023년 국회직 8급

우리나라 고향사랑 기부금에 대한 설명으로 옳지 않은 것은?

① 지방자치단체는 해당 지방자치단체의 주민이 아닌 사람 또는 법인에 대해서만 고향사랑 기부금을 모금·접수할 수 있다.
② 지방자치단체는 고향사랑 기부금의 효율적인 관리·운용을 위하여 기금을 설치하여야 한다.
③ 고향사랑 기부금은 지방자치단체가 주민복리 증진 등의 용도로 사용하기 위한 재원을 마련하기 위한 것이다.
④ 지방자치단체는 현금, 고가의 귀금속 및 보석류를 답례품으로 제공하여서는 아니 된다.
⑤ 「고향사랑 기부금에 관한 법률」에 따른 고향사랑 기부금의 모금·접수 및 사용 등에 관하여는 「기부금품의 모집 및 사용에 관한 법률」을 적용하지 아니한다.

67	우리나라 고향사랑 기부금	난이도 ●●●

고향사랑 기부제는 「고향사랑기부금법」에 의해 시행되고 있으며 자신이 원하는 자치단체에 기부하고 세금을 일부 돌려받는 제도로 지방자치단체는 해당 지방자치단체의 주민이 아닌 사람에 대해서만 고향사랑 기부금을 모금·접수할 수 있다. 법인은 제외된다(법인은 고향이 없다).

답 ①

해커스공무원 학원·인강
gosi.Hackers.com

부록

실전모의고사

해커스공무원
명품 행정학

단원별 기출문제집

1회   실전모의고사

2회   실전모의고사

3회   실전모의고사_국가직 7급 대비

4회   실전모의고사_국가직 7급 대비

정답 및 해설

1회 실전동형모의고사

소요시간: _____ / 15분   맞힌 답의 개수: _____ / 20

문 1. 공행정과 사행정의 차이점에 대한 설명으로 옳지 않은 것은?
① 공행정은 공익을 최고의 가치로 삼는다.
② 공행정은 본질적으로 정치성을 내포하고 있다.
③ 공행정은 사행정과 달리 관료제의 성격을 지니고 있다.
④ 공행정은 모든 국민을 평등하게 대우하여야 한다.

문 2. 민간위탁에 대한 설명으로 옳지 않은 것은?
① 정부기관이 국민의 권리·의무와 직접 관계된 사무 일부를 민간부문에 위탁하는 것이다.
② 공공서비스 전달의 비용절감 등 효율성을 제고할 수 있다.
③ 면허방식에서는 시민이 서비스 제공자에게 비용을 지불한다.
④ 계약방식에서는 정부가 서비스 제공자에게 비용을 지불한다.

문 3. 신제도주의 행정학에 대한 설명으로 옳지 않은 것은?
① 역사적 신제도주의는 역사적 과정과 경로의존성을 중시한다.
② 역사적 신제도주의에서 개인의 선호는 내생적으로 본다.
③ 사회학적 신제도주의는 사회적 동형화를 중시한다.
④ 사회학적 신제도주의의 접근법은 방법론적 전체주의와 연역적 접근법이 사용된다.

문 4. 공공서비스에 대한 설명으로 옳지 않은 것은?
① 공공재는 비경합성과 비배제성의 특징 때문에 무임승차의 문제를 야기시키므로 공공부문에서 공급해야 한다.
② 공유재는 대가를 지불하지 않는 사람들의 이용을 배제하기 어렵다는 문제가 있다.
③ 치안의 경우는 경합성은 있지만 배제가 불가능한 서비스로서 대표적인 공유재에 해당한다.
④ 의료, 교육 등의 가치재는 민간재이지만 정부가 개입할 수도 있다.

문 5. 다음 중 정책결정모형에 관한 설명으로 옳은 것을 모두 고르면?

ㄱ. 점증모형은 집단의 합의를 중시한다.
ㄴ. 만족모형은 모든 대안을 탐색 후 만족스러운 대안을 선택한다.
ㄷ. 회사모형은 표준운영절차(SOP: Standard Operation Procedure)를 활용한다.
ㄹ. 사이버네틱스모형은 조직화된 무질서 상태에서의 의사결정모형이다.

① ㄱ, ㄷ
② ㄱ, ㄹ
③ ㄴ, ㄷ
④ ㄷ, ㄹ

문 6. 집단의 의사결정기법에 대한 설명으로 옳지 않은 것은?
① 정책델파이(Policy Delphi)기법은 미래 예측을 위해 전문가와 일반인 다수를 활용하는 기법이다.
② 브레인스토밍(brainstorming)은 즉흥적이고 자유분방하게 여러가지 기발한 아이디어를 창안하는 활동이다.
③ 변증법적 토론(Dialectical Discussion Method)은 토론집단을 대립적인 두 개의 팀으로 나누어 토론을 진행하는 과정에서 합의를 형성해내는 기법이다.
④ 명목집단기법(nominal group technique)은 관련자들이 의사결정에 직접 참여하여 대안에 대한 아이디어를 제출하도록 하고 충분한 토의를 거쳐 투표로 의사결정을 하는 기법이다.

문 7. 「정부업무평가 기본법」상 정부업무평가제도에 대한 설명으로 옳지 않은 것은?
① 중앙행정기관의 장은 그 소속기관의 정책 등을 포함하여 자체평가를 실시하여야 한다.
② 지방자치단체의 자체평가위원회는 공정성과 객관성을 담보하기 위하여 3분의 2 이상의 민간위원으로 구성되어야한다.
③ 행정안전부장관은 지방자치단체에 대한 합동평가를 효율적으로 추진하기 위하여 행정안전부장관 소속하에 지방자치단체합동평가위원회를 설치·운영할 수 있다.
④ 공공기관의 경우 자체평가를 원칙으로 한다.

문 8. 우리나라 정부조직에 대한 설명으로 옳지 않은 것은?
① 국무총리는 국무회의 부의장이다.
② 국가보훈부 장관은 국무위원이다.
③ 경찰청장은 특정직공무원이다.
④ 검찰총장은 정무직공무원이다.

문 9. 우리나라의 책임운영기관에 대한 설명으로 옳지 않은 것은?
① 정책결정과 정책집행을 분리하여 집행기능 중심의 조직이다.
② 일반행정기관에 비해 인사와 예산부문에서 자율성이 확대되는 반면, 운영성과에 대해 인센티브와 벌칙이 주어지는 새로운 형태의 정부기관이다.
③ 기획재정부장관은 행정안전부 및 해당 중앙행정기관의 장과 협의하여 책임운영기관을 설치할 수 있다.
④ 책임운영기관은 내부시장화된 조직이다.

문 10. 전략적 관리(SM)에 대한 설명으로 옳지 않은 것은?
① 조직이 단기적 안목으로 환경변화에 대응할 수 있게 한다.
② 환경뿐만 아니라 조직 자체의 역량 분석을 중시한다.
③ 전략추진을 위한 조직활동의 통합을 강조한다.
④ 개방체제하에서 환경과의 관계를 중시하는 변혁적·탈관료적 관리전략이다.

문 11. 조직문화의 기능에 대한 설명으로 옳지 않은 것은?
① 조직 구성원의 사고와 행동에 방향을 제시하여 준다.
② 조직 구성원들이 조직이익에 헌신하기보다 개인의 자기이익을 추구하게 한다.
③ 조직 구성원을 동일한 방향으로 응집시키고 결속시키는 역할을 한다.
④ 조직에 애착심을 갖게 하여 조직체제의 안정성을 높여준다.

문 12. 우리나라의 고위공무원단에 대한 설명으로 옳지 않은 것은?
① 고위공무원단의 일부는 공모직위제도에 의해 충원된다.
② 고위공무원단에 속하는 공무원의 임용권은 대통령이 가진다.
③ 우리나라의 경우 노무현 정부 때 고위공무원단제도를 처음 도입·시행하였다.
④ 우리나라에서 고위공무원단은 중앙행정기관 실·국장급 공무원들로 구성되며 일반직, 특정직공무원만이 적용 대상이다.

문 13. 개방형 인사제도의 장점으로 옳지 않은 것은?
① 신진대사가 활발히 이루어지므로 조직에 새로운 기풍을 주입할 수 있고, 행정조직의 침체화를 방지할 수 있다.
② 공무원의 신분보장이 강하므로 행정의 안정성을 유지할 수 있다.
③ 임용에 있어서 직무수행능력을 강조함으로써 공무원의 질이 좋아지며, 행정의 질적 수준도 향상된다.
④ 공직이 개방되어 있으므로 외부로부터의 신규채용이 자유로워 보다 유능한 인재를 등용할 수 있다.

문 14. 엽관제의 장점으로 옳지 않은 것은?
① 공직침체와 관직의 특권화를 방지할 수 있다.
② 행정의 안정성과 계속성을 유지할 수 있다.
③ 행정에 대한 민주통제를 확보할 수 있다.
④ 공무원의 정당에 대한 충성심을 확보하여 정당의 이념을 행정에 반영하기가 쉽다.

문 15. 영기준예산(ZBB)에 대한 설명으로 옳지 않은 것은?
① 신규사업이든 계속사업이든 모든 사업과 정책의 타당성을 새로 분석·검토하여 그 우선순위와 예산액을 정하는 예산제도이다.
② 자원배분에 관한 합리적·체계적 의사결정을 강조하기 때문에 의사결정지향적이다.
③ 영기준예산의 기본절차는 의사결정 단위의 확인, 의사결정 패키지의 작성, 우선순위의 결정, 실행예산의 편성 순이다.
④ 계획기능은 집권화된다.

문 16. 발생주의 회계방식의 장점으로 옳지 않은 것은?
① 행정의 성과평가에 필요한 재무정보를 획득하는 데 유리하다.
② 부채규모 파악으로 재정건전성의 확보가 가능하다.
③ 자기검정 기능으로 회계 오류를 방지할 수 있다.
④ 자의적인 회계처리가 불가능하여 통제가 용이하다.

문 17. 예산에 대한 설명으로 옳지 않은 것은?
① 국가가 특정한 목적을 위하여 특정한 자금을 신축적으로 운용할 필요가 있을 때에 법률로써 설치하는 기금은 세입세출예산에 의하지 아니하고 운용할 수 있다.
② 조세지출이란 정부가 받아야 할 세금을 받지 않고 포기한 액수를 의미한다.
③ 긴급배정은 계획의 변동이나 여건의 변화로 인하여 당초의 연간정기배정계획보다 지출원인행위를 앞당길 필요가 있을 때, 해당 사업에 대한 예산을 분기별 정기배정계획과 관계없이 앞당겨 배정하는 제도이다.
④ 정부는 국회에 제출된 예산안의 일부를 부득이한 사유로 수정해야 하는 경우, 국무회의의 심의를 거쳐 대통령의 승인을 얻은 수정예산안을 국회에 제출할 수 있다.

문 18. 다음 중 옴부즈만(Ombudsman)제도에 대한 설명으로 옳은 것만을 모두 고르면?

ㄱ. 스웨덴의 옴부즈만은 의회 소속이다.
ㄴ. 옴부즈만제도는 위법·부당한 행정작용을 취소, 무효화하는 직접통제권이 있다.
ㄷ. 옴부즈만은 신청에 의한 조사는 가능하나, 직권조사 권한은 없다.
ㄹ. 우리나라의 경우 국민권익위원회가 옴부즈만제도적 성격을 가지고 있다.

① ㄱ, ㄷ
② ㄱ, ㄹ
③ ㄴ, ㄹ
④ ㄷ, ㄹ

문 19. 우리나라 지방자치에 대한 설명으로 옳은 것은?
① 자치사법권이 부여되어 있다.
② 자치재정권의 경우 조례를 통한 독립적인 지방세목은 설치할 수 있다.
③ 기준인건비제도로 정원관리 등에서 자율성을 가지게 되었다.
④ 지방자치단체 기관구성은 기관통합형이다.

문 20. 지방자치단체의 경계 및 명칭 변경 또는 폐치·분합에 대한 설명으로 옳지 않은 것은?
① 지방자치단체의 통폐합은 법률에 의한다.
② 시·군 및 자치구의 관할구역 경계 변경은 대통령령으로 정한다.
③ 읍·면·동의 명칭과 구역을 변경하거나 폐치·분합할 때에는 법률에 의한다.
④ 지방자치단체 사무소의 소재를 변경할 때는 해당 지방의회 재적의원 과반수 이상이 찬성하는 조례로 정한다.

2회 실전동형모의고사

소요시간: _____ / 15분   맞힌 답의 개수: _____ / 20

문 1. 시장실패의 원인과 그에 따른 정부의 대응 방식의 연결이 옳지 않은 것은?

① 공공재의 존재 – 정부규제
② 외부효과의 발생 – 공적유도(보조금)
③ 자연독점 – 공적공급(조직)
④ 정보의 비대칭성 – 정부규제

문 2. 포스트모더니즘 행정이론에 대한 설명으로 옳지 않은 것은?

① 우리가 발견할 수 있는 객관적 사실이 있다고 보는 객관주의를 배척한다.
② 파머(D. Farmer)가 언급한 타자성(alterity)이란 타인을 인식적 객체로 받아들이는 것을 말한다.
③ 바람직한 행정서비스는 다품종 소량생산 체제에서 제공될 가능성이 높다.
④ 포스트모더니즘에 따르면 진리의 기준은 맥락 의존적이다.

문 3. 다음 중 윌슨(Wilson)의 규제정치모형에 대한 설명으로 옳은 것만을 모두 고르면?

ㄱ. 환경규제 완화 상황인 경우에는 비용이 넓게 분산되고 감지된 편익이 좁게 집중되는 고객정치의 상황이 된다.
ㄴ. 규제의 편익은 다수에게 분산되어 작게 느껴지고 비용은 소수에게 집중되어 크게 느껴지는 것은 기업가의 정치(운동가적 정치)모형에 해당한다.
ㄷ. 대중정치는 한·약분쟁의 경우처럼 쌍방이 모두 조직적인 힘을 바탕으로 이익 확보를 위해 첨예하게 대립하는 정치상황이다.
ㄹ. 환경오염 규제는 이익집단정치모형에 속하는 사례라고 할 수 있다.

① ㄱ, ㄴ
② ㄱ, ㄷ
③ ㄴ, ㄹ
④ ㄷ, ㄹ

문 4. 인간관계론이 행정에 미친 영향으로 옳지 않은 것은?

① 행정의 전문화·과학화·객관화에 기여하였다.
② 행정관리의 민주화·인간화에 기여하였다.
③ 인사행정에 있어 인사상담제도와 제안제도 등의 도입에 기여하였다.
④ 행정조직 내에서의 비공식 조직을 중시하였다.

문 5. 정책의 유형에 관한 여러 가지 분류법이 있는데, 다음 각 분류에 대한 설명으로 옳지 않은 것은?

① 분배정책에서는 로그롤링(log rolling)이나 포크배럴(pork barrel)과 같은 정치적 현상이 나타나기도 한다.
② 재분배정책에는 누진소득세, 임대주택 건설사업, 실업수당 등이 포함된다.
③ 조세, 징병 등은 알몬드와 포웰(Almond & Powell)의 정책유형 분류 중 추출정책에 해당한다.
④ 리플리와 프랭클린(Ripley & Franklin)의 정책유형 중 재분배정책은 안정적 정책집행을 위한 루틴화의 가능성이 높아져 집행을 둘러싼 이데올로기의 논쟁 강도 또한 높다.

문 6. 나카무라와 스몰우드(R. T. Nakamura & F. Smallwood)가 제시한 정책집행의 유형 중 다음은 어느 유형의 특징에 해당되는가?

> - 정책집행자는 자신들의 정책목표를 설정하고, 정책결정자로 하여금 이들의 목표를 채택하도록 모든 힘을 동원해서 설득한다.
> - 정책집행자는 자신들의 목표 성취에 필요한 수단들을 정책결정자와 협상을 통해서 확보한다.
> - 정책집행자는 자신들의 정책목표들을 성실하게 성취하려고 한다.

① 지시적 위임자형
② 협상자형
③ 재량적 실험가형
④ 관료적 기업가형

문 7. 정책평가에 있어서 X, Y 두 변수가 서로 관계가 있는데도 관계가 없는 것으로 나타나게 하는 제3의 변수로 옳은 것은?

① 매개변수
② 선행변수
③ 억제변수
④ 왜곡변수

문 8. 동기부여이론에 대한 설명으로 가장 옳지 않은 것은?

① 허즈버그(Herzberg)의 욕구충족요인 이원론에서는 불만요인이 충족되면 만족감을 갖게 되어 동기가 유발된다.
② 앨더퍼(Alderfer)는 ERG이론에서 매슬로우(Maslow)의 욕구 5단계를 줄여서 생존 욕구, 대인관계 욕구, 성장 욕구의 세 단계를 제시하였다.
③ 매슬로우(Maslow)의 욕구이론 5단계의 욕구 체계 중 가장 상위의 욕구는 자아실현 욕구이다.
④ 욕구는 학습되는 것이므로 개인마다 욕구 계층에 차이가 있고 학습된 욕구들은 성취, 권력, 친교 욕구 등으로 구분할 수 있다고 주장한 학자는 맥클러랜드(McClelland)이다.

문 9. 목표관리(MBO)에 관한 설명으로 가장 옳은 것은?

① 장기적인 관점에서 거시적인 목표를 추구한다.
② 업무환경이 가변적이고 불확실성이 클 때 적용가능성이 높다.
③ 조직단위 또는 개인의 활동에 이르기까지 조직의 하부층과 상부층이 모두 참여하여 공동으로 목표를 결정한다.
④ 도시순환도로 건설 사업의 경우, 목표관리는 주민의 교통소통의 만족감을 목표로 설정한다.

문 10. 관료제의 병리현상에 대한 설명으로 옳지 않은 것은?

① 동조과잉이란 관료는 목표가 아닌 수단인 규칙·절차에 지나치게 영합·동조하는 경향을 말한다.
② 할거주의란 관료는 자기가 소속한 조직단위나 기관에만 관심과 충성심을 가질 뿐 다른 부서에 대한 배려를 하지 않아 조정·협조가 잘 되지 않는 현상을 말한다.
③ 무사안일주의란 관료들이 적극적으로 새로운 일, 조언, 결정 등을 하려고 하지 않고 선례에 따르거나 상관의 지시·명령에 맹목적으로 복종하여 책임을 회피하는 소극적 행동을 의미한다.
④ 피터(Peter)의 원리란 관료제 조직의 구성원들은 주어진 일정한 업무를 매일 반복적·기계적으로 처리하기 때문에 무감정화, 권태감, 시야협소화, 기계의 부속품화가 되어 인간으로서의 인격을 상실하게 되는 현상을 말한다.

문 11. 조직을 주요 목적 또는 기능에 따라 편성할 경우의 장점으로 옳지 않은 것은?
① 책임의 소재가 분명하다.
② 업무의 일괄처리·통합적 해결이 가능하다.
③ 정부 기능에 대한 국민의 이해가 용이하다.
④ 최신의 기술이나 전문가의 활용이 용이하다.

문 12. 「국가공무원법」상 공무원의 징계에 대한 설명으로 옳지 않은 것은?
① 감봉은 1개월 이상 3개월 이하의 기간 동안 보수의 3분의 1을 감하는 처분을 말한다.
② 정직은 1개월 이상 3개월 이하의 기간 동안 공무원의 신분은 보유하나, 직무수행이 정지되고 그 기간 중 보수의 3분의 2를 감하는 처분을 말한다.
③ 강등은 1계급 아래로 직급을 내리고 공무원 신분은 보유하나, 3개월간 직무에 종사하지 못하며 그 기간 중 보수의 전액을 감하는 처분을 말한다.
④ 해임은 강제퇴직의 한 유형이며 3년간 공무원 재임용 결격 사유이다.

문 13. 배치전환에 대한 설명으로 옳지 않은 것은?
① 전직과 전보는 동일한 계급 또는 동일한 직급 간의 수평적 이동을 말한다.
② 전보는 동일한 직급·직렬 내에서 계급의 변동 없이 직위만 변동되는 것을 말한다.
③ 전직은 직급은 동일하나 직렬이 다른 직위로 이동하는 것으로, 전직시험에 합격한 후에 가능하다.
④ 전입은 국회·법원·헌법재판소·선거관리위원회 및 행정부 간에 타 소속공무원을 영입하여 전과 동일한 계급의 직위에 배치하는 것으로, 전입시험을 거치지 않아도 된다.

문 14. 근무성적평정에 대한 설명으로 옳은 것은?
① 일반직공무원의 근무성적평정은 크게 5급 이상을 대상으로 한 성과계약평가와 6급 이하를 대상으로 한 근무성적평가로 구분된다.
② 공정한 평가를 위해 평가자와 피평가자의 사전협의가 금지된다.
③ 현행 평가제도는 직급에 따라 차별적 평가체제를 적용하고 있다.
④ 다면평가는 조직 내 구성원 간의 갈등 해소 및 신뢰성을 제고하고, 그 평가결과는 승진이나 전보, 성과급 지급 등에 활용해야 한다.

문 15. 예산의 종류에 대한 설명으로 옳은 것은?
① 추가경정예산이란 예산심의가 종료된 후 발생한 변화에 대처하기 위하여 연1회 편성하는 예산이다.
② 성인지예산제도(남녀평등예산)는 세입·세출예산이 남성과 여성에게 미치는 영향은 다르지 않다는 전제의 제도이다.
③ 수정예산은 예산이 국회를 통과하여 확정(성립)된 후에 생긴 사유로 인하여 추가·변경된 예산이다.
④ 준예산은 새로운 회계연도가 개시될 때까지 예산이 성립되지 못할 경우, 의회 승인 없이 특정 경비를 전년도에 준하여 지출할 수 있도록 하는 제도이다.

문 16. 국회의 의결을 필요로 하지 않는 것은?
① 책임운영기관특별회계
② 명시이월
③ 국고채무부담행위
④ 공기업예산

문 17. 예산의 기능별 분류에 대한 설명으로 옳지 않은 것은?
① 행정수반의 사업계획 및 예산정책의 수립을 용이하게 한다.
② 소 항목으로 분류하기 때문에 어느 한 부처의 예산만을 대상으로 한다.
③ 국가의 주요 기능에 따라 세출예산에만 사용되고 세입예산의 분류에서는 사용되지 않는다.
④ 입법부의 예산심의를 용이하게 할 뿐만 아니라 일반국민들이 정부예산을 통해 정부활동 및 정책의 우선순위를 파악하는데 유용하다.

문 18. 국민권익위원회에 대한 설명으로 옳지 않은 것은?
① 국무총리 소속이고, 행정기관 등에 관한 민원처리와 행정제도의 개선 등을 수행한다.
② 민원신청은 반드시 신청인의 이름과 주소, 신청의 취지·이유 등을 기재한 문서(전자문서 포함)로 하여야 한다.
③ 위원장과 위원은 대통령이 임명하며, 임기는 3년이고 1차에 한하여 연임할 수 있다.
④ 위원회는 매년 위원회의 운영상황을 대통령과 국회에 보고하고 이를 공표하여야 한다.

문 19. 기관위임사무에 대한 설명으로 옳지 않은 것은?
① 지방의회가 관여할 수 있어 조례로 처리할 수 있다.
② 사무 처리에 소요되는 경비는 그 전액을 위임기관이 부담하는 것이 원칙이다.
③ 사무에 대한 감독은 사전적·교정적·예방적 감독까지 허용된다.
④ 지방적 이해관계보다는 전국적 이해관계가 큰 사무이다.

문 20. 우리나라에서 실시되는 주민참여제도에 대한 설명으로 옳지 않은 것은?
① 주민참여예산제도는 지방자치단체의 예산편성에 주민이 직접 참여하여 재정운영의 투명성과 책임성을 제고할 수 있도록 하는 것이다.
② 주민소송은 주민감사 전치주의가 적용된다.
③ 주민소환은 주민소환투표권자 총수의 3분의 1 이상의 투표와 유효투표 총수 과반수의 찬성으로 확정된다.
④ 주민소환투표의 효력에 이의가 있는 경우 투표결과가 공표된 날부터 10일 이내에 소청할 수 있다.

3회 실전동형모의고사_국가직 7급 대비

소요시간: _____ / 20분 맞힌 답의 개수: _____ / 25

문 1. 티부모형(Tiebout model)의 기본가정에 해당하지 않는 것은?
① 지방정부가 공급하는 지방공공재는 외부효과가 발생해야 한다.
② 지방공공재를 생산하는 데 규모의 경제가 발생하지 않아야 한다.
③ 모든 소비자들이 자신이 선호하는 지역으로 완전히 자유롭게 이동할 수 있어야 한다.
④ 티부모형은 지방자치의 효율성을 설명하는 이론이다.

문 2. 공익의 특징에 대한 설명으로 옳지 않은 것은?
① 공익은 평등·정의·공정성·복지·인간존중 등과 같은 사회의 일반적인 기본적 가치를 의미한다.
② 과정설에서는 사익을 초월하는 공익의 실체는 있을 수 없다고 본다.
③ 공익 개념은 포괄적·상대적·동태적인 불확정적 개념이 아니라 절대적·확정적·정태적 개념이다.
④ 실체설은 공익을 사익을 초월한 실체적, 규범적, 도덕적 개념으로 파악한다.

문 3. 행정학의 접근방법에 대한 설명으로 가장 옳지 않은 것은?
① 행태론은 가설 검증을 위해 현상들을 경험적으로 관찰하여야 하고, 관찰할 수 없는 현상은 연구대상에서 제외한다.
② 생태론은 선진국의 행정현상을 설명하는 데 크게 기여했으며, 행정의 보편적 이론보다는 중범위이론의 구축에 자극을 주어 행정학의 과학화에 기여하였다.
③ 과학적 관리론은 행정학의 기본가치로서 능률성을 강조하였다.
④ 공공선택론은 비시장적 의사결정, 즉 정치적 문제에 대한 경제학적인 연구이다.

문 4. 다음 설명과 관련이 있는 행정이론으로 옳은 것은?

- 신공공관리론에 대한 반작용과 국가에 새로이 가해지고 있는 또 다른 변화에 대한 응전으로 등장했다.
- 행정의 초점이 소유주인 시민들을 위해 봉사하게 하고, 시민 중심의 공직 제도를 구축하도록 하는 데 놓여져야 한다.
- 이론적 기반을 공동체이론과 담론이론에 기초한 시민민주주의 이론에 두고 있다.

① 공공선택론
② 사회자본론
③ 신공공서비스론
④ 신제도론

문 5. 행정환경 변화에 따라 보다 적실성 있는 행정이론을 형성하기 위해 다양한 새로운 이론들이 시도되고 있는 바, 이에 대한 설명으로 옳지 않은 것은?
① 현대 시민사회에서는 구성원 간의 신뢰와 자발적인 협력을 중시하는 '사회자본론'이 유력한 대안으로 등장하고 있다.
② 시차이론은 우리나라에서 정책집행이나 정부개혁 과정이 성공을 거두지 못하는 이유를 파악하려는 데서 시작된 접근법이다.
③ 시차이론은 구성요소들 간의 내적 정합성 확보 측면은 고려하지 않으나, 충분한 성숙시간은 필요하다고 본다.
④ 사회자본은 집단행동의 딜레마를 극복하는 기능을 수행한다.

문 6. 정책내용을 수정·변경하며, 정책의 중단·축소·유지·확대 여부의 결정에 도움을 주는 정책평가로 옳은 것은?
① 총괄평가
② 과정평가
③ 메타평가
④ 평가성 검토

문 7. 쓰레기통모형에 대한 설명으로 옳지 않은 것은?
① 조직화된 무정부 상태에서 응집성이 매우 약한 조직이 어떤 의사결정 형태를 나타내는가에 분석의 초점을 둔다.
② 코헨(Cohen), 마치(March), 올슨(Olsen) 등이 제시한 모형으로 대학을 좋은 예로 들고 있다.
③ 의사결정에 참여하는 사람들은 무엇이 바람직한 것인가에 대해서 합의를 하고, 개인의 차원에서도 무엇이 좋은 것인가를 알고 참여한다는 것이다.
④ 목표와 수단 사이에 존재하는 인과관계의 기술이 불명확하다.

문 8. 정책의제설정모형에 대한 설명으로 옳지 않은 것은?
① 내부접근형은 정책의제가 형성된 후 행정 PR 등을 통해서 공중의제화 전략을 실시한다.
② 동원형은 국가가 주도하는 의제설정 모형으로, 주로 후진국에서 나타난다.
③ 외부주도형은 허쉬만(Hirschman)이 말하는 '강요된 정책문제'에 해당된다.
④ 굳히기형은 민간집단의 광범위한 지지가 형성된 이슈에 대하여 정책결정자가 지지의 공고화(consolidation)를 추진한다.

문 9. 균형성과관리(BSC: Balanced Score Card)에 대한 설명으로 옳지 않은 것은?
① 과정과 결과 및 조직 내·외부적 관점 중 어느 하나보다는 통합적 균형을 추구한다.
② 균형성과표를 정부 부문에 적용시키는 경우 가장 중요한 변화는 재무적 관점보다 고객의 관점이 강조되어야 한다는 점이다.
③ 균형성과표는 재무적 관점과 비재무적 관점의 균형을 강조한다.
④ 부서별 목표(하위계층 성과표)를 먼저 설정하고 그것을 토대로 조직 전체의 목표(상위계층 성과표)를 작성한다.

문 10. 리더십에 대한 설명으로 가장 옳지 않은 것은?
① 특성론적 접근법은 리더의 행동과 효과성 사이의 관계에 관심을 갖는다.
② 허시(Hersey)와 블랜차드(Blanchard)는 부하의 성숙도에 따라 리더의 역할이 달라져야 한다고 주장한다.
③ 피들러(Fiedler)는 지도자와 구성원의 관계가 좋고 과업구조가 명확화되어 있으며, 권력이 강한 경우에는 과업 중심형 지도자가 인간관계 중심형 지도자보다 더 효과적이라고 본다.
④ 카리스마적(charismatic) 리더십은 리더가 특출한 성격과 능력으로 추종자들의 강한 헌신과 리더와의 일체화를 이끌어내는 리더십이다.

문 11. 자원의존이론에 대한 설명으로 옳은 것은?
① 환경의 불확실성을 극복하기 위한 전략적 선택의 중요성과 환경적응결정에 있어서 관리자의 역할을 강조한다.
② 조직이 환경적 요인을 피동적으로 받아들이는 것으로 파악한다.
③ 조직의 생성과 소멸 과정에 초점을 두고 변이·선택·보존이라는 세 가지 요소를 고려하면서 환경에 따른 조직의 형태와 존재 및 소멸이유를 설명하고자 하는 이론이다.
④ 인간의 본성을 이기적·기회주의적으로 행동하는 것으로 파악한다.

문 12. 조직의 형태 중 애드호크라시(Adhocracy)의 특징에 대한 설명으로 옳지 않은 것은?
① 공식화 수준이 낮고 전문성은 강하다.
② 팀 중심의 문제해결을 강조한다.
③ 분권적 조직구조를 중시하고 신축성과 융통성을 유지한다.
④ 주로 정규적 기술을 사용한다.

문 13. 대표관료제에 대한 설명으로 가장 옳지 않은 것은?
① 대표관료제는 행정에 대한 내부통제의 역할을 한다.
② 개인주의, 자유주의 원리를 기반으로 하고 있다.
③ 대표관료제는 공무원의 정치적 중립과 모순되는 경향이 있다.
④ 다양한 계층을 공직에 입문시켜 공직 구성의 다양성을 촉진시킨다.

문 14. 적극적 인사행정에 대한 설명으로 옳지 않은 것은?
① 공직의 사회적 평가를 향상시켜 유능한 인재를 적극적으로 모집한다.
② 인사권의 분권화로 부처인사기관의 자율성을 향상시킨다.
③ 공무원 단체활동을 금지한다.
④ 고위직에 정치적 임명을 허용한다.

문 15. 도표식 평정척도법에 대한 설명으로 가장 옳지 않은 것은?
① 등급의 비교기준을 명확히 할 수 있다.
② 상벌 목적에 이용하는 데 효과적이다.
③ 관대화 경향효과를 피하기 어렵다.
④ 평정표 작성과 평정이 용이하다.

문 16. 다음에서 검증하고자 하는 선발시험의 효용적 기준으로 가장 적절한 것은?

> 정부는 2015년도 국가직 7·9급 공개경쟁채용시험을 통해 채용된 직원들의 시험성적을 2017년까지의 평균적인 근무성적과 비교해보려고 한다.

① 신뢰도
② 실용도
③ 능률성
④ 타당도

문 17. 예산집행의 신축성 유지방안에 대한 설명으로 옳지 않은 것은?

① 예산의 이용은 입법과목 간 융통을 의미하는 것으로, 예산집행상 필요에 따라 미리 예산으로서 국회의 의결을 얻은 때에는 기획재정부장관의 승인을 얻어 이용할 수 있다.
② 정부조직 등에 관한 법령의 제정·개정 또는 폐지로 인하여 그 직무와 권한에 변동이 있을 때에는 기획재정부장관은 당해 중앙관서의 장의 요구에 의하여 그 예산을 이체할 수 있다.
③ 각 중앙관서의 장은 세항 또는 목의 금액을 기획재정부장관의 승인을 얻어 전용할 수 있다.
④ 계속비는 모든 정부사업에 있어서 경비의 총액(總額)과 연부액(年賦額)을 정하여 미리 국회의 의결을 얻은 범위 안에서 수년도에 걸쳐 지출할 수 있는 경비를 말한다.

문 18. 준예산에 대한 설명으로 옳은 것은?

① 국회의 의결을 얻어야만 사용할 수 있다.
② 사용기한은 1개월이다.
③ 준예산에 의해서 지출할 수 있는 항목은 제한되어 있다.
④ 우리나라는 1960년 제3차 개헌 시에 채택하여 중앙정부에서는 2번 사용하였다.

문 19. 예산제도에 대한 설명으로 옳은 것만을 모두 고르면?

> ㄱ. 품목별예산제도는 주어진 재원 수준에서 달성한 산출물 수준을 성과지표에 포함한다.
> ㄴ. 성과주의예산제도는 계량화된 정보를 통해 합리적인 의사결정과 관리 개선에 기여할 수 있다는 장점이 있다.
> ㄷ. 계획예산제도는 장기적인 안목을 중시하며 비용편익분석 등 계량적인 분석기법의 사용을 강조한다.
> ㄹ. 프로그램예산제도는 투입 중심의 예산운영을 위해 설계·도입된 제도이다.
> ㅁ. 영기준예산제도는 합리적 선택을 강조하는 총체주의 방식의 예산제도로 예산 편성에 비용·노력의 과다한 투입을 요구 한다는 비판을 받는다.

① ㄱ, ㄴ, ㄷ
② ㄱ, ㄴ, ㄹ
③ ㄴ, ㄷ, ㄹ
④ ㄴ, ㄷ, ㅁ

문 20. 예산의 이용, 예비비, 계속비는 공통적으로 어떤 예산의 원칙에 대한 예외인가?

① 통일성의 원칙
② 한정성의 원칙
③ 단일성의 원칙
④ 포괄성의 원칙

문 21. 다음 중 외부통제이면서 비공식통제에 해당하는 것을 모두 고르면?

> ㄱ. 옴부즈만에 의한 통제
> ㄴ. 행정윤리의 확립
> ㄷ. 대표관료제
> ㄹ. 민중통제
> ㅁ. 이익집단에 의한 통제
> ㅂ. 정당에 의한 통제

① ㄱ, ㄴ, ㄹ
② ㄱ, ㄷ, ㅂ
③ ㄴ, ㄷ, ㅁ
④ ㄹ, ㅁ, ㅂ

문 22. 우리나라의 전자정부에 대한 설명으로 옳지 않은 것은?

① 중앙사무관장기관의 장은 전자정부의 구현·운영 및 발전을 위하여 3년마다 행정기관 등의 기관별 계획을 종합하여 전자정부기본계획을 수립하여야 한다.
② 정부는 지능정보사회 정책의 효율적·체계적 추진을 위하여 지능정보사회 종합계획을 3년 단위로 수립하여야 한다.
③ 과학기술정보통신부장관이 중앙행정기관의 장 및 지방자치단체의 장에게 종합계획의 수립에 필요한 자료를 요청하는 경우 해당 기관의 장은 특별한 사정이 없으면 이에 응하여야 한다.
④ 지속적으로 전자정부의 발전을 촉진하기 위하여 매년 6월 24일을 전자정부의 날로 한다.

문 23. 지방자치단체의 기관구성 중 기관통합형과 대비되는 기관대립형의 특징으로 옳지 않은 것은?

① 기관통합형에 비해 집행기관 구성에서 주민의 대표성을 확보할 수 있고 주민자치 정신에 더 부합된다.
② 의결기관과 집행기관 간의 견제와 균형의 원리에 의해 권력의 남용을 방지하고 비판감시 기능을 할 수 있다.
③ 지방의회와 지방자치단체의 장을 주민이 직선함으로써 지방행정에 대한 주민통제가 보다 용이하다.
④ 기관통합형에 비해 강력한 행정시책을 추진할 수 있다.

문 24. 지방재정조정제도에 대한 설명으로 옳은 것은?

① 지방교부세는 내국세 총액의 19.24%와 「종합부동산세법」에 따른 종합부동산세 총액을 재원으로 한다.
② 지방재정조정제도는 크게 지방자치단체에 재원 사용의 자율성을 전적으로 부여하는 국고보조금과 특정한 사업에 사용할 것을 조건으로 선택적으로 지원하는 지방교부세로 구분한다.
③ 지방교부세의 기본 목적은 지방자치단체 간 재정격차를 줄임으로써 기초적인 행정서비스가 제공될 수 있도록 하는 데 있다.
④ 지방교부세의 종류는 보통교부세, 특별교부세, 부동산교부세 및 교통안전교부세로 구분한다.

문 25. 조례에 대한 설명으로 옳지 않은 것은?

① 지방자치단체는 법령의 범위 안에서 그 사무에 관하여 조례를 정할 수 있다.
② 조례를 정할 때 주민의 권리 제한에 관한 사항은 법률의 위임이 있어야 한다.
③ 기관위임사무에 대해서는 원칙적으로 조례로 규정할 수 없다.
④ 주민은 행정기구를 설치하거나 변경하는 사항에 대한 조례의 제정을 청구할 수 있다.

4회 실전동형모의고사_국가직 7급 대비

소요시간: _____ / 20분   맞힌 답의 개수: _____ / 25

문 1. 정부규제에 대한 설명으로 옳지 않은 것은?
① 네거티브(Negative) 규제는 '원칙 허용·예외 금지'의 형태를 취하는 규제이다.
② 상품의 등급 설정, 자격증의 발급 등은 시장 기능의 효율성 제고 방안이다.
③ 벌과금의 징수, 조세의 징수, 보조금의 지급은 직접규제 방법이다.
④ 윌슨(Wilson)의 규제정치이론에 따르면 고객정치상황에서 비용은 상대적으로 이질적인 불특정 다수집단에 부담되나, 그 편익은 매우 크며 동질적인 소수집단에게 귀속된다.

문 2. 다음 중 행정과 경영의 관계에 대한 설명으로 옳지 않은 것은?
① 행정과 경영은 모든 국민에게 평등하게 대우한다는 점에서 유사성을 갖는다.
② 정치행정이원론은 행정과 경영의 유사성을 강조하며, 행정의 과학화를 추구하는 입장이다.
③ 행정은 경영보다 엄격한 법적 규제를 받는다.
④ 합리적이고 집단적인 협동 행위는 행정과 경영에서 공통적으로 나타난다.

문 3. 행정이론에 대한 설명으로 옳지 않은 것은?
① 신공공관리론에 따른 행정개혁의 방향은 정책결정과 집행의 분리를 전제로 한다.
② 포스트모더니즘은 합리성을 바탕으로 고객 중심의 행정을 추구한다.
③ 좋은 거버넌스(good governance)는 신공공관리와 자유민주주의의 결합이다.
④ 행태론은 '사실'과 '가치'에 대한 이분법을 시도하였다.

문 4. 정부관에 대한 설명으로 옳은 것은?
① 보수주의자는 적극적 자유를 강조하고, 진보주의자는 소극적 자유를 강조한다.
② 진보주의자는 소득재분배 정책을 옹호한다.
③ 신자유주의가 등장하면서 정부개입을 찬성하는 큰 정부로의 전환이 이루어졌다.
④ 1930년대 대공황을 겪으면서 작은 정부가 중시되었다.

문 5. 정책문제의 구조화기법에 대한 설명으로 옳지 않은 것은?
① 계층분석이란 문제에 대한 간접적이고 불확실한 원인에서 직접적이고 확실한 원인을 차례차례 계층적으로 확인해 나가는 기법이다.
② 분류분석이란 정책문제의 존속기간 및 형성과정을 파악하기 위해 사용하는 방법으로, 대표적으로 포화표본추출기법이 사용된다.
③ 유추분석이란 유사문제에 대한 비교와 유추를 통해 특정문제를 명확하게 정의하는 기법이다.
④ 경계분석이란 문제의 경계를 설정함으로써 문제의 위치 및 범위 등을 명확히 하여 문제의 주요 국면을 간과하는 일이 없도록 하기 위한 기법이다.

문 6. 무의사결정론에 대한 설명으로 옳지 않은 것은?
① 엘리트들에게 안전한 이슈만을 논의하고 불리한 문제는 거론조차 못하게 봉쇄하는 것을 의미한다.
② 정책문제의 채택 과정에서 엘리트가 권력을 비밀리에 행사하는 것을 의미한다.
③ 무의사결정론은 정치 권력이 두 얼굴을 가지고 있다고 주장한다.
④ 바흐라흐(Bachrach)와 바라츠(Baratz)는 무의사결정은 정책 과정 중 정책의제설정 과정에서만 나타난다고 주장하였다.

문 7. 연관된 다른 사건이 일어났느냐 일어나지 않았느냐에 기초하여 미래의 어떤 사건이 일어날 확률에 대해 식견 있는 판단을 이끌어내는 직관적인 집단의사결정기법은?
① 델파이기법(Delphi Method)
② 브레인스토밍(Brain Storming)
③ 교차영향분석(Cross-Impact Analysis)
④ 명목집단기법(Normal Group Technique)

문 8. 내부수익률(IRR)에 대한 설명으로 옳지 않은 것은?
① 내부수익률은 편익의 현재가치와 비용의 현재가치가 동일하게 되도록 하는 할인율이다.
② 내부수익률의 기준은 사업평가에 적용할 적절한 할인율이 알려져 있지 않은 경우에 사업평가에 매우 유용한 기준이다.
③ 내부수익률이 시장이자율보다 낮으면(IRR<r) 이론상 투자할 가치가 있는 사업으로 평가된다.
④ 내부수익률은 투자수익률로, 편익비용비를 1로 만드는 할인율이다.

문 9. 다음 중 동기부여이론에 대한 설명으로 가장 옳지 않은 것은?
① 허즈버그(Herzberg)의 욕구충족요인 이원론에서 불만요인은 개인의 불만족을 방지하는 효과를 가져오는 요인으로서, 충족되면 만족감을 갖게 되어 동기가 유발된다.
② 앨더퍼(Alderfer)는 ERG이론에서 매슬로우(Maslow)의 욕구 5단계를 줄여 생존욕구, 대인관계욕구, 성장욕구의 세 단계를 제시하였다.
③ 핵맨과 올드햄(Hackman & Oldham)의 직무특성이론에서는 직무특성을 결정하는 변수로 기술다양성, 직무정체성, 직무중요성, 자율성, 환류를 들고 있다.
④ 아담스(Adams)의 형평성이론에서는 자신의 노력과 그 결과로 얻어지는 보상과의 관계를 다른 사람의 것과 비교하여 불평등을 지각할 때 동기가 부여된다고 보았다.

문 10. 총체적 품질관리(TQM)에 대한 설명으로 옳지 않은 것은?
① 조직이 산출하는 재화·용역의 부가가치를 극대화하는 데 유리한 분권적 조직구조를 선호한다.
② 고객 요구에 부응하는 서비스를 제공하기 위하여 서비스의 변이성을 추구하여야 한다.
③ 행정서비스의 질은 전체 구성원의 노력에 의하여 좌우되며, 계속적으로 개선되어야 한다.
④ 조직의 모든 계층에 걸쳐 구성원들 사이에 개방적이고 신뢰하는 관계를 설정하며, 구성원들에게 힘을 실어준다.

문 11. 다음 중 조직구조에 대한 설명으로 옳지 않은 것만을 모두 고르면 몇 개인가?

> ㄱ. 사업구조에서는 자율적으로 운영되는 부서 간의 조정 가능성은 증진되지만, 부서 내 조정은 어려워진다.
> ㄴ. 네트워크구조 내의 개인들은 도전적인 과업을 수행하면서 직무의 확장과 확충에 따라 직무동기가 유발되는 장점이 있다.
> ㄷ. 기능구조에서는 기능적 통합을 통하여 규모의 경제를 제고할 수 있다.
> ㄹ. 매트릭스구조는 수평적인 팀제와 유사하다.

① 1개
② 2개
③ 3개
④ 4개

문 12. 계급제와 직위분류제에 대한 설명으로 가장 옳지 않은 것은?

① 직위분류제에서는 직렬 간의 인사이동을 원칙적으로 허용한다.
② 직위분류제는 계급제에 비해 교육훈련수요 파악이 용이하다.
③ 직위분류제에 비해 계급제는 폭넓은 안목을 지닌 일반행정가를 양성하는 데 유리한 제도이다.
④ 계급제는 사람을 중심으로, 직위분류제는 직무를 중심으로 공직을 분류하는 인사제도이다.

문 13. 제도화된 부패의 특징에 대한 설명으로 옳지 않은 것은?

① 부패 저항자에 대한 보복
② 비현실적 반부패 행동규범의 대외적 발표
③ 부패 행위자에 대한 보호
④ 공식적 행동규범의 준수

문 14. 다음 중 「국가공무원법」 및 「지방공무원법」상 특수경력직 공무원에 해당하는 사람을 모두 고르면?

> ㄱ. A 경찰서에 근무 중인 총경 甲
> ㄴ. 국회의원 비서로 근무 중인 乙
> ㄷ. 기획재정부에서 차관으로 근무 중인 丙
> ㄹ. C 부대에서 중대장으로 근무 중인 군인 丁
> ㅁ. D광역시 의회의원 戊

① ㄱ, ㄴ, ㄷ
② ㄱ, ㄷ, ㄹ
③ ㄱ, ㄹ, ㅁ
④ ㄴ, ㄷ, ㅁ

문 15. 공공부문에 임금피크제를 도입했을 때 기대되는 효과로 올바르지 않은 것은?

① 조직의 신진대사 촉진과 신규채용 확대 효과
② 정부 재정부담 경감
③ 적극적인 성과급 제도의 보급
④ 정년연장 및 고용안정 효과

문 16. 예비타당성조사제도에 대한 설명으로 옳지 않은 것은?
① 총사업비 500억 원 이상 대규모 건설사업은 예비타당성조사를 실시하여야 한다.
② 기획재정부장관이 실시한다.
③ 정책적 분석을 위해 수요, 편익, 비용을 추정하고 재무성 평가와 민감도 분석을 시행한다.
④ 대형 신규 사업에서 발생할 수 있는 예산 낭비를 방지하고 재정운용의 효율성을 제고하기 위해 도입되었다.

문 17. 예산에 대한 설명으로 옳지 않은 것은?
① 수입대체경비란 용역 및 시설을 제공하여 발생하는 수입과 관련되는 경비로서 예산총계주의에 대한 예외이다.
② 준예산은 예산이 성립되지 않았을 때 예산집행을 위한 제도로 국회의 의결을 받지 않고 사용할 수 있다.
③ 예비비는 헌법상 독립기관의 재정적 자율성과 독립성을 보장하고 예측할 수 없는 경비나 예산 외의 초과지출에 충당하기 위해 법률에 근거를 두고 일반예산과 별도로 분리하여 계상된 금액을 말한다.
④ 국회에 제출 중인 예산안을 수정하기 위해 사용되는 것이 수정예산이다.

문 18. 자동부의제도란 관련 위원회가 예산안 등의 심사를 매년 (   )까지 마치지 못한 때에는 그 다음 날 위원회에서 심사를 마치고 바로 본회의에 부의된 것으로 보는 제도이다. 괄호 안에 들어갈 날짜로 옳은 것은?
① 회계연도 30일 전
② 회계연도 개시일
③ 11월 30일
④ 12월 1일 통일성의 원칙

문 19. 예산집행의 신축성 유지 방안에 대한 설명으로 옳지 않은 것은?
① 예산의 전용은 예산으로서 사전에 국회의 승인을 받은 경우에 한하여 기획재정부장관의 승인을 얻어야 사용이 가능하다.
② 계속비의 지출 기간은 원칙이 5년 이내이며, 필요한 경우 국회의 의결을 얻어 연장할 수 있다.
③ 한번 사고이월된 경비는 다음 회계연도로 재차이월될 수 없다.
④ 이체(移替)는 정부조직 등에 관한 법령의 제정, 개정 또는 폐지로 인하여 그 직무와 권한의 변동이 있을 때, 중앙관서장의 요구에 의하여 기획재정부장관이 허용하는 제도이다.

문 20. 행정에 대한 정치적 통제와 관료제의 자율성에 대한 설명으로 가장 옳은 것은?
① 직업공무원이 선출직 공무원에게 책임을 지도록 조직화된 이유는 정부의 대응성을 제고하기 위함이다.
② 행정에 대한 정치적 통제의 강화는 행정의 안정성과 능률성을 제고할 수 있다.
③ 사회문제가 복잡해짐에 따라 직업공무원들의 행정적 재량행위에 대한 더욱 엄격한 통제가 요구된다.
④ 입법부의 구성이 여당 우위일 경우 효과적인 행정통제 기능을 수행할 수 있다.

문 21. 행정개혁의 접근방법에 대한 설명으로 옳지 않은 것은?
① 구조적 접근방법은 행정활동의 목표를 개선하고 서비스의 양과 질을 개선하려는 접근방법으로, 분권화의 확대, 권한 재조정, 명령계통 수정 등에 관심을 갖는다.
② 과정적 접근방법은 행정체제의 과정 또는 일의 흐름을 개선하려는 접근방법이다.
③ 행태적 접근방법은 구조와 기술을 개선시키는 접근방법이다.
④ 종합적 접근방법은 구조와 인간, 환경의 문제를 체제로 파악하고 상호관련성을 고려하는 접근방법이다.

문 22. 행정책임에 대한 설명으로 옳지 않은 것은?
① 프리드리히(Friedrich)는 외재적 책임, 파이너(Finer)는 내재적 책임의 중요성을 강조하였다.
② 기능적 책임은 관료의 전문적·기술적 능력과 밀접한 관련이 있다.
③ 행정책임은 공무원의 결과책임뿐만 아니라 과정책임도 포함된다.
④ 행정책임은 개인적 요구보다 공익적 요구에 충실해야 한다.

문 23. 국고보조금의 특징으로 옳지 않은 것은?
① 지방자치단체의 자율성을 강화시켜 중앙정부에의 예속을 막아준다.
② 수직적 재정조정이다.
③ 국가시책을 장려하기 위한 경우도 있다.
④ 외부효과를 치유하는 수단이 되기도 한다.

문 24. 우리나라 지방의회에 대한 설명으로 가장 옳지 않은 것은?
① 위원회의 종류는 상임위원회와 특별위원회의 두 가지로 구분한다.
② 지방의회는 매년 2회 정례회를 개최한다.
③ 조례로 정하는 바에 따라 광역의회에는 사무처를 둘 수 있으며, 기초의회에는 사무국이나 사무과를 둘 수 있다.
④ 지방의회의원은 「지방공기업법」에 규정된 지방공사와 지방공단의 임직원을 겸할 수 있다.

문 25. 우리나라 주민소환제도에 대한 설명으로 옳은 것은?
① 주민소환투표를 실시하는 때에는 주민소환투표인명부 작성기준일부터 5일 이내에 주민소환투표인명부를 작성하여야 한다.
② 주민소환투표를 실시한 후 2년 미만인 경우에는 주민소환을 실시할 수 없다.
③ 전체 주민소환투표자의 수가 주민소환투표권자 총수의 3분의 2에 미달하는 때에는 개표를 하지 않는다.
④ 소환투표의 효력에 이의가 있는 경우 투표결과가 공표된 날부터 20일 이내 관할 선거관리위원회 위원장을 피소청인으로 하여 소청 제기가 가능하다.

정답 및 해설

1회 | 실전모의고사

정답
p. 748

01	③	02	①	03	④	04	③	05	①
06	④	07	④	08	④	09	③	10	①
11	②	12	④	13	②	14	②	15	④
16	④	17	③	18	②	19	③	20	③

---

01 공행정과 사행정   답 ③

관료제의 성격, 목적달성을 위한 수단, 협동행위, 관리기술의 적용, 의사결정 등은 공행정과 사행정의 유사점이다.

📋 **행정과 경영의 차이점**

구분	행정	경영
주체	정부	기업
목적	공익	사익
정치성	강함	약함
권력성	강함	약함
법적 제한	강함	약함
평등성	강함	약함
독점성	강함	약함
공개성	강함	약함

---

02 민간위탁   답 ①

민간위탁이란 정부가 민간부문과 위탁계약을 맺고 비용을 지불하며, 민간부문으로 하여금 공공서비스를 생산하게 하는 방식으로, 정부가 민간과의 계약을 통해 국민들에게 서비스를 전달하는 것이다. 즉, 행정기능을 민간에게 완전히 이양하지 않고 행정기관이 그에 관한 권한을 여전히 유보하고 있으면서, 민간으로 하여금 자기의 명의와 책임하에 해당 행정기능을 처리하게 하는 계약을 체결하는 제도이다. 그 대상으로는 조사·검사·검정·관리업무 등 국민의 권리·의무와 직접 관계되지 아니하는 사무이다. 즉, 권리·의무와 직접 관계된 사무는 민간위탁의 대상이 아니다.

(선지분석)
② 경쟁입찰 과정을 거쳐 수탁기관을 선정하므로, 비용절감 등 효율성을 제고할 수 있다.
③ 면허방식에서 시민 또는 이용자는 서비스 제공자에게 비용을 지불하며, 서비스 수준과 질은 정부가 규제한다.
④ 계약방식에서는 정부가 민간부문과 위탁계약을 맺고 비용을 지불하며, 민간부문으로 하여금 공공서비스를 생산하게 하는 방식으로, '정부가 민간과의 계약을 통해 국민들에게 서비스를 전달하는 것'이다.

---

03 신제도주의 행정학   답 ④

사회학적 신제도주의에서의 접근법은 귀납적 접근법이 사용된다.

(선지분석)
① 역사적 신제도주의는 제도가 역사적 경로에 의존한다고 보았다.
② 역사적 신제도주의는 선호를 내생적으로 보며, 방법론상 총체주의(전체주의)를 택한다.
③ 사회학적 신제도주의에서 조직 변화는 합리성이나 효율성 증진과는 무관하며, 조직을 사회적 정당성과 더 유사해지도록 하는 과정, 즉 동형화(Isomorphism)의 결과로 나타난다고 본다.

---

04 공공서비스   답 ③

치안서비스는 대표적인 공공재로서 경합성도 띠지 않고 배제도 불가능하므로 비배제성과 비경합성을 띤다.

(선지분석)
① 공공재는 비경합성과 비배제성의 특징 때문에 무임승차의 문제를 야기시켜 시장실패를 가져오므로, 공공부문(정부)이 공급해야 할 서비스이다.
② 공유재는 비배제성으로 인하여 대가를 지불하지 않더라도 배제가 불가능하고, 경합성을 가지는 영역이다.
④ 가치재는 기본적으로 민간재이지만 일정 수준 소비하는 것이 바람직하기 때문에 정부가 개입하는 경우도 있다.

---

05 정책결정모형   답 ①

ㄱ. 점증모형은 타협과 조정을 통한 동의와 합의를 중시한다.
ㄷ. 표준운영절차(SOP: Standard Operation Procedure)의 발견과 활용이 회사모형의 궁극적 목표이다.

(선지분석)
ㄴ. 만족모형은 모든 대안이 아니라 몇 개의 대안만 순차적으로 검토 후, 만족수준에서 선택한다.

ㄹ. 사이버네틱스모형은 적응적·습관적 의사결정모형이고, 쓰레기통모형이 조직화된 무질서 상태의 의사결정모형이다.

06 집단의 의사결정기법   답 ④

명목집단기법(nominal group technique)은 집단적 문제해결에 참여하는 개인들이 개별적으로 해결방안에 대해 구상을 하고, 그에 대해 제한된 집단적 토론만을 한 다음 해결방안에 대해 표결을 하는 기법이다. 즉, 충분한 토론이 아니라 제한된 토론만을 한다.

(선지분석)
① 정책델파이(Policy Delphi)란, 델파이 기본논리를 적용하여 정책문제해결을 위한 것으로, 정책대안을 개발하고 정책대안의 결과를 예측하기 위한 방법이다. 이는 델파이기법과 달리 정책전문가와 이해관계자 등 다양한 대상자가 선정된다(델파이기법은 전문가만 선정된다).
② 오스본(A. Osborne)에 의해 제시된 브레인스토밍(brainstorming)은 즉흥적이고 자유분방하게 여러가지 기발한 아이디어를 창안하는 활동이다. 아이디어를 모으는 과정에서 평가를 하지 않는 것이 중요하며, 대안들의 평가·종합을 통해 실현가능성이 없는 대안들을 제거하는 과정으로 전개된다.
③ 변증법적 토론(Dialectical Discussion Method)은 토론집단을 대립적인 두 개의 팀으로 나누어 토론을 진행하는 과정에서 합의를 형성해내는 기법으로, 한 팀은 특정 대안에 대해 찬성하는 역할을 맡고 다른 한 팀은 반대하는 역할을 맡는다.

07 정부업무평가제도   답 ④

공공기관에 대한 평가는 공공기관의 특수성·전문성을 고려하고, 평가의 객관성 및 공정성을 확보하기 위하여 공공기관 외부의 기관이 실시하여야 한다.

(선지분석)
① 중앙행정기관의 장은 그 소속기관의 정책 등을 포함하여 자체평가를 실시하여야 한다.
② 지방자치단체의 자체평가위원회는 평가의 공정성과 객관성을 확보하기 위하여 자체평가위원의 3분의 2 이상을 민간위원으로 하여야 한다.
③ 자치단체합동평가위원회는 행정안전부장관 소속하에 설치된다.

08 우리나라의 정부조직   답 ④

검찰총장은 경력직공무원 중 특정직공무원이다.

(선지분석)
① 국무총리는 국무회의 부의장이다.
② 각 부 장관은 모두 국무위원이다.
③ 경찰청장은 경력직공무원 중 특정직공무원이다.

09 책임운영기관   답 ③

행정안전부장관은 대통령령으로 책임운영기관을 설치할 수 있다.

(선지분석)
① 정부기능 중 정책결정기능과 집행적·사업적 성격의 기능을 분리하여, 집행기능을 책임운영기관이 전담하게 한다.
② 책임운영기관은 기관장에게 인사, 조직, 예산의 융통성을 부여하는 대신에 그 운영성과에 대해서 책임을 지도록 한다.
④ 수익자부담주의, 기업회계방식 등 민간경영방식이 정부 내부로 흡수된 내부시장화된 조직이다.

10 전략적 관리(SM)   답 ①

전략적 관리(SM: Strategic Management)는 환경과의 관계를 중시하는 변혁적 관리이다. 이러한 전략적 관리는 격동하는 환경에 대한 조직의 대응능력을 향상시키는 체제적 접근방법이고, 조직이 장기적·포괄적 안목으로 환경변화에 대응할 수 있게 한다.

(선지분석)
② 전략적 관리의 주된 목적은 조직과 그 조직이 처한 환경 사이에 가장 적합한 상태를 형성하는 것으로, 조직은 우선 장기적인 관점에서 자신의 대내적 강점 및 약점과 환경으로부터의 위협 및 기회를 분석하고 확인하며, 이러한 분석에 기초하여 미래에 대비한 최적의 새로운 전략을 수립하는 것이다.
③ 부서별 활동을 분리하기보다는 미래의 목표성취를 위한 전략을 개발·선택하고, 이를 위한 주요 조직 활동의 통합·연계를 중시한다.
④ 전략적 관리는 개방체제하에서 환경과의 관계를 중시하는 변혁적·탈관료적 관리전략이자, 조직의 새로운 지향노선을 제시하고 전략기술을 개발·집행하는 관리전략이다.

11 조직문화의 기능   답 ②

조직문화란 조직 구성원이 공유하는 가치관·신념·행동방식과 조직의 규범·전통·이념·관습·기술 등 조직과 구성원의 행태에 영향을 미치는 요인을 의미한다. 따라서 조직문화는 조직 구성원들이 개인의 자기이익보다 조직이익에 헌신하도록 한다.

(선지분석)
① 조직문화는 인간의 사고와 행동을 결정하는 주요 요인이다(문화결정론).
③ 조직문화는 구성원을 통합하여 응집력과 동질감·일체감을 높여줌으로써 사회적·규범적 접착제로서의 역할을 한다.
④ 조직문화는 쉽게 변동되지 않는 변동저항성·안정성을 지닌다.

| 12 | 고위공무원단 | 답 ④ |

고위공무원단의 대상은 일반직, 별정직, 특정직(외무직)이다.

선지분석
① 고위공무원단의 직위는 개방형 직위(20% 이내), 공모직위(30% 이내) 및 자율직위(50% 이내)로 구성된다.
② 고위공무원단에 속하는 공무원의 신규채용 임용권은 대통령의 권한이다.
③ 우리나라의 고위공무원단제도는 2006년 7월 노무현 정부에 의하여 처음 도입되었다.

| 13 | 개방형 인사제도의 장점 | 답 ② |

공무원의 신분보장이 강하므로 행정의 안정성을 유지할 수 있는 것은 폐쇄형 인사제도이고, 개방형 인사제도는 직위나 직무가 없어지면 그 직위나 직무를 맡아 수행하던 공무원도 퇴직하게 되므로, 신분보장이 어렵다.

개방형과 폐쇄형 인사제도의 이점

개방형 인사제도의 이점	폐쇄형 인사제도의 이점
• 유능한 외부인사의 공직 등용 • 활발한 신진대사로 관료제 침체·경직화 방지, 무사안일적 풍토 쇄신, 재직자의 자기개발노력 촉진 • 공무원의 질적 향상, 행정능률화에 기여 • 국민에 대한 반응성 제고 및 행정에 대한 민주통제가 용이 • 정부의 인적자원의 활용범위 확대	• 재직자의 승진기회가 많아져 사기앙양 • 신분보장 강화로 행정의 안정성 제고 • 낮은 이직률로 직업공무원제 확립에 기여 • 승진 기준으로 경력을 중요시하여 인사행정의 객관성에 기여 • 조직에의 높은 소속감·충성심으로 행정능률 향상에 도움

| 14 | 엽관제의 장점 | 답 ② |

엽관제하에서는 정권이 교체되면 공무원도 대폭적으로 교체가 되기 때문에 공무원의 신분이 보장되지 않으므로, 행정의 안정성과 계속성을 유지하기가 어렵다는 단점이 있다. 또한 엽관제는 무능력자가 공직에 임용되어 행정의 비능률을 초래하고, 불필요한 공직이 남설하여 예산의 낭비를 초래한다. 더불어 매관매직을 하거나 뇌물을 수수하는 등 공직의 기강을 문란하게 하고, 국민 전체에 대한 충성보다는 정당의 특수이익이나 집권자에 대한 충성심에 더 관심을 가져 행정의 무책임성을 조장할 수 있는 단점이 있다.

선지분석
①, ③ 엽관주의는 관료제의 민주화에 기여(공직의 만인에 대한 개방, 공직경질로 침체·특권화 방지)한다.
④ 엽관주의는 정당 이념의 철저한 실현과 공약의 강력한 추진을 가능하게 한다.

엽관주의의 장단점

장점	• 민주정치의 기초가 되는 정당정치 발전에 기여 • 관료제의 민주화에 기여 • 집권정치인에 대한 높은 충성심 확보와 공무원의 효과적 통솔 가능 • 정당 이념의 철저한 실현과 공약의 강력한 추진 • 행정의 민주성, 대응성, 참여성, 책임성 확보
단점	• 정권교체에 따른 대량 경질로 행정의 계속성과 전문성 훼손 • 행정경험 없는 무능한 자의 임명으로 업무능률 저하 • 불필요한 공직남설로 예산 낭비와 행정의 비능률 초래 • 신분보장 미흡으로 부정부패 유인 제공 • 실적주의에 비해 임용의 기회균등과 공정성 상실

| 15 | 영기준예산(ZBB) | 답 ④ |

예산과정에 각급 관리자와 실무자의 참여를 촉진시키는 장점을 갖는 예산제도가 영기준예산(ZBB)이다. 영기준예산은 결정이 하위층으로부터 상향적으로 이루어지기 때문에 모든 계층의 관리자에게 참여의 기회를 제공하는 분권성을 갖는다. 반면, 예산결정권이 최고 관리층에 집권화되어 있는 것은 계획예산제도(PPBS)이다.

선지분석
① 영기준예산제도(ZBB: Zero-Base Budget)란 과거의 관행을 전혀 참조하지 않고(zero base 상태에서), 목적과 방법·자원에 대한 근본적인 재평가를 바탕으로 각 사업과 계획에 대한 우선순위를 부여하고, 우선순위가 높은 사업과 활동을 선택하여 예산을 편성하는 제도이다.
② 합리적 분석을 통한 자원배분을 통해 우선순위가 낮은 사업을 감축하는 의사결정지향적 예산제도이다.

영기준예산(ZBB)의 절차
㉠ 최하수준의 의사결정 단위의 결정
㉡ 의사결정 패키지(decision package)의 작성
㉢ 의사결정 패키지의 우선순위 결정(ranking decision package)
㉣ 실행예산의 편성

16 발생주의 회계방식의 장점 — 답 ④

자의적인 회계처리가 불가능하여 통제가 용이한 것은 현금주의의 장점이다. 발생주의 방식은 현금의 흐름을 파악하기 힘들고, 자산가치 평가나 감가상각 등 회계처리가 자의적인 추정 절차 등이 개입되어 상당히 주관적이다.

📄 현금주의와 발생주의 비교

구분	현금주의	발생주의
특징	• 현금의 수납사실을 기준으로 회계계리 • 형식주의 • 단식부기 적용	• 자산의 변동 증감의 발생사실에 따라 회계계리 • 실질주의 또는 채권채무주의 • 복식부기(기업회계방식) 적용
장점	• 절차와 운용이 간편하고 이해와 통제가 용이 • 현금 흐름(통화부분)에 대한 재정영향 파악 용이	• 비용과 편익, 부채규모 등 경영성과 파악이 용이 • 부채규모 파악으로 재정건전성 확보 가능 • 회계상의 오류 방지 용이
단점	• 기록된 계산의 정확성 확인이 곤란 • 경영성과 측정이 곤란 • 거래의 실질 등 미반영	• 채권·채무판단 및 감가상각 등에 있어 자의성이 개입될 여지가 있음 • 부실채권 파악이 곤란 • 절차가 복잡 • 통화부분에 대한 재정활동의 영향 파악 곤란

17 예산 — 답 ③

계획의 변동이나 여건의 변화로 인하여 당초의 연간정기배정계획보다 지출원인행위를 앞당길 필요가 있을 때, 해당 사업에 대한 예산을 분기별 정기배정계획과 관계없이 앞당겨 배정하는 제도는 당겨배정이다. 긴급배정은 회계연도 개시 전에 예산을 배정하는 것을 의미한다.

(선지분석)
① 기금은 법률로 설치하고 예산 외로 운용한다.
② 조세감면은 조세지출을 의미하며, 이는 받아야 할 세금을 감면한 것이다.
④ 예산안을 변경하는 수정예산을 편성 시에도 국무회의 심의와 대통령의 승인을 받고 국회로 제출한다.

18 옴부즈만제도 — 답 ②

ㄱ. 스웨덴의 옴부즈만은 의회 소속인 반면, 우리나라에서 옴부즈만의 성격을 갖는 국민권익위원회는 행정부(국무총리) 소속이다.
ㄹ. 국민권익위원회는 옴부즈만제도적 성격을 가지고 있는 위원회로, 「부패방지 및 국민권익위원회의 설치와 운영에 관한 법률」에 따른 법률상 기관이다.

(선지분석)
ㄴ. 취소·무효화하는 직접통제권은 없고, 권고나 요구하는 간접통제권만 있다.
ㄷ. 원칙적으로 신청에 의해 조사가 이루어지고, 예외적으로 직권에 의한 조사도 가능하다. 그러나 우리나라의 옴부즈만격인 국민권익위원회는 예외적인 직권에 의한 조사를 인정하지 않는다.

19 지방자치 — 답 ③

중앙정부가 정해주는 인건비 범위 안에서 조직과 정원관리가 자율적으로 이루어지는 기준인건비제도로 지방정부는 인건비 범위 내에서 정원, 기구 설치, 직급 등에서 자율성을 가지게 되었다. 따라서 지방자치단체는 기구와 정원을 기준인건비의 기준으로 자율성과 책임성이 조화되도록 운영하여야 한다.

(선지분석)
① 우리나라는 자치단체에 자치사법권이 부여되어 있지 않다.
② 지방재정 또한 조세법정주의 원칙이 적용된다. 그러므로 조세법정주의에 의해 조례로 지방세목을 설치할 수 없다.
④ 지방자치단체 기관구성은 기관대립형이다. 기관대립형은 권력분립주의 원칙에 입각하여 자치단체의 의결 기능과 집행 기능을 각각 다른 기관에 분담시키고, 이를 상호 간의 견제와 균형을 통하여 자치행정을 수행해 나가는 대통령제적 방식이다.

20 지방자치단체의 구역개편 — 답 ③

일반구 및 읍·면·동의 명칭·구역 변경 및 폐치·분합은 해당 지방자치단체의 조례로 정한다.

📄 지방자치단체 구역개편의 방식

구분	광역시·특별시·도, 시·군·자치구	일반구, 읍·면·동
명칭·구역 변경	• 법률로 정하되, 관할구역 경계변경과 한자명칭 변경은 대통령령으로 정함	해당 자치단체의 조례로 정하고, 그 결과를 특별시장·광역시장·도지사에게 보고
폐치·분합	• 이 경우 주민투표를 실시한 경우가 아니면, 관계 지방의회의 의견을 들어야 함	행정안전부장관의 승인을 얻어 해당 자치단체의 조례로 정함
사무소 소재지 변경	해당 자치단체의 조례(해당 지방의회의 재적의원 과반수의 찬성 필요)로 정함	

2회 | 실전모의고사

정답
p. 752

01	①	02	②	03	①	04	①	05	④
06	④	07	③	08	①	09	③	10	④
11	④	12	②	13	④	14	③	15	④
16	④	17	②	18	②	19	①	20	④

01 시장실패의 원인과 정부의 대응 방식 — 답 ①

공공재의 존재는 정부규제가 아니라 공적공급이 타당하다.

시장실패와 정부의 대응 방식(이종수 외, 새행정학)

구분	공적공급(조직)	공적유도(보조금)	정부규제(권위)
공공재의 존재	O		
외부효과의 발생		O	O
자연독점	O		O
불완전 경쟁			O
정보의 비대칭성		O	O

02 포스트모더니즘 — 답 ②

파머(D. Farmer)의 타자성(他者性)은 타인을 단순히 하나의 대상으로서 인식하는 인식적 객체(epistemic other)가 아니라, 도덕적 타인(moral other)으로 인정하고 개방적인 태도를 가져야 한다는 것이다.

(선지분석)
① 서구의 합리주의로 대표되는 객관주의를 배척한다.
③ 다품종 소량생산 체제에서의 다양성을 존중한다.
④ 포스트모더니티는 진리의 기준은 맥락 의존적이라고 보고 있으며, 거시이론·거대한 설화·거시 정치 등을 부인한다.

모더니즘과 포스트모더니즘의 비교

모더니즘	포스트모더니즘
• 서구의 합리주의 신봉 • 소품종 대량생산 • 대의 민주정치 • 관료제	• 서구의 합리주의 배격 • 다품종 소량생산 • 직접 민주정치 • 탈관료제

03 규제정치모형 — 답 ①

ㄱ. 환경규제는 비용이 집중되고 편익이 분산되어 운동가의 정치가 된다. 그러나 환경규제 완화 정책은 규제 완화로 다수 국민은 피해를 보므로 비용(손실, 피해)은 분산되고, 소수 오염업체는 이득을 보므로 편익이 좁게 집중되는 고객정치 상황이 된다.

(선지분석)
ㄷ. 한·약분쟁과 같이 비용과 편익이 모두 소수에게 집중되는 것은 이익집단정치의 특징에 해당한다.
ㄹ. 환경오염 규제는 이익집단정치가 아니라 대부분 기업가적 정치(운동가의 정치)에 해당한다.

윌슨(Wilson)의 규제정치이론

고객정치	• 수혜자의 강력한 영향력, 경쟁제한과 높은 진입장벽, 은밀하고 조용한 정책결정 등을 가짐 • 다수의 비용부담집단에서는 집단행동의 딜레마가 발생 예) 수입규제, 직업면허 등
기업가적 정치	• 비용부담집단들은 비용 부담을 최소화하기 위하여 정치적으로 막강한 영향력을 발휘 • 다수의 수혜집단에서는 집단행동의 딜레마가 발생하여 활동이 미약 예) 환경오염 규제 등 사회적 규제
이익집단 정치	• 대립되는 집단들 간의 타협의 산물로써 규제가 이루어짐 • 정부는 중립적 심판자로서의 역할을 하게 됨 예) 의약분업 정책에 있어서 의사와 약사의 대립 등
대중적 정치	비용과 편익이 모두 불특정 다수에게 분산되어 있어 쌍방이 집단행동의 딜레마에 빠지게 되므로 공익 집단의 역할과 사회적 이슈화가 요구 예) 음란물 규제, 낙태 규제, 사회적 차별 규제 등

04 인간관계론 — 답 ①

행정의 전문화·과학화·객관화에 기여한 것은 과학적 관리론이다.

인간관계론과 과학적 관리론의 비교

인간관계론	과학적 관리론
• 행정관리의 민주화·인간화에 기여 • 비공식조직·소집단·Y이론, 사회적 능률의 중시 • 인간관계론적 인사행정(사기, 능력발전) • 행태과학의 발달에 기여	• 행정의 능률화에 기여 • 행정의 전문화·과학화·객관화에 기여 • 공식조직·X이론·경제적 요인의 중시 • 직위분류제 확립에 기여

| 05 | 정책의 유형 | 답 ④ |

재분배정책은 갈등이 가장 심한 정책의 유형으로, 분배정책에 비하여 안정적 정책을 위한 루틴화의 가능성이 낮고 집행을 둘러싼 논란이 많으며, 이데올로기의 논쟁 강도도 높다.

선지분석
① 분배정책은 포크배럴(pork barrel)과 로그롤링(logrolling) 현상이 나타나며, 정책 집행 시 갈등이 거의 없다.
② 재분배정책은 가진 자의 부를 거두어 가지지 못한 자에게 이전하는 이전정책으로, 임대주택 건설사업·누진소득세·실업수당 등 복지정책이 포함된다.
③ 알몬드와 포웰(Almond & Powell)의 추출정책의 예로 옳은 지문이다.

| 06 | 정책집행의 유형 | 답 ④ |

나카무라와 스몰우드(R. T. Nakamura & F. Smallwood)는 정책집행의 유형을 정책결정자와 정책집행자 간의 관계를 중심으로 하여 고전적 기술자형, 지시적 위임자형, 협상자형, 재량적 실험가형, 관료적 기업가형으로 분류하였다. 관료적 기업가형은 정책집행자가 정책결정자의 권한을 빼앗아 강력한 권한을 가지고 정책과정의 전체를 지배하는 유형이다.

나카무라와 스몰우드(Nakamura & Smallwood)의 정책집행유형

구분	정책결정자의 역할	정책집행자의 역할
고전적 기술자형	• 구체적인 목표 설정 • 정책집행자에게 기술적인 권한을 위임	정책결정자의 목표를 지지하고, 그 목표를 달성하기 위한 기술적 수단을 강구
지시적 위임자형	• 구체적인 목표를 설정 • 정책집행자에게 행정적 권한을 위임	정책결정자의 목표를 지지하며, 목표달성을 위해 집행자 상호 간에 행정적 수단에 관하여 교섭을 벌임
협상자형	• 목표를 설정 • 집행자와 목표 또는 목표달성을 위한 수단에 관하여 협상	목표달성에 필요한 수단에 관하여 정책결정자와 협상을 벌임
재량적 실험가형	• 추상적 목표를 지지 • 집행자가 목표달성수단을 구체화시킬 수 있도록 광범위한 재량권을 위임	정책결정자를 위해 목표와 수단을 명백히 함(재정의)
관료적 기업가형	집행자가 설정한 목표와 목표달성 수단을 지지	목표와 그 목표달성을 위한 수단을 형성시키고, 정책결정자로 하여금 그 목표를 받아들이도록 설득

| 07 | 제3의 변수 | 답 ③ |

설문의 내용은 억제변수에 관한 설명이다.

인과적 추론을 어렵게 만드는 제3의 변수
㉠ 허위변수(虛僞變數; spurious variable): 원인변수(독립변수)와 결과변수(종속변수)가 전혀 관계가 없는데도(또는 통계적 상관관계만 존재하는데도), 두 변수 모두에게 영향을 미쳐 두 변수 간 인과관계가 있는 것처럼 보이게 하는 숨어있는 제3의 변수 ⇨ 실제의 원인변수는 결과변수에 영향을 미치지 않지만, 직접적 영향을 미친 것으로 잘못 판단할 수 있음
㉡ 억제변수: 두 변수 간 상관관계가 있는데도 없는 것으로 나타나게 하는 변수이며, 독립변수와 종속변수 간 사실적 인과관계를 약화·소멸시킴
㉢ 왜곡변수: 두 변수 간 사실상의 관계를 정반대의 관계로 나타나게 하는 변수
㉣ 혼란변수(混亂變數; 교란변수; confounding variable): 원인변수와 결과변수 간 부분적 인과관계가 존재하는 상황에서 두 변수에 영향을 미쳐 인과관계의 관련성 정도의 파악에 혼란을 가져오는 숨어있는 제3의 변수 ⇨ 원인변수의 결과변수에 대한 영향을 과대 또는 과소 추정할 수 있음
참고 매개변수: 독립변수와 종속변수의 사이에서 독립변수의 결과인 동시에 종속변수의 원인이 되는 변수
㉤ 선행변수: 인과관계에서 독립변수에 앞서면서 독립변수에 대해 유효한 영향력을 행사하는 변수(선행변수가 의미를 가지려면 선행변수, 독립변수, 종속변수가 상호관련이 있어야 하고, 선행변수를 통제할 때에 독립변수와 종속변수 간의 관계가 사라져서는 안 되며, 독립변수를 통제할 때 선행변수와 종속변수와의 관계가 사라져야 함)

W(선행변수) ⇨ X(독립변수) ⇨ Z(매개변수) ⇨ Y(종속변수)

㉥ 억제변수: 허위변수와 반대로 서로 관계가 있는데도 관계없는 것으로 나타나게 하는 제3의 변수

| 08 | 동기부여이론 | 답 ① |

허즈버그(Herzberg)의 욕구충족요인 이원론은 조직 구성원에게 불만을 주는 요인(불만요인)과 만족을 주는 요인(동기요인)은 상호 독립되어 있다는 것을 제시한 이론이다. 허즈버그(Herzberg)는 불만요인이 충족된다는 것은 불만족이 없는 상태이며, 동기가 유발되는 것은 아니라고 한다.

선지분석
② 앨더퍼(Alderfer)의 ERG이론은 매슬로우(Maslow)의 5단계 욕구계층설을 수정하여 인간의 욕구를 존재, 관계, 성장의 3단계로 나눈다.
③ 매슬로우(Maslow)는 욕구의 5단계로 가장 하위인 생리적 욕구부터 안전 욕구, 사회적 욕구, 존경의 욕구, 가장 상위인 자아실현의 욕구까지를 제시하였다.
④ 맥클러랜드(McClelland)는 인간의 동기를 상위 욕구만을 중심으로 권력 욕구·친교 욕구·성취 욕구로 분류하고, 개인의 행동을 동기화시키는 욕구는 개인이 사회문화와 상호작용하는 과정에서 취득되고 학습되는 것이므로, 개인마다 그 계층에 있어서 차이가 있다고 주장하였다.

| 09 | 목표관리(MBO) | 답 ③ |

목표관리(MBO: Management By Objectives)는 설정된 목표를 효율적으로 달성하기 위한 관리기법의 하나로, '상하 조직구성원의 참여과정을 통해 조직의 목표를 설정하고 업무 수행결과를 목표에 비추어 평가·환류하여, 조직의 효율성을 제고시키려는 관리방식'이다.

(선지분석)
① 목표관리(MBO)는 단기적·가시적·미시적 관점의 목표를 중시한다.
② 안정된 환경에 적용되므로 불확실한 환경에는 적용가능성이 낮아진다.
④ 질적 목표보다는 양적 목표를 추구한다. 만족감은 질적 목표에 해당한다.

| 10 | 관료제의 병리현상 | 답 ④ |

피터(Peter)의 원리란 계층제적 관료제 조직에서 관료들이 자기의 능력을 넘는 수준까지 승진하는 현상을 말한다. 관료제 조직의 구성원들은 주어진 일정한 업무를 매일 반복적·기계적으로 처리하기 때문에 무감정화, 권태감, 시야협소화, 기계의 부속품화가 되어 인간으로서의 인격을 상실하게 되는 현상은 '인간성의 상실'을 말한다.

(선지분석)
① 동조과잉이란 관료는 목표달성을 위한 수단인 규칙·절차에 지나치게 영합·동조하는 경향을 보이는 것으로, 이는 목표전환현상을 초래할 수 있으며[머튼(Merton)], 부하를 통제하기 위한 규칙이 통제위주의 관리를 가져올 수 있다[굴드너(Gouldner)].
② 할거주의(割據主義, 국지주의)는 관료들이 자기의 소속기관·소속부서에 대해서만 관심을 가짐으로써 횡적인 조정·협조가 곤란해질 수 있는 현상을 의미한다[셀즈닉(Selznick)].
③ 무사안일주의란 계층제에 의한 지위·명령에 의존하게 되어 문제해결에 적극적·쇄신적 태도를 갖지 못하고, 상급자의 권위나 선례에만 의존하려는 경향이다.

| 11 | 부처편성의 원리 | 답 ④ |

조직을 주요 목적 또는 기능에 따라 편성할 경우, 일이 이루어지는 과정이 경시될 수 있어 최신의 기술이나 전문가의 활용이 곤란하고, 지나친 중앙집권화를 초래하기 쉬우며, 국민과 정부 간의 접촉이 곤란할 뿐만 아니라 통제가 어려운 단점이 있다. 최신의 기술이나 전문가를 최대로 활용할 수 있는 것은 조직을 과정·절차에 따라 편성하는 경우이다.

📑 부처편성의 원리(부성제의 원리)

구분	목적-기능별	과정-절차별	대상-고객별	지역-장소별
장점	사업목적 및 기능파악이 용이, 권한 및 책임 한계 분명	행정의 전문화 가능, 최신기술의 활용	해당 부처와 정부와의 접촉과 교섭이 용이, 서비스의 증진	지역실정 반영 가능, 지역주민들의 의사 반영
단점	할거주의 경향 초래	전문가적 무능 현상	부처권한의 대립, 압력단체에 의한 부당한 영향	전국적인 행정의 통일성 저해
비고	가장 일반적인 기준으로 거의 대부분의 중앙기관의 편성기준	낮은 단계의 행정조직 통계청, 감사원, 조달청, 예산실 등	국가보훈부, 보건복지부, 고용노동부, 성평등가족부 등	지방자치단체, 외무부 하부기구

| 12 | 공무원의 징계 | 답 ② |

정직은 1개월 이상 3개월 이하의 기간으로 하고, 정직처분을 받은 자는 그 기간 중 공무원의 신분은 보유하나 직무에 종사하지 못하며, 보수는 전액을 감하는 처분이다.

📑 징계의 종류

견책	• 잘못된 행동에 대해 훈계하고 회개하게 하는 처분 • 가장 가벼운 징계에 해당하지만 공식적인 징계 절차를 거쳐 처분하고 그 결과를 인사기록에 기재
감봉	1개월 이상 3개월 이하의 기간 동안 보수의 3분의 1을 삭감하여 지급
정직	• 1개월 이상 3개월 이하의 기간 동안 공무원의 신분은 보유하지만 직무에 종사할 수 없도록 하는 처분 • 정직 기간 중 보수의 전액을 삭감
강등	1계급 아래로 직급을 내리고(고위공무원단에 속하는 공무원은 3급으로 임용) 3개월간 직무에 종사하지 못하며, 그 기간 중 보수의 전액을 삭감
해임	• 공무원 신분을 상실하게 하는 처분 • 해임 후 3년 내에는 공무원으로 재임용 불가 • 원칙은 「공무원연금법」상 불이익은 없지만, 공금의 횡령 및 유용 등으로 해임된 경우에는 퇴직 급여의 8분의 1 내지는 4분의 1이 지급 제한
파면	• 공무원 신분을 상실하게 하는 처분 • 5년 내에는 공무원으로 재임용 불가 • 퇴직급여액의 2분의 1을 삭감하는 가장 무거운 징계(재직기간이 5년 미만인 경우에는 4분의 1을 제한함)

13 배치전환   답 ④

전입은 인사관할을 달리하는 기관 간에 공무원을 이동시켜 받아들이는 것으로, 원칙적으로 전입시험을 치러야 한다.

📋 **배치전환**

전직	• 직급은 동일하나 직렬을 달리 하는 직위로 수평적으로 이동하는 것 • 직렬이 달라지기 때문에 원칙적으로 전직시험을 거쳐야 함
전보	• 직무의 내용이나 책임이 유사한 동일한 직급·직렬 내에서 직위만 변동되는 보직변경 • 전보에 따르는 시험이 필요 없음
전입	• 다른 인사관할의 기관 간 인사이동으로 시험이 필요하다는 것이 원칙 • 국회, 행정부, 법원 간의 인사이동

14 근무성적평정   답 ③

현행 평가제도는 고위공무원단, 4급 이상, 5급 이하로 나누어 평가를 실시하고 있다.

(선지분석)

① 일반직공무원의 근무성적평정은 크게 4급 이상을 대상으로 한 성과계약 등 평가와 5급 이하를 대상으로 한 근무성적평가로 구분된다.
② 공무원이 평가자와 협의하여 성과목표 등을 선정해야 한다.
④ 다면평가는 조직 내 구성원 간의 스트레스 및 갈등을 초래하며, 2010년 이후 그 평가결과가 승진 등에 활용되지 않고, 구성원의 역량개발 및 교육훈련 등에 참고자료로만 활용되고 있다.

15 예산의 종류   답 ④

준예산은 새로운 회계연도가 개시될 때까지 예산안이 의결되지 못한 때에는, 정부는 국회에서 예산안이 의결될 때까지 특정 목적을 위한 경비를 전년도 예산에 준하여 집행할 수 있다.

(선지분석)

① 추가경정예산은 '예산이 성립하고 회계연도가 개시된 후에 발생한 사유로(심의가 종료된 후가 아니다) 이미 성립된 예산에 변경을 가할 필요가 있을 때 편성되는 예산'을 말한다. 추가경정예산에 대한 편성 횟수의 제한은 없다.
② 성인지예산제도(남녀평등예산)는 세입·세출예산이 남성과 여성에게 미치는 영향은 서로 다르다고 전제한다.
③ 수정예산은 '예산안이 국회에 제출된 후 의결·성립되기 이전에 부득이한 사유로 그 내용의 일부를 수정하고자 하는 경우에 작성되는 예산'을 말한다.

16 국회의 의결   답 ④

공기업예산은 이사회의 의결로 확정된다.

(선지분석)

① 책임운영기관특별회계는 「정부기업예산법」의 적용을 받으므로, 국회의 의결을 요한다.
② 명시이월은 예산편성 과정에서 세출예산 중 연도 내에 그 지출을 필하지 못할 것이 예측될 때에는 미리 국회의 승인을 얻어서 다음연도에 사용할 수 있게 한 것이다.
③ 국고채무부담행위는 정부가 무책임하게 채무부담행위(지출원인행위)를 남발하는 것을 방지하기 위하여 행위 시 국회의 의결을 얻도록 하고, 지출 시에는 다시 국회의 의결을 얻도록 하는 제도이다.

17 예산의 기능별 분류   답 ②

기능별 분류는 장(章)으로 분류하기 때문에 어느 한 부처의 예산만을 대상으로 하지 않고, 모든 부처를 다 포괄해서 분류한다. 예를 들어 일반행정비는 어느 한 부처의 일반행정비만을 의미하는 것이 아니라, 행정안전부·문화체육관광부·국토교통부 등 모든 부처의 일반행정비를 포함한 것이다.

(선지분석)

③ 예산배정이나 채무부담행위 등과는 무관하고, 세출만을 표시한다. 세입예산의 분류에서는 사용되지 않는다.

📋 **기능별 분류의 장단점**

장점	단점
• 행정수반의 예산결정과 입법부의 예산심의를 지원 • 장기간에 걸쳐 연차적으로 정부활동을 분석하는 데 효과적 • 정부계획의 변동을 파악하기 용이 • 국민이 정부의 예산내용을 쉽게 이해 가능	• 회계책임 확보가 곤란 • 기관별 예산흐름 파악이 곤란 • 예산이 국민경제에 미치는 영향 파악이 곤란

18 국민권익위원회   답 ②

국민권익위원회에 고충민원을 신청하고자 하는 자는 신청인의 이름과 주소, 신청의 취지·이유 등을 기재한 문서(전자문서 포함)로 신청하여야 한다. 다만, 문서에 의할 수 없는 특별한 사정이 있는 경우에는 구술로 신청할 수 있다(「부패방지 및 국민권익위원회의 설치와 운영에 관한 법률」 제39조 제2항).

📄 국민권익위원회

목적	고충민원의 처리와 이에 관련된 불합리한 행정제도를 개선하고, 부패의 발생을 예방하며 부패행위를 효율적으로 규제함으로써 국민의 기본적 권익을 보호하고 행정의 적정성을 확보하며 청렴한 공직 및 사회풍토의 확립에 이바지함
설치	고충민원의 처리와 이에 관련된 불합리한 행정제도를 개선하고, 부패의 발생을 예방하며 부패행위를 효율적으로 규제하도록 하기 위하여 국무총리 소속으로 국민권익위원회를 둠
기능	• 국민의 권리보호·권익구제 및 부패방지를 위한 정책의 수립 및 시행 • 고충민원의 조사와 처리 및 이와 관련된 시정권고 또는 의견표명 • 고충민원을 유발하는 관련 행정제도 및 그 제도의 운영에 개선이 필요하다고 판단되는 경우 이에 대한 권고 또는 의견표명 • 위원회가 처리한 고충민원의 결과 및 행정제도의 개선에 관한 실태조사와 평가 • 공공기관의 부패방지를 위한 시책 및 제도개선 사항의 수립·권고와 이를 위한 공공기관에 대한 실태조사 • 공공기관의 부패방지시책 추진상황에 대한 실태조사·평가

19 　 기관위임사무 　　　　　　　　　　　　 답 ①

기관위임사무란 법령에 의하여 국가 또는 상급자치단체로부터 지방자치단체의 집행기관에게 그 처리가 위임된 사무를 말한다. 따라서 기관위임사무의 처리에 지방의회가 관여할 수 없기 때문에 조례로 처리할 수 없고, 지방자치단체의 장이 제정하는 규칙으로 처리할 수 있다. 지방의회가 관여할 수 있는 사무는 자치사무(고유사무)와 단체위임사무이다.

20 　 주민참여제도 　　　　　　　　　　　　 답 ④

14일 이내에 소청심사청구를, 소청결정서를 받은 날로부터 10일 이내에 소송을 제기할 수 있다.

선지분석
① 「지방재정법」에 규정된 주민참여예산제도에 대한 옳은 설명이다.
② 주민소송은 주민감사청구 전치주의에 입각하고 있다(「지방자치법」 제22조).
③ 주민소환투표 확정요건으로 옳은 지문이다.

3회 | 실전모의고사_국가직 7급 대비

정답

p. 756

01	①	02	③	03	②	04	③	05	③
06	②	07	③	08	①	09	④	10	①
11	①	12	④	13	②	14	③	15	①
16	④	17	④	18	③	19	④	20	②
21	④	22	①	23	①	24	③	25	④

---

01 티부모형(Tiebout model) 답 ①

어떤 지방정부의 지출로 발생하는 편익이 다른 지역으로 누출된다면, 지역 간의 경쟁이나 소비자에 의한 지역 선택은 그 의미를 상실하게 된다. 따라서 지방정부가 공급하는 지방공공재는 외부효과가 발생하지 않아야 한다.

(선지분석)
② 티부모형(Tiebout model)은 규모의 경제가 발생하지 않는 것을 전제로 한다.
③ 주민의 완전한 이동가능성이란 주민은 자신의 선호에 맞는 지방정부로 자유롭게 이동할 수 있어야 하며, 이동비용이 없어야 함을 의미한다.
④ 티부(Tiebout)는 지방자치 또는 지방분권에 의한 공공재의 배분이 중앙집권보다 효율적으로 이루어지게 된다는 것을 입증하는 모형을 제시하였다.

---

02 공익의 특징 답 ③

공익 개념은 역사적·시대적 상황의 변동에 따라 그 의미·내용이 변동되기 때문에 절대적·확정적·정태적 개념이 아니라 포괄적·상대적·동태적인 불확정적 개념이다.

(선지분석)
② 과정설은 사익의 합을 공익으로 보기 때문에 사익을 초월하는 공익의 실체는 없다고 본다.
④ 반면 실체설은 공익을 사익을 초월한 실체적, 규범적 개념으로 본다.

---

03 행정학의 접근방법 답 ②

생태론은 후진국의 행정현상을 설명하는 데 크게 기여했으며, 행정의 보편적 이론보다는 중범위이론의 구축에 자극을 주어 행정학의 과학화에 기여하였다.

(선지분석)
① 행태론은 관찰할 수 없는 내면적 가치현상은 연구대상에서 배제시켰다.
③ 능률성은 과학적 관리론이 추구하는 행정이념이다.
④ 공공선택론은 공공부문에 경제적인 연구방법을 적용한 비시장적 의사결정에 관한 경제학적 연구이다.

---

04 행정이론 답 ③

신공공관리론의 오류에 대한 반작용으로 등장한 신공공서비스론에 대한 설명이다.

신공공관리론과 신공공서비스론의 비교

구분	신공공관리론	신공공서비스론
이론과 인식의 토대	경제이론, 실증적 사회학에 기초한 정교한 토의	민주주의 이론, 해석학·비판이론·포스트모더니즘을 포괄하는 다양한 접근
합리성모형과 형태모형	기술적·경제적 합리성, 경제인 또는 자기이익에 기초한 의사결정자	전략적 합리성, 정치적·경제적·조직적 합리성에 대한 다원적 검증
공익에 대한 입장	개인들의 총이익	공유 가치에 대한 담론의 결과
관료의 반응대상	고객	시민
정부의 역할	방향잡기(시장의 힘을 활용한 촉매자)	봉사(시민과 지역공동체 내의 이익을 형성하고 중재, 공유가치의 창출)
정책목표의 달성 기제	개인 및 비영리기구를 활용해 정책목표를 달성할 기제와 유인 체제를 창출	동의된 욕구를 충족시키기 위한 공공기관, 비영리기관, 개인들의 연합체 구축
책임에 대한 접근 양식	시장 지향적 ⇨ 개인이익의 총화는 시민 또는 고객집단에게 바람직한 결과 창출	다면적 ⇨ 공무원은 법, 지역공동체 가치, 정치규범, 전문적 기준 및 시민들의 이익에 참여
행정재량	기업적 목적을 달성하기 위해 넓은 재량 허용	재량이 필요하지만 제약과 책임이 수반
기대하는 조직구조	기본적 통제를 수행하는 분권화된 조직	조직 내외적으로 공유된 리더십을 갖는 협동적 구조
관료의 동기유발	기업가 정신, 정부규모를 축소하려는 이데올로기적 욕구	공공서비스, 사회에 기여하려는 욕구

| 05 | 행정환경 변화에 따른 행정이론 | 답 ③ |

시차이론은 인과관계를 파악함에 있어 구성요소들 간의 모순이 존재하지 않아야 한다는 내적 정합성 확보가 필요하며, 새로운 제도나 정책의 효과가 충분히 발휘될 수 있도록 충분한 성숙기간을 갖도록 하여야 한다고 보는 이론이다.

(선지분석)
① 사회적 자본에 관한 설명으로 옳은 지문이다.
② 시차이론은 우리나라의 정책은 집행된 이후 충분한 성숙기간을 거치지 않고 섣불리 이를 평가하거나 개혁함으로써 시행착오를 많이 겪는다는 것이다.
④ 집단행동의 딜레마는 강제개입 보다는 구성원의 자발적 협력을 이끌어 내는 도덕적 자원에 의해 보다 유연하게 극복할 수 있다.

| 06 | 정책변동 | 답 ② |

과정평가는 정책집행 및 활동을 분석하여 이를 근거로 보다 효율적인 집행전략을 수립하거나 정책내용을 수정·변경하며, 정책의 중단·축소·유지·확대 여부의 결정에 도움을 준다. 또한 정책효과나 부작용 등이 발생한 경로를 밝혀서 총괄평가를 보조하는 기능을 수행한다.

(선지분석)
① 총괄평가(사후평가)는 정책평가의 핵심으로서, 정책이 집행되고 난 후에 정책이 사회에 미친 영향 또는 정책결과 중에서 의도한 정책효과가 정책으로 인해서 발생했는지를 판단하는 활동을 말한다.
③ 메타평가는 평가결과를 다시 평가하는 '평가에 대한 평가'라고 할 수 있다.
④ 평가성 사정(평가성 검토)은 본격적인 평가를 하기에 앞서 효율적인 평가를 위하여 평가대상과 평가방법에 대한 전략을 마련하는 것을 말한다.

| 07 | 쓰레기통모형 | 답 ③ |

쓰레기통모형은 조직화된 무정부 상태하에서의 의사결정 양태를 설명하기 위한 모형이다. 조직화된 무정부 상태는 의사결정의 여건적 상황인데, ⓐ 문제성 있는 선호, ⓑ 불명확한 기술, ⓒ 유동적 참여자 등 3가지 전제조건으로 구성된다. 여기서 문제성 있는 선호란 의사결정에 참여하는 사람들은 무엇이 바람직한 것인가에 대해서 합의된 바가 없고, 개인의 차원에서도 무엇이 좋은 것인가를 모르면서 참여한다는 것이다.

(선지분석)
①, ② 쓰레기통모형은 코헨(Cohen), 마치(March), 올슨(Olsen) 등이 제시한 모형으로, 조직화된 무질서 상태에서 응집성이 매우 약한 조직이 어떤 의사결정 행태를 나타내는가에 분석초점을 두고, 대학을 그 예로 들고 있다.
④ 조직화된 무정부 상태의 조건 중 불명확한 기술은 대안과 결과 간의 인과관계에 관한 지식과 기술이 불분명하다는 것으로, 목표를 달성하기 위한 수단을 알지 못한다는 것을 말한다.

| 08 | 메이(P. J. May)의 정책의제설정모형 | 답 ① |

내부접근형은 대중의 지지를 획득하기 위한 공중의제화 과정이 없다는 점에서 공중의제화 과정을 거치는 동원형과 다르다.

(선지분석)
② 동원형은 일반적으로 정부의 힘이 강하고 이익집단의 역할이 취약한 후진국에서 많이 나타난다.
③ 외부주도형은 외부집단이 주도하여 정책의제의 채택을 정부에 강요하는 경우로, 허쉬만(Hirschman)은 이를 '강요된 정책문제'라고 하였다.
④ 굳히기형은 대중적 지지가 높을 것으로 기대될 때, 국가가 의제설정을 주도하는 모형이다.

📄 **메이(P. J. May)의 정책의제설정모형**

주도자 \ 대중의 지지	높음	낮음
사회적 행위자들	외부주도형	내부접근형
국가	굳히기형	동원형

| 09 | 균형성과관리(BSC) | 답 ④ |

균형성과관리(BSC)는 개인이나 하위목표보다는 조직 전체의 전략적인 목표와 성과를 중시하므로, 조직 전체의 목표(상위계층 성과표)를 먼저 작성하고 그것을 토대로 부서별 목표(하위계층 성과표)를 설정한다.

(선지분석)
① 균형성과관리(BSC)는 장기와 단기, 결과와 과정, 미시와 거시, 내부와 외부, 과거와 현재·미래 등 통합적 균형을 중시한다.
② 균형성과표를 공공부문에 적용시킬 경우 가장 중요하게 일어나는 변화는 재무적 관점보다 정부기관의 임무 달성과 직결되는 고객관점이 가장 중시된다는 점이다.
③ 균형성과관리(BSC)는 재무적 관점과 비재무적 관점의 균형을 강조한다.

📄 **균형성과관리(BSC)의 특징**
㉠ 재무적 관점과 비재무적 관점의 균형 강조
㉡ 단기적 목표와 장기적 목표 간의 균형 강조
㉢ 과정과 결과의 균형 강조
㉣ 내부의 관점과 외부의 관점 간 균형 강조

| 10 | 리더십 | 답 ① |

리더십이론에서 리더의 행동과 효과성 사이의 관계에 초점을 두는 것은 특성론이 아니라 행태론적 접근법이다. 특성론은 리더의 타고난 자질(속성)을 리더십의 본질로 보고 그 자질을 연구하는 이론이다.

선지분석
② 허시(Hersey)와 블랜차드(Blanchard)의 이론은 부하의 성숙도를 상황변수로 보는 상황이론이다.
③ 피들러(Fiedler)는 지도자가 처한 상황이 유리하거나 불리한 경우에는 과업 중심형 리더십이, 그 중간의 상황에는 인간관계 중심형의 리더십이 적합하다고 하였다.
④ 카리스마적 리더십이란 리더의 개인적 능력에 의해 부하들의 강한 헌신과 리더와의 일체화를 이끌어내는 리더십이다.

11 자원의존이론   답 ①

자원의존이론은 어떠한 조직도 필요로 하는 다양한 모든 자원을 획득할 수 없다는 것을 전제로 하면서, 조직이 환경적 요인을 피동적으로 받아들이지 않고 스스로의 이익을 위하여 적극적으로 환경에 대처하며, 조직의 환경적응을 위한 전략적 결정을 내린다는 이론으로, 조직이 환경의 변화에 능동적·적극적으로 대응하는 것으로 파악한다.

선지분석
③ 조직의 생성과 소멸 과정에 초점을 두고 변이·선택·보존을 고려하면서 환경에 따른 조직의 형태와 존재 및 소멸 이유를 설명한 것은 조직군생태학이론에 대한 설명이다.
④ 대리인이론이나 거래비용이론에서의 인간본성에 대한 전제이다.

거시조직이론의 체계

구분		환경인식	
		결정론 (deterministic, 수동적)	임의론 (voluntaristic, 능동적)
분석 수준	개별 조직	체제구조적 관점 구조적 상황론(상황적응론)	전략적 선택관점 • 전략적 선택이론 • 자원의존이론
	조직군	자연적 선택관점 • 조직군생태학이론(환경적소에 의한 선택) • 조직경제학(경제적 환경에 적응) • 신제도화이론(사회문화적 환경에 적응)	집단적 행동관점 공동체생태학이론

12 애드호크라시(Adhocracy)의 특징   답 ④

애드호크라시(Adhocracy)는 여러 분야의 전문가들이 모여 새로운 시각에서 새로운 문제를 해결하기 때문에 이들이 사용하는 기술은 주로 비정규적·비정형적인 것이다.

선지분석
① 애드호크라시(Adhocracy)는 관료제에 비하여 공식화 정도가 낮고 전문성이 높다.
② 애드호크라시(Adhocracy)는 분업보다는 팀 중심의 협력을 통한 문제해결을 강조한다.
③ 애드호크라시(Adhocracy)는 분권적 구조와 변화에 대한 적응력을 추구한다.

13 대표관료제   답 ②

대표관료제는 집단 중심으로 형평성을 추구하므로, 개인주의 및 자유주의 원칙을 침해할 우려가 있다.

선지분석
① 관료제 내부에서 출신집단별 관료 상호 간 견제를 통해 내부통제를 강화한다.
③ 관료가 국민 전체에 대한 봉사자가 아니라 출신 계층에 대한 봉사이므로, 정치적 중립이 저해될 수 있다.
④ 대표관료제란 지역·성별·인종·종교·사회적 출신배경 등의 기준에 의해 분류되는 다양한 사회집단들이 전체 인구에서 차지하는 수적 비율에 따라 관료를 선발하여 공직 구성의 다양화를 추구한다.

14 적극적 인사행정   답 ③

적극적 인사행정은 공무원 단체활동을 허용한다. 반면, 실적주의는 공무원 단체(공무원 노동조합)가 공무원의 신분보장을 지나치게 강조하여 선임 위주의 인사원칙을 내세우며 실적주의 인사원칙을 저해할 가능성이 있다고 여겨, 일반적으로 공무원 단체를 인정하지 않았다.

선지분석
① 실적주의의 소극적 모집방식에서 벗어나 공직에 유능한 인재를 채용하기 위해서 다양한 방식과 고객지향적인 모집방식을 고려하는 것과 관련된다.
② 중앙인사기관의 집권적인 인사행정체제에서 행정수요에 부응할 수 있도록 인사권의 하위기관에 권한을 나누어 주어야 한다.
④ 정책추진력의 확보를 위해서 정치적 임용을 일정부분 허용한다.

15 도표식 평정척도법   답 ①

도표식 평정척도법은 평정요소에 대한 등급을 정한 기준이 모호하며, 자의적 해석에 의한 평가가 이루어지기 쉽다.

선지분석
② 평정의 결과가 점수로 환산되기 때문에 평정 대상자에 대한 상대적 비교를 확실히 할 수 있어, 상벌 결정의 목적으로 사용하는 데 효과적이라고 할 수 있다.
③ 연쇄효과(halo effect), 집중화 경향, 관대화 경향 등의 오류가 일어날 수 있다.
④ 도표식 평정척도법은 가장 많이 활용되는 근무성적평정방법으로, 평정표 작성과 평정이 용이하다는 장점이 있다.

16 시험의 효용적 기준   답 ④

시험성적과 근무성적을 비교하여 측정할 수 있는 시험의 효용도는 타당도이다. 시험성적을 채용 후에 근무성적과 비교하는 것은 예측적 타당도 검증에 의한 기준 타당도에 해당한다.

📄 시험의 효용도

- ⊙ 타당도: 측정하려는 것(직무수행능력)을 얼마나 정확하게 측정했는지의 정도
- ⓒ 신뢰도: 시험이 측정도구(형식, 시기 등)로서 가지는 일관성
- ⓒ 객관도: 채점의 공정성
- ⓔ 난이도: 쉬운 문제와 어려운 문제의 혼합 비율의 적정도로, 변별력을 의미
- ⓜ 실용도: 실시 비용의 저렴성 및 실시와 채점의 용이성

17 예산집행의 신축성 유지 방안   답 ④

계속비는 모든 정부사업이 아니라 완성에 수년도를 요하는 공사나 제조 및 연구개발사업의 경우, 경비의 총액(總額)과 연부액(年賦額)을 정하여 미리 국회의 의결을 얻은 범위 안에서 수년도에 걸쳐 지출할 수 있는 경비를 말한다.

선지분석

① 이용은 중앙관서의 장이 국회의 의결과 기획재정부장관의 승인을 얻은 후 입법과목 간의 융통을 하는 것을 의미한다.
② 이체는 정부조직 등에 관한 법령의 제정, 개정 또는 폐지로 인해 그 직무와 권한에 변동이 있을 때, 중앙관서의 장의 요구에 의해 기획재정부장관이 예산의 책임소관을 변경시키는 것을 말한다.
③ 예산의 전용은 행정과목인 세항·목 간에 상호 융통하는 것을 말한다. 각 중앙관서의 장은 대통령령이 정하는 바에 따라 국회의 의결 없이 기획재정부장관의 승인을 얻어 전용할 수 있다.

18 준예산   답 ③

준예산은 새로운 회계연도가 개시될 때까지 국회에서 예산안이 의결되지 못하면 전년도 예산에 준해서 집행하는 것을 말한다. 준예산에 의해서 지출할 수 있는 항목은 ⓐ 헌법이나 법률에 의하여 설치된 기관 또는 시설의 유지·운영, ⓑ 법률상 지출의무의 이행, ⓒ 이미 예산으로 승인된 사업의 계속 등이다. 따라서 준예산에 의해서 지출할 수 있는 항목은 제한되어 있다.

선지분석

①, ② 국회의 의결을 받지 않고 새로운 회계연도의 예산안이 의결될 때까지 사용할 수 있다.
④ 현재 우리나라에서 채택하고 있지만 중앙정부에서는 한번도 사용한 적이 없다.

19 예산제도   답 ④

ㄴ. 성과주의예산은 업무단위의 선정과 단위원가의 과학적 계산에 의해 합리적이고 효율적인 자원배분을 도모할 수 있다.
ㄷ. 계획예산은 장기적인 기획과 단기적인 예산을 일치시키고자 하는 예산제도로서 비용편익분석 등 계량적인 분석기법이 사용된다.
ㅁ. 영기준예산은 합리주의(=총체주의)예산이지만 분석·평가·서류작업 등에 투입하는 시간과 노력의 부담이 과중하다.

선지분석

ㄱ. 품목별예산은 투입 중심의 예산제도이므로 정부사업의 성격을 알지 못하고, 사업성과와 정부 생산성을 평가하기 어렵다.
ㄹ. 프로그램예산제도는 통제 중심의 품목별 분류를 탈피하고 정책과 성과 중심의 예산운영을 지향한다.

20 예산의 원칙과 예외   답 ②

설문은 한정성의 원칙에 대한 예외를 설명하고 있다. 이용은 질적 한정성, 예비비는 양적 한정성, 계속비는 기간적 한정성에 대한 예외이다.

📄 예산 한정성 원칙

예산은 주어진 목적, 금액, 시간에 따라 한정된 범위 내에서 집행되어야 한다는 원칙으로, 세 가지의 한정성으로 구분된다.
⊙ 비목 외 사용금지라는 질적 한정성(예외: 이용, 전용)
ⓒ 금액초과 사용금지라는 양적 한정성(예외: 예비비, 추경예산)
ⓒ 회계연도 독립원칙 준수라는 시간적 한정성(예외: 이월, 계속비)

21 행정통제   답 ④

ㄹ. 민중통제와 ㅁ. 이익집단에 의한 통제 및 ㅂ. 정당에 의한 통제는 외부·비공식통제에 해당된다.

선지분석

ㄱ. 옴부즈만에 의한 통제와 입법통제 및 사법통제는 외부·공식통제에 해당한다. 반면, 우리나라에서 옴부즈만격인 국민권익위원회는 내부통제에 해당한다.
ㄴ. 행정윤리의 확립, ㄷ. 대표관료제는 내부·비공식통제이다.

📄 외부통제와 내부통제 비교

외부통제	• 국회나 사법부와 같은 행정조직 외부의 사람이나 기관에 의한 통제 • 비교적 행정이 단순했던 입법국가 시대에 중시됨
내부통제	• 행정조직 구성원에 의한 통제 • 행정의 전문성과 복잡성이 심화되는 현대행정국가 시대에 외부통제의 실효성이 약화됨에 따라 강조되고 있음

| 22 | 전자정부 | 답 ① |

전자정부기본계획은 5년마다 수립하여야 한다(「전자정부법」 제5조).

선지분석
②, ③ 「지능정보화 기본법」 제6조의 내용이다.
④ 「전자정부법」 제5조의3의 내용이다.

기존 전자정부와 스마트 정부의 비교

구분		기존 전자정부(~2010)	스마트 정부(2011~)
국민	접근 방법	PC만 가능	스마트폰, 태블릿 PC, 스마트TV 등 다매체 활용
	서비스	공급자 중심의 획일적 서비스	• 개인별 맞춤형 통합 서비스 • 개방을 통해 국민이 직접 원하는 서비스 개발·제공
	민원 신청	• 개별 신청 • 동일서류도 복수제출	1회 신청으로 연관 민원 일괄 처리
	수혜 방식	국민이 직접 자격 증명 신청	정부가 자격 요건 확인·지원
공무원	근무 위치	지정 사무실(PC)	시간·위치 무관 (스마트 워크센터 또는 모바일오피스)
	위기	사후 복구(재난)	사전 예방 및 예측

| 23 | 기관대립형 | 답 ① |

집행기관 구성에서 주민의 대표성을 확보할 수 있고 주민자치 정신에 더 부합한 것은 기관대립형이 아닌 기관통합형에 대한 설명이다. 기관통합형이란 지방자치단체의 정책결정 기능과 정책집행 기능을 단일기관으로 하여금 담당하게 하는 형태를 말한다. 기관통합형은 주민의 대표성을 높일 수 있으나, 전문집행기구가 따로 없이 주민에 의해 선출된 의원이 행정을 맡게 되므로, 행정의 전문화를 저해할 가능성이 크다.

선지분석
② 기관대립형이란 권력분립주의에 입각하여 의사결정을 담당하는 지방의회와 집행 기능을 담당하는 집행기관을 서로 분리시켜 견제와 균형에 의하여 자치행정을 수행하는 방식이다.
③ 의결기관과 집행기관을 다 같이 주민직선에 의하여 선출함으로써 실질적인 주민통제가 가능하다.
④ 시장의 임기가 보장됨으로써 강력한 행정시책을 추진할 수 있다.

| 24 | 지방재정조정제도 | 답 ③ |

지방교부세는 지방자치단체 간의 재정적 불균형을 시정하고, 전국적인 최저생활을 확보하기 위하여 지방자치단체의 재정수요에 필요한 부족재원을 보전할 목적으로 국가가 지방자치단체에 교부하는 재원이다.

선지분석
① 내국세 총액의 일정비율(19.24%)과 「종합부동산세법」에 따른 종합부동산세 총액, 담배에 부과되는 개별소비세의 45%가 지방교부세의 재원이다.
② 재원사용의 자율성을 부여하는 것은 지방교부세(일반지원금)이고, 특정한 사업에 사용할 것을 조건으로 지급하는 것은 국고보조금(특정지원금)이다.
④ 지방교부세의 종류는 보통교부세, 특별교부세, 부동산교부세 및 소방안전교부세로 구분한다.

| 25 | 조례 | 답 ④ |

ⓐ 법령을 위반하는 사항, ⓑ 지방세·사용료·수수료·부담금을 부과·징수 또는 감면하는 사항, ⓒ 행정기구를 설치하거나 변경하는 사항, ⓓ 공공시설의 설치를 반대하는 사항은 주민조례청구 대상에서 제외한다.

선지분석
①, ② 「지방자치법」 제28조(조례)에 따르면, 지방자치단체는 법령의 범위 안에서 그 사무에 관하여 조례를 제정할 수 있다. 다만, 주민의 권리 제한 또는 의무 부과에 관한 사항이나 벌칙을 정할 때에는 법률의 위임이 있어야 한다.
③ 지방자치단체는 그 권한에 속하는 사무에 관하여 조례를 제정할 수 있으나, 자치사무와 단체위임사무에 한한다. 그러나 기관위임사무에 관해서는 집행기관에게 위임된 사무이기 때문에 의결기관인 지방의회는 관여할 수 없는 것이 원칙이므로, 원칙적으로 조례로 규정할 수 없다.

4회 | 실전모의고사_국가직 7급 대비

정답

p. 761

01	③	02	①	03	②	04	②	05	②
06	④	07	③	08	③	09	①	10	②
11	②	12	①	13	④	14	④	15	③
16	③	17	②	18	③	19	①	20	①
21	③	22	①	23	①	24	④	25	①

01 정부규제   답 ③

벌금, 조세 등 금전적 제재는 시장유인적 규제인 간접규제이다.

(선지분석)
① 네거티브(Negative) 규제는 '원칙 허용·예외 금지'의 형태를 취하는 것으로서 명시적으로 금지하는 것 외의 모든 것을 허용하는 규제 시스템이고, 반대로 포지티브(Positive) 규제는 '원칙 금지·예외 허용'의 형태를 취하는 것으로서 명시적으로 허용되는 것 외에는 모든 것을 금지시키는 규제 시스템이다.
② 상품의 등급 설정, 자격증의 발급 등은 정보의 비대칭성을 완화하여 시장 기능의 효율성을 제고하는 방법이다.

02 행정과 경영의 관계   답 ①

행정은 모든 국민에게 법 앞에 평등원칙이 지배하지만 경영은 고객에 따라 대우를 달리 할 수 있다.

(선지분석)
② 행정학 성립초기와 행태론의 정치행정이원론에 대한 설명으로 옳은 지문이다.
③ 행정과 경영의 차이로 옳은 지문이다.
④ 목표달성을 위한 협동행위라는 점에서 행정과 경영은 유사하다.

03 행정이론   답 ②

합리성을 바탕으로 고객 중심의 행정을 추구하는 것은 모더니즘에 대한 설명이다. 포스트모더니즘은 합리주의, 과학주의, 특수주의, 기술주의로 대표되는 서구의 합리주의를 배격한다.

(선지분석)
① 신공공관리론에 따른 행정개혁의 방향은 정책결정과 집행의 분리를 전제로 하며, 노젓기(rowing)보다는 조타(steering)에 집중하는 정부의 정책능력 강화를 강조한다.
③ 좋은 거버넌스는 신공공관리와 자유민주주의를 결합한 것으로, 개발도상국 지배구조의 개선을 논의하는 과정에서 등장한 모형이다.
④ 1940년대 사이먼(H. Simon)이 주장한 것으로, 행태론은 '사실'과 '가치'에 대한 이분법을 시도하였다.

04 정부관   답 ②

진보주의자는 사회적 약자들의 보호를 위한 정부의 소득재분배 정책을 선호한다.

(선지분석)
① 보수주의가 소극적 자유를, 진보주의가 적극적 자유를 강조한다.
③ 정부실패 이후 신자유주의가 등장하면서 큰 정부에서 작은 정부로의 전환이 이루어졌다.
④ 1930년대 경제대공황을 겪으면서 정부의 개입을 찬성하는 큰 정부가 최선의 정부라는 신념이 중시되었다.

보수주의와 진보주의의 비교

구분	보수주의	진보주의
추구하는 가치	• 소극적 자유(국가로부터의 자유) 강조 • 형식적 평등, 기회에서의 평등을 중시 • 교환적 정의	• 적극적 자유(국가에 의한 자유)를 열렬히 옹호 • 실질적 평등, 결과에서의 평등을 중시 • 배분적 정의
인간관	합리적 경제인관(이기적 인간)	욕구, 협동, 오류가능성의 여지가 있는 인간관
시장관	아담 스미스(A. Smith)의 보이지 않은 손(가격)에 대한 믿음 - 자유시장에 대한 신념	효율과 공정, 번영과 진보에 대한 시장의 잠재력을 인정하되, 시장의 결함과 윤리적 결여 강조
정부관	• 최소한의 정부 - 정부불신 • 청교도 사상에 입각	• 적극적인 정부 - 정부개입 중시 • 종교의 자유 강조
경제정책	• 규제완화, 세금감면, 사회복지정책의 폐지 등을 옹호 • 낙태 금지 • 공립학교에서 종교교육 찬성 • 총기휴대 찬성	• 소득재분배 정책, 사회보장정책, 공익추구를 위한 정부 규제 등의 정책을 옹호 • 낙태 찬성(정부에 의한 낙태 금지 반대) • 공립학교에서 종교교육 반대 • 총기휴대 금지

05 정책문제의 구조화기법   답 ②

정책문제의 존속기간 및 형성과정을 파악하기 위해 사용하는 기법으로, 포화표본추출(saturation sampling)을 통해 관련 이해당사자를 선정하는 것은 분류분석이 아니라 경계분석에 해당한다. 분류분석이란 문제 상황을 정의하기 위해 당면문제를 그 구성요소들로 분해하는 기법으로, 논리적 추론을 통해 추상적인 정책문제를 구체적인 요소들로 구분하는 것이다.

📄 정책문제의 구조화기법

경계분석	문제의 위치와 범위를 찾는 것
계층분석	문제의 원인을 계층별(불확실 → 확실)로 찾아나가는 것
분류분석	문제 상황을 구체적 구성요소로 분류
유추분석	유사한 문제의 분석을 통해 문제 정의
가정분석	대립되는 여러 가정들을 창조적으로 통합

06 무의사결정론   답 ④

바흐라흐(Bachrach)와 바라츠(Baratz)는 정책 과정 곳곳에서 무의사결정이 일어난다고 주장하였다. 즉, 정책의제설정 과정에서 뿐만 아니라 정책결정과 집행 과정에서도 나타날 수 있다. 정책의제설정 과정에서는 기존세력에 도전하는 요구는 정책문제화하지 않고 억압을 한다. 그리고 정책의제설정 과정에서 정책문제화를 막지 못했으면, 정책결정 과정에서는 정책대안의 범위나 내용을 한정·수정시켜서 내용이 없고 상징에 그치는 정책대안이 채택되도록 한다. 또한 정책집행 과정에서는 정책집행에 필요한 인적·물적자원 등을 사용하지 못하도록 집행에 필요한 예산을 없애거나 집행자를 매수하여 집행을 막아버리는 방법을 쓴다.

07 집단의사결정기법   답 ③

연관된 다른 사건이 일어났느냐 일어나지 않았느냐에 기초하여 미래의 어떤 사건이 일어날 확률에 대해 식견 있는 판단을 이끌어내는 직관적인 집단의사결정기법은 교차영향분석이다.

(선지분석)
① 델파이기법(Delphi Method)은 미래 예측을 위해 관련 분야의 전문가들을 활용하는 방법이다.
② 브레인스토밍(Brain Storming)은 여러 사람에게 하나의 주제에 대해 아이디어를 제시하도록 하여 예측하는 방법이다.
④ 명목집단기법(Normal Group Technique)은 관련자들이 서면으로 대안에 대한 아이디어를 제출하도록 하고, 모든 아이디어가 제시된 이후 제한된 토의를 거쳐 투표로 의사결정을 하는 집단의사결정기법이다.

08 내부수익률   답 ③

내부수익률은 투자사업의 순현재가치가 0(영)이 되도록 하는 할인율을 의미한다. 따라서 내부수익률은 시장이자율보다 높으면(IRR > r) 이론상 투자할 가치가 있는 사업으로 평가되며, 내부수익률이 클수록 사업의 우선순위가 높다고 볼 수 있다.

(선지분석)
① NPV가 0(영)이 되도록 하는 할인율이다. 즉, 편익의 현재가치와 비용의 현재가치가 동일하게 되도록 하는 할인율이다.
② 내부수익률은 불확실성이 심하여 시장이나 사회적 할인율을 알지 못하는 경우에 사용하는 일종의 예상수익률이다.
④ 편익의 현재가치와 비용의 현재가치가 동일하게 되도록 하는 할인율이므로, 편익비용비를 1로 만드는 할인율이다.

09 동기부여이론   답 ①

허즈버그(Herzberg)의 욕구충족요인 이원론은 조직구성원에게 불만을 주는 요인(불만요인)과 만족을 주는 요인(동기요인)은 상호독립되어 있다는 것을 제시한 이론이다. 허즈버그(Herzberg)는 불만요인이 충족된다는 것은 불만족이 없는 상태가 되는 것이며, 동기가 유발되는 것이 아니라고 보았다.

(선지분석)
② 앨더퍼(Alderfer)의 ERG이론은 매슬로우(Maslow)의 5단계 욕구계층설을 수정하여 인간의 욕구를 존재, 관계, 성장의 3단계로 나눈다.
③ 핵맨과 올드햄(Hackman & Oldham)의 직무특성이론은 기술다양성, 직무정체성, 직무중요성, 자율성, 환류 등의 다섯 가지 직무특성이 상호작용하면서 동기를 유발시키며, 특히 자율성과 환류가 동기부여에 많은 영향을 미친다고 주장하였다.
④ 아담스(Adams)의 형평성이론은 개인은 준거인(능력이 비슷한 동료)과 비교하여 자신의 노력과 보상 간에 불일치(보상의 불공평성)를 지각하면, 이를 제거하는 방향으로 동기가 부여된다는 이론이다.

10 총체적 품질관리(TQM)   답 ②

총체적 품질관리(TQM)는 고객만족을 서비스 질의 제1차적 목표로 삼고, 조직의 과정·절차를 지속적으로 개선하여 장기적이면서 전략적으로 품질을 관리하기 위한 관리철학 내지 관리원칙을 의미한다. 이러한 총체적 품질관리(TQM)는 서비스의 질이 떨어지는 것은 서비스의 지나친 변이성에 기인하므로, 서비스가 바람직한 기준을 벗어나지 않도록, 즉 변이성을 방지해야 한다고 본다.

(선지분석)
① 실책이나 변화에 대한 두려움이 없는 구성원의 적극적인 참여가 중요하므로, 의사소통에 장벽이 없는 분권적·유기적 구조를 중시한다.
③ 총체적 품질관리의 특성으로는 고객의 요구를 존중하고, 전체 구성원에 의한 집단적 노력을 강조한다.

정답 및 해설 **781**

④ 조직 내의 모든 사람의 모든 업무에 적용하고 조직 내의 인간을 존중하며, 인간의 발전을 위한 투자를 강조하고 시간관(時間觀)은 장기적이며, 통제유형은 예방적·사전적 통제이다.

| 11 | 조직구조 | 답 ② |

ㄱ. 사업구조는 부서 내에서 기능 간 조정은 용이하지만, 사업부서 간 조정은 곤란하다는 것이 단점이다.
ㄹ. 매트릭스조직은 기능구조와 사업구조의 화학적 결합이며, 팀제는 수평구조이다.

(선지분석)
ㄴ. 네트워크구조는 조직의 자체기능은 핵심역량 위주로 합리화하고, 여타 기능은 외부기관들과 계약관계를 통해 수행하는 조직구조 방식이다.
ㄷ. 기능구조는 기능 내에서 규모의 경제를 추구하여 중복과 낭비를 예방한다는 장점이 있다.

| 12 | 계급제와 직위분류제 | 답 ① |

직위분류제는 다수의 직위를 각 지위에 내포되는 직무의 종류와 곤란성·책임도를 기준으로 직급별·직렬별·직군별·등급별로 분류하여, 동일 직렬 내에서만 인사이동할 수 있게 하는 제도이다.

(선지분석)
② 직위분류제는 직무 중심으로 공직을 분류하기 때문에 직무에 대한 교육훈련수요 파악이 용이하다.
③ 계급제는 장래의 발전가능성과 잠재력을 가진 사람을 채용하여 폭넓은 이해력과 조정능력을 갖춘 일반행정가로 양성하고자 한다.
④ 직위분류제가 직위가 내포하고 있는 객관적 직무 중심적 제도라면, 계급제는 사람의 신분상 지위나 자격에 중점을 두는 사람 중심적 제도이다.

| 13 | 제도화된 부패의 특징 | 답 ④ |

부패가 관행화 내지는 문화화되어버린 제도화된 부패하에서는 부패가 실질적 규범이 되고 공식적 행동규범이 예외로 전락하며, 공식적 행동규범을 준수하려는 자에 대한 처벌이 이루어진다.

📄 제도화된 부패의 특징[카이든(G. E. Caiden)]
㉠ 부패가 실질적 규범이 되고 바람직한 행동규범은 예외적인 것으로 전락
㉡ 부패 행위자에 대한 보호와 관대한 처분
㉢ 부패에 젖은 조직 내 전반적 관행을 정당화함으로써 집단의 죄책감을 해소
㉣ 실제로 지켜지지 않는 반부패 행동규범의 대외적 표방
㉤ 부패 저항자에 대한 제재와 보복
㉥ 부패 적발의 공식적 책임을 진 사람들은 책무수행을 회피

| 14 | 특수경력직공무원 | 답 ④ |

ㄴ. 비서요원은 별정직으로 특수경력직이다.
ㄷ. 차관은 정무직으로 특수경력직이다.
ㅁ. 지방의회의원은 정무직으로 특수경력직이다.

(선지분석)
ㄱ. 경찰은 특정직으로 경력직이다.
ㄹ. 군인은 특정직으로 경력직이다.

📄 공직의 분류

경력직	일반직	• 일반행정사무 담당 • 행정일반, 기술분야, 연구·지도직공무원 등
	특정직	• 특수한 업무 • 검사, 법관, 소방, 경찰, 교육, 외무, 군인, 군무원 등
특수경력직	정무직	선거 또는 정치적 임용
	별정직	• 별도의 절차로 임용 • 공정성, 기밀성, 신임을 요하는 직위

| 15 | 임금피크제 | 답 ③ |

임금피크제는 임금을 생계비와 연동시킨 제도이므로, 성과 중심의 보수체계와는 부합하지 않는다.

(선지분석)
① 퇴직하기 전에 임금이 낮아지므로 조기퇴직을 유도하고, 그만큼 조직의 신진대사가 촉진되어 신규임용이 확대된다.
② 임금피크제는 일정 재직기간 이후에는 임금을 낮추므로 인건비 부담 해소에 기여한다.
④ 연공급이 현실의 임금제도라는 점을 인정할 경우, 임금조정과 고용안정을 연계하는 임금피크제는 중고령자의 고용안정을 도모하고 정년을 연장할 수 있는 대안이 될 수 있다.

| 16 | 예비타당성조사제도 | 답 ③ |

수요, 편익, 비용을 추정하고 재무성 평가와 민감도 분석을 시행하는 것은 경제성 분석이다.

(선지분석)
① 총사업비 500억 원 이상 대규모 건설사업과 국고지원 300억 원 이상인 민자 및 지방자치단체 사업이 조사 대상이다.
② 「국가재정법」에서는 일정 규모 이상의 대규모 사업에 대한 기획재정부장관의 예비타당성조사를 의무화하고 있다.
④ 예비타당성조사제도는 대규모 개발사업에 대한 개략적인 사전조사를 통하여 경제성, 투자우선순위, 적정투자시기, 재원조달방법, 타부문과의 연계성 등 타당성을 (사전에) 검증함으로써 대형 신규 사업의 신중한 착수와 재정투자의 효율성을 높이기 위한 제도이다.

17 예산   답 ③

헌법상 독립기관의 재정적 자율성과 독립성을 보장하고 예측할 수 없는 경비나 예산 외의 초과지출에 충당하기 위해 법률에 근거를 두고 일반예산과 별도로 분리하여 계상된 금액은 예비금이다. 반면, 예비비는 예측할 수 없는 예산 외의 지출 또는 예산초과지출에 충당하기 위해 세입세출예산에 계상한 금액을 말한다. 예비비와 예비금은 예측할 수 없는 예산 외의 지출 또는 예산초과지출에 충당하기 위해 계상된 금액이라는 점에서는 같다. 그러나 예비비는 행정부의 세입세출예산에 계상된 금액을 말하고 예비금은 헌법상 독립기관의 예산항목에 계상된 금액이라는 점에서 차이가 있다.

(선지분석)
① 수입대체경비란 각 중앙관서의 장이 용역 또는 시설을 제공하여 발생하는 수입과 관련되는 경비로, 대통령령이 정하는 경비(수입대체경비)에 있어 수입이 예산을 초과하거나 초과할 것이 예상되는 때에는 그 초과수입을 대통령령이 정하는 바에 따라 그 초과수입에 직접 관련되는 경비 및 이에 수반되는 경비에 초과지출할 수 있다. 이는 예산 통일성의 원칙 및 총계주의의 예외이다.
② 준예산은 새로운 회계연도 개시 전까지 국회에서 예산안이 의결되지 못했을 때 전년도에 준해서 예산을 집행할 수 있는 예산으로, 국회의 의결을 받지 않고 새로운 회계연도가 개시되면 자동적으로 사용할 수 있다.
④ 수정예산은 예산안이 국회에 제출된 후 의결 성립되기 이전에 부득이한 사유로 그 내용의 일부를 수정하고자 하는 경우에 작성되는 예산이다.

18 자동부의제도   답 ③

「국회법」상 11월 30일으로 명시되어 있다.

> 「국회법」제85조의3【예산안 등의 본회의 자동 부의 등】① 위원회는 예산안, 기금운용계획안, 임대형 민자사업 한도액안(이하 "예산안 등"이라 한다)과 제4항에 따라 지정된 세입예산안 부수 법률안의 심사를 매년 11월 30일까지 마쳐야 한다.
> ② 위원회가 예산안 등과 제4항에 따라 지정된 세입예산안 부수 법률안(체계·자구 심사를 위하여 법제사법위원회에 회부된 법률안을 포함한다)에 대하여 제1항에 따른 기한까지 심사를 마치지 아니하였을 때에는 그 다음 날에 위원회에서 심사를 마치고 바로 본회의에 부의된 것으로 본다. 다만, 의장이 각 교섭단체 대표의원과 합의한 경우에는 그러하지 아니하다.

19 예산집행의 신축성 유지 방안   답 ①

입법과목 간의 융통인 예산의 이용은 사전에 국회의 승인을 받은 후 기획재정부장관의 승인을 얻어 사용 가능하지만, 행정과목 간의 융통인 전용은 사전의결원칙의 예외로서 국회의 사전의결 없이 기획재정부장관의 승인으로 사용한다.

(선지분석)
② 원칙적으로 계속비의 사용기간은 5년까지이며, 국회의 의결이 있으면 연장이 가능하다.
③ 사고이월은 재이월이 금지된다.

20 정치적 통제와 관료제의 자율성   답 ①

정부의 대응성이란 관료가 국민의 요구에 부응하고 책임을 지는 것이다.

(선지분석)
② 정치적 통제의 강화는 행정의 민주성을 제고할 수 있다.
③ 사회문제가 복잡해짐에 따라 엄격한 통제보다는 행정적 재량을 확대시킬 필요가 있다.
④ 여당이 우위일 경우에 국회는 행정부의 거수기 역할에 그칠 수 있기 때문에 입법부의 구성이 여당보다는 야당 우위일 경우 효과적인 행정통제 기능을 수행할 수 있다.

21 행정개혁의 접근방법   답 ③

행태적 접근방법(behavioral approach)은 조직발전(OD) 혹은 인간중심적 접근방법이라고도 하며, 행태과학의 지식과 기법을 활용하여 조직의 목표에 개인의 성장의욕을 결부시킴으로써 조직을 개혁하려는 접근방법이다. 즉, 인간의 행태를 중시하기 때문에 구조와 기술을 경시한다는 비판이 있다.

(선지분석)
① 기능 중복의 해소, 권한과 책임의 재조정, 명령계통 수정 등의 원리전략과 분권화의 확대는 고전적인 구조 중심 접근방법의 관심대상에 해당한다.
② 과정적 접근방법(process approach)은 행정체제 내의 과정 또는 일의 흐름, 그리고 거기에 결부된 기술을 개선하려는 접근방법이다.
④ 종합적 접근방법은 구조·인간·기술 등에 대한 포괄적 개혁을 중시한다.

22 행정책임   답 ①

프리드리히(Friedrich)는 내재적 책임, 파이너(Finer)는 외재적 책임의 중요성을 강조하였다.

(선지분석)
② 프리드리히(Friedrich)의 기능적 책임성은 '관료의 전문적 지식'과 '국민적 정서'에 의한 행정책임을 강조한다. 반면 파이너(Finer)는 객관적 책임을 강조한다.
③ 행정책임은 결과에 대한 책임과 과정에 대한 책임을 포함한다. 1차적 책임은 결과에 대해 발생한다.
④ 행정책임은 개인적 요구보다 공익적 요구에 반응하는 것이다.

| 23 | 국고보조금 | 답 ① |

국고보조금은 사업별로 용도가 지정되어 있는 등 비용 제한이 엄격하고 재량성이 거의 없는 등 특정재원으로서 통제가 수반되므로, 지방자치단체의 재정 자율성을 약화시킨다.

(선지분석)
②, ③ 국고보조금은 국가가 시책상 또는 자치단체의 재정 사정상 필요하다고 인정될 때, 그 자치단체의 행정 수행에 소요되는 경비의 일부를 충당하기 위하여 용도를 지정하여 교부하는 자금이다. 따라서 국가에서 지방정부로의 수직적 재정조정이며, 국가시책을 장려하기 위한 경우에도 사용한다.
④ 쓰레기 매립장이나 소각장, 화장장 등을 설치할 때 그 지역에 보조금을 지급하는 경우와 같이 부정적 외부효과를 치유하기 위해 사용하기도 한다.

| 24 | 지방의회 | 답 ④ |

지방의회의원은 「지방공기업법」에 규정된 지방공사와 지방공단의 임직원을 겸할 수 없다.

(선지분석)
① 지방의회는 조례로 정하는 바에 따라 위원회를 둘 수 있다. 위원회의 종류는 소관 의안과 청원 등을 심사·처리하는 상임위원회와, 특정한 안건을 일시적으로 심사·처리하기 위한 특별위원회 두 가지로 한다.
② 지방의회는 매년 2회 정례회를 개최한다.
③ 광역(시·도)의회에는 사무를 처리하기 위하여 조례로 정하는 바에 따라 사무처를 둘 수 있으며, 사무처에는 사무처장과 직원을 둔다. 기초(시·군 및 자치구)의회에는 사무를 처리하기 위하여 조례로 정하는 바에 따라 사무국이나 사무과를 둘 수 있으며, 사무국·사무과에는 사무국장 또는 사무과장과 직원을 둘 수 있다.

| 25 | 주민소환제도 | 답 ① |

주민소환투표를 실시하는 때에는 주민소환투표인명부 작성기준일(제12조의 규정에 의한 주민소환투표 발의일을 말한다)부터 5일 이내에 주민소환투표인명부를 작성하여야 한다(「주민소환에 관한 법률」제4조).

(선지분석)
② 다음의 어느 하나에 해당하는 때에는 주민소환투표의 실시를 청구할 수 없다.
  ⓐ 선출직 지방공직자의 임기개시일부터 1년이 경과하지 아니한 때
  ⓑ 선출직 지방공직자의 임기만료일부터 1년 미만일 때
  ⓒ 해당 선출직 지방공직자에 대한 주민소환투표를 실시한 날부터 1년 이내인 때
③ 주민소환투표 결과의 확정은 주민소환투표권자 총수의 3분의 1 이상의 투표와 유효투표 총수 과반수의 찬성으로 확정된다. 단, 전체 주민소환투표자의 수가 주민소환투표권자 총수의 3분의 1에 미달하는 때에는 개표를 하지 아니한다(「주민소환에 관한 법률」제22조).
④ 소환투표의 효력에 이의가 있는 경우 투표결과가 공표된 날부터 14일 이내 관할 선거관리위원회 위원장을 피소청인으로 하여 소청 제기가 가능하다.

여러분의 합격을 응원하는
해커스공무원의 특별 혜택

FREE 공무원 행정학 특강

해커스공무원(gosi.Hackers.com) 접속 후 로그인 ▶ 상단의 [무료강좌] 클릭하여 이용

회독용 답안지(PDF)

해커스공무원(gosi.Hackers.com) 접속 후 로그인 ▶
상단의 [교재·서점 → 무료 학습 자료] 클릭 ▶ 본 교재의 [자료받기] 클릭하여 이용

▲ 바로가기

해커스공무원 온라인 단과강의 20% 할인쿠폰

FEC322CEA49EFPUR

해커스공무원(gosi.Hackers.com) 접속 후 로그인 ▶ 상단의 [나의 강의실] 클릭 ▶
좌측의 [쿠폰등록] 클릭 ▶ 위 쿠폰번호 입력 후 이용

* 등록 후 7일간 사용 가능(ID당 1회에 한해 등록 가능)

합격예측 온라인 모의고사 응시권 + 해설강의 수강권

B2CC56DA43CAE84K

해커스공무원(gosi.Hackers.com) 접속 후 로그인 ▶ 상단의 [나의 강의실] 클릭 ▶
좌측의 [쿠폰등록] 클릭 ▶ 위 쿠폰번호 입력 후 이용

* ID당 1회에 한해 등록 가능

쿠폰 이용 관련 문의 **1588-4055**

단기 합격을 위한 해커스공무원 커리큘럼

입문
탄탄한 기본기와 핵심 개념 완성!
누구나 이해하기 쉬운 개념 설명과 풍부한 예시로 부담없이 쌩기초 다지기
TIP 베이스가 있다면 **기본 단계**부터!

기본+심화
필수 개념 학습으로 이론 완성!
반드시 알아야 할 기본 개념과 문제풀이 전략을 학습하고
심화 개념 학습으로 고득점을 위한 응용력 다지기

기출+예상 문제풀이
문제풀이로 집중 학습하고 실력 업그레이드!
기출문제의 유형과 출제 의도를 이해하고 최신 출제 경향을 반영한
예상문제를 풀어보며 본인의 취약영역을 파악 및 보완하기

동형모의고사
동형모의고사로 실전력 강화!
실제 시험과 같은 형태의 실전모의고사를 풀어보며 실전감각 극대화

마무리
시험 직전 실전 시뮬레이션!
각 과목별 시험에 출제되는 내용들을 최종 점검하며 실전 완성

PASS

* 커리큘럼 및 세부 일정은 상이할 수 있으며, 자세한 사항은 해커스공무원 사이트에서 확인하세요.

단계별 교재 확인 및 수강신청은 여기서!
gosi.Hackers.com